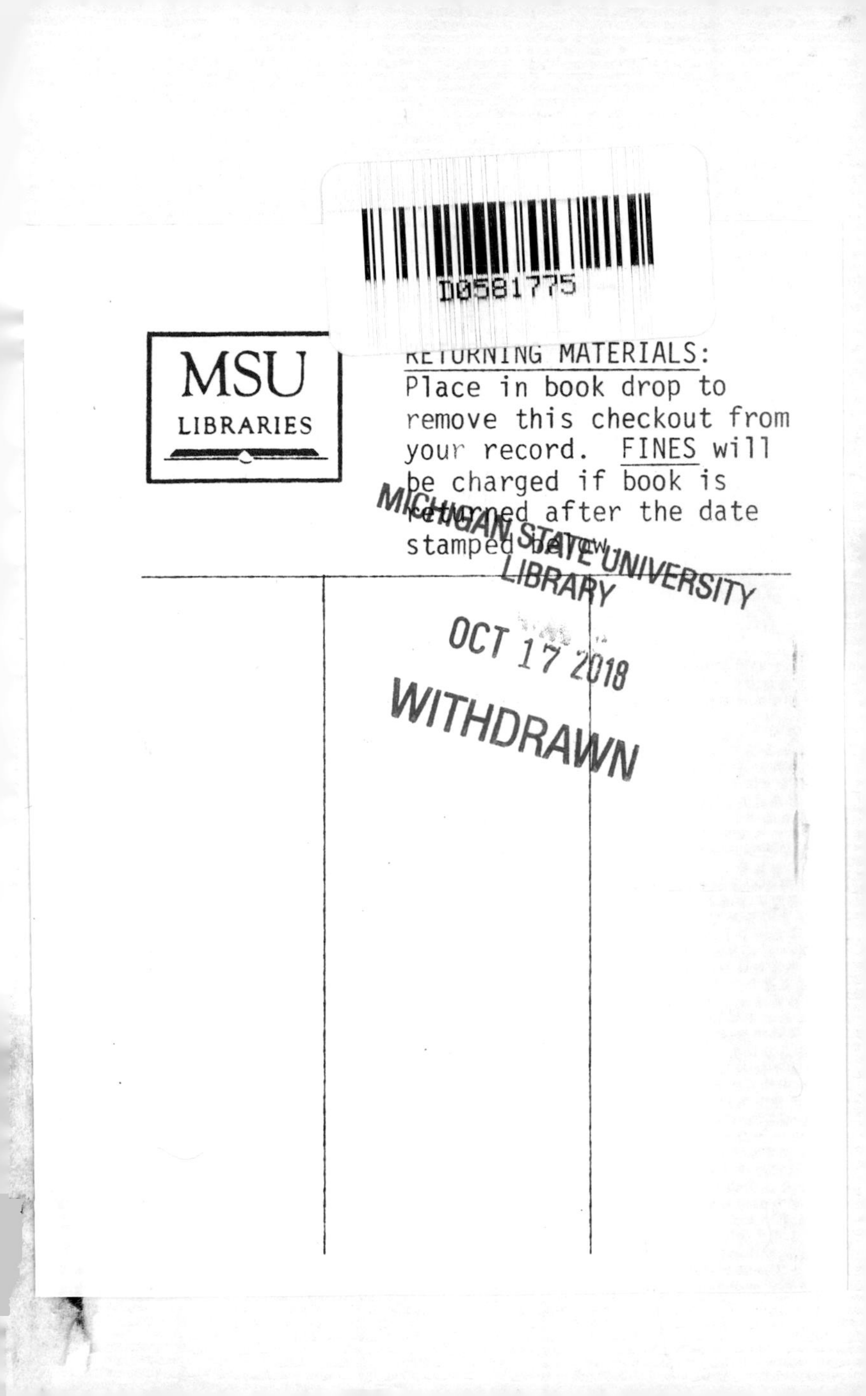

Hugo Loetscher

Die Papiere des Immunen

Roman

Diogenes

Umschlagillustration:
Varlin Regenschirm (1950)

Originalausgabe

60/86/8/1
ISBN 3 257 01693 X

Inhalt

Zugegeben, die rotbraunen Flecken auf dem Wecker sind nicht Rost, wie ich behauptete. Im Augenblick, als ich dies sagte, war mir klar, wie leicht es sein wird, mich der Lüge zu überführen – als ob nicht auch die Wahrheit etwas wäre, das wir erfinden.

Aber die beiden Detektive, die meine Wohnung durchsuchten, waren schon von Berufs wegen überzeugt, sie hätten es bei mir mit einem Schwindler zu tun. Insofern kam ich ihnen entgegen, indem ich sie anlog; sie wurden auch gleich umgänglich, als sie merkten, daß ich mich an ihre Spielregeln hielt.

Selbst wenn sie den Nachweis erbringen, daß es Blut ist, was auf dem Uhrengehäuse eingetrocknet ist, sie werden sich wundern, wie wenig ihnen Erkenntnis weiterhilft.

Und daß sie wiederkommen, daran zweifle ich nicht.

Ich kann mir schwer vorstellen, daß sie, die jede Schublade öffneten und soviel an Unterlagen wegtrugen, ausgerechnet diese Papiere übersehen haben sollten. Nachdem die beiden gegangen waren, zog ich mit einem Griff ein erstes Bündel unter dem Stoß Schreibmaschinenblätter hervor. Und ich brauchte auch nicht lange im Papierkorb zu wühlen, bis ich ein weiteres fand. Es scheint, daß das ganze Geheimnis unter unbeschriebenen Seiten und im Papierkorb liegt. Wie dem auch sei, diese Papiere führen eher zum Immunen als die Sicherung von Kratzspuren oder das Abklopfen von Wänden oder das Überprüfen von Alibis.

Ich finde es dennoch merkwürdig, daß sich die beiden trotz ihrer Akribie nicht einmal im Badezimmer umsahen. Jedenfalls fragten sie nicht, warum der Spiegel zerbrochen sei. Es braucht kein Kriminalistenauge, um die Sprünge zu entdecken, die von dem Punkt aus verlaufen, wo der Schlag hintraf. Sie hätten mich zum Beispiel nur auffordern müssen, den rechten Hemdsärmel hochzukrempeln, und sie hätten eine Verletzung entdeckt, über die Auskunft zu geben mich in Verlegenheit gebracht hätte.

Mit unbekümmerter Sicherheit traten die beiden auf; sie können von der Annahme ausgehen, daß es für jeden von uns, der sich in dieser Gesellschaft einzurichten verstanden hat, einen Paragraphen gibt, auf Grund dessen man ihn belangen kann, sobald sich Polizei und Gericht mit ihm ausführlich befassen. Mit Neid habe ich ihnen bei der Arbeit zugeschaut; ich möchte auch einmal so fraglos unterscheiden können zwischen dem, was war, und dem, was möglich ist.

So überraschend der Auftritt der beiden war – unerwartet kamen sie nicht. Ihre Erklärung, aus der Nachbarschaft seien Klagen eingegangen, schien mir dürftig, obwohl – mir fiel gleich die dickliche Blondine ein, die seit Jahren von ihrem Fenster über die Gasse auf unsere Terrasse starrt, mit einem Lächeln, das sie bleicht wie ihr Haar, und deren Lächeln und Haar mit jeder Bleichung dünner werden.

Sicherlich wurde in jener Nacht geschrien. Aber nicht so laut, daß man es draußen hörte. Auch der Wecker, der in meiner Hand losging, läutete zu kurz, als daß man sein Rasseln in einem Nachbarhaus hätte wahrnehmen können. Zudem drehte ich gleich das Radio an, und wenn der Schrei mir bis ins Mark ging, dann nicht, weil er laut oder lang gewesen wäre.

Ich komme nicht vom Gedanken los, daß es Hinweise anderer Art gibt. Ich hege sogar die Vermutung, der Immune selber stecke dahinter.

Der oberste Zettel seiner Papiere ist eine handgeschriebene Notiz: »Suchanzeige. Ich vermisse mich. Für die Auffindung meiner Person wird eine hohe Belohnung in Aussicht gestellt.« Der Zusatz »Um schonendes Anhalten wird gebeten« ist durchgestrichen, ein zweites Mal, flüchtiger, hingeschrieben und wieder durchgestrichen. Dann folgt die übliche Formel: »Zweckdienliche Mitteilungen sind erbeten an den nächsten Polizeiposten oder an« – und die Telefonnummer, die dasteht, ist meine.

Sollte das Ganze eine Inszenierung des Immunen sein? Macht er sich lustig über die, denen es tatsächlich gelingt zu verschwinden? Aber es wäre ein Hohn, von dem ich weiß, daß er nicht frei von Bewunderung ist. Oder will der Immune demonstrieren, daß er endlich einer Kurzschlußhandlung fähig war? Daß er zu jener Verzweiflung gefunden hat, um die er mich beneidete, und damit zu einer eigenen Desperatheit gelangte, von der er hofft, daß sie für ihn tödlich verläuft?

Und dies in einem Moment, da sich Leute für ihn interessieren, denen er bisher gleichgültig war. Und nicht nur gleichgültig. Wir waren es gewohnt, daß Leute, kaum hörten sie das Wort ›immun‹, die Achseln zuckten und mit gefühlvollem Blick nachsichtig lächelten.

Jetzt aber, jetzt erkundigt sich die Zeitungsverkäuferin vom Kiosk nach ihm und auch der Besitzer des Tabakladens. Der Briefträger will wissen, wie es ihm geht, ebenso der Kellner an der Eckbar, und dies, obwohl sie gewohnt sind, daß der Immune monatelang nicht auftaucht. Sogar die Italienerin, welche das Treppenhaus reinigt, hat seinetwegen ein Gespräch angefangen; eine Telefonistin fragte nach ihm, als ob sie ihn näher kennt; selbst ein Fremder sprach mich auf der Straße an, er habe von einem Immunen gehört.

Jedermann scheint sich plötzlich für einen zu interessieren, dem man nachsagt, er komme immer davon, als möchten alle wissen, wie das einer fertigbringt, als gebe es für alle nur noch ein Problem.

Selbst die beiden, die von Amtes wegen vorsprachen, legten ein doppeldeutiges Verhalten an den Tag. So sehr sie mich als Verdächtigen behandelten, sie sahen in mir gleichzeitig einen Verbündeten, der ihnen die Verbindung zum Immunen vermitteln könnte, von dem sie behaupteten, sie führten ihn im Spitznamenverzeichnis. Ich spürte, sie hätten gerne einen solchen Mann kennengelernt, als könne er ihnen ein Geheimnis preisgeben. Aber gleichzeitig muß einer, dem niemand und nichts etwas anhaben kann, für die beiden ein Ärgernis darstellen. Denn Sinn und Trachten ihrer Arbeit zielt doch dahin, daß ihnen keiner entgeht und niemand entwischt; sie hielten nicht mit dem Verdacht zurück, daß der Vermißte tot sei, vielleicht ermordet; aus ihrer Vermutung sprach unüberhörbar die Hoffnung, daß dies zutreffe.

Der Immune als Toter – eine Vorstellung, über die ich vor einer Woche gelacht hätte. Aber die beiden Beamten scheinen aus purem Mißverständnis näher an die Sache heranzukommen – wie tauglich zuweilen eine mangelhafte Vorstellungsgabe sein kann.

Es entspricht durchaus ihrer Logik: Wenn schon, bin ich es, der die Leiche des Immunen identifizieren könnte. Ich wäre selber neugierig, was für ein Gesicht der Immune aufsetzt, wenn er stirbt, oder, wie er noch früher gesagt hätte, wenn er das Sterben durchspielt – er, der so viele Erfahrungen in Simulatoren machte.

Ich vermute, er würde gesichtslos sterben, so daß auch die Identitätskarte, die er bei sich trägt, nicht weiterhülfe, sofern er überhaupt eine bei sich hat, wobei es immer noch darauf ankommt, auf welchen Namen der Ausweis gerade lautet. Jedenfalls müßte der Name, unter dem man ihn findet, nicht unbedingt der sein, der auf dem Totenschein eingetragen wird, und dieser noch lange nicht derjenige, der auf dem Grabstein stünde, selbst wenn dieser der meine wäre.

Es hätte mich längst stutzig machen müssen, daß der Immune in letzter Zeit ein geradezu praktisches Interesse dafür bekundete, wie man das mache: sterben. Er wollte sogar wissen, ob es Do-it-yourself-Kurse dafür gibt. Wie sehr dies nicht eine zufällige Neugierde war, wird mir jetzt beim Durchblättern dieser Papiere klar. Da steht auf einer der ersten Seiten schon die Frage, ob es unvermeidlich ist, daß einem Toten das Kinn herunterfällt.

Sie suchen den Immunen. Ich frage mich, wie sie einen finden wollen, der von sich sagte, er könne am schrecklichsten Ort der Welt untertauchen, nämlich im Kopf eines Menschen.

Sie erwarten von mir Auskunft. Aber wenn jemand auf Informationen angewiesen ist, bin ich es selber. Wie soll ich weiterhelfen, der ich nicht einmal weiß, ob es weitergeht?

Was blieb, sind Papiere. Für den Moment halte ich mich daran. Ich werde sie durchgehen, so rasch als möglich. Die Zeit auch nutzen, um sie gegebenenfalls verschwinden lassen zu können.

Und doch, diese Papiere kommen mir wie ein Lebenszeichen des Immunen vor, wobei ich gleich auflache, wenn ich im Zusammenhang mit ihm noch von Zeichen rede, die fürs Leben stehen. Oder soll ich sie als Abschiedspapiere nehmen, auch wenn ich nicht wüßte, wer von wem Abschied nimmt und wovon.

Und dies nach über fünfzig Jahren, die wir zusammen verbrachten, eine Zeit, die in so vielen Fällen für ein Leben ausreichen muß.

Natürlich hatte ich mich bei Gelegenheit zur Bemerkung hinreißen lassen, der Immune möge verschwinden. Er hatte darauf jeweils lächelnd reagiert: Ich erwecke den Eindruck, als könnte ich den Leuten mit einem Federstrich den Kopf abschlagen. Träumerisch fügte er hinzu: Vielleicht bringen wir es einmal soweit, daß sich der eine vom andern befreit, indem er die Korrekturtaste drückt.

Aber der Immune wußte, daß meine Verwünschung ebenso ernst zu nehmen war, wie wenn ich jeweils vorschlug, mein biographisches Experiment vorzeitig und freiwillig abzubrechen und es bei den bisherigen Erfahrungen bewenden zu lassen. Nach jedem solchen Ausbruch hat es mich hinterher immer noch gegeben, wie es mich auch jetzt noch gibt, vorläufig mindestens.

Vor mir aber liegen nicht nur die Papiere des Immunen, sondern ein paar Zeichnungen, die ein Kind verfertigt hat: Es hat einen Büffel gezeichnet und ein Haus auf Pfählen, wie man eben in seinem Dorf baut, und mit einigen Vierecken hat es Reisfelder abgesteckt und ein paar Worte hingekritzelt, in einer Schrift, die ich nicht lesen kann.

Wegen dieses Kindes sind wir aneinander geraten. Aber ich weiß heute, es hätte auch etwas anderes Anlaß sein können; der Immune schien nur auf einen solchen zu warten. Zum ersten Mal war ihm meine Hilflosigkeit willkommen.

Es war Verrat im Spiel. Er machte mir einen ungeheuerlichen Vorschlag. In jener Nacht ging etwas zu Ende; im Vergleich dazu ist der Tod, selbst der gewaltsame, eine Gutenachtgeschichte.

Wer würde mir schon glauben, daß in jenem Moment nicht ich es war, der verzweifelte und flehte, sondern daß der Immune bettelte, daß er es war, der Hilfe suchte, und dies ausgerechnet bei mir, als ob nicht ganz anderes abgemacht worden wäre.

Als ich mich wehrte, er möge die Welt nicht auf den Kopf stellen, meinte er nur: Sie sei rund und stehe immer auf dem Kopf; darauf ließen ihn die Worte im Stich; er wischte sich die Augen, ich lachte noch auf, er sei ja gar nicht fähig zu weinen; aber dann tat er, was ich ihm nie zugetraut hätte: er schrie.

Damals wurde mir klar, daß im Immunen Sehnsüchte lebten, von denen ich nichts ahnte. Ich weiß nicht, ob er die schon immer besaß oder ob er sie sich im Umgang mit der Welt erwarb.

Es hat den Anschein, daß ich seinen Sehnsüchten in diesen Papieren wieder begegne. Es überrascht mich jedenfalls nicht, unter ihnen ein Typoskript zu finden, das ›Der Puppenmörder‹ überschrieben ist. So lange ist es nicht her, daß er mich in einem Gespräch an diese Episode aus meiner Kinderzeit erinnerte. Aber nach dem, was nun vorgefallen ist, lese ich das wohl anders. Mir fällt nachträglich auf, daß seine Stimme schon damals etwas Heischendes hatte, als sei seine Geschichte ein Appell, als wolle er mich beschwören: Wenn einer als Knabe fähig sei, eine Puppe zu töten, müsse er als Mann auch imstande sein, einen andern zu erschlagen.

Der Puppenmörder

»Was machen wir jetzt?«

»Oh diese Yolanda, die fragt immer das gleiche.« Peter tippte mit dem Finger an die Stirn.

»Ich wollte nur wissen, was wir nachher spielen.«

Yolanda schloß am Kleid ihrer Puppe einen Druckknopf, riß ihn auf, drückte ihn gleich wieder zu und sah zum Teppichklopfständer, unter dem Heidi aus einer Schuhschachtel zwei leere Yoghurtbecher hervorholte.

Heidi war unmutig: »Wir haben doch erst angefangen.« Sie schichtete aus Streichhölzern zwei Häufchen, vergewisserte sich, daß in der Cola-Flasche noch Wasser war, wickelte eine Schnur zu einem Knäuel und legte diesen zwischen den Becher und eine Zeitung. Dann wandte sie sich Yolanda zu und zeigte auf eine Konservendose: »Wollen Sie den Wurm oder nicht?«

»Ich nehme die Hälfte.« Yolanda hatte ihre Puppe unter den Arm geklemmt.

Peter zog aus der Hosentasche ein Messer: »Aus einem Wurm kann man zwei machen.«

»Auch aus einem Menschen«, antwortete ihm Yolanda.

»Nie!« Heidi schaute entsetzt auf die Blechdose.

»Doch.« Yolanda beharrte darauf: »Man kann eine Frau in zwei Teile sägen. Man muß sie nachher nur wieder zusammensetzen.«

»Ich nehme den Wurm. Den ganzen.« Peter hatte das Messer aufgeklappt, er strich mit der Klinge über den Pulloverärmel, als wolle er sie wetzen.

»Du bist nicht an der Reihe.« Heidi fuhr sich durchs Haar, machte einen Knicks und fragte Yolanda: »Oder möchten Sie ein Sandwich?« Sie zeigte auf zwei Styroporstücke, zwischen denen Gras herausschaute.

»Haben Sie Bouillonwürfel?«

»Die will immer, was ich nicht habe.« Heidi verzog den Mund.

»Das nächste Mal gehe ich in einen anderen Laden. Milch haben Sie auch keine?«

»Doch.« Heidi riß ein Stück Zeitungspapier ab; sie formte eine Tüte und schüttete weißes Pulver hinein.

»Alles daneben.«

»Vorher hat sie das Waschpulver als Mehl verkauft.«

Peter steckte einen Finger ins Pulver und tat, als lecke er daran.

»Und?« Heidi reichte Yolanda die Tüte. »Wenn man zum Waschpulver ›Mehl‹ sagt, ist es Mehl, und wenn man zu ihm ›Milch‹ sagt, ist es Milch. Macht einen Franken.«

»Davon kriegt mein Kind Bauchweh.« Yolanda legte die Tüte auf die Bank zurück.

»Wenn das Kind krank ist, muß man operieren.« Peter kniff die Augen zusammen: »Die Puppe ist ganz bleich.«

Yolanda stieß Peter zur Seite: »Meine Mutter will nicht, daß ich Doktor spiele.«

»Paß auf«, warnte Heidi, »der macht alle Puppen kaputt.«

»Jetzt kommt die wieder mit ihrer alten Geschichte.« Peter kickte einen Stein und zielte auf den Fensterladen neben dem Kellereingang.

»Nicht getroffen.« Heidi klatschte in die Hände.

Yolanda wiegte ihr Kind im Arm und hielt plötzlich inne: »Fein – spielen wir Apotheke.«

»Wieso Apotheke?« wollte Heidi wissen.

»Weil mein Kind krank ist.«

»Apotheke ist wie Verkaufsladen. Von mir aus.« Peter klaubte aus seiner Tasche ein entwertetes Trambillett: »Jetzt bin ich an der Reihe. Hier mein Rezept.«

»Du mußt etwas draufkritzeln. Wo bist du überhaupt krank?«

»Ich habe einen Knoten im Bauch. Wie mein Vater.«

»Dann mußt du ins Spital«, sagte Yolanda.

»Ihr kommt mich doch nicht besuchen. Rasch. Wenn du mir nichts gibst, falle ich in Ohnmacht.« Mit hochgezogenen Schultern begann Peter zu zittern.

»Was ist das?« Yolanda zeigte auf die Streichhölzer.

»Ich weiß es noch nicht«, antwortete Heidi.

»Und das?« Yolanda zeigte auf die Erdnüsse.

»Spielen wir jetzt Verkaufsladen oder Apotheke? Wenn wir Apotheke spielen, sind es Pillen. Man muß dreimal davon nehmen, immer vor dem Essen.«

»Wenn du deiner Puppe eine Pille gibst, kriegt sie keine kleinen Puppen.«

»Peter ist ein Sauhund«, rief Yolanda.

»Klar«, fuhr Peter fort, »die Großen nehmen eine Pille, und dann sind die Kinder weg. Dich gibt's nur, weil deine Mutter vergessen hat, die Pille zu nehmen.«

»Tu nicht so.« Heidi schäufelte mit der hohlen Hand das verschüttete Pulver zusammen. »Das ist bei dir genau gleich.«

»Nein.« Yolanda küßte ihre Puppe auf die Nase. »Dich hat das Christkind gebracht.«

Heidi brach von einigen Streichhölzern die Köpfe ab und tat sie in einen Becher: »Es gibt auch Pillen mit Schokolade drumherum. Mein Vater kennt einen Brunnen, da steht ein Mann drauf und der frißt Kinder. Sogar die großen, die schon in die Schule gehen.«

»Wieviel Kieselsteine hast du?« wollte Peter wissen.

Heidi zog ihr T-Shirt über die Kartonschachtel: »Das geht dich nichts an.«

»Bevor ich weiterspiele, will ich wissen, wieviele Kieselsteine in der Kasse sind.«

»Da.« Yolanda bückte sich, hob einen Kiesel auf und reichte ihn Peter.

»Ich will kein Geld von dir. Ich möchte einbrechen.«

»Hast du einen Revolver?« fragte Yolanda.

»Klar.« Peter machte eine Faust, streckte den Zeigefinger als Lauf ab und richtete ihn auf Yolanda: »Päng, päng.« Dann nahm er den Yoghurtbecher: »Den brauche ich als Taschenlampe. Ich komme in der Nacht. Ihr dürft auch nicht blinzeln.«

»Wir haben einen Hund.« Yolanda machte mit ihrer Puppe Schnappbewegungen gegen Peter: »Wau, wau.«

»Hier.« Peter hielt der Puppe die Blechdose mit dem Wurm hin: »Friß die Wurst und hör auf zu bellen.«

»Was willst du stehlen?« fragte Yolanda.

»Gift.«

»Er will uns vergiften!«

»Wir vergiften Frau Huber.« Alle blickten zu einem Balkon hinauf. Es war niemand zu sehen. Aber Peters Stimme wurde leiser: »Dann kann sie uns nie mehr den Ball verstecken. Wir tun ihr jeden Morgen Gift in den Kaffee und sagen, ihr Mann sei es gewesen.«

»Toll«, Yolanda schöpfte kurz Atem, »dann spielen wir Gefängnis.«

»Aber diesmal sperren wir Peter ein.« Heidi jubelte.

»Ihr bringt mich nie in den Keller.«

»Oh, er hat Schiß. Siehst du, Yolanda, er hat Schiß.«

»Die Buben haben immer Schiß. Drum geben sie doch immer so an.«

»Zuerst müßt ihr mich erwischen.« Peter setzte zum Wegrennen an.

»Wir stellen ihm ein Bein.«

»Das würde ich euch nicht raten!«

Aber Heidi eiferte drauflos: »Als Polizei dürfen wir das. Und wir stechen dich mit der Brosche. Das habt ihr bei mir auch getan.«

»Weil du nicht gestanden hast.«

»Ich bin's gar nicht gewesen.«

Peter höhnte: »Warum hast du denn zugegeben, daß du vom Herausgeld einen Franken behalten hast?«

»Damit ihr im Keller das Licht wieder andreht.«

»Sie wollte nur wichtig tun«, sagte Yolanda.

»Fangt mich, wenn ihr könnt.« Peter tat, als kicke er ein Motorrad an, brauste los und gab mit den Händen Gas. Vor dem Rasen schnitt er eine Kurve und drehte sich brüsk um »Brrr«, beugte sich vor und stützte sich auf die Oberschenkel.

Yolanda sang »Alle meine Entlein«; sie hielt die Puppe kopfüber in die Höhe und lief mit ihr im Kreis herum.

Heidi holte aus der Schuhschachtel einen Kerzenstummel und versuchte den Docht aus dem Wachs zu lösen.

»He.« Peter kam zurückgeschlendert. »Ihr könnt mich verhaften.« Er streckte beide Arme hin: »Habt ihr Handschellen?«

»Du mußt alles abgeben.«

»Da.« Peter warf das Messer zu Boden, so daß es stecken blieb und der Griff zitterte.

»Deinen Ausweis.«

»Ich habe keinen.«

»Da.« Heidi zeigte ihm das Trambillett: »Das Datum ist dein Geburtstag.«

»Er muß auch alles Geld abgeben«, sagte Yolanda.

»Zwei Franken dreißig. Die brauche ich wieder. Ich muß noch eine Illustrierte kaufen. Sonst geht der Krach heute abend wieder los.« Peter langte nach der aufgewickelten Schnur und versteckte sie hinterm Rücken.

»Was willst du mit den Spaghetti?« fragte Heidi.

»Das ist ein Strick. Vielleicht werde ich mich erhängen.«

Peter streckte die Zunge heraus.

»Das darf man nicht machen.« Yolanda hielt ihrer Puppe die Augen zu.

»Erhängte dürfen die Zunge herausstrecken.«

»Geh endlich in die Zelle.« Heidi schubste Peter, der unter den Teppichklopfständer kroch.

»Du mußt die Beine anziehen.« Sie half ihm nach. Dann faltete sie eine Zeitung auseinander, beschwerte die Seiten auf dem Ständer mit ein paar Steinen und ließ sie herunterhängen.

»Davon wird man ganz steif.« Peter rutschte hin und her. »Was habe ich überhaupt verbrochen?«

»Das sagen wir dir später.«

Und Yolanda: »Er hat meinem Kind ein Bonbon gegeben und ist mit ihm in den Wald gegangen. Schau, den bösen Onkel.«

»Die spinnt, die spinnt wirklich. Sicher nicht mit der blöden Puppe.«

Yolanda zog das Messer aus dem Boden und machte einen Schlitz in das Zeitungspapier. Heidi puffte Yolanda. »Machst wieder alles kaputt.« Aber Yolanda verteidigte sich: »Durch dieses Loch beobachten wir ihn.«

»Nein«, sagte Peter, »durch dieses Loch müßt ihr mir zu essen geben.«

»Gut.« Heidi holte die Cola-Flasche, schüttelte sie, daß das Wasser darin schäumte, und stellte sie neben das Loch. Yolanda legte das Sandwich dazu. Aber Heidi zog das Gras zwischen den Styropor-Stücken heraus: »Er kriegt nur Brot und kein Fleisch.«

Peter machte das Loch größer und langte durch die zerrissenen Zeitungen nach der Cola-Flasche, hob sie zum Mund und pfiff darauf.

»Ei! schau«, Yolanda drehte der Puppe den Kopf in seine Richtung: »Peter sieht aus wie ein Inserat. Spielen wir Inserat.«

»Wenn schon, dann Fernsehreklame«, sagte Peter.

»Oh ja, spielen wir Fernsehen«, sagte Yolanda.

Peter sah sich suchend um: »Ich brauche ein Mikrophon.«

Yolanda reichte ihm den Yoghurtbecher. Peter hielt ihn vor den Mund. »Wollt ihr den berühmten Sänger...«

»Nein«, schrie Heidi.

Verdutzt hielt Peter inne. »Warum nicht? Also gut.« Er nahm ein Stück Holz vom Boden, schlug auf die Blechbüchse und schüttelte sich im Rhythmus dazu.

»Gib auf den Wurm acht«, mahnte Heidi.

»Schön, schön.« Peter holte den Wurm aus der Blechdose, der sich in seinen Fingern wand. Er hielt ihn den beiden entgegen: »Ich bin ein Schlangenbeschwörer. Wie heißt das Land schon wieder, wo die Schlangen tanzen?«

»Schlangen können gar nicht tanzen.« Heidi zuckte die Achseln: »Elefanten können tanzen.«

»Prima.« Yolanda klatschte in die Hände. »Spielen wir Quiz.«

»Ja«, sagte Peter. »Der erste Preis ist ein Auto«, er hielt das Styropor in die Luft.

»Nein«, rief Yolanda, »der erste Preis ist – was ist der Wurm?«

»Wenn ihr wollt, daß ich mitspiele, müßt ihr warten.«

Heidi nahm zwei Erdnüsse.

»Was willst du mit den Pillen?« fragte Yolanda.

»Das sind doch Nüsse, oder?« Heidi hockte sich neben Yolanda, die ihre Puppe auf den Knien hüpfen ließ, und hielt ihr eine Nuß hin: »Jetzt haben wir etwas zum Knabbern. Peter kann anfangen.«

»Spielen wir Kinderstunde. Dann kann meine Puppe nachher ins Bett.«

Heidi reagierte sauer: »Das habe ich zuhause die ganze Zeit.«

»Achtung«, meldete sich Peter zu Wort. Er legte seine flache Hand über die Augen und sah in die Ferne. »Dort muß es sein. Dort.«

Er umklammerte seine Knie, ließ den Oberkörper kreisen und seine Stimme an- und abschwellen.

»Hast du Bauchweh?« fragte Yolanda.

»Frag nicht so blöd. Das ist ein Sturm.« Peter zwängte sich unter dem Teppichklopfständer hervor. »Das Schiff geht unter.« Er kletterte auf den Ständer. »Die Insel.«

Er blieb einen Moment in der Hocke.

»Alle ertrunken.« Dann griff er nach dem Messer, streckte sich und hieb um sich in die Luft. »Die Indianer wären erledigt.« Darauf wandte er sich zu den Mädchen: »Wißt ihr überhaupt, was ich spiele?«

»Schon lange.«

»Also was? Sagt es.«

Die beiden Mädchen blieben stumm.

Peter ließ die Arme sinken: »Ich spiele Schatzsucher.«

»Es gibt gar keine Schätze«, sagte Heidi.

»Im Kino schon«, meinte Yolanda.

»Nein. Es gibt keine versteckten Schätze mehr. Dafür gibt es Lotto.«

»Man muß das Zauberwort wissen.«

»Nein, man muß einen Sechser haben.«

»Ha. Das ist die Höhle.« Peter beugte sich vor und hob die Schuhschachtel auf. Lange schaute er hinein, dann zog er die Schnur heraus, hielt sie in die Höhe und ließ sie baumeln: »Eine Perlenkette.« Er sah zu den Mädchen.

Yolanda führte Heidi vor, wie man der Puppe den Rock enger knöpfte.

»Warum schaut ihr nicht zu?«

Yolanda sah kurz zu Peter hinüber: »Wir haben schon längst abgeschaltet.«

»Immer diese Puppe.« Peter blieb einen Moment ruhig, dann nahm er ein Streichholz; er suchte nach der Schachtel, riß das Streichholz an und steckte die Zeitungsseiten in Brand. Eine Flamme schlug hoch. Peter blies hinein, und Asche wirbelte.

»Der spinnt. Der zündet alles an!« Yolanda preßte ihre Puppe an sich.

»Ich spiele Tagesschau!« rief Peter. »Es brennt, es brennt, es brennt überall!«

Heidi lief zur Bank, griff nach der Cola-Flasche und spritzte ins Feuer.

»Du machst mich ganz naß!« Peter wischte sich übers Gesicht. »Wenn's im Fernsehen brennt, braucht man nicht zu löschen.« Peter sprang vom Teppichklopfständer, ging in die Knie, rollte über den Boden und blieb liegen.

Heidi rief Yolanda zu, sie solle ihr besser beim Löschen helfen, als herumsitzen.

»Toll.« Yolanda hielt ihre Puppe wie eine Kühlfigur vor sich: »Wir spielen Feuerwehr. Tütätütä!« Sie lief einen großen Bogen und machte vor Peter halt: »Dein Gesicht ist ganz schwarz. Was machst du?«

»Ich bin eine Leiche.«

Yolanda beugte sich über ihn und kitzelte ihn. Peter trat mit dem Fuß nach ihr.

»Die richtigen Toten lachen nicht.«

»Klar bin ich tot. Die Schuhschachtel ist explodiert.«

»Peter möchte gerne Krieg spielen.« Heidi wickelte die Schnur um einen Finger.

»Aber nicht mit euch Mädchen.« Peter stützte sich auf.

»Jetzt dürfen auch Mädchen Krieg machen«, sagte Yolanda.

»Für einen Krieg sind drei zu wenig«, erklärte Peter. »Es war eine Bombe. Siehst du dort oben?«

Yolanda sah nach oben und gleich wieder auf Peter: »Oh, du willst mir nur unter den Rock schauen.« Yolanda kauerte sich hin, legte die Puppe neben sich und zeichnete mit den Fingern auf dem Boden ein paar Linien.

»Es hat dich auch getroffen. Du mußt dich hinlegen.« Peter versetzte Yolanda einen Stoß.

»Ich mag aber nicht.« Yolanda packte die Puppe und lief mit ihr ein Stück weit weg. Dann blieb sie stehen und winkte: »Wir haben uns gerettet – Ätsch.«

»Die Puppe kriegen wir schon noch.« Peter rappelte sich hoch und klopfte sich den Staub von den Hosen.

»Peter hat nasse Hosen. Er hat in die Hosen gemacht.« Yolanda lachte, und Heidi lachte mit.

Peter stellte sich vor Yolanda, machte eine Faust: »Hör auf zu lachen.«

»Ich habe gar nicht gelacht.«

»Wer denn?«

»Die Puppe.«

»Was für eine Bescherung.« Heidi hatte die Arme in die Hüften gestemmt. »Die Schachtel ist ganz schwarz. Alles kaputt. Auch die Schnur – angesengt.« Sie besah sich das Styropor; es war zu einem schmutzigen Klumpen zusammengeschmolzen. »Die Yoghurtbecher haben einen Sprung. Wir können nie mehr Vater und Mutter spielen.«

»Das will ich auch gar nicht.«

»Gestern hast du noch geschimpft, weil das Essen nicht fertig war.«

»Das war früher.«

»Wenn du Vater spielst, mach ich dir einen Pudding.« Heidi rührte im Yoghurtbecher Waschpulver an.

»Meinst du, ich laufe wieder jeden Morgen zum Baum, schabe den ganzen Tag am Stamm und bringe am Abend etwas Rinde nach Hause?«

»Wir hätten ja auch kein Kind mehr«, sagte Heidi und sah zu Yolanda. »Ich darf meine Puppe nicht mehr mit herausnehmen.«

»Du warst einverstanden.«

»Du hast ihr ein Loch in den Bauch gemacht.«

»Deine Puppe hatte Blinddarmentzündung.«

»Jetzt kann sie nicht mehr ›Mama‹ sagen, weil Luft hereinkommt.«

»Du hättest das Pflaster drauflassen sollen.«

»Es hat nicht gehalten.«

»Die Puppen sagen ›Mama‹, weil sie innen ein Apparätchen haben. Eines mit Luftklappen.«

»Ich habe alles meinem großen Bruder erzählt.«

»Dein blödsinniger Laden.« Peter warf einen Yoghurtbecher in die Luft. Als er die Schachtel packen wollte, riß sie ihm Heidi weg; da stieß er sie mit dem Ellenbogen in die Seite. Und Heidi schrie: »Au!«

»Das hat er mit Absicht gemacht«, rief Yolanda, »ich hab's gesehen.«

»Die Schachtel gehört mir.«

»Nein, Peter, das ist nicht wahr. Die hast du mir zur Hochzeit geschenkt.«

»Ich will sie wieder haben.«

»Fein«, rief Yolanda, »spielen wir Streit.«

»Immer diese Yolanda.«

»Spielen wir Scheidung. Das haben wir noch nie gespielt.« Da Heidi und Peter sie anstarrten, senkte sie den Blick. »Nur einmal.«

Heidi wandte sich an Peter: »Wenn du schon nicht heiraten willst, könntest du dich wenigstens scheiden lassen.«

»Wir könnten auch eine Kerze anzünden.« Bevor Yolanda nach dem Kerzenstummel greifen konnte, hatte ihn Heidi an sich genommen und versteckte ihn hinter dem Rücken.

»Was soll das jetzt wieder mit der Kerze?« fragte Peter.

»Wir können Geburtstag spielen. Meine Puppe darf die Kerze ausblasen.« Doch die beiden andern reagierten nicht. »Gut, spielen wir halt Scheidung.«

»Aber ich lasse mich nicht von dir scheiden, sondern von Heidi.«

»Spiel ich halt nicht mehr mit.« Yolanda wandte sich ab und ging hinter den Teppichklopfständer. Sie stellte die Puppe auf den Boden und faßte sie an beiden Händen. Dann ging sie mit ihr im Kreis herum und sang »Maria saß auf einem Stein...«

»Wenn die nur aufhören würde zu singen.« Peter begann eine andere Melodie zu pfeifen.

»Komm doch wieder«, bat Heidi.

»Ich mache nicht mehr mit.«

»Wir spielen Scheidung, wenn du willst. Nicht wahr, Peter? Sie darf sich von dir scheiden lassen?«

»Das will ich gar nicht mehr.« Yolanda sang weiter.

»Wenn du wieder mitmachst, sag ich dir, wo Peter den Wurm her hat.«

»Ich wüßte schon, was sie spielen könnte«, sagte Peter.

»So.« Yolanda hielt die Puppe wieder im Arm. »Was denn?«

Peter nahm die Schnur. Er reichte Heidi das eine Ende und das andere Yolanda. »Telefoniert. Aber wenn ich das Kabel aus der Wand reiße, müßt ihr aufhören zu quatschen. Jetzt, Heidi, kannst du alles deiner Mutter erzählen.«

Heidi hielt das Schnurende ans Ohr: »Hallo.«

»Hallo.«

»Es ist furchtbar mit ihm.« Heidi stöhnte.

»Ich habe es dir schon immer gesagt. Was macht er jetzt?«

»Moment.« Heidi sah zu Peter und fragte ihn, was er mache.

Peter hatte die Cola-Flasche am Mund: »Ich kriege einen Rausch.« Er torkelte.

»Recht geschieht ihm«, sagte Yolanda. »Hallo – bist du noch dran?«

»Wenn die das nächste Mal zu Besuch kommt, werfe ich sie die Treppe hinunter.«

Yolanda ließ das Schnurende sinken: »Ich möchte sowieso etwas anderes spielen.«

»Ich weiß schon.« Heidi kicherte: »Sie möchte deine Freundin sein.«

»Ach woher!« rief Yolanda.

»Klar. Die aus dem Büro.«

»Nein. Ich möchte unter euch wohnen und mit dem Besen an die Decke klopfen, wenn ihr streitet. Weil mein Kind nicht schlafen kann.« Sie zog Heidi die Schnur aus der Hand und band sie der Puppe mehrmals um den Hals.

»Jetzt sieht deine Puppe wie ein Hund aus.« Peter wischte sich mit dem Handrücken den Mund und spuckte.

»An die Schnur kommt der Schlüssel. Damit das Kind in die Wohnung kann, wenn es von der Schule heimkommt.«

»Die verliert sicher ihren Schlüssel. Dann geht sie selber auch verloren«, sagte Peter.

»Nein«, Yolanda streichelte ihre Puppe, »das machst du nicht. Wenn du verloren gehst, suchen wir dich. Wenn du verloren gehst, kommst du im Fernsehen.«

»Nicht alle Kinder, die verloren gehen, kommen im Fernsehen«, sagte Peter.

»Aber die, die verhungern«, behauptete Yolanda.

»Auch nicht alle.«

Und Heidi: »Wer ins Fernsehen kommen will, wird vorher getestet.«

»Was machen wir jetzt?« fragte Yolanda.

»Oh, dieser Plaggeist.«

»Spielen wir Guck-in-die-Luft«, schlug Yolanda vor.

»Damit sie wieder behaupten kann, sie sehe viereckige Sterne.« Heidi hob ihr Gesicht und schloß die Augen: »Ich sehe nichts.«

»Man muß nur lange genug die Augen reiben.« Yolanda stellte ihre Puppe auf den Boden und hielt sie an den Händen: »Mach schön einen Schritt. Ganz langsam. Schaut, meine Puppe lernt gehen.«

»Guck-in-die-Luft haben wir schon einmal gespielt.« Heidi riß von der Zeitung ein paar Fetzen ab und blies sie in die Luft.

Yolanda glättete den Rock der Puppe: »Auch Lehrer und Schüler.«

»Räuber und Polizei auch«, fügte Peter bei.

»Sollen wir Verstecken spielen?«

»Nicht schon wieder.«

»Man kann sich hier nirgends richtig verstecken.«

»Früher hat es hier viel mehr Kinder gehabt.«

»Ich weiß schon, warum Yolanda das sagt.« Heidi flüsterte Peter ins Ohr: »Weil Erich weggezogen ist. Er war ihr Schatz.«

»Blödsinn.« Yolanda wurde zornig: »Es war kein richtiger Schatz.«

»Hat jemand Kaugummi?« fragte Peter. Die beiden Mädchen schüttelten den Kopf.

»Schade, dann hätten wir kauen können.«

»Du hast ja Geld. Kauf doch uns und meiner Puppe etwas.«

»Verdammt.« Peter wühlte in der Schachtel, holte die Münzen heraus, zählte nach und steckte sie in die Tasche.

»Himmel und Hölle haben wir auch schon gespielt.«

»Das ist sowieso etwas für Mädchen.«

»Zeig Peter, wie man auf einem Bein hüpft.« Yolanda hatte das eine Bein der Puppe nach hinten gedreht und ließ sie auf dem Boden hüpfen.

Peter sah gar nicht hin. Er kratzte an einem Schorf auf seinem Handrücken.

»Was würden wir spielen, wenn wir einen Spielplatz hätten?« fragte Heidi in die Luft hinaus.

»Willst du immer durchs gleiche Rohr kriechen?« Peter schüttelte den Kopf.

»Wir haben schon alles gespielt.«

Heidi sah in die Schuhschachtel. Sie zog einen Becher hervor, warf ihn zurück.

»Was spielt man, wenn man schon alles gespielt hat?«

Peter nickte: »Dann ist man groß und erwachsen.«

»Mein Vater sagt, es sei jeden Tag das Gleiche«, bemerkte Heidi.

»Wir sollten wegfahren.« Peter stellte sich breitbeinig vor den Teppichklopfständer.

»Fein.« Yolanda schaute der Puppe in die Augen. »Hast du gehört, wir fahren in die Ferien.«

»Nein«, sagte Peter, »nicht in die Ferien. Aus den Ferien kommt man immer wieder zurück.«

»Wollen wir auf den Mond?« fragte Yolanda.

»Nein, dort sind schon andere.« Peter zeigte in die Höhe.

»Aufs Dach?« Yolanda legte den Kopf tief in den Nacken.

»Viel weiter. Dahin kannst du die Puppe nicht mitnehmen.«

»Warum nicht?« Yolanda faßte die beiden Hände der Puppe und schlug sie gegeneinander. »Mach schön bitte bitte.«

»Aber ihr müßt hinten sitzen.«

Heidi hatte den Ständer leergeräumt. »Den Wurm nehmen wir auch mit. Vielleicht gibt es dort, wo wir hinkommen, keine Tiere.«

»Also los.« Peter setzte sich vorn auf den Teppichklopfständer. Er nahm die Schuhschachtel auf das Knie, bohrte mit der Ahle ein Loch hinein und zog eine Schnur hindurch. »Das Kabel. Und jetzt noch den Kopfhörer. Gib einen Yoghurtbecher.«

Heidi setzte sich hinter ihn, die Blechdose mit dem Wurm unter dem einen Arm, mit dem anderen klammerte sie sich an Peter. Rittlings hinter ihr saß Yolanda, zwischen sich und Heidi die Puppe geklemmt.

»Du mußt beim Starten umgekehrt zählen.« Heidi guckte Peter über die Schulter.

»Das weiß ich selber. Achtung: drei, zwei, eins und null.«

Peter bog den Oberkörper scharf zur Seite. Die Mädchen machten die Bewegung mit. Dann lehnte er sich zurück. »Jetzt fahren wir am Kamin vorbei. Wir sind schon höher als die Baukranen.«

»Mir wird schwindlig.« Heidi drückte ihr Gesicht an Peters Rücken.

Yolanda winkte mit dem Puppenarm: »Dort unten haben wir gespielt.«

»Achtung.« Peter sprach den Befehl in den Yoghurtbecher: »Ein Wolkentunnel. Kopf einziehen.«

Alle drei duckten sich.

»Wo ist die Erde?« fragte Yolanda.

Peter warf einen flüchtigen Blick zur Seite und zeigte auf einen zusammengeschmolzenen Klumpen Styropor, an dem ein paar angesengte Gräser klebten.

»Der Zeiger, verdammt, der Zeiger«, stellte Peter fest.

Yolanda wunderte sich: »Du hast doch gar keinen Zeiger.«

»Was weißt denn du. Wir müssen abspringen.«

»Wohin?« fragte Heidi.

»In die Luft.« Mit einem Ruck stand Peter auf, er riß die Schnur aus der Schachtel: »Kein Kontakt mehr. Bevor wir springen, auf drei zählen und am Gurt ziehen.«

»Ich habe keinen Gurt.« Yolanda stand neben Heidi auf dem Teppichklopfständer; diese sprang Peter nach.

Peter redete auf Yolanda ein: »Spring, bevor es zu spät ist.«

Yolanda breitete die Arme aus; als sie sprang, fiel die Puppe zu Boden. Sobald Yolanda gelandet war, bückte sie sich. Sie feuchtete einen Finger an und rieb über die Puppenstirn.

Heidi sah in der Blechdose nach: »Der Wurm ist noch ganz.«

Yolanda hob die Puppe ans Ohr: »Sie atmet.«

»Schade«, sagte Peter, »sonst hätten wir Beerdigung spielen können.«

»Oh ja!« rief Heidi, »das haben wir noch nie gespielt.«

»Aber nicht mit meiner Puppe.«

»Warum nicht? Es ist sowieso eine alte Puppe.«

»Das ist nicht wahr.«

Heidi deutete auf den Puppenkopf: »Sie hat nicht einmal echtes Haar. Und der Mund hat auch kein Loch. Du kannst ihr nicht einmal die Flasche geben.«

Und Peter doppelte nach: »Die modernen Puppen machen Pipi wie Kinder.«

Yolanda hielt den beiden ihre Puppe vors Gesicht. »Da. Sie kann die Augen auf- und zumachen. Sie ist auch modern.«

»Als du Scheidung spielen wolltest, haben wir auch mitgemacht«, sagte Heidi.

»Yolanda ist eine Spielverderberin.«

»Sie weiß eben nicht, wie das geht, ein Begräbnis.«

»Als Tante Berta starb, war ich noch zu klein«, sagte Yolanda. »Aber wenn Großmutter stirbt, darf ich an die Beerdigung. Wir müssen sie aber vorher noch einmal im Heim besuchen.«

»Sie fragt immer nur, was machen wir nachher. Aber mitmachen tut sie nicht.«

»Es geht sowieso nicht.« Peter winkte ab: »Mit dieser Puppe kann man nicht Beerdigung spielen.«

»Wieso nicht?« Yolanda sah fragend auf ihre Puppe.

»Man darf niemanden lebendig begraben«, sagte Peter, »aber Yolanda, die würde das machen.«

»Sicher nicht«, antwortete Yolanda, »das weiß ich auch, obwohl ich kleiner bin, daß das verboten ist.«

»Also muß die Puppe sterben, bevor wir sie begraben können.«

Yolanda wiegte die Puppe im Arm: »Du mußt jetzt deine Augen zumachen.«

»Sie muß richtig tot sein. Und nicht nachher die Augen aufmachen. Willst du, daß deine Puppe im Sarg plötzlich wieder erwacht?«

Als Peter nach dem Messer griff, schrie Yolanda auf: »Nein. Weißt du, wie das wehtut?«

»Wir geben ihr vorher ein Schlafmittel.« Heidi schüttete vom Waschpulver in den Yoghurtbecher und gab etwas Wasser dazu, dann goß sie die Flüssigkeit der Puppe über den Mund, es lief auf beiden Seiten herunter.

»Langsamer, sonst verschluckt sie sich.« Peter hielt der Puppe den Kopf.

»Siehst du, Yolanda, wie sie immer noch die Augen aufmacht?« Er streckte den Mittel- und Zeigefinger seiner Rechten aus und legte sie auf die Augen. »Achtung.« Er drückte. »Die ist stark.« Alle drei waren einen Moment lang still. Peter stieß erneut zu. Ein Knacken. Yolanda seufzte. Etwas brach ab und schlug dumpf auf. »Der Kopf ist nicht leer.« Peter schüttelte die Puppe, und in ihrem Kopf kollerte es. »Das tönt nach Metall. Was da wohl drin ist?« Peter versuchte einen Finger durch eine Augenhöhle zu stecken. »Au.« Er zog den Finger zurück. »Diese blöde Puppe. Ich habe mich geschnitten.«

»Da.« Heidi zeigte auf die Wange der Puppe. »Es hat richtiges Blut drauf.«

Peter leckte den Finger: »Jetzt können wir sie beerdigen.«

Yolanda ging zum Teppichklopfständer, setzte sich drauf, mit den gestreckten Armen stützte sie sich auf den Rand, ließ die Beine baumeln und sah zu Boden.

Heidi holte die Schuhschachtel.

»Siehst du, wie das jetzt paßt, daß die Schachtel schwarz ist?« Peter legte die Puppe hinein und fragte Yolanda: »Willst du sie noch einmal sehen?«

Yolanda schüttelte den Kopf, ohne den Blick zu heben.

»Bring den Wurm«, sagte Peter, und als ihn Heidi fragend ansah:

»Den tun wir hinein. Damit die Puppe nicht so allein ist.«

Da trommelte Yolanda auf die Eisenstange und stieß mit den Füßen gegen den Boden. »Das tut man nicht. Das weiß ich, daß man das nicht tut. Du machst es sowieso nicht richtig.«

»Wieso?« fragte Peter zurück.

»Bei Tante Berta haben sie gebetet.«

»Gut.« Peter faltete die Hände über der Schuhschachtel. »Aber nicht laut.«

Heidi reichte ihm den Deckel, und der schloß die Schuhschachtel.

»Und einen Kranz hat sie auch nicht.« Yolanda sprach in den Himmel hinauf.

»Du könntest einen aus Zeitungsfetzen machen«, schlug Heidi vor.

»Weißt du, eine Schnur durchziehen. Ich zeig's dir.«

»Nicht die ganze Schnur«, rief Peter. »Wir müssen die Schachtel zubinden.«

»Möchtest du die Kerze anzünden?« Heidi wollte Yolanda den Stummel geben.

»Jetzt will ich auch nicht mehr. Ich wollte vorher.«

»Schau.« Heidi nahm ein Grasbüschel und schob es unter die Schnur der Schuhschachtel. »Wie schön das aussieht.«

»Gib mir das Trambillett«, sagte Peter, und nachdem Heidi es ihm gereicht hatte, schob er es ebenfalls unter die Schnur. »Damit man weiß, wer drin liegt.«

Er wandte sich an Yolanda. »Kommst du mit auf den Friedhof?«

»Wo ist denn der Friedhof?«

»Ja«, Peter sah sich ebenfalls um, »wo ist der Friedhof.«

»Da.« Heidi zeigte auf die Abfallsäcke, die sich an der Hauswand stapelten.

»Yolanda, kommst du jetzt mit oder nicht?«

Yolanda erhob sich und ließ den Kopf hängen.

Peter nahm die Schachtel in beide Hände und trug sie vor sich her. »Ich gehe voraus. Heidi, du mußt schluchzen. Nicht wie Yolanda. Bei der hört man nichts.«

»Ich weine doch richtig.« Yolanda wischte sich mit dem Handrücken unter der Nase. »Und was machen wir, nachdem wir geweint haben?«

Mit einer solchen Geschichte mochte der Immune Erfolg haben in jenem Puppenmilieu, in dem er in letzter Zeit nicht ungern verkehrte. Damit spiele ich nicht nur auf das Mannequin an, mit dem er eine Liaison unterhielt. Sie arbeitete in einem der teuersten Geschäfte an der Bahnhofstraße und blickte aus ihrem Schaufenster auf zwei Portale von Schweizer Großbanken.

Ohne Zweifel war sie chic. Sie trug das Neueste, jedoch stets zur Unzeit. Während draußen vor dem Schaufenster Kundinnen sich in luftigen Sommerkleidern drängten, zeigte sie bereits Übergangsmäntel und Stiefel mit Pelzfutter, und wenn sich die Neugierigen vor der Scheibe in Mäntel und Schals einmummelten, führte sie Strandanzüge und Badetaschen vor. Sie war gewohnt, daß Photographen vor ihr in die Knie gingen; sie hatte sich auch einmal mit einem eingelassen. Der hatte sie soweit gebracht, daß sie sich nackt photographieren ließ mit ihrem kahlen Schädel, er hatte ihr für die Aufnahme einen Arm abgeschraubt; mit einer Kette behängt und auf einen Schirm gestützt stand sie da, so hatte der Photograph sie auch stehen lassen.

Sie mochte Cocktail-Parties, schon deswegen, weil sie bei solchen Anlässen Gewagtes tragen konnte, was sonst kaum möglich war. Sie schwärmte für die ›haute culture‹. Vor allem für die Oper, für die man sich umzog, insbesondere für Richard Wagner, weil es bei seinen Bühnenweihfestspielen mehr als eine Pause gab. Sie suchte Atelierfeste auf, mit Vorliebe, wenn sich Avantgardisten trafen, die propagierten, es komme nicht darauf an, was man male, man müsse nur eine Saison voraus sein; auf diesen Parties machte sie die Bekanntschaft von Bildhauern, die für die Konfektion der öffentlichen Bauten arbeiteten, und flirtete sie mit manchem Prêt-à-porter-Maler.

Bei einer solchen Gelegenheit lernte sie den Immunen kennen. Der Zufall wollte, daß wir in der Nähe ihres Arbeitsplatzes wohnten. Wenn nach elf Uhr abends in ihrem Schaufenster die Spot-Lichter ausgingen, brauchte sie nur durch eine Gasse zu huschen, und schon war sie bei uns. Bei ihrem ersten Besuch war sie entzückt, wie gut die bunten Buchrücken zum gerippten Grau unserer Fauteuils paßten.

Sie war allerdings geniert, als sie feststellte, daß man das Badezimmer nicht abschließen konnte. Ich mußte ihr versprechen, nicht hereinzuplatzen; ich wußte auch so, daß sie statt eines Nabels eine andere Produktionsnarbe hatte. Und doch überraschte ich sie, als ich eines Morgens das Zimmer des Immunen betrat; ich hatte gehört, daß er bereits die Wohnung verlassen hatte, sie aber lag noch im Bett. Zwischen den Kissen entdeckte ich ihr Gesicht, changeant, wie sie selber gesagt hätte, »ein glänzender Ölfleck in einer Wasserpfütze«. Sie besaß ein kostbares Stück Gesicht, aus Niobium oder Titanium verfertigt, einem Metall, das mit der Temperatur die Farbe wechselt. Ich begriff, daß sie nicht in einem lichtlosen und kalten Schaufenster die Nacht verbringen mochte und daß sie Wärme brauchte, die ihrem Gesicht Farbe verlieh; ich wunderte mich nur, daß sie diese Wärme beim Immunen suchte. Ich hatte später von ihm vernommen, die Müllabfuhr habe sie geholt. Sie führte nicht nur Modelle vor, sondern war selber eines; das ihre war nicht mehr en vogue: sie hatte ihren Arbeitsplatz an jemanden aus Plexiglas abtreten müssen. Bei der Gelegenheit erfuhr ich, daß ihr Vater bei der Polizei gearbeitet hatte; an ihm hatten Generationen von deutschen Schäferhunden geübt, wie man einen Menschen anfällt.

Merkwürdig, wie genau ich mich an diese Frauenfigur erinnere, und es scheint nicht die einzige Figur zu sein, die jetzt zum Leben erweckt wird. Ich spüre, wie vieles in mir aufbricht, obwohl ich doch so unbegabt bin für die Erinnerung. Jetzt, da ich nicht weiß, wie es weitergeht, ist mir alles recht, was aus dem Gedächtnis abgerufen werden kann.

Wegen eines solchen Mannequins wären der Immune und ich nie aneinander geraten wie wegen so vieler anderen Gestalteten, denen er in unserem Kopf Unterschlupf gewährte und sich dort für immer einrichten ließ.

Nun war sein Interesse für solche Puppen verhältnismäßig neu. Er hatte sich früher mehr mit Mechanik beschäftigt, wenn ich nur daran denke, daß er einmal aufziehbare Menschen exportieren wollte und wenn ich mich an unsere Gespräche über Roboter und deren Hände erinnere.

Allerdings gab es unter dem Wenigen, das er sammelte, nicht nur einen Heiligen mit einem hohlen Bauch oder ein Wurzelweibchen oder die Inkunabel von einem Aufnahmegerät. Ich hatte mich über die Unförmigkeit des Paketes gewundert, das er eines Tages auspackte – wenn es gelte davonzukommen, sagte er, dürfe man keine lebensrettende Maßnahme außer acht lassen.

Auf einem Brett war ein Kopf aus Kunststoff befestigt, der sich dank einer Feder schräg hochstellen ließ; unten am Kinn war der Kehlkopf angebracht, und als Luftröhre führte ein Plastikschlauch zu zwei Gummisäcken, den Lungenflügeln. Er legte das Brett auf den Boden und kniete daneben; nachdem er seinen Mund auf den des Phantoms gelegt hatte, deutete er auf die Lungenflügel, die sich langsam blähten, hoben und zusammenfielen. Dann lud er mich ein, es auch mit der Mund-zu-Mund-Beatmung zu versuchen. Er hängte das Phantom, das dank uns geatmet hatte, als dreidimensionales Bild an die Wand und nannte es »Adam«. Auch Adam habe trotz seines biblischen Alters nur ein paar Minuten geatmet.

Nur einmal noch habe ich den Immunen in einem Zustand solch erschöpfter Zufriedenheit gesehen, da hatten wir eben eine Samenbank als Donatoren verlassen.

Erschrocken aber war ich doch, als ich vor ein paar Tagen die Wohnungstür aufschloß und jemanden im Flur liegen sah. Der Immune hatte für das Rückgrat einen Besenstiel benutzt und für die Haare Holzwolle; er hatte der Puppe eine Jacke und eine Hose von mir übergezogen, so daß ich meinte, ich selber liege da, das Gesicht auf dem Teppich. Der Immune hielt ein Messer in der Hand und stach in den mit Schmutzwäsche angefüllten Unterleib: Mit solchen Puppen könne man Kriminalfälle rekonstruieren, er orientierte sich an einer Skizze in einem Boulevardblatt. Er schleppte die Puppe hinter einen Fauteuil und versteckte sie so im Gebüsch.

Damals stieg in mir der flüchtige Verdacht hoch, daß sich der Immune von mir befreien wolle. Allerdings überraschte mich die Szene, weil ich in der Hand des Immunen ein Messer sah. Er rühmte sich doch, als einzig zulässige Waffe das Wort zu benutzen – und wie er damit zuschlagen konnte, das habe ich in jener Nacht zu spüren bekommen, es war so, daß ich das Messer vorgezogen hätte.

Aber vielleicht gab es für das, was in jener Nacht geschah, viel mehr Anzeichen, als ich annahm oder wahrhaben wollte. Hätte ich es bereits als Warnung verstehen sollen, als er mir eines Morgens eine Zeitung auf den Frühstückstisch warf? Freunde aus Amerika hätten ihm geschrieben, aber da sie seine Adresse nicht gehabt hätten, hätten sie die Grüße in die Zeitung gesetzt. Auf der Frontseite waren die Ansichtskarten aus Kalifornien abgebildet: auf der ersten Männer, Frauen und Kinder in einem Flugzeugrumpf an ihre Sitze geschnallt. Eine Treibstoffmischung wurde getestet, die weniger leicht brennbar war. Die zweite Postkarte zeigte das ausgebrannte Wrack, keine der Puppen war lebend davongekommen.

Der Immune redete von ihnen, als seien sie Schicksalsgenossen, obwohl sein Schicksal, wenn das Wort überhaupt gebraucht werden darf, gerade darin bestand, den Unfall zu überleben. Er hatte ja seine Bekanntschaft mit einem Ausbildungschef für Piloten benutzt, um in einem Simulator Absturz zu üben.

Er war sich selber bewußt, wie unpassend sein Vergleich war, wenn er mit Experimentier-Puppen auf unsere Situation anspielte. Wenn schon, war ich es, der das Material sammelte, und er war es, der an die Auswertung ging, nur zu oft habe ich ihn beobachtet, wenn er unschlüssig war, ob das von mir eingebrachte Lebensmaterial verwertbar sei.

Das schloß nicht aus, daß er sich in frivolen Momenten auf meine Knie setzte: wir würden zusammen eine Varieté-Nummer abgeben. Ohne Zweifel hätten wir ein attraktives Duo geboten, weil in unserem Falle die Puppe gesprochen hätte und der Bauchredner die Lippen so bewegt, als kämen zwischen ihnen irgendwelche Laute hervor. Oft genug hatte der Immune seine Hand an meinem Nacken, drehte meinen Kopf in alle Richtungen und ließ ihn nicken, so daß ich den Eindruck erweckte, ich sei ein lebendiges Wesen. Davon galt es weit weniger ein Publikum zu überzeugen als mich selber.

An seiner Puppengeschichte irritierte mich nicht der angebliche Mord, sondern daß der Immune sich auf eine Begebenheit bezog, an die ich mich nicht erinnern kann. Aber solche Erfahrungen werde ich wohl in diesen Papieren noch öfters machen, wie nur schon das erste Durchblättern zeigt.

Ich war es gewohnt, daß der Immune mir Ereignisse erzählte, die aus meinem Leben stammen sollten. Meist merkte ich es erst hinterher, daß er mich meinte, denn er gab seinen Protagonisten irgendwelche Namen. Und wenn ich verwundert fragte, was dieser Robert oder Georg oder Lukas solle, meinte er, die Zufälligkeit der Namen entspreche der Zufälligkeit der Ereignisse, man könne auch mit einem Namen anonym bleiben, zudem höre man sich selber aufmerksamer zu, wenn man glaube, man erfahre über eine Drittperson etwas Neues.

Aus heiterem Himmel konnte er sein »Weißt du noch« vorbringen und damit auf recht Unterschiedliches anspielen. Wir konnten am Tisch beim Abendessen sitzen, und er meinte mit seinem »Weißt du noch« einen Abend, da wir auf einem Felsen zugeschaut hätten, wie Kinder, Litaneien singend, geradeaus ins Meer liefen, weil sie glaubten, daß die, welche das Heilige Land von den Ungläubigen befreien, auf dem Wasser gehen können. Und im Handumdrehen meinte er mit dem »Weißt du noch« nicht die Zeit der Kinderkreuzzüge, sondern die Jahre, in denen die Kugelschreiber aufkamen, und die Frauen anfingen, Strumpfhosen zu tragen.

Aber wenn ich dem Immunen zuhörte, staunte ich oft nicht schlecht darüber, was ich erlebt und getan haben sollte. Doch er wischte all meine Skepsis und Bedenken weg: Man lebe umso reicher, je mehr einem zugemutet werde; sein eigenes Leben bestehe aus dem, was man ihm andichte; deswegen müsse er stets darauf bedacht sein, daß den andern zu ihm etwas einfalle. Und diese Ansicht konnte ich insofern teilen, als ich oft neidvoll zur Kenntnis nahm, auf Umwegen oder in Andeutungen, was ich alles getan haben sollte – Dinge, die ich getan hätte, wenn ich von selber draufgekommen wäre. Aber vielleicht ist das, was uns direkt zustößt, nur der geringste Teil von dem, was wir leben.

Denn ich erfuhr ja nicht nur vom Immunen, was ich gelebt haben soll, sondern auch von Dritt- und Viertpersonen. Und das konnte sogar zu peinlichen Momenten führen, selbst wenn es dabei um völlig Belangloses ging.

Da empfahl mir jemand ein Kriegerdenkmal: auf dem Sockel ein nackter Soldat, nur mit einem Helm bewehrt und einer Fahne in der Hand, und die flattert so, daß sie sein Geschlecht verdeckt. Ich staunte, denn ich hatte meinem Gegenüber vor einiger Zeit genau dieses Denkmal empfohlen, ich fand die Züchtigkeit der Darstellung so ehrlich und sinnvoll, weil die Fahne, in deren Namen der Soldat starb, genau die Stelle bedeckt, mit der er hätte Leben weitergeben können.

Im gleichen Gespräch aber berichtete ich davon, wie ein Bekannter mich an seinen Arbeitsplatz eingeladen habe, ein Pathologe in einem Bezirksspital, er habe mich in die Kellerräume mitgenommen, wo die Anatomie untergebracht war, ich hätte zuschauen dürfen, wie er einer Leiche Organe entnahm und wie er von einem Herz ein Stück abschnitt und es auf eine Waage legte, und diese Waage, eine alte Metzgerwaage, habe nicht nur das Gewicht angegeben, sondern auch gleichzeitig den Preis. Da starrte mich mein Gegenüber an: die Sache komme ihm bekannt vor, sie sei nämlich ihm passiert, und er habe sie mir vor einigen Wochen erzählt.

Wir bewegen uns nun einmal in einer Gesellschaft, in der es ein Copyright auf Erlebtes gibt. Als ob es nicht viel mehr darauf ankäme, daß überhaupt etwas erlebt wird. Sollten wir nicht froh sein, daß wenigstens ein anderer erlebt, was uns nicht vergönnt ist, und gar, wenn der andere es viel besser erlebt, als wir dazu je in der Lage gewesen wären.

Aber würde es sich mit dem Tod nicht gleich verhalten? Vielleicht stirbt ein anderer den Tod, der zu uns passen würde. Das gäbe uns wenigstens die Gewißheit, daß es für uns einen passenden Tod gegeben hätte. Warum sollte nicht der eigene, der für uns selber so nutzlose Tod, von jemand anderem gebraucht werden können?

Im Falle des Immunen mochte ich mich schon gar nicht wehren, wenn er mir Erlebnisse zuschrieb; das konnte mir nur willkommen sein, weil er mir damit zu verstehen gab, daß ich lebte.

Ja, selbst die ärgste Verdächtigung hat noch immer etwas von einer Mund-zu-Mund-Beatmung.

Wenn die beiden Detektive, die meine Wohnung durchsuchten, wüßten, was sie mir alles anhängen könnten. Aber ich befürchte, sie werden es bei einem simplen Delikt bewenden lassen; es ist nun einmal so, daß selbst ein Massenmörder weit unter dem Niveau seiner Ungeheuerlichkeit zur Rechenschaft gezogen wird.

Wenn der Immune zu einem seiner »Weißt du noch« ausholte, tat er dies, indem er unzählige Details vorbrachte. Das hing mit seiner Methode zusammen, schwierige Situationen durchzustehen, indem man sich an Einzelheiten hält. Das hatten wir bei unserem Vater gelernt, wenn er uns aus dem Bett holte und in seinem Rausch in der Küche alles zusammenschlug – was haben wir uns da nicht alles an Details gemerkt.

Aber anscheinend war auch für den Immunen der Moment gekommen, da ihm nicht mehr genügend Einzelheiten zur Verfügung standen, an die er sich hätte klammern können. Genug Einzelheiten hatte es indessen noch gegeben, als ich, oder soll ich sagen, als wir oder als ein Mr. Robert in Malakka eine Nachricht erhielt.

Die Nachricht

Lächelnd nahm der Chinese aus dem Brieffach die ›Message‹ und überreichte sie Mr. Robert. Sein Name auf dem Umschlag war dick durchgestrichen, darüber in Druckbuchstaben ein zweites Mal weniger falsch geschrieben, daneben seine Zimmernummer. Der Mann vom Empfang nickte; während er mit der Linken in einem Fahrplan weiterblätterte, preßte er dem Gast den Zimmerschlüssel so fest in die Hand, daß dieser in den Handballen schnitt.

Im Lift riß Robert den Umschlag auf: die Telefonnummer, die er in Singapore anrufen sollte, konnte nur die der Firma sein, die als Kontaktadresse diente. Sonst wußte niemand, daß er nach Malaysia geflogen war; er hatte auch ihr lediglich für die Tage in Malakka angeben können, wo und ab wann er erreichbar war.

Als der Lift anhielt, vergewisserte sich Robert, ob es das richtige Stockwerk war. Da ging die Tür bereits wieder zu. Der Lift setzte sich nach oben in Bewegung. Als er stoppte und die Tür sich auseinander schob, wartete niemand davor. Robert drückte den Knopf seiner Etage; die Lämpchen auf der Bedienungstafel leuchteten abwärts auf. Der Lift fuhr an seinem Stockwerk vorbei. Als er anhielt, öffnete sich die Tür zur Hotelhalle. Der Chinese und der Hotelpage tuschelten und sahen erschrocken auf.

Im Zimmer ging Robert gleich zum Telefon. Aber er nahm den Hörer nicht ab. Stattdessen holte er aus der Minibar ein Portionsfläschchen Whisky, stellte es aber auf den Nachttisch. Er drückte die Plastikhülle über dem Trinkglas ein und ließ Eiswürfel hineinfallen, er behielt zwei zurück, zerrieb sie in der Hand und legte die Reste in den Aschenbecher. Er fuhr mit den Fingern durchs Haar. Darauf nahm er den Hörer und verlangte die Nummer in Singapore, Zahl für Zahl wiederholend. Die Telefonistin fragte, ob der Adressat eine Firma sei, weil es schon gegen Büroschluß gehe. Robert wiederholte, was er in der Nachricht gelesen hatte: Dringend, sehr dringend.

Er setzte sich für einen Moment aufs Bett, dann streckte er sich aus, verschränkte die Arme unter dem Kopf und sah zur Decke. Die Klimaanlage summte; von Zeit zu Zeit rumpelte der Motor. Dann stützte sich Robert auf, drehte am Radio, stellte es gleich wieder ab. Er ließ sein Feuerzeug aufschnappen. Da hörte er einen Schrei, er mußte vom Gang herkommen oder aus dem Nebenzimmer. Darauf wurde es still. Bis Robert ein verzweifeltes Gackern vernahm, das mit einem Schlag aufhörte.

Er ging zum Fenster, öffnete es, sah zum Nebenfenster hinüber und blickte in den Hof hinunter. Dort warf ein alter Mann in Turnhosen und mit zerschlissenem Unterhemd ein Huhn in den Korb zu anderen Hühnerleibern. Er hielt noch den Hals mit dem Kopf in der Hand, hackte mit einem Metzgerbeil den Kamm ab und legte ihn in eine Aluminiumschüssel. Neben ihm kauerte am Boden ein Kind, es rupfte ein Huhn, unvermittelt sah der Junge hoch, sein Gesicht war von Schweiß und Tierblut verschmiert, und an seinem Kinn klebten Federn.

Da schrillte das Telefon. Kaum hatte Robert die Hand ausgestreckt, hörte das Läuten auf. Die Hand blieb in der Luft. Dann setzte das Klingeln von neuem ein. Die Telefonistin fragte, ob er eine Verbindung mit Singapore wünsche, und wiederholte die Nummer, die er verlangt hatte. Ein Knacken, und dann ein Summen, er wußte nicht, ob es von der Klimaanlage herkam oder aus dem Hörer; aus dem Hintergrund der Leitung irgendwelche Stimmen, die kicherten, und auf dem Gang vor der Tür laute Schritte. Er glitt mit zwei Fingern die Telefonschnur entlang; wo sie in den Apparat führte, war sie ausgefranst. Er rief »Hallo, hallo« und hörte Totenstille.

Endlich meldete sich die Firma. Eine Frauenstimme erkundigte sich, was er wünsche. Er habe ein Telegramm erhalten. Um welche Abteilung es sich handle. Er möchte gerne Herrn Breitinger persönlich sprechen. Ein Knacken und eine andere Frauenstimme, Herr Breitinger sei nicht im Haus, er solle morgen wieder anrufen, aber nicht vor zehn. Da schrie er, er habe eine Nachricht erhalten. Die Frau erkundigte sich, ob er der Schweizer sei, für den sie die Post zurückbehielten. Nach einem Geflüster meldete sich eine Männerstimme: Mr. Robert möge entschuldigen, das Telegramm aus Zürich sei liegengeblieben, Herr Breitinger sei auf Reisen gewesen, ob er einen Mister, und dann entzifferte er zögernd einen Namen, kenne. Das sei kein Mister, sondern seine Schwester. Da las der andere: »Mutter friedlich verstorben. Stop. Beerdigung Samstag. Stop. Brief folgt.« Robert ließ den Hörer sinken; als er ihn auf die Gabel legte, gab der Apparat ein Nachklingelzeichen von sich. Er nahm den Hörer gleich wieder hoch und sagte in die tote Muschel hinein »Danke«.

Er ordnete ein paar Zeitungen und steckte sie in den Papierkorb. Er holte vom Schrank den Koffer herunter und legte ihn aufs zweite Bett. Er nahm aus der Reisetasche das Plastiketui einer Fluggesellschaft, in das er alte Hotelrechnungen und sonstige Spesenbelege steckte; er sah auf dem Ticket nach, für wann er den Flug nach Singapore gebucht hatte. Er zündete sich eine Zigarette an. Die Eiswürfel im Aschenbecher waren geschmolzen; auf der Platte des Frisiertisches war ein schmutziges Rinnsal eingetrocknet.

Da läutete das Telefon von neuem. Er zögerte. Als er an den Apparat ging, nannte ihm die Telefonistin die Kosten für die internationale Verbindung. Er sah auf die Uhr, steckte den Flugschein ein. Als er die Zimmertür hinter sich zuzog, fiel sie hart ins Schloß. Aus dem Nebenzimmer kam das Etagenmädchen; sie hielt ein Tuch in der Hand, das tropfte und das sie zu verbergen versuchte.

Vor dem Hotel zögerte Robert einen Moment. Er ging nicht Richtung Stadt, sondern nach links. Vor einer Garage spritzte ein Arbeiter einen Motorenteil ab, den er eingeschäumt hatte. Robert folgte neben einem offenen Abzugsgraben einer gelben Linie, die einen schmalen Trottoir-Streifen markierte. Er machte halt beim chinesischen Tempel. Bis hierhin war er schon am Vortag spaziert. Dann ging er die Straße hinauf, die in leichtem Bogen anstieg. Schon nach ein paar Schritten wählte er einen Fußweg, er sprang über einen Graben, in dem Abfall verbrannt worden war. Der Haufen schwelte noch. Von der Straße aus hatte er die Hufeisenformen gesehen, die in den Hügel eingelassen waren. Vor dem geschwungenen Hintergrund, mit Platten ausgelegt, eine Art Kanzel mit Seitenmäuerchen und nach vorne offen. Er fragte sich, welche Zeichen auf dem Stein für den Namen und welche für die Jahreszahl standen. Als er sich umdrehte, übertrat er den Fuß, er fing sich auf und stützte sich auf einen verwitterten Zwerglöwen, der ein Grab bewachte.

Der Bukit war nicht bloß ein Hügel, wie er von seinem Hotelfenster aus hatte annehmen können. Hinter ihm tat sich eine ganze Friedhofslandschaft auf. Zum Bukit selber führte ein zementierter Stufenweg mit Geländern auf beiden Seiten. An den Hängen war stellenweise das Gras abgebrannt worden, von den Stoppeln und dem dunklen Boden hoben sich die Gräber ab, viele eingesunken und von manchen nur noch ein Stein übrig, und dann wieder eine ausgebaute Grabstätte mit einer Photographie. Da es gegen Abend ging, warfen die Gräber längere Schatten. Beim Gehen scharrte Robert Heu auf, zwischen dem geschnittenen Gras sprossen Halme, und um die Gräber zitterten helle Rispen im Wind.

Bevor er hinunterstieg, bemerkte er, wie ein junger Mann in Sporthose und Turnschuhen sich neben einem Grab aufstellte. Er sprang in die Grätsche, streckte die Arme nach oben und ließ den Oberkörper kreisen. Dann hüpfte er ein paarmal auf der Stelle, klatschte mit den Händen an die Seiten der Oberschenkel. Er ließ sich auf den Boden fallen und machte Liegestütze. Wenn er den Kopf nah am Boden hatte, tauchte hinter ihm die Inschrift auf einem Grabstein auf.

Über einen Seitenweg gelangte Robert zur Hauptstraße. Er blieb vor einem Langbau stehen, der aussah, als gehöre er zu einem Stadion. Aber es waren zwei Kinos. Vor dem einen hingen Jugendliche am Scherengitter. Das andere schien nicht mehr in Betrieb. Die Plakate waren vom Wetter aufgeweicht und blätterten schichtweise ab. Ein Inder in einem weiten weißen Rock befestigte ein Tuch an der Mauer. Darauf übergroß skizziert die Innenflächen zweier Hände mit den Handlinien und numerierten Feldern. Er legte ein dickes Buch auf den Boden und schloß den Lautsprecher an die Batterie an, er selber hockte auf einem Schemel daneben, und aus dem Lautsprecher kam seine Stimme vom Band.

Im Reisebüro machte sich die Angestellte am Computer zu schaffen; für morgen sei alles ausgebucht, auch für übermorgen, im Flugzeug seien nur sechzehn Plätze. Ob er schon das Stadthuys gesehen habe, den ältesten Bau, den Europäer hier errichtet hätten. Sie schob ihm einen Prospekt zu und empfahl die Countryside-tour: Besuch einer Gummiplantage und einer Fabrik, die Kokosnüsse verarbeitet. Robert fragte nach dem Busbahnhof.

Die Angestellte hatte etwas von »jenseits des Flusses« gesagt, von einer Abkürzung und einem Filmpalast. Als er das Kinoplakat sah, auf dem ein Karate-Kämpfer mit dem Fuß ausholte, stand er bereits auf einem asphaltierten Platz. Zwischen geparkten Wagen und Motorrädern zwängten sich die durch, welche ans andere Ufer wollten. Eine hohe Brücke, auf Betonpfeilern, daran schmierige Taue befestigt, das Eisengeländer mit Mennige gestrichen, von jedem Ufer führten zwei Holztreppen hinauf. Auf dem Brückenbogen eine schmächtige Frauengestalt, vorsichtig tastete sie sich am Geländer entlang. Ihr schwarzer Rock reichte bis zu den Füßen, darüber eine helle Hemdbluse. Mit gespreizten Fingern hielt sie über der Brust den Purdah zusammen, der schwarze Schleier gab ein altersloses Gesicht frei.

Bevor Robert zum Busbahnhof kam, mußte er den Platz mit den Überlandtaxis passieren. Von weitem riefen die Chauffeure ihr Fahrziel aus und handelten den Preis gleich selber herunter. Robert wich zu den Eateries und zu den Garküchen aus. In den Glasschränken gesottene Hühner, darunter aufgerollte Nudeln, in Schälchen Fleischklößchen und Fischbällchen. Er gelangte zu dem Gebäude mit der Aufschrift ›Shopping-Center‹. Im Erdgeschoß waren die Billettschalter untergebracht. Robert ging von einer vergitterten Öffnung zur andern. Lauter Namen, die ihm nichts sagten: Batu, Gajhan, Berjahan, Terbang und Namen, die ihm etwas sagten, aber wo er nicht hinwollte, Kuala Lumpur, Alor Star und Butterworth, und dann die Chauffeure und Beifahrer, welche wieder andere Fahrziele ausriefen.

Robert kletterte in der Wartehalle über Koffer und Taschen.

Auf langen Bänken hatten sich Familien eingerichtet; die eine saß um einen Reistopf, auf einem Bündel daneben schlief ein Kind. Aus einer Ecke lärmte eine Wurlitzer, und davor lungerten ein paar Jugendliche herum. Robert erkundigte sich an einem Souvenirstand nach dem Singapore-Schalter. Der Sikh wies ihm den Weg durch die engbestuhlten Garküchen. Ihm schlug ein scharfer Geruch von Chili und Curry entgegen, den er in den Augen spürte.

Es seien in den letzten Tagen Fahrten ausgefallen wegen eines Unwetters. Der Angestellte hielt ihm das Kontrollbuch hin: alle Busse ausgebucht, außer heute nacht, etwas nach zwölf fahre ein Ersatzbus ohne Klimaanlage und ohne Radio. Robert kaufte ein Ticket.

Auf dem Rückweg blieb er auf der Brücke stehen. Ein Fischkutter tuckerte den Fluß hinauf, die Netze eingeholt, auf den Kajüten leere Körbe und Wachstuchbündel, an einem Mast Hosen zum Trocknen. Ein Kahn schlug an einen Pfahl, der schräg übers Wasser ragte. Die Wellen spülten über den glänzend schwarzen Schlamm unter der Quaimauer. Das trübe Wasser war aufgewühlt, und auf den schmutzigen Schaumkronen trieb ein abgebrochener Ast mit weißen Blüten.

Robert setzte sich in das Eck-Café gegenüber dem Kinopalast. Neben ihm Stapel von Kisten mit leeren Flaschen. Die Ventilatoren an der Decke waren ausgeschaltet, nur die Flügel des einen zitterten im Durchzug. Ein alter Buckliger brachte den Kaffee. Als Robert mit dem Löffel die dicke Kondensmilch am Boden der Tasse spürte, rührte er sie nur leicht auf. Vor dem Küchenraum eine alte Frau in einem Pyjama-Anzug, sie war aus den Sandalen geschlüpft, sie schälte Zwiebeln und tat den Abfall in eine Blechdose auf ihren Knien.

Robert schlenderte ins Hotel zurück und verlangte vom Chinesen die Rechnung. Da entdeckte er den Polizisten, der am Eingang zur Cafeteria lehnte. Noch während Robert vor dem Lift wartete, begab sich der Chinese zum Pagen, der durch die Drehtür nach draußen spähte. Robert hörte auf der Treppe ein Keuchen von Männern, die etwas zu schleppen schienen. Als er in den Lift trat, sah er vom Treppenhaus her einen Mann um die Ecke biegen, ihm war, als ob dieser die Holme einer Bahre halte.

Als Robert Koffer und Tasche reisefertig hatte, stellte er das Gepäck neben die Türe. Er machte im Badezimmer das Licht aus und merkte, daß er vergessen hatte, das Rasierzeug einzupacken. Er öffnete noch einmal die Tasche und ging die Schubladen im Schrank und im Nachttisch durch. Dann legte er sich aufs Bett. Der Verkehrslärm stieg von der Straße hoch, durch den dünnen Spalt zwischen den Vorhängen drangen Lichtstreifen, die über die Decke huschten und neben dem Spiegel verschwanden. Er schlummerte ein. Als er erwachte, vernahm er von der benachbarten Moschee langgezogene Gebetsrufe. Er ging ans Fenster und lauschte in die Nacht hinaus. Darauf nahm er die Reisetasche. Unter der Türe knipste er noch einmal das Licht an und warf einen Blick zurück ins Zimmer. Er bezahlte unten die Rechnung und setzte sich vor den TV-Apparat. Vom Bildschirm näherte sich eine Hand mit erhobenem Zeigefinger, Robert verstand nur das Wort Heroin, und dann erschien an Stelle der Hand die Schlinge eines Henkerstricks. Robert stöberte in einem Stoß alter Zeitschriften und begann in einer Ausgabe von ›Asia Week‹ einen Artikel zu lesen, wie man mit nackten Füßen über glühende Kohle geht. Der Chinese fragte, ob er ein Taxi bestellen solle. Robert meinte »noch nicht«; nach zehn Minuten bat er, ein Taxi zu rufen.

Als das Taxi bei der Busstation anhielt, öffnete der Chauffeur den Kofferraum; er dürfe kein Gewicht heben, dabei zog er sein T-Shirt hoch, eine Operationsnarbe lief quer über den Bauch. Die Schalter waren geschlossen. Die Busse waren schräg zu den Einsteigerampen geparkt. An einem hantierte ein Mann mit einer Handlampe. Als Robert ihm einen Riggit hinhielt, öffnete der Mann mit einem T-Eisen den unteren Laderaum. Robert schlenderte mit der Tasche gegen die Brücke. Am anderen Ufer war noch ein Eßstand in Betrieb, die Neonröhren hingen senkrecht in der Luft. Robert setzte sich auf eine Bank. Ein Wind kam auf und brachte vom Fluß her den Geruch von Verfaultem.

Er hörte, wie ein Hund jaulte und wie hinterher eine Männerstimme auflachte.

Robert ging um den Häuserblock herum. Auf den heruntergelassenen Läden Namen und Markenzeichen, Konserven und Batterien waren darauf gemalt, Kleidungsstücke und eine junge Mutter mit einem Kind auf dem Arm. Als Robert wieder zurückgehen wollte, bemerkte er die Leuchtschrift ›Pub and Night-Club‹. Er sah auf die Uhr und betrat das Lokal. An einem Tisch drei Gäste, sie starrten auf seine Reisetasche.

Vom andern Ende der Bar erhob sich eine Frau; doch der Barman winkte ihr ab, sie näherte sich dennoch, bat um eine Zigarette und schlenderte an ihren Platz zurück.

Robert saß vor einem Glas, die Tasche zwischen den Füßen. Als er sich nach einem Aschenbecher umsah, begann der Barman ein Gespräch: Ob er Amerikaner sei? Oder Kanadier? Er kam recht bald auf Schweizer. Er selber sei ein Bala. Ein Mischling, mit malaischem Blut. Sein Großvater sei nach Malaia gekommen, wie das damals noch geheißen habe. Er habe auf einem Schiff gearbeitet, das zwischen Shanghai und Malakka verkehrte. Sie hätten aus China Porzellan und Feuerwerk gebracht, auch Holz. Und zurückgefahren seien sie mit Särgen. Sie hätten in den Häfen die eingesammelt, welche in ihrer Heimat begraben werden wollten. Nicht bloß Tote hätten sie mitgenommen, sondern auch Sterbende. Solche, die nicht im Hinterzimmer einer Bestattungsfirma ihre letzten Tage verbringen wollten, sondern auf dem Heimweg. Sein Großvater habe einen gekannt, einen Hokkien-Chinesen, der sei sterbenskrank an Bord gekommen mit seinem Sarg, aber die Seeluft habe ihm gut getan; als sie in Shanghai ankamen, sei er kerngesund gewesen, er habe dort niemanden gekannt, als erstes habe er seinen Sarg verkaufen müssen.

Als Robert zum Bus zurückkam, wurde um irgendwelche Fahrkarten gestritten. Er kletterte in den Bus und leuchtete mit dem Feuerzeug die Sitznummern ab. Dann versuchte er seine Tasche im Gepäcknetz zu verstauen, aber sie war zu breit. Er stellte sie auf seinen Platz und ging nochmals hinaus. Er bummelte und rauchte. Als er wieder beim Bus war, half er einer alten Frau beim

Einsteigen. Sie sah ihn erschrocken an, als er sie am Arm faßte; er reichte ihr die Tasche hinauf und hinterher eine Schachtel, deren Kartonboden feucht angelaufen war.

Als der Bus losfuhr, machte sich Robert aus dem Vorhang ein Kissen und bettete den Kopf hinein. Auf den Straßen noch ein paar Autos und ab und zu ein Motorrad. Sie kamen zu einem Rondell und zur Ausfallstraße. Robert schloß die Augen. Er spürte, wie der Passagier neben ihm auf seine Seite rutschte, Robert richtete sich auf, der Nebenpassagier glitt zur Gangseite und streckte die Füße zu ihm herüber. Robert spreizte seine Beine und stemmte sie gegen den Vordersitz. Sie hatten die Stadt längst verlassen. Die Bäume standen so nahe, daß der Bus ihre Äste streifte. Wenn die Straße einen Bogen machte, sah man im Scheinwerferlicht die steilen Giebeldächer, und dann Häuser mit Veranden, die einen ebenerdig und andere auf Pfählen. Robert überließ sich dem Rütteln und schlummerte ein, wurde halbwach, schlummerte wieder ein und wachte auf. Er streckte sich und schob die Tasche gegen das Fenster, stützte sich darauf und sah hinaus. Im Mondlicht waren Reisfelder zu erkennen, gelegentlich stand der Reis schon so hoch, daß die Erdwälle nicht mehr zu sehen waren, und dann überschwemmte Felder im Geviert ihrer Dämme. Ortstafeln, deren Aufschrift Robert zu erhaschen versuchte. Er döste, er lehnte den Kopf an die Scheibe und spürte das Vibrieren des Glases; das Zittern übertrug sich auf ihn bis in die Schenkel. Er schloß die Augen; plötzlich einfallendes Licht. Sie fuhren durch einen Ort. Ein leerer Platz. Vor einer Tankstelle ein Mann, der dem Bus nachsah. Und dann Mauern von Bäumen, die Stämme überwachsen und Kletterpflanzen, Robert versank in Halbschlaf. Da fuhr der Bus langsamer. Draußen Pechfackeln auf Blechtonnen. Arbeiter lotsten den Bus auf einen Notsteg. Der Wagen rutschte ein Stück weit, der Chauffeur kurbelte das Fenster herunter und rief etwas. Stimmen von draußen. Dann fuhr der Bus wieder an. Robert verschränkte die Arme auf der Tasche und legte den Kopf darauf. Er schlief ein. Er erwachte, als ihm jemand ins Haar fuhr; der Passagier auf dem Vordersitz hatte sich gestreckt und dabei nach hinten gegriffen.

Er sah auf die Uhr. Draußen eine Fabrik. Die Verarbeitung von Kokosnüssen. Und dann Wälder von Kokospalmen, ein einzelnes Palmblatt scharf abgehoben vom Nachthimmel. Robert räkelte sich und angelte das Taschentuch hervor, dabei zog er das Päckchen Zigaretten mit heraus; er wollte danach greifen, aber es war zwischen Lehne und Sitz gerutscht. Er wischte sich die Stirn und steckte das Taschentuch vorne ins Hemd, lehnte sich zurück. Schlaglöcher und ein Schlenkern des Busses. Er spielte mit dem Netz am Rücken des Vordersitzes und schlief ein; da spürte er, wie der Bus langsamer fuhr und scharf abbog, so daß der Nebenpassagier gegen seine Schulter fiel.

Robert ließ sich übersetzen, was der Chauffeur gesagt hatte. Nicht alle Passagiere verließen den Bus für die zwanzig Minuten Aufenthalt. Der Bus stand hinter einer Reihe parkierter Lastwagen. Auf einer Ladebrücke wurde eine Plane angehoben, und ein paar Augen sahen darunter hervor. Das Restaurant war geschlossen, eine Front von Bretterbuden. Es brannten einige Karbidlampen. Die Verkaufsstände abgeräumt, Eisengestelle, die tagsüber mit Tüchern bespannt wurden. Stühle auf den Tischen und das Ganze mit Ketten zusammengebunden. Der Chauffeur kam hinter einem Bretterverschlag hervor und knöpfte die Hose zu. Robert ging ebenfalls hinter den Verschlag. Als er wieder einstieg, hatte sich jemand neben dem Trittbrett postiert. Ein schmales Gesicht unter einem Fez, aus dem Oberkiefer ragte ein einzelner Wolfszahn bis zur Unterlippe. Der Arm war nur wenig über den Ellenbogen hinaus gewachsen, statt einer Hand ein fleischiger Wulst, aus dem zwei Stummel abstanden, mit denen er eine Blechdose hinhielt.

Ein Transistor spielte. Als der Bus anfuhr, protestierende Stimmen, die Musik wurde ausgeschaltet. Ein flüsterndes Geplänkel aus dem Hintergrund und zwischendurch ein Kichern. Sie fuhren wieder an Kokospalmen vorbei. Robert machte sich erneut ein Kissen aus dem Vorhang und riß dabei den Vorhang ein Stück aus der Schiene. Er lehnte den Kopf an die Scheibe. Dünne, helle Stämme, und die Kronen der Bäume alle vom Wind in eine Richtung gezwungen. Und dann gerodetes Land, die angesengten Strünke im Boden, einzelne Stämme und Haufen von abgeschälter Rinde. Eine Fabrik, ein Holzlager, Stapel von Brettern. Ein Kilometerstein, dessen Zahl Robert nicht mitkriegte. Er sah auf die Uhr. Er legte den Kopf zurück und schlief; als er wieder erwachte, sah er erneut auf die Uhr. Es waren zwanzig Minuten verstrichen. Hinter ihm Rascheln von Papier und dann Kauen und Schmatzen. Er verspürte Durst. Der Mann neben ihm schlief, das Kinn auf der Brust und die Hände über den Schenkeln ineinandergelegt. Robert lehnte den Kopf ans Fenster. Sie fuhren in eine Stadt ein. Über die Straße spannte sich ein hölzerner Bogen mit Willkommensgruß. Stopplichter und kein Verkehr. Ein Park mit Rabatten und einem Teich. Eine Geschäftsstraße, Reklameschilder und Tafeln. Und dann Werkstätten und Lagerschuppen. Als der Bus einen Moment hielt, sah Robert einen Mangobaum, die Früchte an langen Stielen, mit Papiersäcken umwickelt. Dann fuhr der Bus an. Lichter, die vorbeihuschten, Palmwälder. Inmitten der Bäume immer wieder ein Giebeldach, gewöhnlich Wellblech und geschnitzte Ornamente. Plötzlich eine Moschee und in der Ferne das Schimmern von Öltanks. Auf der Straße schien etwas Dunkles zu liegen, Robert drehte sich danach um, es konnte ein Emballagesack sein. Er zog die Knie an, legte den Kopf auf die Tasche und versuchte zu schlafen. Er rutschte, drehte sich auf die andere Seite und kuschelte sich in seinen Sitz; er schlummerte ein, wachte auf und drehte sich auf die Gegenseite. Als er die Augen aufmachte, sah er draußen im Straßengraben eine ausgediente Autokarosserie, fast völlig überwachsen. Sie fuhren an einer Siedlung vorbei. Ein Zaun aus alten Pneus. Robert lehnte sich ins Polster zurück und schloß die Augen ohne zu schlafen. Da hupte der Chauffeur, ein Ausweichmanöver. Ein Lastwagen ratterte am Bus vorbei. Ein kurvenreiches Stück Straße, Robert überließ sich dem Hin und Her und nickte ein. Dann wurde er plötzlich wach. Draußen Dunkelheit. In der Ferne schwache Lichter, eine Linie, welche eine Küste anzeigte. Davor bewegliche Lichter, wohl von Fischerbooten. Der Bus fuhr ein kurzes Stück einem Ufer entlang. Und eine neue Lichterkette am Horizont. Eine Garage nach der andern, der Bus verlangsamte die Fahrt. Der Gegenverkehr nahm zu. Werkstätte drängte sich an Werkstätte. Eine Polizeistation. Mehrstöckige Wohnbauten und vereinzelte Hochhäuser. Ein Stadion und ein Schulhauskomplex. Nebenstraßen und Verkehrsampeln. Der Chauffeur machte Licht. Die Passagiere räkelten sich. Geplauder und Murmeln und ein Gähnen. Als der Bus anhielt, griff auch Robert nach seiner Tasche.

Um diese Morgenstunde war an der Grenze nur ein Schalter offen. Die Passagiere drängten sich in einer Reihe, Robert musterte die, mit denen er die Fahrt gemacht hatte. Als er bei der Paßkontrolle durch war, rief ihm ein Mitpassagier nach, der Bus warte weiter vorn. Der Wagen füllte sich allmählich; sie warteten, einige wurden ungeduldig und redeten auf den Beifahrer ein. Es fehlte noch ein Passagier. Da kletterte die alte Frau herein und keuchte. Sie blieb unter der Tür stehen, nachdem ihr der Chauffeur etwas gesagt hatte, er holte ihr Gepäck aus dem Fond; als die beiden draußen waren, überreichte ihr der Chauffeur Tasche und Schachtel. Der Mann neben Robert erklärte, da müsse etwas mit den Papieren sein. Sie habe ihren Sohn besuchen wollen, der in Singapore arbeite.

Sie fuhren über den Damm. Robert zählte die Fahrspuren. Auf dem Meer Dschunken und Fischerboote, die vom Fang heimkehrten, dahinter eine Yacht. Jenseits des Damms hielt der Bus. Als Robert ausstieg, stand sein Koffer schon bereit. Er nahm ihn und ging zum Immigration-Schalter und von dort zum Zoll. Die Zollbeamtin fragte nur »Tourismus?« und machte mit Kreide ein Zeichen auf die Gepäckstücke. Diesmal verstaute Robert die Tasche mit dem Koffer im Gepäckraum.

Nun fuhr der Bus in einer Kolonne mit Lastwagen und anderen Bussen. Der Rasen zwischen den Fahrbahnen säuberlich abgestochen, Verkehrsschilder und Ampeln. Das Heulen einer Polizeisirene. Grünflächen und dann Hochhäuser, sozialer Wohnungsbau, die Betonflächen schwärzlich angelaufen und die Balkone bunt bestückt mit Wäsche. Ein paar Baracken hinter grünen Zäunen. Dann die Hafenanlagen, Kräne und gestapelte Container. Eine Wolkenkratzerschlucht. Bankgebäude und plötzlich ein Glitzern von vergoldeten Drachen. Da bog der Bus ab, Richtung ›Allgemeines Hospital‹ und hielt auf einem Platz, der von Bäumen gesäumt war.

Robert wunderte sich, wohin all die Mitpassagiere so rasch verschwunden waren. Er stellte Koffer und Tasche unter ein Schutzdach; es war eine Haltestelle für die städtischen Linien. Er schleppte sein Gepäck die Straße weiter aufwärts. Die ersten Taxis, denen er winkte, waren besetzt. Ihm fiel ein, daß er keine Singapore-Dollar bei sich hatte. Er öffnete am Straßenrand seine Tasche und suchte darin sein Portefeuille. Einige Schüler, die auf den Bus warteten, sahen ihm zu; als er zu ihnen aufblickte, fragten sie lachend: »Where are you going?«

Als er sich im Hotel eintrug, bedauerte die Empfangsdame, daß um diese Zeit das Zimmer noch nicht bezugsbereit sei. Robert nahm ein Hemd aus dem Koffer und erkundigte sich nach der Herrentoilette. Nachdem er sein Hemd gewechselt hatte, überließ er das Gepäck dem Bell-Boy. Er setzte sich in die Halle. Als er sah, wie der Hausbursche die Zimmernummern auf die Morgenzeitungen schrieb, bat er um ein Exemplar. Er las, sah zwischendurch auf die Uhr. Er ging vor dem Speisesaal auf und ab, als der Raum geöffnet wurde, bestellte er Frühstück und las weiter in der Zeitung und hielt sich bei den Inseraten der Schifffahrtsgesellschaften auf.

Vor dem Hotel lümmelte sich ein Trishafahrer im Seitenwagen, mit dem nackten Fuß spielte er am Pedal seines Fahrrades; ein geflochtener Tropenhelm, wie ihn sonst nur Touristen tragen, war ihm in den Nacken gerutscht. Robert ging unter dem Schutzdach einer Baustelle durch. Hinter der Bretterwand das Schlagen eines Dampfhammers. Als er zur Beach Road kam, wechselte er zur Rasenseite hinüber; durch die dünnen Wolken drang die Sonne. Beim Cricket-Club überquerte er die Straße und las im Vorbeigehen den Programmaushang des Victoria-Theaters. Vor dem Einwanderungs-Ministerium drängten sich Leute, hauptsächlich Inder, einige mit Gepäck, und eine Schlange hatte sich vor einem Photoautomaten gebildet. An einem Tischchen tippte einer und füllte für andere Formulare aus. Die Eßstände am River wurden eben geöffnet. Robert ging über die Brücke Richtung Pier. Die Firma, die er suchte, lag in der Nähe des Hafens, in einem Gebäude, das mit seinen Ziersimsen einmal repräsentativ gewesen sein mochte.

Als Robert ins Vorzimmer trat, war die Sekretärin gerade daran, ihre Lippen nachzuziehen; ihre Tasche lag noch auf der Schreibmaschine. Sie erkannte ihn gleich. Herr Breitinger erwarte ihn am späteren Nachmittag, das Telefongespräch mit Malakka sei so kurz gewesen. Herr Breitinger wolle ihm die Nachricht gern persönlich überreichen.

Als Robert wieder auf der Straße war, ließ er sich von denen treiben, die zur Arbeit gingen. Da erblickte er über den Köpfen ein Auto: Bambusstangen, mit buntem Papier überklebt, ein Nummernschild darauf geklebt. Ein Mann und eine Frau stemmten das Papierauto in die Höhe, hinter der Frau trippelte ein Kind mit einer Tasche.

Robert musterte den Mann, der ihn angesprochen hatte, und der fuhr fort: »Das Auto ist für einen Verstorbenen. Man gibt auch Häuser und Dienstboten mit. Ganz sicher wird Geld verbrannt. Sie brauchen drüben Geld, nur schon, um die bösen Geister zu besänftigen.« Und dann erkundigte sich der Mann: »Möchten Sie die Krokodilfarm besuchen? Oder auf den Mount Faber? Oder in den Jurang-Vogelpark? Oder – Sie möchten sicher in den Tiger Balm Garden?« Robert stieg in das Taxi. Als der Mann ins Auto kletterte, stellte Robert fest, daß er hinkte, und als sich der Chauffeur, die Hand bereits am Steuer, nochmals umdrehte, bemerkte Robert die beiden Beulen an der Stirn. »Von einem Unfall«, sagte der Chauffeur.

Als Robert zum Portal des Parks hinaufstieg, hielt gerade ein Tamile einem jungen Paar eine Schlange entgegen. Die Frau kreischte und suchte Schutz hinter ihrem Mann; der aber nahm ihre Hand und streichelte mit ihr die gefleckte Schlangenhaut. Es schauderte die Frau, sie blickte jedoch gebannt auf das Tier. Der Mann drängte; sie ließ sich vom Tamilen die Schlange wie eine Stola um die Schulter legen, ihr Mann machte ein paar Schritte zurück, ging in die Knie und photographierte.

Robert schlenderte an den bemalten Felsen vorbei, die sich wie Wellen den Hügel hinaufzogen. Vorbei an der Szene auf dem Feld: zwei Ochsen waren aneinander geraten, so daß die Bäuerin vor Schreck stürzte und sich verletzte, und ihr eilte ihr Mann mit einem Döschen ›Tiger-Balsam‹ zu Hilfe. Vorbei an der Flamenco-Tänzerin in der »spanischen Ecke« und dem griechischen Jüngling aus Gips, der mit seinem Diskus zum Wurf ausholte. Er stieg hinauf zu den Meerjungfrauen, die in einem Becken badeten, aus dem das Wasser für die Reinigung abgelassen worden war, und ging hinüber zu den Spinnen-Frauen, die versuchten, einen Wanderer von seinem Weg in den Westen abzubringen. Robert machte erst halt bei einem Mönch, der auch nach dem Tod auf dem Buckel die Matratze trug, die ihn ein Leben lang begleitet hatte.

Robert sah vom Hügel hinunter über die Pavillons, Pagoden und Grotten hinweg, über die Drachen und die Genien. Im Hintergrund das Meer und unter den Schiffen ein Öltanker. Unmittelbar zu Füßen ein blaubemalter Kunstberg mit vergitterten Durchblicken, das Purgatorium.

Als er ins Fegefeuer eintrat, stand er vor der fünften Hölle. Dort hatten sich Verstorbene auf einer Terrasse versammelt und warfen noch einmal einen Blick auf das Haus, in dem sie gelebt hatten. Sie sahen, wie die Witwer und Witwen nach einem neuen Partner Ausschau hielten und wie die Kinder das, was den Verstorbenen lieb gewesen war, wegwarfen oder verschacherten.

Gegenüber die sechste Hölle, da wurden jene bei lebendigem Leib seziert, welche Tiere mißhandelt hatten. Rote Teufel zogen Mörder und Brandstifter einen Baum hoch, an dem aus den Ästen keine Blätter wuchsen, sondern Messerklingen. Und neben dem Baum ein Kessel mit kochendheißem Wasser, in das Ehebrecherinnen und Gattenmörderinnen geworfen wurden, und ein Höllendiener mit einem Hundskopf drehte die Zunge eines Verstorbenen, der ein Leben lang gelästert hatte, auf eine Haspel.

Robert ging von Höllenkreis zu Höllenkreis, jeder wurde von einem Fürsten regiert und hatte seine Unter-Höllen und einen

Apparat von Dienern und Beamten, die Buch führten über das Soll der Strafen und das Haben der Sünden.

Hinter Gittern wurden Wegelagerer und Raubmörder von einer sägebewehrten Maschine überrollt. Und die, welche sich des Landesverrates und der Korruption schuldig gemacht hatten, kletterten an einem glühenden Ofenrohr empor; wenn sie herunterfielen, waren sie nahezu verkohlt, aber für die nächste Strafe immer noch genug bei Sinnen. Und jene, die Jungen und Mädchen vom rechten Weg abgebracht hatten, wurden ausgeweidet, und ihre Gedärme quollen über den Rand von Schüsseln auf dem Boden. Und weiter vorn floß zwischen Mühlsteinen Blut hervor; sie zermalmten die, welche es an Pflicht und Ehrerbietung gegenüber den Eltern hatten fehlen lassen.

Zum Schluß kam Robert zur ersten und zur zehnten Hölle. In der ersten trafen alle ein, die über die ›Brücke der Seufzer‹ gegangen waren. Hier wurden sie registriert und hinterher vor einen Spiegel gestellt. In ihm tauchte auf, was sie an Gutem oder Bösem getan und was sie an Schlechtem und Gutem zu tun unterlassen hatten. So war keine Befragung nötig, keine Folter und kein Geständnis.

Und in der letzten Hölle wurden die Verstorbenen in ein neues Dasein entlassen. Die einen zum Leben eines Krokodils und andere zu dem einer Eule. Und wieder andern wurde ein weiteres Menschenleben verordnet. Ihnen reichte Mama Meng den ›Tee des Vergessens‹; sie hielt eben die Tasse einer Frau hin, die Mutter gewesen war. So konnte diese in ihrem zukünftigen Leben wieder ein Kind gebären und es in den Arm nehmen, ohne sich daran zu erinnern, daß sie schon einmal einen Sohn großgezogen hatte.

Als Robert wieder ans Tageslicht trat, brach die Sonne durch die Wolken. Er fuhr mit dem Bus zurück. Da er das Fahrziel nicht nennen konnte, hielt er dem Schaffner eine Handvoll Kleingeld hin. Als ihm eine Straße bekannt vorkam, stieg er aus. Der Bus hatte vor einem Shopping-Center gehalten. Es war eben eröffnet worden. Über die ganze Fassade spannte sich ein rotes Band mit einer Schleife, als wäre das Haus eine Geschenkpakkung. Auf dem Band stand in chinesischen Zeichen, in malaysischer und indischer Schrift und auf englisch: »Das neuste Paradies.«

Als Robert die Halle betrat, fröstelte ihn. Der Uniformierte hinter dem Schalt- und Kontrollpult blickte kurz auf. Robert schlug ein Song entgegen. Die Musik kam aus dem Laden mit den Kassetten. Sie füllten ein ganzes Schaufenster. Die Türe zum Laden war mit Schallplattenhüllen tapeziert: ›Kleopatra‹, ›Power Slide‹ und ›Ferien in Kambodscha‹. Neben dem Musikladen Jeans zu Einführungspreisen und auf dem Tisch davor ein Wühlhaufen mit T-Shirts. Zuoberst ›Ich bin ein Gigant‹ und darunter ›Mein Herz schenk ich dir, den Rest mußt du holen‹.

Zur Linken hatte Robert die Attaché-Koffer und die Beautycases, Koffer in allen Formaten, und in der Auslage Krokodil-Handtaschen, Portefeuilles aus Schlangenhaut und Geldbörsen aus Antilopenleder, und an einem Gestell drehten sich Gürtel. Und zur Rechten befand sich ›die Wissenschaft der Schönheit‹; hinter einem cremefarbigen Pult saß eine geschminkte Chinesin, die Kundinnen beriet, hinter ihrem Rücken ein Sortiment Wimpern und Parfum ›Taboo‹, ›Das Girl von Singapore‹ und ›Je reviens‹.

Vor einem der nächsten Läden lächelte eine Koreanerin; sie hielt die Attrappe einer Ginseng-Wurzel in der Hand und verhieß langes Leben. Weiter vorn das Feuerzeug-Geschäft; in der obersten Reihe die Feuerzeuge aus Gold, unten die aus Goldplaqué und Silber, die metallenen und die aus Kunststoff, die zum Nachfüllen und die zum Wegwerfen, und die, welche man mit einem Kugelschreiber kombiniert, kaufte. Zuhinterst im Geschäft Standuhren und Wecker, solche, die auch Musik machten, runde und pyramidenförmige Gehäuse, Uhren auf dem Rücken eines Hirsches und in der Hand einer Nymphe. Flußlandschaften als Zifferblätter und Zeiger mit einem ausgestreckten Zeigefinger, und jede Uhr gab eine andere Zeit an.

Dann stand Robert plötzlich vor einer alten Frau; sie sortierte auf einem Tischchen Münzen und riß von einer Klosettrolle jeweils zwei Blatt ab und legte diese aufeinander. Sie wies mit einer

Kopfbewegung den Weg zur Toilette, die sie bewachte. Robert drehte sich um, er stand vor dem ›Notausgang‹, neben der Türe ein aufgerollter Feuerwehrschlauch.

In der einen Ladenstraße leuchtete die Reklame eines Kinos auf. Robert aber bog in die erste Abzweigung ein und befand sich vor Video-Tapes: ›Jetzt aufnehmen und für immer behalten‹. Film-Kassetten ›Duell in der Sonne‹ und ›Besuch um Mitternacht‹ und daneben der Lehrgang ›Mandarin in dreißig Stunden‹. In einer Ecke schoß ein kleiner Roboter mit Laserstrahlen auf einen unsichtbaren Feind. Gegenüber ein Schaufenster voller Bräute, alle in langen weißen Kleidern, Tüll und Spitzen, um einen Bräutigam in Schwarz gruppiert, und in den Händen Sträußchen aus Stoffblumen; im Laden spannte sich an der Decke Schleier um Schleier. Er ging an einem jungen Mann vorbei, der eine Gitarre an die halbnackte Brust drückte. Er sah sich einem Wald von Zimmer-Antennen gegenüber, und er ließ den Coiffeur-Salon hinter sich mit Unisex und Haar-Stylisten. Als er zur Halle und zur Plaza zurückkehrte, las er auf einem Pfeiler: ›Im Westflügel Tauwetter-Preise‹. Doch Robert entschied sich, die Rolltreppe nach oben zu nehmen.

Der Laden mit den Musik-Kassetten versank, und es tauchte ein Schaufenster auf, in dem an zwei Schnüren Sonnenbrillen verschiedenster Tönungen hingen. Unten blieb der Photoservice mit Stativen, Objektiven, mit Kameras und Blitzen, und es wurden Rosenholzmöbel aus Taiwan sichtbar, ein Bambus-Motiv auf einer blauweißen Vase.

Robert ging um den Aufbau herum und nahm die nächste Rolltreppe. Nun blieben die Brillengestelle unten, und es erschienen Tennisschläger und ›Alles für den Champion‹. Zurück blieben die Rosenholzmöbel, und es kam eine Tafel mit Fingernägeln zum Vorschein und dahinter eine Juwelier-Auslage, ungeschliffene Diamanten und Smaragde mit Zertifikaten.

Robert flanierte in der zweiten Etage. Bei der ›linea italiana‹ auf einem Stück Samt ein einzelnes Paar Damenschuhe, und im Geschäft daneben ein Regal mit lauter linken Sandalen. Das Schaufenster mit Baukästen für verschiedene Altersstufen und ein Angebot von Panzern in allen Größen. Schachteln mit Dominosteinen und Schachfiguren aus Holz oder Marmor. In der Ecke gegenüber ›Etwas zum nach Hause bringen‹: Wintermäntel, Skijacken und Strickmützen. Und dann die Bildschirme, an einigen Apparaten spielten Jugendliche Angriff aus dem Weltall, auf anderen Bildschirmen leuchteten Figuren und Zeichen auf, und über den Köpfen die Taschenrechner. Am Eingang zur nächsten Ladenstraße bot sich ein Hemdenservice an: Nach Maß in vierundzwanzig Stunden. Die Skyline von Manhatten grüßte und die Brücke von San Francisco, auch für den Tower, den Arc de Triomphe und das Forum Romanum gab es die ›Alles-Inbegriffen-Tour‹.

Als Robert nach unten fuhr, die Hand leicht auf das Gleitband gestützt, sah er hinauf zu den Rauchspiegeln, die über den Rolltreppen angebracht waren, und er entdeckte seinen Kopf inmitten von Elektronik und Kosmetik, zwischen Discount und Exklusivität, unter Räumungsofferten und ›Soeben eingetroffen‹.

Und als er die nächste Rolltreppe nahm, sah er geradeaus und er entdeckte im Spiegel die, die vor ihm hinunterfuhren, und die, welche sich neben ihm hinauftragen ließen, und die schwebten alle im Spiegel mit dem Kopf nach unten. Die Spiegel spiegelten das Glas der Läden und Ladenstraßen. So schob sich die Seide aus Thailand über die Haushaltsmaschine aus Deutschland, es durchdrangen sich das Elfenbein aus Indien und die Baumwollunterwäsche aus Korea, Jade aus China fand sich zu Batik aus Indonesien, die Uhren aus der Schweiz gesellten sich zu den Photoapparaten aus Japan. Farbige Lämpchen glühten auf und erloschen, sie erloschen auch im Spiegel und zuckten dort auf und taten dies hundertfach.

Bis die letzte Stufe einsank und Robert wieder auf einem Boden stand, der sich nicht von selbst bewegte. Das Plätschern des Springbrunnens übertönte die Musik aus dem Laden. Ihm kam ein Rauchschwall von Zigaretten entgegen, deren Tabak Gewürznelken beigemischt worden waren.

Bevor er die Plaza verließ, blieb er vor einem leeren Ladengeschäft stehen, auf dem Boden eine Schachtel und gerollte Kabel;

doch an der Tür klebten bereits die Embleme der Kreditkarten, die im ›Neuesten Paradies‹ einmal willkommen sein würden.

Als er ins Hotel zurückkam, fand er eine Nachricht vor: er könne schon am frühen Nachmittag vorbeikommen. Robert bezog sein Zimmer, duschte, zog sich um und blieb noch einen Moment im Fauteuil sitzen, bevor er sich auf den Weg zur Firma machte.

Kaum hatte Robert die Sekretärin begrüßt, ging schon die Türe auf. Herr Breitinger kam mit offenen Armen auf ihn zu: »Man weiß wirklich nie, man weiß wirklich nie«, und bat ihn in sein Büro. Er erkundigte sich, ob der Tod seiner Mutter überraschend gekommen sei. Robert führte aus, der Arzt habe gesagt, sie sei nur zur Kontrolle im Spital, so habe er seine Reise eben doch angetreten.

»Ach«, sagte Herr Breitinger, »als ich vom Tod meiner Mutter erfuhr, bin ich gleich heimgeflogen«, und dann fragte er Robert, ob er einen Kaffee oder einen Tee möchte, klingelte bereits der Sekretärin und machte sich am Schreibtisch zu schaffen, bis ihm einfiel: »Ihre Unterlagen sind ja nicht unter den Geschäftspapieren.« Er langte hinter sich ins Regal: »Hier.« Er hielt Robert das Telegramm hin. »Das besagte – wir haben es natürlich geöffnet.« Und dann: »Hier. Der Expreßbrief, erst heute morgen eingetroffen. Erstaunlich, wie im Augenblick die Post funktioniert. Und hier noch – ein ganz dickes Couvert.« Herr Breitinger fügte hinzu, es sei klar, daß die Firma die Spesen für das Telegramm nach Malakka übernehme.

Zuerst dachte Robert daran, gleich mit einem Taxi ins Hotel zu fahren. Doch er ging in eine Nebenstraße und kam dort zu Lagerhäusern, dann bog er in Richtung Singapore-Fluß ab; er mußte einen Moment warten, da ein Lastwagen entladen wurde, die Männer hauten mit Enterhaken in die Säcke und schoben sie denen zu, die sie auf ihren Rücken in einen dunklen Schuppen buckelten. Robert wollte in ein Restaurant, aber die Tische waren zum Essen gedeckt; er ging weiter, betrat die nächste Cafeteria, setzte sich an die Bar und legte die Post vor sich hin.

Zuerst öffnete er das gelbe Couvert, darin ein dicker Umschlag, der von seiner Sekretärin stammte; er legte ihn beiseite und öffnete den ersten Brief. Er war von seiner Nichte, sie schrieb, der Großmutter gehe es wieder besser, sie wohne jetzt bei ihnen und sie selber komme in die fünfte Klasse und habe eine neue Schulmappe bekommen. Dann riß Robert den nächsten Brief auf. Seine Schwester schrieb, man habe die Wohnung der Mutter aufgegeben, sie werde kaum mehr einen eigenen Haushalt führen können. Und dann sah Robert den Brief mit der zittrigen Handschrift; aber er öffnete erst noch den Expreßbrief.

Die Schwester schrieb, es seien in den letzten Tagen seltsame Dinge passiert. Eines Morgens habe die Mutter gefragt, weshalb denn ihr Mann nicht zum Frühstück komme, und habe selber gelacht und gemeint, der sei doch schon – sie habe nachgerechnet – wie lange der schon tot sei. Und eines Abends, als sie die Schlaftabletten suchte, habe die Mutter gesagt, es mache nichts, wenn sie die Medikamente nicht finde, sie werde doch uns allen bald von oben zuschauen. »Wir wollten noch den Zuckertest machen, aber der Arzt sagte, sie habe Wasser auf der Lunge. Wenn das Wasser draußen wäre, würde alles wieder gut. Aber sie schlief die ganze Nacht nicht. Ihr Atem rasselte. Und der Arzt gab ihr eine Spritze, das Rasseln verschwand nicht trotz der Spritze. Sie kriege keine Luft mehr, und ich hielt ihr die Hand, und ich fragte sie, ob sie mich höre, sie sagte ja. Und dann fragte ich sie, ob ich den Pfarrer kommen lassen solle, und ich glaube, sie sagte ja. Aber als der im Treppenhaus war, tat sie die letzten Züge. Ich habe nachher noch lange an ihr gerüttelt.«

Robert blickte auf. Er hörte ein Zwitschern. Über der Ladenkasse hing ein Käfig, und darin flatterten zwei Vögel. Als er den Blick senkte, sah er zwischen seinen Füßen einen Mop, eine alte Frau wusch den Boden auf, wortlos gebückt und ohne aufzusehen. Da öffnete Robert den Brief, auf dem sein Name in zittriger Schrift stand, geschrieben von einer Hand, die nicht mehr aller Worte sicher war, und sein Blick fiel zuerst auf die Zeile »daß uns alles Erfüllung gehe.«

Zur Nachricht vom Tod einer Mutter hätte auch ich Details beisteuern können. In meinem Falle hatte ich die Mutter zum letzten Mal gesehen, als sie in einem Spitalbett lag, auf ihrem Nachttisch verschiedenfarbige Tabletten und Kapseln. Damit die andern Patientinnen nichts hörten, flüsterte sie: Ich solle auf mich aufpassen. Als ich mich niederbeugte, um sie zu küssen, entschuldigte sie sich für den Schweiß an ihren Händen; ihre Stirn war naß und glänzte. Ich drehte mich unter der Tür noch einmal um, sie langte nach dem Griff am Gestänge über ihrem Bett, zog und stützte sich in ihren Kissen hoch.

In ihrem Appartement, in dem sie zuletzt wohnte, hatte sie an den Telefonapparat einen Zettel geheftet mit der Telefonnummer meiner Schwester darauf. Wie gut sie daran getan, erfuhr sie, als sie sich ans Sterben machte. Der Immune hat hin und wieder davon gesprochen, man müßte einen Hymnus aufs Telefon schreiben. Als Verfasser kämen erwachsene Kinder in Frage, verheiratete und alleinstehende, solche, die regelmäßig mit ihren Müttern telefonieren, ob die nun in einem Heim untergebracht sind, wo die Anrufzeit reglementiert ist, oder ob sie noch in einer zu groß gewordenen Wohnung leben. Besser noch, wenn eine Mutter selber die Ode schriebe, vielleicht in Form eines Abzählreimes, eine alte Frau, die sich manchmal beim Wählen vertut und die sich denen, die sie anruft, schon näher fühlt, sobald sie im Hörer das Klingelzeichen vernimmt.

Allerdings habe ich vom Immunen auch ein anderes Urteil übers Telefon im Ohr. Die heutigen Schicksalsgöttinnen säßen nicht am Webstuhl, sondern am Telefon, sie schnitten den Lebensfaden durch, indem sie den Hörer aufhängten. Ich wäre nicht überrascht, wenn sich unter seinen Papieren auch ein Porträt einer Telefonparze fände. Höchstwahrscheinlich sitzt in diesem Moment eine von ihnen vor ihrem Apparat, mit dem Galgenstrick des Kabels spielend: »Haben Sie schon vom Immunen gehört? Wir haben es immer gesagt. Wer hätte das gedacht. Jetzt ist es soweit.«

Wir hatten am Begräbnis unserer Mutter nicht teilgenommen, doch ein paar Tage nach Erhalt der Nachricht folgten wir einem

Trauerzug ohne es vorerst zu merken. Die Musikkapelle hatte sich auf der Straße formiert; von Weitem hatte ich die Stangen mit den Fahnen und Wimpeln gesehen, an einer flatterte ein schwarz-weiß geschuppter Fisch. Ich wunderte mich, was für ein Fest an einem bewöhnlichen Nachmittag gefeiert werde. Bis dann der Lastwagen im Schrittempo vorbeifuhr. Ich erblickte auf dem Kühlergitter eine Photographie, von Girlanden umkränzt. Auf der Ladefläche der Sarg mit der goldbronzenen Verzierung. Hinter dem Lastwagen Männer, die Hand am Wagen, halb sich ziehen lassend und halb stoßend. Sie hatten über ihre Köpfe eine Sackleinwand gestülpt, die ihnen auf dem Rücken bis zum Gürtel fiel; sie warfen den Kopf in den Nacken und heulten, sie senkten den Blick und stießen Seufzer aus; sie wimmerten, brüllten und fanden kaum Zeit, um Atem zu holen.

Ich könnte nicht mehr sagen, wer wen zuerst angesprochen hatte. Aber der Immune mußte sich für einen interessieren, der aus Berufsgründen weint. Als der junge Klagemann erfuhr, daß wir aus Europa kamen, erkundigte er sich, ob wir ihm nicht eine Arbeit vermitteln könnten, er wolle auswandern, seine Familie stelle seit Generationen Klagemänner und Klagefrauen.

Bei manch späterer Gelegenheit kam der Immune darauf zurück: Da hätte doch etwas drin gelegen. Warum nicht Klagende kommen lassen, die würden bei uns kaum jemandem einen Arbeitsplatz wegnehmen, zudem könnte man sie wie bei der Abfuhr oder beim Spitaldienst kontingentieren. Ob es in einer Demokratie nicht auch das unveräußerliche Recht gebe, beklagt zu werden.

Ich bezweifle, ob diese Gastarbeiterinnen und Gastarbeiter ihm den Schrei abgenommen hätten.

Wir waren damals einem fremden Leichenzug gefolgt, aber das war für uns nicht neu. Als Knaben hatten wir an vielen fremden Begräbnissen teilgenommen. Der Immune hatte es als gute, da frühzeitige Erfahrung bezeichnet, zumal Beerdigung kein Schulfach darstellte und er auf alle Ausbildungsmöglichkeiten außerhalb der Schule erpicht war.

Als Meßdiener assistierten wir an Begräbnissen. Wir zogen

mit dem Sigrist los. Hinter den Grabsteinen stiegen wir in unsere Ministrantenröcke, und dort erleichterten wir uns auch, wenn uns die Aufregung die Blase füllte. Mit Weihwasserkessel und Wedel standen wir neben dem Sarg; wir konnten auf dem Grabkreuz die Namen lesen, aber wir waren jedesmal neugierig, was es über den zu erzählen gab, der begraben wurde. Die Beerdigungen konnten abwechslungsreich sein, und nicht nur, weil einmal eine angetraute Gattin und die Frau, mit der der Verstorbene zusammengelebt hatte, darum stritten, welche als erste dem Sarg Erde nachwerfen dürfe. Manchmal spielte eine Kapelle oder sang ein Chor, und dann wiederum baute eine Riege für den Turner-Kameraden zum letzten Gruß zwischen den Gräbern eine Pyramide.

In diesem Sarg, der an Seilen in eine Grube hinabgelassen wurde, lag wenigstens jemand drin. Das war beim Trauergottesdienst in der Kirche anders. Da bauten wir eine Tomba auf, ein bockiges Holzgestell, das wie ein Katafalk aussah, wenn das schwarze Samttuch darüberhing; wir legten die Falten so, daß jedes Blatt der silbernen Palme sichtbar war. An diesen Katafalk richtete sich der Vikar, der sich vorher in der Sakristei noch Namen und Lebensdaten des Verstorbenen notiert hatte. Wenn die letzten Hinterbliebenen draußen waren, hoben wir das Tuch; vielleicht hatte der Geistliche mit seinen Sprüchen einen Toten darunter gezaubert. Aber die Attrappe blieb stets leer: Die Luft selber wurde zu Grabe getragen. Wir holten aus mit dem Fuß und kickten, so daß die Tomba an den Scharnieren einsackte und zu Boden ging mit einem Knall, der als Echo von der Empore in den Chor zurückkam.

Damals unterschieden wir noch zwischen eigenen und fremden Toten. Als die Großmutter starb, war das eine eigene Tote. Ich hatte den beiden, welche sie im Sarg wegtrugen, den Weg versperrt. Der Immune hielt die Wohnungstüre auf, damit die Männer vom Bestattungsamt nicht überall anstießen.

Längst ist dieser Unterschied zwischen eigenen und fremden Toten hinfällig geworden, wenn ich an die täglichen Toten von den Frühnachrichten bis zur Spätausgabe der Tagesschau und an unsere Zeitungslektüre denke. Der, den sie heute morgen aus Trümmern und Schutt bargen, und die, welche am Mittag eine Granate zerriß, waren das fremde oder eigene Tote? Und wie verhält es sich mit denen, die gestern abend in einem Gefangenenlager umkamen? Wir sahen den Toten voll ins Gesicht, auch wenn viele mit Plachen zugedeckt waren, ein Einzelner noch in seinem Blut und manche in Haufen und dann wieder in einer Reihe ausgerichtet.

Es schien, als wüßten die Toten selber nicht, wem sie gehörten, auch wenn Berichterstatter oder Nachrichtensprecher über sie verfügten. Einige gingen noch rund um die Welt, bevor sie sie verließen, und andere wurden zu diesem Abschied gejagt und waren verlegen, wenn sie in fremde Zimmer eindrangen. Auf ihrem letzten Gang suchten sie auch uns auf, so daß wir auf unseren Sesseln unruhig wurden. Ich weiß nicht mehr, bei welcher Katastrophe oder welchem Krieg sie sich so in unserer Wohnung drängten, daß der Immune aufsprang und das Fenster aufriß, um ihnen den Ausgang in die Nacht zu zeigen.

Da die eigenen und die unbekannten Toten sich zu einer großen Gemeinschaft zusammenschlossen, kam es nicht darauf an, ob die Truppe für einen unbekannten Toten spielte oder für unsere Mutter. Diese Schauspieler zogen mit ihrer Bühne von Tempel zu Tempel und machten für die Toten Theater im Auftrag der Hinterbliebenen.

Damals hätte ich nicht gedacht, daß man eines Tages sein eigener Hinterbliebener werden kann.

Der Immune hatte von dieser Truppe gehört. Aber es war schwierig, die Adresse ausfindig zu machen. Denn damals in Djakarta gingen die Chinesen im Chinesenviertel behutsam mit ihren Schriftzeichen um. Der Taxichauffeur fragte sich durch, bis er vor einer Mauer hielt, hinter der ein Tempel lag. Im Innenhof eine improvisierte Bühne mit Bänken davor. Die Truppe gab ihre Vorstellung auch vor unbesetzten Plätzen. Ich war der einzige Zuschauer, der zu sehen war. Dem Stück hätte unsere Mutter beigepflichtet: Ein Guter, der ein Leben lang von einem Bösen malträtiert wird, befreit am Ende die Prinzessin aus der Höhle.

Während des Spiels schon huschten Schatten um die Bänke, und es flimmerte über den Sitzen. Als der Sketch zu Ende war, fuhr ein Windstoß durch den Orangenbaum im Hintergrund. Dort hatten in den Ästen die Zuschauer gesessen, die auf den leeren Bänken keinen Platz mehr gefunden hatten und die nun beim Applaudieren an die Zweige stießen, so daß die Blätter raschelten.

Nicht ohne Rührung nehme ich zur Kenntnis, daß der Immune in einem seiner Papiere die Umstände einer Todesnachricht aufgezeichnet hat.

Bei der Gelegenheit aber fallen mir auch all die Augenblicke ein, in denen ich verfluchte, daß unsere Mutter fruchtbar war, als ob sich soviel geändert hätte, wenn der Schoß dieser Frau trokken geblieben wäre. Bei solchen Ausbrüchen konnte er mir beipflichten: die Frau habe gewünscht, daß wir anständige Menschen werden – es wäre besser gewesen, sie hätte uns aufs Leben vorbereitet.

Nun hatte es der Immune, wenn auch als Amateur, unbestritten zur Meisterschaft im Entfesseln gebracht, so daß er auch einmal bei einem Betriebsfest auftreten konnte. Nie verriet er mir, wie es ihm gelang, mit gebundenen Händen Fesseln zu lösen und Ketten zu sprengen. Drittpersonen gegenüber tat er, als pflege er einen regelmäßigen Umgang mit Professional-Athleten und Fuß-Antipoden, mit Duettisten und Parforce-Equilibristen, und er deutete gelegentlich an, er verdanke einer Kakadu-Dresseuse, daß er Entfeßlungskünstler geworden sei.

Dabei weiß ich genau, das erste Beispiel seiner Entfesselungskunst bot er bei unserer Abnabelung, und er gab auch zu, es sei zum Teil noch laienhaft gewesen, aber es blieb ja nicht nur bei dieser Abnabelung, wenn ich an unseren Versuch denke, selbständig zu werden, und wie oft wir eine Stellung aufgaben.

So sehr der Immune mit seinen Anspielungen auf sein Puppendasein durchblicken ließ, er sei ein Willkürgeschöpf von mir, er beharrte darauf, aus dem gleichen Bauch zu stammen wie ich.

Er behauptete sogar, er sei dabei gewesen, als es galt, einen Samen des Vaters mit dem Ei der Mutter zu koppeln. Damals, als ein einziger Faden das Rennen machte. Der Immune pflegte von den andern nutzlos vergeudeten Samen als von unseren ungelebten Leben zu reden. Es habe damit begonnen, daß neben uns Millionen auf der Strecke blieben, es habe mit einem Geschwistermord angefangen.

Und wenn ich die Papiere vor mir sehe, vor allem all die einzelnen Blätter und die zusammengehefteten Zettel, dann gewinne ich den Eindruck, er habe mit all dem, was er hier notierte und schrieb, nichts anderes gemacht, als für nutzlos verschleuderte Samen ein Ei gesucht.

Aber so originell, wie er behauptete, war seine Methode auch wieder nicht, den schnellsten Samenfaden für die Befruchtung zu benutzen. Das taten alle andern auch, selbst unsere Kompatrioten, die sich einer langsamen Gangart rühmen und die in ihren Gesprächen nicht Pausen machen, sondern Pausen hin und wieder mit einem Satz unterbrechen; selbst sie waren einmal rasch gewesen, mindestens bei ihrer Zeugung.

Zu den spannendsten »Weißt du noch« des Immunen hatte gehört, was er mir über die ersten neun Monate erzählte: Wir hätten uns so rasch als möglich eingerichtet, bevor die Mutter merkte, daß wir in ihrem Bauch hängengeblieben waren. Aber unsere Heimlichtuerei sei nicht nötig gewesen. Wir hätten bleiben dürfen. Es hätte auch die Möglichkeit bestanden, uns zu zerschneiden und auszukratzen und das Ausgeschabte in ein Abflußrohr wegzuschütten oder uns mit Luftdruck zu zerreißen und hinterher abzusaugen.

War er nicht auch zur Abtreibung fähig, und zwar zu einer, die er mit einem Erwachsenen vornahm? Derart daß ich mich frage, wozu wir einst Knospen ausgebildet haben, aus denen Strahlen von Fingern und Zehen wuchsen. Wozu hat er einst achtgegeben, daß ich mich nicht in der Nabelschnur verhedderte, sondern die Hand um diese legte, ohne sie zuzudrücken, während er bereits die ersten Abwehrkörper sammelte und von Keuchhusten und Scharlach munkelte.

Ich hätte das Schlucken auch geübt, ohne daß mir der Immune davon geschwärmt hätte, daß es draußen anderes zu trinken gibt als nur Fruchtwasser und daß uns andere Kuchen erwarten als ein schwammiger Mutterkuchen. Dinge zum Beißen, wofür wir uns Zähne wachsen lassen müßten, und das tue weh.

Damals sprach er zum ersten Mal von Schmerz, der uns erwartet. Doch vorerst waren wir damit beschäftigt, die Augen rollen zu lassen und Grimassen zu schneiden.

Und wiederum sprach er vom Schmerz, als wir für unseren Aufbruch am Gewebe zerrten und daran rissen und unsere Absicht mit Signalen ankündigten, die man Wehen nannte. Der Immune legte dar, es gebe einen großen, aber raschen Schmerz und einen langsamen und quälenden, es gehe nun einmal nicht, ohne daß wir der Frau, die uns austrug, weh täten.

Nicht ohne Erschrecken nahm ich damals zur Kenntnis, daß man nicht nur den Schmerz, den man erleidet, zu ertragen hat, sondern daß man auch mit einem zurechtkommen muß, den man anderen zufügt.

Zur Auseinandersetzung war es gekommen, als der Raum immer enger wurde und wir noch ein paar zusätzliche Pfund ansetzten. Wir probten noch einmal das Atmen und Strampeln durch. Ich wollte mit den Füßen voran, wie einer, der zuerst mit den Zehen die Temperatur der Welt prüft, in die er springen soll. Aber der Immune beharrte darauf, daß wir Kopf voran gingen, auch wenn dieser Kopf zerknautscht werde, der finde schon in eine präsentierbare Form zurück, der Kopf sei unser wichtigstes Organ, wir müßten der Welt klar machen, daß wir nicht kopflos ankommen.

Die Arbeitsteilung war klar: Er sollte sich umsehen, und ich, ich sollte schreien; er sah sich um, versetzte mir einen Stoß, und ich schrie.

Und heute, nach über fünfzig Jahren, will er mir weismachen, wir hätten nichts anderes getan, als uns ein Leben lang umgesehen, nur daß am Ende nicht ich es war, der schrie, sondern er. Und so frage ich mich, ob das Ganze zwischen diesen beiden Schreien liegt und ob das, was dazwischen liegt, schon alles ist.

Nein, das kann doch nicht alles ein Irrtum gewesen sein.

Wir waren doch nicht umsonst erwartet worden. Warmes

Wasser stand bereit und Reismehl, mit dem sie puderten, und wir wurden gewickelt. Als ich dem Immunen zwischen Decken und Kissen zuflüsterte, ich wisse bereits, wie ich heiße »Bub Siebeneinhalb«, korrigierte er mich, »Bub« hätten sie gesagt, weil ich männlichen Geschlechts sei, und »Siebeneinhalb« seien die Pfund, die ich auf die Waage mitgebracht hätte.

Wir waren willkommen gewesen. Die Frau reichte uns die Brust und später die Flasche. Sie kochte Brei und Mus und säuberte uns. Sie half, als wir uns aufzurichten und zu gehen versuchten, und sie stellte uns wieder auf, wenn wir hinfielen. Sie strickte Mützen, damit uns nicht die Ohren abfroren, und sie kaufte für uns Schuhe, und sie trug eine Schürze, und damit deckte sie uns zu, wenn wir zu ihr liefen und den Kopf in ihren Schoß bargen.

Sie wollte nicht, daß wir schutzlos seien, und sie träumte von einem eigenen Dach überm Kopf. Sie nahm dafür Arbeiten an und sparte, aber als sie ein eigenes Dach hatte, waren wir erwachsen und zogen aus. Während der Immune packte und ich am Fenster stand, hörten wir ein Ächzen und Knarren, und der Immune klärte mich auf, nicht nur Frauen kriegten Wehen, sondern auch Häuser, die man verlasse.

Aber da unsere Mutter wußte, daß sie nie genügend Schutz geben konnte, faltete sie uns die Hände. Ich habe mich oft gefragt, was aus dem Knaben geworden ist, der einst vor dem Schlafengehen einem Lieben Gott erzählte, was passiert war, und der in die Heidenmission gehen wollte, weil er onanierte, und der eines Tages seinen Schutzengel um seine Aufgabe brachte.

Der Immune scheint sich ähnliche Fragen gestellt zu haben. Demnach hätte es diesem Jungen ergehen können, wie es Georg erging.

Der Sündenpriester

Zum ersten Mal mußte Georg Red und Antwort stehen, weil er ein Lob der Neugierde verfaßt hatte, es war ein Lob der Frauen geworden:

Wenn Eva nicht gewesen wäre, wüßten wir heute nichts über den Menschen. Warum straft Gott jemand, der vom Baum der Erkenntnis ißt? Hat er Angst, daß der Mensch dahinterkommt? Vielleicht dahinterkommt, daß es kein Geheimnis gibt, sondern nur jenes Nichts, aus dem Gott einst zu entfliehen suchte, indem er die Welt schuf.

Georg hatte im gleichen Aufsatz auch das Lob von Frau Lot verkündet. Während ihr Mann mit Sack und Pack und dem Rest der Familie sich auf und davon machte und geschehen ließ, was im Rücken geschah, drehte sich Frau Lot um. Sie wollte wissen, wie das ist, wenn Gott Städte bombardiert. Dieser duldete jedoch keine Zeugen für sein Eingeständnis, daß er Menschen geschaffen hatte, die nichts taugten. Es heiße, Gott habe Frau Lot zur Strafe in eine Salzsäule verwandelt. Aber vielleicht sei sie, in den Ohren noch die Schreie derer, die verbrannten, vor Schreck erstarrt, entschlossen, in einer solchen Schöpfung nicht länger Mensch zu sein.

Der Aufsatz wurde zum Anlaß für eine Debattierstunde im Deutschunterricht genommen. Der Lehrer mochte allerdings nicht von Eva sprechen, sondern von Frau Lot. Alles wissen zu wollen führe zum Sündenfall. Georg seufzte: wenn dies nur auch für die Physik gälte. Aber der Schüler gab dem Gespräch gleich eine andere Richtung: ob alle Boten des Herrn solche gewesen seien, die sich beim Pissen gegen eine Wand stellen, wie es im Alten Testament heiße. Der Deutschlehrer führte aus, die Boten seien nun einmal männlichen Geschlechts, mit wallenden Kleidern und welligem Haar, und die Männer von Sodom und Gomorrha hätten diese Burschen begehrt. Als Georg fragte, ob man deswegen ganze Städte mit den Frauen und Kindern vernichten müsse, gab der Pädagoge zu bedenken: wenn eine Gesellschaft solches dulde, müsse man sie mit Feuer und Schwert und mit Stumpf und Stiel ausrotten.

Die Schüler saßen still da. Marco hatte die Arme aufs Pult gelegt und den Kopf hineingebettet. Ihm hatten Mitschüler vor ein paar Tagen das Bett auseinandergerupft, und der Petzer, der sie anführte, hatte die Linnen herumgezeigt: was das für Flecken seien. Der Pater, der an diesem Abend Zimmeraufsicht ausübte, ließ die Schüler in ihren Pyjamas neben den Betten antreten: der Sohn des Juda, Onan, stamme aus einem verfluchten Geschlecht, die Selbstbefriedigung sei Verrat an Gott und die Selbstbefleckung mache rachitisch, weil man nicht ungestraft Lebenssaft vergeude; sie sollten vor dem Zu-Bett-gehen kalt duschen.

Während alle Schüler an diesen Vorfall dachten, gab Georg nicht nach: Es stehe geschrieben, die Liebe Davids zu Jonathan sei größer gewesen als die zu einer Frau. Da verschlug es dem Deutschlehrer die Sprache; er sah nach oben, der Himmel ließ die Pausenglocke läuten.

Georg wurde zum Prorektor zitiert, wo ihn auch der Deutschlehrer erwartete. Er sei bisher ein umgänglicher Schüler gewesen. In der Tat, seine disziplinarischen Vergehen hielten sich an den Durchschnitt, ob er heimlich rauchte oder am Abend vom freien Ausgang zu spät ins Internat kam. Er hatte nie wie andere Mühe gehabt mit dem Frühaufstehen; als Bub hatte er zuhause geholfen, am Morgen vor Schulbeginn Zeitungen auszutragen. Was nur plötzlich über ihn komme, so kurz vor der Matur. Die Eltern hatten vor zwei Jahren ein Häuschen gekauft, mehr eine Hütte, wie Georg meinte, und nicht auf dem Land, wie sie sagten, sondern in einem Kaff, und seither reparierten sie an dem Haus herum. Aber dann hatte Vater seinen Unfall gehabt und mußte ins Sanatorium; es hatte sich die Frage gestellt, ob man Georg von der Schule nehmen müsse. Die Verwaltung hatte einen Teil des Schulgeldes erlassen.

Wie Georg nun mit gesenktem Blick und feuchten Augen dastand, faßte ihn der Deutschlehrer an den Schultern: Jetzt kämen die Weihnachtsferien, und hinterher sehe alles besser aus – Gott werde helfen.

Nach der Unterredung ging Georg nicht in die Turnhalle, sondern zu Bruder Nikolaus in die Werkstatt. Hätte er im letzten Sommer schon gewußt, wie man hobelt, hätte er sich während der großen Ferien zuhause nützlich erweisen können; sie hatten den Küchenboden herausgenommen und darunter waren alle Bretter verfault gewesen. Bruder Nikolaus machte vor, wie man den Hobel ansetzt, damit es keine Scharten gibt. Als die ersten Späne flogen, brummelte er: Hilf dir selbst, sonst hilft dir Gott.

Als die Schüler aus den Ferien zurückkamen, mußten sie von ihrem schönsten Weihnachtserlebnis berichten. Georg erzählte von seiner Arbeit bei der Post. Er war dem Bahndienst und dort der Nachtschicht zugeteilt worden. In der Bahnhofshalle hatte ein Warenhaus den Stern von Bethlehem aufgehängt, und die Heilsarmee hatte am Heiligabend im Wartsaal zweiter Klasse Geschenke und heißen Tee verteilt. Während er auf seinem Karren gesessen, sich wegen der Kälte und des Durchzugs verkrochen und auf die Postzüge gewartet habe, habe er sich zwischen den Absendern der Pakete und deren Empfänger Beziehungen ausgedacht: wem wohl die Frau mit der zittrigen Handschrift schrieb, die sich selber Witwe nannte und hinter den Straßennamen ein Fragezeichen setzte.

Georg wurde vor der Klasse gelobt: er könne es ja, wenn er wolle. Er ging hinterher zu Bruder Nikolaus. Der hatte beschlossen, die Stichsäge und den Fuchsschwanz durchzunehmen, danach würden sie die Fensterrahmen zuschneiden. Falls er bei der Verschalung des Stalles helfe, könne er sich das Holz-Geld für die Rahmen verdienen.

Seine Mitschüler spotteten, weil er für seine Aufsätze biblische Themen wählte; er sei ein Punkteschinder, höhnte der Petzer. Georg wehrte sich, die Bibel sei mindestens so spannend wie die Heftchen von Rolf Torring, die sie sich unter der Bank zuschoben und von denen es hieß, sie seien Schund; die Bibel sei ein einziger Katastrophenbericht, man müsse sich nicht an die Familienregister halten, sondern an die Sparte ›Unglücksfälle und

Verbrechen‹. Wenn das keine Schlagzeile abgebe: Nebenfrau und Kind mit einem Stück Brot und einer Wasserflasche in die Wüste geschickt. Was für Familienverhältnisse: da bringt ein Bruder den andern um, und die Söhne belügen mit Hilfe der Mütter die Väter, und wenn die Söhne selber Väter sind, werden sie von ihren Söhnen hereingelegt und diese verkaufen den eigenen Bruder in die Sklaverei. Was sie, die ihn auslachten, bloß mit ihrem Karl May hätten, mit diesen Indianern, die den Skalp der Feinde am Gürtel trügen, sollten die Rothäute doch einmal wie die alttestamentarischen Krieger vierhundert Vorhäute von Bleichgesichtern heimbringen.

Diesmal wurde Georg von dem Pater zitiert, der in den oberen Klassen Bibelkunde erteilte, und der empfahl ihm, sich mehr ans Neue Testament zu halten.

Georg genoß nur das Vertrauen von Marco. Der, ein Sohn italienischer Einwanderer, hatte nie richtig zwischen Dialekt und Schriftsprache unterscheiden gelernt; er sagte selber von sich, er rede Spaghetti-Deutsch. Er klagte eines Abends, er müsse einen Vortrag in Kunstgeschichte halten, er habe an den Schiefen Turm von Pisa gedacht, wo seine Nonna wohne. Georg schlug ihm ›Susanna im Bade‹ vor, eine Schlüssellochgeschichte, zwei alte, geile Männer, die einer Frau beim Baden zuschauen. Marco wollte wissen, was das mit Kunst zu tun habe, Georg klärte ihn auf, es gebe ein Bild von Rubens, einem Holländer oder Belgier, auf jeden Fall von da unten, der habe Susanna dargestellt: rosig und rund und mit zarten Wülsten. Aber es gebe auch Italiener, die derlei gemalt hätten, gerade Italiener, wenn vielleicht auch manchmal mit einem Badetuch davor. Zudem könnte man untersuchen, ob die beiden, die Susanna zuguckten, nicht ein Journalist und ein Photograph gewesen seien, die für den ›Jerusalemer Boten‹ gearbeitet hätten. Als Marco dem Kunstgeschichtsprofessor ›Susanna im Bade‹ als Thema vorschlug, lehnte dieser ab, da die Stifts-Diathek nicht genügend Bildmaterial habe, und er erkundigte sich, wie Marco auf ein solches Sujet komme.

Diesmal war es der Kunstgeschichtsprofessor, der Georg zitierte. Er verderbe seine Mitschüler, und zwar auf die übelste

Weise, übers Wort. Georg dachte daran, daß am Anfang das Wort stand. Seine Schwierigkeiten fingen immer damit an, daß er etwas sagte oder schrieb, oder wie die andern meinten, daß er einen Spruch fallen ließ. Er las nach wie vor im Buch der Bücher, aber er hielt sich zurück. Wenn er bei Bruder Nikolaus Leim aufkochte, dachte er darüber nach, weshalb eine Frau unrein werde, wenn sie ein Kind zur Welt bringt, ob jedes Neugeborene zur Verschmutzung der Welt beitrage.

Wenn er den Anschlagwinkel reinigte oder bei einer Reparatur half, dachte er an die vielen Kleider, die im Alten Testament vor Schmerz und Trauer zerrissen wurden, und er wunderte sich, weshalb da so wenig von Flickschneidern die Rede war?

Und eines Tages fragte er: Ob er wohl je so lieben werde, daß er des Hohenliedes würdig sei. Da meinte Bruder Nikolaus: Er solle so lieben, daß man das Hohelied neu schreiben müsse.

Doch dann lockte es ihn, die Gedanken nicht nur zu denken, sondern auch aufs Papier zu bringen; so schrieb er darüber, weshalb Noah nach der Sintflut Reben pflanzte. Er ging von der Szene aus, als Noahs Söhne ihren Vater fanden, wie er betrunken und nackt am Boden lag, und wie Japhet und Sem sich bückten, um die Scham des Vater zuzudecken. Ham hingegen lachte und fand, ein nackter Vater sei auch nur ein nackter Mann, aber diese Passage strich Georg gleich.

Der Lehrer fand das Thema originell und die Interpretaion verwegen, aber lustig: Zu jeder Feier gehöre Wein, in Maßen natürlich, und damit auch zum Neubeginn nach der Sintflut; der Wein sei zu einem Sakrament geworden dank der wunderbaren Umwandlung des Rebensaftes in das Blut unseres Herrn.

Georg aber hatte Noah nicht aus Freude, sondern aus Verzweiflung trinken lassen: Während der Sintflut selbst war Noah ausreichend beschäftigt mit Unwetter und Füttern, aber als seine Sippe an Land stieg, wurde ihm klar, daß er ein Stammvater war und damit mitverantwortlich für all das, was noch und nach ihm kommen werde. Da habe er Reben gepflanzt, Trauben gepreßt, Wein gekeltert und sich einen angetrunken. Der erste Rausch der Menschheit stehe für den Cafard der Geretteten.

Georg ging einmal mehr zu Bruder Nikolaus. Von ihm wußte er, daß er hinter dem Leinöl und dem Kästchen mit den Nägeln eine Flasche versteckte – nicht Meßwein, wie Bruder Nikolaus zu scherzen pflegte, dafür war die Flüssigkeit auch zu hell, die beiden hatten sich ausgemalt, wie fröhlich die Messe sein könnte, wenn man Sechzigprozentigen umwandeln würde. Georg mußte Bruder Nikolaus mitteilen, er könne nicht mehr so oft kommen, er habe Schwierigkeiten in Algebra und Physik, es gehe auf die Matur zu, aber er werde jede freie Minute benutzen, um sein Gesellenstück fertig zu machen, das Schwierigste, wie Bruder Nikolaus selber sagte, einen Stuhl.

Mit der Matur kam der Maturitäts-Aufsatz und mit ihm die freie Themenwahl. Georg entschloß sich, über die geheimnisvollen achtzehn Jahre zu schreiben. Über die Zeit vom zwölften Jahr, als Jesus im Tempel die Schriftgelehrten mit seinem Wissen in Erstaunen versetzte, bis zu jenem dreißigsten Jahr, da Jesus zum ersten Mal als Wanderprediger auftrat. Auffallend sei, daß über diese Zeit nichts berichtet würde; aber achtzehn Jahre, das sei mehr als die Hälfte von dreiunddreißig Jahren. In diese Zeit falle auch die Pubertät; was habe Jesus in der Zeit gelesen und wovon habe er gelebt, bei wem und mit wem. Wenn Jesus vollumfänglich Mensch geworden sei, habe er auch die Sünde kennen müssen, ansonsten habe er von vornherein ein privilegiertes Leben geführt und könne nicht kompetent beim menschlichen Erdendasein mitreden. Man dürfe oder vielmehr man müsse annehmen, daß Jesus während diesen achtzehn Jahren gesündigt habe. Georg warf die Frage auf, welches Gebot er wohl zuerst übertreten habe, und damit meinte er nicht bloß Entheiligung des Sabbat. Aus dieser Zeit stamme wohl seine Sympathie für Randfiguren wie Zöllner und seine Bekanntschaften mit Maria Magdalena, die sich als Büßerin am Fuß des Kreuzes wieder einfand.

Georg kam eben aus dem Physikzimmer, den Kopf noch benommen von magnetischen Feldern, er hatte Flugbahnen und Widerstände berechnet und Energien umgewandelt, da stellte ihn der Deutschlehrer. Bevor dieser etwas sagte, verteidigte sich

Georg: das mit der Sünde meine er ernst, auch was irdische Richter betreffe, nur solche dürften über andere Menschen zu Gericht sitzen, die mindestens in Gedanken schon geraubt, gemordet oder gestohlen hatten; demnach würde er von zukünftigen Richtern nicht ein einwandfreies Leumundszeugnis verlangen, sondern die müßten einen Test bestehen, aus dem hervorgehe, daß sie der Sünde fähig seien.

Der Deutschlehrer weigerte sich, diesen Aufsatz ›Über die Menschwerdung durch die Sünde‹ zu zensurieren. Wenn Georg in Deutsch ein Ungenügend habe, wisse er, was das bedeute. Nur aus Rücksicht auf seine Mutter, die einen rührenden Brief geschrieben habe, biete er ihm die Chance, den Aufsatz nochmals zu schreiben, obwohl dies gegen die Vorschriften verstoße.

Georg wurde ins Biologiezimmer eingeschlossen. Er setzte sich in die vorderste Reihe und sah zum ausgestopften Adler hinauf, dem Vogel des Evangelisten Johannes; ihm fiel einmal mehr ein, daß am Anfang das Wort stand und damit wohl auch am Anfang einer Reifeprüfung.

Er begab sich zum Lehrerpult, wo verschiedene Bücher auflagen; er fand ein Bestimmungsbuch für Vögel und blätterte darin. Er stieß auf die Taube, und er fragte sich, ob alle Taubenarten des Heiligen Geistes seien, auch die, welche es verboten war zu füttern, weil sie das Portal der Kirche vollmachten, so daß das Jüngste Gericht immer weiß bekleckert war. Wie er über die Taube nachdachte, kam ihm der Einfall, schließlich wurde das Kollegium von Franziskanern geführt. Er entschloß sich, darüber zu schreiben, wie der Heilige Franziskus zu den Vögeln predigte, und er nahm das Bestimmungsbuch für Vögel an seinen Platz mit.

Er überlegte, ob er auch die Flugunfähigen aufbieten sollte; er ließ den Strauß aus Südafrika kommen, den Emu aus Australien und einen Pinguin aus der Arktis. Er wollte nicht nur die nach Assisi bringen, die er bereits kannte, wie Lerchen, Raben, Meisen und Sperlinge. Alle sollten die Ermahnungen des Heiligen vernehmen, auch die, welche im Sumpf oder am Felsen in einem Horst lebten. Er schilderte, wie die einen im Steilflug ankamen und die andern im Segelflug eintrafen. Auch die Raubvögel wollte er unter den Zuhörern wissen, er fragte sich, wieso der Vogel, der Würmer frißt, kein Raubvogel ist, hingegen der, welcher Hasen und Mäuse jagt, aber die Würmer schienen bei den Wissenschaftern über keine Lobby zu verfügen. Auch der Schmarotzer sollte zuhören, der nicht selber Nahrung sucht, sondern sie andern Vögeln abjagt. Georg placierte die Schleiereule zwischen Wachtel und Pirol. Keine Schwanzform mochte er auslassen, so waren die eingebuchteten wie die keilförmigen vertreten, die gestuften so gut wie die abgerundeten. Wichtig aber war für Georg der Schlußapplaus, es sollte ein vogel-weltumspannender Beifall werden. Da kam ihm das Bestimmungsbuch zu Hilfe, er wollte zum Lobe des Herrn nicht nur ein Trillern und Gurren hören, sondern ein Jubilieren mit Krähen und Zwitschern und voll von Schilpen und Schackern, und er fragte sich, wie Schackern und Schilpen wohl töne. Es war auch das »täkä« des Perlhuhns zu vernehmen, und neben dem »wududwud« der Sumpfrohrente das »klick-klick« der Schwalben. Als letzte ließ er die Spottdrossel einstimmen, weil die nicht nur das Zirpen der Grillen und das Quietschen von Rädern nachmacht, sondern auch das Klatschen von Menschen.

Anläßlich der Maturfeier ließ der Prorektor über den Deutschlehrer Georg ausrichten, man habe seinen Aufsatz an den ›Seraphischen Sendboten‹ geschickt. Stolz erwähnte dies Georg, als er nach der Feier Bruder Nikolaus in der Werkstatt aufsuchte: dank dieses Aufsatzes habe er die Matur mit Glanz bestanden, er habe es zur notwendigen Reife gebracht, indem er bewiesen habe, wie schöpferisch er abschreiben könne.

Da fragte ihn Bruder Nikolaus, ob er auch an die Papageien gedacht habe. Georg bedauerte, daß er ausgerechnet die nachplappernden Vögel vergessen habe, worauf Bruder Nikolaus sagte: »Du wirst nie ein richtiger Jünger.«

Georg löste die Schraubzwingen und setzte sich auf den Stuhl, den er verfertigt hatte; die vier Beine waren alle gleich hoch, und die Lehne hielt, als er sich mit dem Rücken dagegen stemmte. Er fragte Bruder Nikolaus, ob er ihm diesen Stuhl schenken dürfe.

Und dieser antwortete: er habe die Fensterrahmen bereits zur Bahn gebracht, hier sei der Abholschein, und hier ein Paket, darin befände sich ein Set von Hobeln: ein Schicht- und ein Schrupphobel, verschiedene Keile und Eisen und auch ein Simshobel. Zuhause legte Georg neben das Maturitätszeugnis den Frachtbrief für die Fensterrahmen.

Georg half beim Aufrichten des Gerüstes. Es ergab sich, daß die Rahmen der oberen Fenster bündig zur Dachtraufe verliefen, so daß es vernünftig war, gleichzeitig die Ziegel neu zu verlegen. Als Georg Latten an die Dachbalken nagelte, rief die Mutter: Was er eigentlich werden wolle? Da sagte Georg in den blauen Himmel hinaus: Vorerst einmal Geld verdienen.

Georg fuhr nach Zürich. Aber die Post brauchte um die Jahreszeit keine Aushilfen. Er las in der Filiale des ›Tagblattes‹ den Stellenanzeiger der letzten Tage durch und notierte sich auf ein Streichholzbriefchen Telefonnummern und Adressen. Dann zog es ihn ins Niederdorf. Vor dem Kino, das er am Ende doch besuchte, war er vorerst ein paarmal auf und ab geschlendert; aber dann hatte er sich vor die Standphotos gestellt und sich ausgedacht, was die Sternchen auf den abgebildeten Körpern verdeckten.

Hinterher bummelte er durch die Gassen und werweißte, in welche Bar oder in welches Restaurant er gehen soll, und er entschloß sich für die ›Holländerstube‹. Im Halbdunkel einer Ecke saß eine Frau an der Theke. Der Kellner stand gerade vor dem Wurlitzer und meinte: »Endlich einer, der etwas spendiert.« Georg zog ein Frankenstück heraus und hielt es dem Kellner hin: »Für den Opferstock.« Dieser grinste, und Georg fuhr fort: »Wenn der Opferstock in der Kirche Musik machte, würden die Leute auch mehr hineintun.«

Georg langte gerade nach seinem Bier, da kam ein Mann herein. Die Haare über die Glatze gestrichen, daß man sie einzeln zählen konnte. Unter seiner Jacke spannte sich eine Strickweste, deren Knöpfe vorn fast absprangen. Er grüßte auch in die Richtung, wo niemand saß; mit einem rosigen Lächeln stellte er sich hinter die Frau und flüsterte ihr ins Ohr. Diese hielt dem Kellner ein Bündel Kassenbons hin: »Das Schätzchen da möchte mich auslösen«, dann wandte sie sich an den Mann: »Dem da drüben mußt du auch den Drink bezahlen«, und sie zeigte auf Georg. Erst als die Frau den Pudel über die Theke reichte, bemerkte Georg, daß die ganze Zeit ein Hund auf der Fensterbank gelegen hatte. Der Kellner verwarf die Hände: »Weißt du, wie mein Chef das gern hat, einen Wauwau hinter der Bar.« Da drückte die Frau Georg den Pudel in den Arm, begutachtete ihren Freier und sagte: »Für eine halbe Stunde.«

Georg placierte den Pudel auf dem Hocker neben sich. Der Hund kläffte, und Georg frotzelte: Ob der Hund ganz allein so laut belle. Er stellte den Kläffer auf den Boden, der lief zur Tür und winselte. »Der muß wohl mal«, meinte der Kellner. Draußen sah Georg, daß der Pudel violett gefärbte Pfoten hatte. Georg blieb vor jedem Schaufenster stehen und besah sich die Auslagen in einem Antiquitätengeschäft. Da redete ein Herr Georg an: »Ob es ein Männchen oder ein Weibchen sei.« Georg lachte, er habe keine Ahnung. Der andere kicherte: Es komme wohl nicht darauf an, ob er den jungen Mann zu einem Drink einladen dürfe. Georg lehnte ab. Als der, der ihn einladen wollte, wegging, blieb ein Duft von Kölnischwasser zurück. Georg sah das wellige Haar und den wehenden Mantel, und er dachte an die Boten des Herrn.

Als er in die ›Holländerstube‹ zurückkam, saß die Frau bereits auf ihrem Platz. Sie hob ›Schnuggi‹ hoch und fragte, ob das Herrchen auch lieb mit ihm gewesen sei, und der Hund kläffte. Die Frau stellte sich vor: »Lora«, und Georg seinerseits: »Georgie«. Sie wollte wissen, was er arbeite; er sagte, er werde morgen anfangen, und als er sein Streichholzbriefchen mit Adressen und Telefonnummern in die Höhe hielt, lachten die andern erst recht.

Neben Lora hatte eine Kollegin Platz genommen; die Perücke war ihr leicht verrutscht. Sie verkündete lauthals: sie werde diesen Sommer nicht in Zürich, diesem Kaff, verbringen, sie miete ein Appartement an der Costa del Sol, die Alles-inbegriffen-Typen wüßten doch nichts mit ihrer Zeit anzufangen, und wenn die schon einmal pro Jahr ausgingen, hätten sie dicke Taschen. Der geschniegelte Kerl neben ihr sah aus der Zeitung hoch: Was sie hier herumhocke, wo nichts los sei. Sie war bereits aufgestanden, zupfte an ihrem Minirock und zog die Schäfte ihrer Stiefel hoch.

Schon die ganze Zeit hatte irgendeiner in einer Lederjacke zu Lora herübergegafft. Da Lora nicht reagierte, begann er mit dem Pudel zu spielen. Georg warf hin: »Was will denn dieser Pinscher?« Der, welcher sich um Lora bemühte, gab zurück: »Das ist kein Pinscher, das ist ein Pudel.« Worauf Georg ihn kurz und scharf anfuhr: er habe nicht den Hund gemeint. »Pech«, sagte der abgeblitzte Freier, und der Kellner ausführlicher: »Pech ist nur der Summton.«

Georg stellte fest, daß einmal mehr am Anfang das Wort stand und daß es wieder mit Sprüchen begann.

Als Lora vorschlug, sie würden eine Kneipe weiterziehen, bedauerte Georgie: er müsse nach Hause, der letzte Zug und erst noch umsteigen. Da lachte der Geschniegelte: »Wenn der getrunken hat, zieht er Fäden.« Lora beruhigte Georgie: »Dich bringen wir schon irgendwo unter.« Und der Kellner rief hinterher: »Und auch irgendwo rein.«

Lora packte den Pudel unter den Arm und hängte sich bei Georgie ein. Wegen der Stöckelschuhe von Lora machte auch Georgie kleine Schritte, als sie die Gasse gegen das Limmatquai hinuntergingen. Eine Frau mit einer Markttasche blieb stehen: »So ein Bürschchen.« Zwei Italiener pfiffen hinter Lora her, die ihnen zurief: »Haut ab, ihr Maiskolben.« Georgie sagte, es gebe auch anständige Italiener. Lora bat ihn, er solle im »Ping-Pong« auf sie warten, und drückte ihm eine Fünfzigernote in die Hand. Georgie wehrte ab. Lora bestand darauf: das sei fürs Hüten. Georgie war ein guter Pudel-Hirte geworden.

Er setzte sich im ›Ping-Pong‹ an das erste Tischchen. Dort war er denen im Weg, die am Glücksautomaten spielten; so wechselte Georgie an den nächsten Tisch und sah zu, wie sich im Apparat Zwetschgen, Bälle, Glocken und Blumen drehten. Plötzlich rasselte es, und Münzen fielen aus dem Kasten. Als der Spielautomat frei war, versuchte es Georgie auch. Noch während er die Gebrauchsanweisung las, stieß ihn einer beiseite. Georgie setzte sich wieder hin. Da stupste ihn einer: er arbeite für ein Meinungsforschungsinstitut und sollte noch einige Formulare ausfüllen. Georgie gab Auskunft über seine Rasiergewohnheiten und dachte, das könnte auch ein Job für ihn sein, schließlich hatte er eine Matur mit Griechisch und Latein.

Bei der fünften Bestellung hob er nur noch den Daumen. Dann spürte er plötzlich ein Schnuppern an den Hosenstößen. Schnuggi schleppte die Leine hinter sich her, und Lora winkte von der Tür. Als er bezahlen wollte, zeigte der Kellner bloß auf Lora. Wie sie draußen waren, wollte Lora noch ein bißchen in den Club. Da setzte sich Georgie auf den Hydranten unter den Striptease-Photos: hier bleibe er, und wenn's sein müsse, die ganze Nacht. Lora hielt ein Taxi an.

Als Georgie sich im Treppenhaus am Geländer hochzog, rutschte er aus; er entschuldigte sich für den Lärm. Doch Lora lachte: In dieser Bruchbude sei man anderen Krach gewohnt. Im Appartement tastete sich Georgie gleich zur Toilette und blieb auf der Schüssel sitzen, den Kopf gegen die Wand gelehnt. Als er ins Zimmer zurückkam, trug Lora ein durchsichtiges Nachthemd. Er ließ sich aufs Bett plumpsen und fiel nach hinten. Lora wühlte ihren Kopf zwischen seine Schenkel; nach einer Weile sah sie auf: ob er einer von denen sei, die vorher ein geiles Heftchen anschauten. Georgie murmelte etwas, er versuchte die Schuhe von den Füßen zu streifen und fiel in Schlaf.

Als er erwachte, war es viertel vor sechs. Zeit für die Frühmesse, wie ihm einfiel. Er drehte sich um und sah das Gesicht der Frau. Ihr Lippenrot war verschmiert und die Wimperntusche verlaufen. Er roch ihre Wärme und kroch zu ihr. Lora flüsterte im Halbschlaf, ob es so richtig sei; sie streichelte ihm über den Rücken, er solle nur sagen, wie er es möge, sie mache alles, und fügte hinzu »fast«, und ob es ihm so gefalle oder ob sie sich drehen solle. Georgie drückte ihr einen Kuß auf den Mund und gab den nicht mehr frei, um ungefragt auskundschaften zu können, wie er es am liebsten hatte.

Als Georgie wieder erwachte, war es schon ein Uhr. Lora rührte sich einen Pulverkaffee an: ob er auch einen Schluck möge. Er probierte die Schalter aus, die in den Nachttisch eingebaut waren, und spielte Beleuchtungen von grell bis schummrig durch; bei einem Knopf ertönte aus der gepolsterten Rückwand Musik. Er suchte seine Unterhose. Lora öffnete den Schrank: wenn er etwas brauche, das Zeug könnte ihm passen. An der Stange hing eine Reihe von Herrenanzügen. Da eine Lederjacke, die könnte gehen. Ob er die Hosen immer ein paar Nummern zu groß trage. Hier – das seien Röhren. Georgie wickelte sich ins Leintuch; als er aufstand, zog er das halbe Bett mit, und aus den Decken purzelte Schnuggi, der am Boden weiterschlief. Lora hatte sich einen Clip ans Ohr geklemmt und wollte wissen, was Georgie davon halte. Er kratzte sich. Da zog Lora aus einer Schatulle ein Kettchen und legte es ihm um den Hals: »Stammt sicher von einem Bruch. Aber hier, der Stempel, alles echt. Kostete auch so noch genug. Was bist du für ein Sternzeichen?«

Georgie verabredete sich mit Lora im ›Ping-Pong‹: aber nicht vor halb neun, vorher sei die beste Zeit, zwischen Büroschluß und Familiennachtessen. Als Georgie unten auf der Straße stand, sah er, daß er sich in Außersihl befand, wo er einen Teil seiner Kindheit verbracht hatte. Er schlenderte zur Sihl. Bei der dritten Telefonkabine rief er zuhause an: sie hätten die Matur ein bißchen nachgefeiert, und die Mutter fragte, ob er nicht ein Paket Nägel besorgen könne. Als Georgie über die Stauffacherbrücke ging, sah er den Kirchturm von St. Peter und Paul; er überlegte, wann die wohl Beichte hörten, aber dann entdeckte er ein anderes Gebäude und begab sich ins Hallenbad.

Er fand sich lange vor halb neun im ›Ping-Pong‹ ein. An der Theke langweilte sich bereits Kudi, der Geschniegelte vom Abend zuvor; er trug ein kariertes Westchen. Er winkte Georgie zu sich: Ob er würfle? und verlangte bereits vom Kellner die Piste. Der brachte das runde Spielbrett mit dem Becher und den Würfeln. Man müsse ihm das Spiel erklären, sagte Georgie. Kudi seufzte: »Auch als Zogger bist du ein Anfänger. Also: Jeder hat im Maximum drei Würfe. Wenn du schon beim ersten Mal drei Einer wirfst, ist das Chicago. Ansonsten mußt du halt weitermachen, soviel oder sowenig Augen wie möglich würfeln, dann hat der Gegner Gegenwind, und ob er eine höhere oder eine tiefere Augenzahl werfen muß, bestimmst du.« Kudi riß aus einem Briefchen fünf Streichhölzer und legte die zwischen die Gläser. »Zuerst spielen wir darum, wer die Runde bezahlt. Nachher um ein Scheit.« Da wollte Georgie wissen, was das wieder heiße. Kudi stöhnte; er zog eine Fünfzigernote hervor: »Siehst du den Holzhacker drauf? Das ist ein Scheit.« Wie denn der Zehner heiße, wollte Georgie wissen. Aber Kudi ächzte: »Wer rechnet schon mit Zehnern. Ein Tausender ist ein Riese.«

Georgie gestand, er habe für dieses Würfelspiel nicht genügend Bargeld. Kudi fragte den Kellner, ob er diese Scheinheiligkeit mitgekriegt habe. Dann beugte er sich zu Georgie und strich ihm über das Revers seiner Lederjacke: »Was für ein Schwein, daß du die gleiche Postur hast wie Armando, Lora braucht immer einen fürs Herz. Aber ich würde mir an deiner Stelle dennoch einen Job zulegen. Einen, bei dem man das Einkommen nicht kontrollieren kann. Zum Beispiel Vertreter. Sonst geht's dir wie Armando. Ich zweifle, ob sie den wieder laufen lassen. Alles hängt davon ab, was für Aussagen Lora macht. Die sind grausam, wenn sie dich als Zuhälter dran nehmen.« Aber er halte gar niemanden zu, sagte Georgie. Kudi grinste: »Das wäre noch schöner, wenn die Hühner nicht selber scharrten. Aber für die vom Gericht genügt es, daß du davon lebst.« Und Georgie meinte nachdenklich: »Wir leben von der Liebe.«

Eigentlich hatte sich Georgie nur von Lora verabschieden wollen. Doch sie kam nicht um halb neun, und als sie immer noch auf sich warten ließ, schob Kudi seine Kassenbons neben Georgies Glas: er müsse einmal Zwischenkasse machen, und verabschiedete sich. Georgie zählte auf der Toilette nach, ob ihm Geld für die Konsumation blieb. Als er zurück an der Bar war, verlangte er die Piste. Er übte, gegen die Bande zu würfeln und den Würfel in den Fingern so zu drehen, daß eine Eins liegenblieb.

Kurz vor der Polizeistunde tauchte Lora auf: sie habe vergessen, daß Freitag sei, und Freitag sei immer was los, Börsentag, aber heute sei ein Geläufe gewesen, die hätten einen Drang gehabt wie an Fronleichnam und Himmelfahrt, wenn die Innerschweizer anrückten. Wo der Hund sei, fragte Georgie. Bei ihrer Mutter; dort lebe auch ihre Tochter. Sie suchte in der Tasche und holte ein Päckchen hervor. »Mach's auf.« Georgie hielt ein goldenes Kreuz in der Hand. Zuerst habe sie als Anhänger einen Steinbock kaufen wollen. Aber dann habe sie das da entdeckt. Achtzehn Karat. Das tue man auch auf Grabsteine. Das sei Glaube, Liebe, Hoffnung. Drum habe es noch ein Herz dran und einen Anker.

Vor dem ›Roten Hund‹ trieb sich allerlei Volk herum, das Einlaß in den Club begehrte; einige brüllten und grölten, die meisten hatten Flaschen in den Händen. Als der Rausschmeißer Lora sah, rief er: »Platz für die Dame.« Zunächst schlug Georgie Musik ans Ohr. Der Raum schien leer zu sein, nachdem die Augen sich ans Schummerlicht gewöhnt hatten, waren in den Ecken Matratzen, niedrige Tischchen und ein paar Sessel auszumachen. Auf der Tanzfläche wiegte sich einer mit eingeknickten Knien zu den Bluesrhythmen. Von der Decke hing eine Kugellampe, die sich drehte; die Glassplitter warfen im Kreis ihre Lichtfetzchen an die Wände. Georgie folgte Lora die Treppe hinauf zu einer Empore, wo eine Bar eingerichtet war. Lauter Hallo-hallo-Bekannte, denen Lora Georgie vorstellte. Niemand schien sich für ihn zu interessieren. Alle waren aufgebracht, weil Fritz der Kellner noch nicht erschienen war, der war sicher wieder in einem seiner Pissoirs hängengeblieben.

Lora bat Georgie, er möge ihren Vermouth hervorangeln, und er suchte hinter der Theke nach der Flasche mit dem großen ›L‹. Da rief auch Kudi, ob er ihm seine Whisky-Flasche herüberreiche, und ein dritter verlangte zwei Gläser. Bevor Georgie sie hinstellte, rieb er sie sauber. Er holte aus dem Kühlschrank Eiswürfel und schnitt eine Zitrone an. Zwischendurch blickte er auf. Er sah zunächst nur den Schnurrbart, bis sich darunter ein Mund auftat: Ob er nicht hier arbeiten wolle? Von zwei Uhr früh bis morgens fünf?

Der »Rote Hund« machte erst auf, wenn die andern Lokale schlossen. Es war ein Privat-Club ohne Alkoholpatent. Die Gäste mußten die Alkoholika mitbringen oder, wie die Stammkunden, ihre persönlichen Flaschen deponieren. Natürlich gab es einen Getränke-Automaten, und zudem hatte Georgie unter der Theke immer ein paar gängige Marken zur Verfügung. Aber wenn er ausschenkte, mußte er acht geben, daß nicht einer von der Polizei zuschaute. Den ersten Detektiv erkannte Georgie gleich; er wußte nicht, ob am Aussehen oder am Geruch. Bezahlen ließ er sich in der Toilette: Das Getränk war gratis, nur der Service kostete, und wieviel der dem Gast wert war, blieb diesem überlassen. Manchmal kehrte einer allerdings die leeren Taschen nach außen, und nicht jeder zog einen goldenen Siegelring vom Finger. Den steckte sich Georgie an, damit er ihn nicht verliere. Großbetrieb war vom Freitag auf Samstag und vom Samstag auf Sonntag. Da brachten die Hühner oft noch einen Kunden mit, und die waren gewöhnlich splendid. Da kamen all die, welche noch nicht nach Hause mochten, und die, die gar nicht nach Hause konnten. Die, die noch nichts gefunden hatten, und die, die suchten, ohne was finden zu wollen. Immer ein paar Stricher, die nach einem Schlafsack Ausschau hielten. Da tummelten sich auch die chronischen Gartenzwerge. Manchmal ein paar Rekruten oder Soldaten, die durchzechten. Auf der Tanzfläche drängten sich die Paare, und sie rieben sich auch auf den Matratzen aneinander. Da klebten sie an den Wänden, standen sich auf den Füßen, merkten es nicht und sahen sich kaum im Rauch, und sie hockten gedrängt auf der Treppe. Das war Georgie schon deswegen recht, weil die Besoffenen nicht alle Stufen hinunterfallen konnten.

In der Nacht vom Sonntag auf den Montag aber war man unter sich. »En famille«, wie Dora sagte, die eine Zeitlang in Genf auf den Strich gegangen war und behauptete, sie könnte für ihren französischen Akzent Zulagen nehmen. Zu der Zeit schliefen all die, die am Montag wieder in die Zwangsjacke stiegen. Zu dieser Nachtstunde hatten die Hühner ihre Standplätze aufgegeben und kreisten auch nicht mehr in ihren Wagen auf dem Korso. Sie hatten mit ihren Streckenwärtern und Bräutigamen abgerechnet. Die waren beim Match gewesen und hatten das Spiel noch einmal am Radio verfolgt. Die hatten die Pintenkehr beendigt und die Schlägereien abgeschlossen; sie hatten ausgewürfelt und die Kartenspiele hinter sich, sich schon zum zweiten Mal versöhnt und ihre Totto-Zettel zum dritten Mal durchgesehen. Sie genossen den Feierabend und hingen Pantoffel-Gedanken nach; alle hockten nahe am Wasser und wurden rührselig.

Die dicke Berta war nur noch barmherzige Schwester; sie hatte sich auf Pensionierte spezialisiert, ihr blieb auch gar nichts anderes übrig; sie erzählte, wie günstig sie Vorhangstoff gekauft habe, sie nähte leidenschaftlich gern, aber sie besaß nicht soviel Fenster, wie sie Vorhänge nähte. Trixi verkündete: sie habe einen kennengelernt, der arbeite als Photograph bei einer Modell-Agentur, sie werde bald nicht mehr den Marsch, sondern den Laufsteg machen. Erika, die minderjährig war, hatte Mitleid mit denen, die ihr Stenz erpreßte, weil es trotz allem Männer mit Frau und Kinder seien. Und Lisette haßte es, wenn man sie um die Zeit auch nur zufällig anstieß, sie wollte mindestens einmal in der Nacht Dame und unbelästigt sein. Und Elena zeigte ein Buch, das ihr ein Professor gewidmet hatte, der auch im Fernsehen auftrat; der lud sie manchmal zum Essen ein: sie hätte nie gedacht, daß der Krimkrieg so interessant gewesen sei.

Das waren auch die Stunden des ›Stenzialismus‹, der Berufssorgen und des Erfahrungsaustausches: was für neue Gesichter die Sittenpolizei auf den Asphalt schickt und welchem Wirt der Patententzug droht, wie hoch einer auf dem Steueramt eingeschätzt wurde und welcher Anwalt in Militärdienst-Angelegenheiten zu empfehlen war, wie es mit dem Führerschein steht und ob die Massagesalons Zukunft hätten, und daß sie sich mit dem Baumeister gut stellen müßten, der Altwohnungen in Einzimmer-Appartements umbaute, und daß die Österreicherinnen als Schmutz-Konkurrentinnen ernst zu nehmen waren, denn die machten es ohne Gummi.

Das waren Momente, da sie in Erinnerungen kramten, und es war ihnen gleich, wenn die nach Mottenkugeln rochen. Da erinnerten sich zwei daran, wie sie sich in der Strafanstalt kennengelernt und wie sie beide zusammen in die oberste Klasse gewechselt hatten und wegen guter Führung das orange Abzeichen anstecken durften. Ein Dritter mischte sich ein, der wollte seine Heimerlebnisse vergleichen, aber er erzählte nur dem Glas vor sich, wie er zum ersten Mal ausgerissen war, und hielt vergeblich Ausschau nach einem, den er hätte anrempeln können. Und da wiederholte einer einmal mehr, er gebe dem Alten zuhause nichts, der könne verrecken, so lange er wolle, und hoffentlich tue er es recht lange.

Das waren auch die Stunden, in denen sie sich ausmalten, was sie einmal unternehmen würden. Der eine plante ein Restaurant mit nur Spaghetti und zwanzig Saucen. Und ein anderer träumte von einer Autowerkstatt wie der, in der er einmal eine Lehre angefangen hatte, und ein dritter wollte über alles ein Buch schreiben und sich hinterher ins Tessin zurückziehen, und André verachtete all die, die nur, weil sie in ihrer Kindheit verprügelt worden waren, im Milieu Unterschlupf suchten; er stammte aus bürgerlichem Haus und betrachtete sich als Mitglied einer »Fünften Kolonne«. Auch Kudi legte sein Projekt vor, einmal im Fernen Osten eine Spielhölle aufzutun. Er zog ein Hosenbein hoch und demonstrierte an seinem haarigen Unterschenkel: Alle Schlitzaugen werden Schlitz-Röcke tragen.

In einer solchen Nacht legte auch Lora los: Sie heiße eigentlich Vreny, aber das wisse Georgie schon lange selber. Natürlich dürfe sie ihre Mutter jederzeit besuchen, aber sie müsse sich dafür umziehen und dürfe ja keine Perücke tragen, die Alte schäme sich noch immer ihretwegen, aber das Geld nehme sie doch, sie schaue gut zu ihrer Tochter, doch wenn sie wieder mal ein Kind kriege, gebe sie es zur Adoption frei. Sie selber sei schon mit dreizehn Jahren drangekommen und zwar grausam. Und hinterher habe es nur geheißen, sie sei eine Lügnerin. Dieser Amtsvormund, wenn sie die Geschichte erzähle, glaube das niemand. Sie beugte sich über die Theke. Georgie meinte, sie bitte um einen Kuß. Doch sie wollte ihr Gesicht zeigen. Georgie ließ das Feuerzeug anschnappen und leuchtete die blutunterlaufenen Augen ab. »Und erst die Striemen auf dem Rücken«, sie könne sich nicht mehr ausziehen und müsse alles im Auto machen. Ob

Armando zurück sei? fragte Georgie. Lora schluchzte: »Ich habe noch zugunsten dieses Sauhundes ausgesagt.« Sie wurde still, wühlte in ihrer Tasche, legte Lippenstift, Puderdose, Papiertaschentücher und ungeöffnete Briefumschläge auf die Theke, suchte weiter und holte eine Packung Präservative und dann eine Tablettenschachtel hervor; sie hielt sie Georgie hin: »Nur gegen Rezept. Zwei Stück genügen«, den Hund, den bringe sie vorher ins Tierspital zum Einschläfern. Es schüttelte sie, und sie legte den Kopf auf ihre Arme und fragte ohne aufzuschauen: »He?« Georgie streichelte ihr über die Perücke: »Ich bin noch da.« Sie hob kurz den Blick: »Das ist doch alles beschissen.« Und Georgie nickte: »Weiß Gott«, und er überlegte, ob es Gott wohl wisse. Er bückte sich, um Gläser abzutrocknen. Das Kreuz mit Herz und Anker baumelte zwischen Zahnstochern und Zitronenpresse über dem Abwaschbecken.

In einer solchen Nacht kam es zu einem unerwarteten Auftritt. Der Typ war gleich aufgefallen. Für einen Polizisten war er zu schmächtig, und so auffällig verklemmt drückte sich auch keiner der Schmierlappen in die Ecke. Er hatte ein Mineralwasser bestellt; als ihm Georgie das Geld gewechselt hatte, hatte er nichts aus dem Automaten gelassen. Da winkte Georgie mit der Whisky-Flasche, aber der Fremde flüsterte: »Weiche Satan.« Georgie dachte, er habe nicht richtig gehört und holte die Gin-Flasche hervor. Da posaunte der andere: »Was hülfe es dir, wenn du die ganze Welt gewännest und nähmest doch Schaden an deiner Seele.« Ehe Georgie genickt hatte, stand der Typ bereits hinter der Bar. Er wickelte aus einem braunen Packpapier ein Buch, die Bibel, und ehe Georgie fragen konnte, was das für eine Ausgabe sei, rief er: »Ihr Otterngezücht.« Georgie drehte den Wurlitzer lauter. Kudi, der die Szene verfolgt hatte, bat Georgie, den Schnulzomaten abzustellen: »Das ist mal eine andere Platte.« »Das Tier, auf dem das Weib reitet, hat sieben Köpfe und zehn Hörner«, verkündete der Prediger, »die Große Hure Babylon«. Da erkundigte sich die dicke Berta, ob das eine neue sei, und als der Prediger fortfuhr, sie sitze an vielen Wassern, wollte Berta wissen, wo genau die den Standplatz habe. Was der handgestrickte Heiland wolle, tobte ein Stenz, und Trixie schrie: »Das ist ein Club und kein Betschopf.« Aber Kudi beschwichtigte alle: »Das ist ein Kollege. Das ist ein Seelenzuhälter.«

Der Prediger zeigte mit dem Buch der Bücher nach oben. Georgie gab acht, daß der Apostel dabei nicht alle Flaschen vom Gestell stieß. Der Prediger stand neben dem Geländer. Zum ersten Mal fiel Georgie auf, wie sehr die Empore einer Kanzel glich und die Stereoanlage kam ihm wie eine Orgel vor. Der Prediger zeigte auf die Tanzfläche, die leer war, und dann auf die Kugellampe, die sich drehte; »Finsternis wird herrschen.« Da meinte Kudi, warum dem Himmel nicht auch einmal die Sicherung durchbrennen sollte. Brüsk drehte sich der Prediger um, so daß ihm beinahe das Nickelgestell von der Nase rutschte: »Gleich einem Wurm wirst du zertreten. Aber die Auserwählten werden zu seiner Rechten sitzen. Denn der Herr erbarmt sich der Gerechten und holt sie heim ins Himmelreich, und sie werden tausendfältig belohnt. Euch aber wird er zerschmettern, und er wird in einem Feuerwagen kommen.« Kudi erkundigte sich, wieviel PS der habe. Der andere erhob die Stimme: »Tut Buße. Noch ist Zeit für die Umkehr.« Kudi sah auf die Uhr. Der Prediger langte nach dem Messer, mit dem Georgie die Zitronen schnitt, er fuchtelte damit in der Luft; »Es wird der Racheengel mit seinem Schwert zustoßen.« Und es werde nur Heulen und Zähneklappern sein. Darauf meinte Kudi: »Da haben es die mit einem Gebiß wieder gut.« Der Prediger verstummte, nachdem er »Hosiannah« gerufen hatte. Kudi sagte »Amen«, und die andern fielen ins Amen ein. Dann forderte Kudi den Propheten auf, mit ihnen anzustoßen.

An diesem Morgen begab sich Georgie nicht mit den andern zum Frühstück in die ›Eule‹, die um fünf Uhr öffnete. Das fiel weiter nicht auf. Er wohnte längst nicht mehr bei Lora; er hatte auch die Lederjacke zurückgegeben. Er hatte sich im Club eingerichtet. An Matratzen fehlte es nicht, und es gab genügend Schränke aus der Zeit, da das Clublokal ein Lebensmittelgeschäft gewesen war. Georgie wartete, bis die andern die Gasse hinauf um die Ecke verschwunden waren. Dann spazierte er zur Limmat hinunter. Die ersten Straßenbahnen quietschten. Hinter den Kirchtürmen und Baukränen wurde es hell. Er sah in den morgendlichen Himmel und dachte, wie einsam Gott sein muß, daß er auf einen Propheten wie den von heute Nacht angewiesen sei. Da faßte Georgie einen Entschluß: Er wollte Theologie studieren, um Gott vor seinen Verteidigern zu schützen.

Nachdem Georgie in den Club zurückgegangen war, suchte er ein Papier: er schrieb auf die Rückseite eines Lieferscheins, er habe einen Job gefunden, strich das Wort und ersetzte es durch »Lebensstellung« und fügte liebe Grüße für Lora bei. Dann zählte er im Vorratsraum die Flaschen nach. Er nahm einen Kübel und wischte den Boden auf. Als er im Erdgeschoß die Matratzen ausklopfte, entdeckte er einen jungen Kerl, der hinter einem Sessel auf dem Boden schlief. Georgie rüttelte ihn wach; er möge verschwinden. Der gähnte: er übernachte sonst in den Anlagen, er heiße Peter. Da nannte auch Georgie seinen Namen: »Georg«. Und er fragte Peter, ob er einen Job suche. Doch Peter meinte, er habe bisher als Ausläufer gearbeitet, zuletzt in einer Fischhandlung. Georg beruhigte ihn: Vom Barbetrieb brauche er nicht mehr zu verstehen, als wie man eine Flasche öffne. Georg zog die Vorhänge auf: Immer lüften. Als Georg Peter den Schlüsselbund überreichte, klimperte der voll Freude damit.

Als Georg zuhause anrief, erschrak seine Mutter beinahe: der Vater habe schon daran gedacht, ihn polizeilich suchen zu lassen und die Nägel habe er bis heute nicht besorgt. Georg teilte mit, daß er ins Priesterseminar eintreten werde, dann fragte er, wie's mit dem Umbau stehe, und er erfuhr, sie könnten erst weitermachen, wenn die Versicherung die nächste Rate schicke. Georg notierte sich, was man fürs erste alles benötigte. Er begab sich in ein Geschäft für ›Sanitär-Installationen‹. Zuhause packte er eine Mischbatterie aus, drei Wasserhähne, einen Siphon, eine Dusche und ein Paket Dichtungen. Der Vater murrte, und die Mutter holte einen Umschlag: Schon lange liege Post für ihn da. Der ›Seraphische Sendbote‹ hatte seine Vogel-Predigt gedruckt.

Bevor er wegen seines Studiums beim Bischof vorsprach, ging er zum Coiffeur; das wellige Haar, das er einen Sommer lang hatte wachsen lassen, fiel. Er legte das Kettchen mit Herz, Kreuz und Anker und den Siegelring in eine Schachtel, in der er Spielsachen aus seiner Kinderzeit aufbewahrte. Er holte die Hosen hervor, die er im Kollegium getragen hatte, die waren nicht so eng geschnitten. Er nahm zur Besprechung sein Maturitätszeugnis mit, eine Photokopie der Steuererklärung seines Vaters und ein Exemplar des ›Seraphischen Sendboten‹.

Nachdem er die Sache mit dem Stipendium in Ordnung gebracht hatte, sah er sich nach einer geistlichen Mutter um, wie ihm der Bischof geraten hatte. Die Mutter kannte die Frau, die im Dorf das Kolonialwarengeschäft leitete, recht gut; sie war Witwe und kinderlos und war glücklich, eine geistliche Mutter zu werden und einem angehenden Priester einen finanziellen Beitrag zum Stipendium leisten zu dürfen.

Georg machte sich mit dem Vater an die Installationsarbeiten. Nachdem sie im Badezimmer die letzten Rohre unterm Verputz hatten, war auch für Georg der Zeitpunkt gekommen, ins Seminar zu fahren. Der Geruch von Kernseife und Weihrauch heimelte ihn an. Er saß am ersten Abend lange in seinem Zimmer am Fenster. Es waren andere Berge als die, die er vom Schlafsaal des Kollegiums aus gesehen hatte. Er war nicht mehr gewohnt, so früh zu Bett zu gehen.

Seine erste größere Arbeit widmete Georg Isaak. Ein innerer Monolog: was Isaak dachte und empfand, als er mit seinem Vater Abraham den Berg hinaufstieg, wie ahnungslos er sich nach dem Opfertier erkundigte, wie er merkte, daß sein Vater auswich, und wie es dem Sohn allmählich dämmerte, daß er selber das Opfertier war, wie er dem Vater noch half, die Steine für den Altar zusammenzutragen, und ihm sogar das Messer aufhob, das zu Boden gefallen war. Zwar habe Gott im entscheidenden Moment Einhalt geboten, und als Ersatz sei aus dem Busch ein Böcklein gesprungen. Doch für Isaak habe die Opferung stattgefunden. Er habe zu allem geschwiegen, aber im Innern, wo er das Messer spürte, habe er gelacht. So habe er seinem Namen Sinn gegeben, nicht umsonst heiße Isaak ›Der Lachende‹.

Mit seinem Professor spazierte Georg im Garten des Seminars

vom Brunnen zum Kreuzgang; zwischen Rabatten und Hecken unterhielten sie sich über Demut und Gehorsam. Georg brachte vor, ob man Gehorsam nennen dürfe, was auf Kosten eines andern gehe. Er überlegte, weshalb es nicht zu einem Gespräch zwischen Gott und dem Gottessohn gekommen sei. Man habe immer nur darüber debattiert, daß Gott seinen einzigen Sohn opfere; aber diesen habe man nie um seine Meinung gefragt. Was, wenn dieser Angst gehabt hätte, und nicht nur im Sinne von »Laß diesen Kelch an mir vorübergehen«. Was, wenn der Sohn erklärt hätte, es sei jeder für die Welt, die er geschaffen habe, selber verantwortlich. Oder verhalte es sich etwa so, daß zwar jeder stark genug sei, eine Welt zu schaffen, aber daß es einen zweiten brauche, um diese zu erlösen.

Der Professor meinte, Georg solle sich nicht so ausschließlich an die Bibel halten. Es gebe nicht nur das Buch der Bücher, sondern auch eine tradierte Wahrheit. Die Lehre der Kirche sei das Fundament eines mächtigen Doms, die Eckpfeiler seien die vier Evangelisten und dazwischen lägen die Wände der Exegese mit den herrlichen Bogenfenstern, durch die das Licht der Kirchenväter eindringe, und zuoberst bilde der Dachstuhl und das Dach den Abschluß, die theologische Summa. Georg lächelte im Schatten einer Bonifazius-Statue: er gebe sich alle Mühe, ein guter Dachziegel zu werden.

In großen schwarzen Ringbüchern führte er die Vorlesungen nach, er füllte sie mit Auszügen und Zitaten. Daneben aber schrieb er in ein Wachstuchheft, was ihm darüber hinaus und in eigener Regie einfiel.

Darüber, weshalb Jesus immer in Gleichnissen sprach. Auf die Frage der Jünger, warum er dies tue, antwortete er wiederum mit einem Gleichnis. Wich er damit aus, indem er sich nicht festlegte und den andern Interpretation und Irrtum überließ? Oder drückte er damit die Überzeugung aus, man könne die Wahrheit nur als Gleichnis und damit letzten Endes nur per Bild mitteilen?

Und dann ließ sich Georg über die taktische Bedeutung des Wortes aus. Er bewunderte in Paulus den intellektuellen Agitator, der mit dem Wort zu wirken suchte und mit dem Wort epochal wirkte, indem er z. B. die Formel prägte ›beschnitten im Geist‹; damit rettete er das Wort ›beschnitten‹ und hob es gleichzeitig auf, er knüpfte an Vergangenes an und setzte Neues, er hoffte, damit aus Juden Nicht-Juden zu machen und aus Nicht-Juden Juden.

Und dann malte Georg sich verschiedene Szenen des ›Jüngsten Gerichtes‹ aus. Was, wenn Gott am Ende offenbart, daß er den Menschen ausprobiert hat, und wenn das, was die Menschen als Weltgeschichte gelebt haben, sich als Laborbericht erweist? Und was, wenn die Schafe und Böcke getrennt auf Belohnung und Bestrafung warten, Gott aber kein Urteil fällt, sondern in Gelächter ausbricht, so daß all denen, die wiederauferstanden sind, in die Glieder ein Schreck fährt, von dem sie sich nur befreien, indem sie ins Lachen einstimmen, worauf die ganze Schöpfung in einem einzigen Gelächter auseinanderbricht und in jenem Nichts verglüht, das am Anfang war.

Georg staunte, daß er sich immer weniger auf einen Abschluß in Theologie vorbereitete. Seine letzte große Arbeit galt einem Vergleich zwischen Verrat und Verleugnung, zwischen Judas und Petrus. Er schilderte die Begegnung zwischen Jesus und Judas nicht so, daß Jesus auf den Kuß wartete, und es genügte ihm auch nicht, daß dieser die Wange hinhielt, sondern sein Jesus küßte Judas, nicht aus Furcht, der andere könnte seine Meinung im letzten Moment ändern; sondern indem Jesus selber zum Kuß ansetzte, beteiligte er sich an der Schuld, die Judas sich auferlegte; der Verratene teilte mit dem Verräter den Verrat, auf den er für die Erlösung angewiesen war. Aber dann wechselte Georg abrupt zu einem Vergleich zwischen Aaron und Petrus: Aaron, der das Goldene Kalb errichtet hatte, wurde zum Hohepriester ernannt. Auch hier einer, der Verrat übte und danach zum höchsten Amt kam, und mit Petrus einer, der im Gegensatz zu den andern Jüngern, Jesus verleugnete; aber er war es, der zum Schlüsselverwalter bestimmt wurde. Sollte mit dem Felsen, auf den gebaut wurde, nichts anderes als die Abwehrkörper gemeint sein, die sich bei der Verleugnung bildeten?

Georg konnte ohne Abschluß in Theologie sein ›Cura-Examen‹ machen; die ›Cura animarum‹ würde ihm die Seelsorge gestatten. Dafür aber waren zwei Bereiche wichtig, die Predigt und die Beichte.

Als ihm zum ersten Mal die Aufgabe zugeteilt wurde, eine Predigt zu halten, erkundigte er sich gleich, an wen sich die Predigt richte: ob an Gläubige oder an Ungläubige, an Intellektuelle oder ob an das gemischte Publikum einer Vorortsgemeinde. Man predige nicht mit dem Blick auf den Text, sondern indem man den Zuhörern ins Gesicht schaute.

Die Seminaristen pflegten während der Mahlzeit ihre Predigtübung abzuhalten. Eines Tages war Georg an der Reihe. Er sollte darüber reden, wie Jesus die Händler aus dem Tempel vertrieb. Ausführlich schilderte er eingangs, was für Stände die Krämer aufgetan hatten, aber die Mitseminaristen löffelten ihre Suppe. Georg fügte an, sie hätten auch Kerzen, Heiligenbildchen und Rosenkränze verkauft. Ein paar sahen auf, aber nur flüchtig. Georg wurde lauter: Jesus habe auch die Geschäfte gemeint, die im Pfarrhaus getätigt würden, wo man über den Preis für eine Messe verhandle. Die Seminaristen schöpften Kartoffeln und Gemüse. Georg legte eine Pause ein und setzte mit neuem Schwung ein:

Gemeint seien auch die Krämer, welche um die Ewigkeit feilschen und die aus der Wahrheit eine Buchhaltung machen, und so müßten aus dem Tempel nicht nur die verjagt werden, die einen Stand aufschlagen, das seien ehrliche Geschäftemacher, nein, es müßten andere vertrieben werden, »Leute wie«, Georg zeigte auf den nächsten Tisch, »auch Leute wie du«. Einer, der eben die Schüssel weiterreichte, verschüttete die Sauce, als fühlte er sich betroffen. Georg zeigte bereits auf den zweiten Tisch »du oder du«. Auch dort legten sie das Besteck beiseite, sahen einander an und wollten wissen, wie das weitergehe. Als das Apfelmus aufgetragen wurde, rief Georg das Dessert aus: »Lukas Sechs-Fünfundzwanzig: Weh euch, die ihr hier satt seid, denn euch wird hungern.« Georg kam zur Überzeugung, daß nur der gut predigt, der bewirkt, daß denen, die zuhören, der Appetit vergeht.

Fast zu einem Skandalon wäre es bei den Lektionen zur Beichtpraxis gekommen. Der Professor hatte eben noch vom heiligen Nepomuk erzählt, der sich eher in die Moldau werfen ließ, als daß er das Beichtgeheimnis preisgegeben hätte. Auf der Wandtafel waren Punkt für Punkt die Fragen für eine grundsätzliche Gewissenserforschung aufgeführt. Der Professor schlug Übungen zum Beichtehören vor, er wollte den Part des Beichtenden übernehmen. Er setzte sich neben Georg auf die Bank und begann sein Schuldbekenntnis: Ich habe Unkeuschheit getrieben. Da wollte Georg wissen, was er genau gemacht habe. Der Professor wiederholte, er habe das sechste Gebot übertreten, aber Georg schüttelte den Kopf, und das Beichtkind fuhr fort: er habe der fleischlichen Lust nachgegeben. Doch Georg blieb hartnäckig: Ob er gewixt habe, gelutscht oder gevögelt.

Wie sie sich denn verhalten würden, rief Georg, wenn einmal ein richtiger Sünder auftauchte und in seiner Sprache spräche. Für unsere Brotgeber, die Sünder, sind wir doch da. Er werde vorführen, was er meine. Er knüpfte die Soutane auf und streckte kokett das Bein durch den Schlitz, bevor er in die Knie ging und vor einem leeren Stuhl zur Beichte ansetzte: »Eine Generalbeichte, ein Totalaufwasch.« Weihnachten hätten sie gehabt, wenn sie einen betrogen und belogen hatten, und sie hätten das ganze Jahr Weihnacht gehabt, und Maria Hilf sei eine Flasche gewesen, und Auffahrt hätten sie gefeiert, wenn sie einen Ständer gehabt hätten. Er rede in der Mehrzahl, weil für das, was er getan habe, einer allein gar nicht ausreiche. Georg holte aus, wie vielfältig und zu welcher Tageszeit und mit wem allem man das sechste Gebot übertreten konnte, von oben und unten und von vorn und hinten. Er erhob sich, knüpfte die Soutane zu und setzte sich züchtig auf den Stuhl. Er hielt den Kopf gesenkt und faltete die Hände im Schoß. Aber er sagte nicht: »Ego te absolvo«; er erlöste das Beichtkind nicht, indem er ihm zur Buße einige Vaterunser auferlegte, er schlug zwar das Kreuz, aber ihm entfuhr: »Noch einen Gin Tonic?«

Der Professor war noch immer rot. Die Mitseminaristen sahen auf den Boden und an die Decke, durchs Fenster, ins Buch und am Nachbarn vorbei. Georg, gleichsam erwacht, sagte in die Stille hinein: »Wie sinnvoll, daß es im Beichtstuhl dunkel ist; das erleichtert nicht nur dem Beichtenden zu reden, sondern auch dem Beichtvater zu erröten.« Kraft seiner Phantasie fielen dem Menschen nun einmal unentwegt neue Sünden ein, es gebe nicht nur eine Dogmengeschichte, sondern auch eine solche der Sünde. Es sei dringend notwendig, ein zeitgemäßes Register aufzustellen. Aber dafür müßte man Nationalökonomen und Wirtschaftsjuristen beiziehen, damit man auch jene berücksichtigen könne, die an einem Schreibtisch töten, ohne ihr Opfer je zu sehen, und die stehlen, indem sie telefonieren oder ein Telex schikken. Die Sünder würden morgen anders reden als heute, wo sie schon nicht gleich sprächen wie gestern. Der Professor gestand, sein Beichtspiegel datiere noch aus der Zeit vor dem Ersten Weltkrieg. Georg schlug vor, das Lexikon ›Sex im Volksmund‹ in die Bibliothek zu stellen.

Georg staunte, wie lange der Sommer gewesen war, in dem er im ›Roten Hund‹ gearbeitet hatte, und wie rasch im Seminar Semester auf Semester folgte und ein Kirchenjahr das andere ablöste. Kaum hatte er die niedrigen Weihen erhalten, wurde er Subdiakon. Und er, der bisher bei der Messe nur Ministrantendienst versehen hatte, durfte die Eucharistie verteilen, und zum ersten Mal goß er über den Kopf eines Säuglings das Taufwasser. Als er zum Diakon geweiht wurde, legte er das Gelübde der Keuschheit ab: er versprach, Lora nie mehr zu begehren, aber vergessen wolle er sie auch nicht.

Seine religiöse Garderobe wurde umfangreicher. Zum Manipel, den er am linken Arm trug, kam das Schweißtuch und die Alba, das fußlange weiße Gewand. Er gürtete sich mit einem Cingulum und erhielt eine Stola. Bei der Priesterweihe würde er dem Bischof nicht nur bedingungslosen Gehorsam versprechen, er würde nicht nur die Gewalt erlangen, im Namen des Himmels zu lösen und zu binden, ihm würde mit dem Meßgewand auch ein Kelch und Hostienteller überreicht werden.

Seine Eltern wollten ihm für die Priesterweihe Kelch und Hostienteller schenken, aber Georg wußte, wie teuer die heiligen Instrumenta sein konnten. Bei einem Besuch zu Hause holte er aus der Spielzeugschachtel Kette und Siegelring. Die beiden Frauen, die leibliche und die geistliche Mutter, waren überrascht, als der Goldschmied den Schmuck wog und den Wert des Edelmetalls ausrechnete. Auch Herz, Anker und Kreuz waren aus massivem Gold. Es reichte nicht nur zum Vergolden, sondern auch noch für eine Gravur auf dem Kelch. Als er an der Primiz zum ersten Mal die Messe las, trug er ein schwarzes Messgewand; seine erste Messe war die Totenmesse für Bruder Nikolaus.

Oft hatte sich Georg ausgemalt, in was für eine Gemeinde er wohl kommen werde. Die meisten seiner Mitseminaristen bewarben sich um Stellen in Dörfern oder Kleinstädten, und einige träumten davon, in Heimen und Anstalten zu arbeiten und hatten dafür Kurse in Psychologie absolviert. Georg dachte an eine Agglomeration mit ihren kalkulierten Grünflächen und charakterlosen Mietshäusern. Dort, wo die meisten mit ihren Abzahlungs-Kommoditäten wohnten, in einer Freizeitwelt der Fernsehabende und Einkaufszentren, wo die Bedingungen für den Glauben weder günstig waren noch schlecht; er wollte ein Seelsorger für Pendler werden.

Als er beim Bischof vorsprach, fragte ihn dieser, ob er nicht beim ›Seraphischen Sendboten‹ arbeiten möge. So kam Georg nicht zu einer Gemeinde, sondern zu einem Büro. Er stellte Versandkataloge zusammen für Trostbüchlein und für verschiedene ›ABCs‹, darunter eines für den Seelenfrieden im Alltag und eines für die Glückseligkeit im Altersheim. Er las Korrekturfahnen und telefonierte mit Druckereien, Buchhandlungen, Kiosken und Autoren. Die Abteilung Devotionalienhandel betraf ihn nicht, auch nicht die Organisation von Wallfahrten. In seinen Kompetenzbereich gehörten Broschüren darüber, wie in Mädchen das Geheimnis des Lebens erwacht, und wie Demut in den Himmel führt. Er war zuständig für den täglichen Lobgesang im Jahreskreis und für den morgendlichen Psalm vor Arbeitsbeginn, für das Lichtleinanzünden im Kindergarten aber auch für seelische Verstimmung und östliche Weisheit; er betreute die Neuauflage der Glaubensschule für Jungbauern und eine

Neuordnung der Kurzmeditationen. Ein ehrgeiziges und kostspieliges Projekt des ›Seraphischen Sendboten‹ war eine illustrierte Ausgabe der Bibel, eine zeitgemäße Armenbibel für moderne Analphabeten, die im Gegensatz zu jenen des Mittelalters Schulbildung hatten. Die Darstellung von ›Susanna im Bad‹ wurde vom Redaktions-Gremium abgelehnt, weil man eine solche Illustration für die Jugend ungeeignet fand, hingegen ›nihil obstat‹, war der Jugend der Kopf des enthaupteten Johannes zuzumuten, der bluttriefend auf einer Platte serviert wurde. Georg mußte in einzelnen Punkten nachgeben, aber er drang im Prinzipiellen durch: dank ihm wurde in der Diözese zum ersten Mal die Frohbotschaft in Sprechblasen verkündet.

Während dieser Zeit schrieb Georg einen einzigen Aufsatz und veröffentlichte ihn nicht im ›Seraphischen Sendboten‹, sondern in einer Studentenzeitung, eine Betrachtung über Pfingsten, die einen Tag vor Weihnachten erschien. Bezeichnenderweise sei Weihnachten dank Heiligabend und Stille Nacht das populärste Fest, ohne Zweifel attraktiv mit Tannenbaum und Geschenkpaketen, eine anschauliche Geschichte, wie sich Hirten und Könige einstellten, und der Bethlehemitische Kindermord biete sogar einen Kitzel. Sicherlich gälte es zu feiern, daß der Erlöser auf die Welt gekommen sei: »Gloria in excelsis«. Was aber hier begonnen, habe seine Vollendung erst an Pfingsten gefunden. Mit der Heimsuchung Mariä stehe der Heilige Geist am Anfang, der Heilige Geist stehe aber auch am Ende. Der Weg führe von der Krippe zum Kreuz und von der Auferstehung zur Ausgießung des Heiligen Geistes. Anstelle des Familienfestes trete das Kollektiv. Alarmierend jedoch, wie sehr Pfingsten ein vernachlässigter Feiertag sei. Was als ein Hinausgehen in die Welt gedacht war, habe man zum Spaziergang und Ausflug degradiert. An Weihnachten sei das Wort Fleisch geworden, an Pfingsten habe das Fleisch in unterschiedlichsten Zungen reden gelernt, um aus einer vielfältigen Welt eine gemeinsame zu machen: »ut omnes unum sint«: auf daß alle eins seien.

Als Georg vorgeladen wurde, las er vorher bei Matthäus nach: »Alle Sünde und Lästerung gegen den Gottessohn wird den

Menschen vergeben; aber die Sünde wider den Geist wird den Menschen nicht vergeben.« Doch der Generalvikar kam nicht auf seinen Aufsatz zu sprechen; er lobte die illustrierte Ausgabe der Bibel und wünschte genauere Auskunft über die Auflageziffern des ›Seraphischen Sendboten‹. Beim Abschied überreichte er Georg einen Bericht über den Priestermangel auf den Philippinen. Noch bevor ihn Georg in den Satz gab, schrieb er nach Manila. Danach schaute er in einem Atlas nach, wo genau die Philippinen liegen. Als die Antwort aus Manila eintraf und er auf der Briefmarke die Tropenfrucht sah, stand sein Entschluß längst fest.

Er besuchte noch einmal die Eltern. Vor der Haustüre stapelten sich Holzbündel, und die Mutter zog aus einem eine Schindel: handgemacht, und darum das Wasser besser abstoßend; sie würden das Haus neu schindeln und mit der Wetterfront beginnen und im nächsten Jahr die andern Hausteile drannehmen, aber dann sei er, Georg, weit weg. Er suchte auch seine geistliche Mutter auf; die hatte ihm einen Kuchen gebacken und bot ihm an, von ihrer Rente jeden Monat etwas für die Taufe eines Negers zu spenden, aber Georg klärte sie auf, er werde nicht zu den Negern reisen.

Als er wieder in seinem Zimmer war, ordnete er seine Bücher. Er überlegte, welche er mitnehmen wollte, er entschied sich für die, in denen er während des Studiums viele Stellen angestrichen hatte, und er legte ein paar ungelesene dazu. Er verschnürte selber die Pakete; sie sollten jetzt schon abgehen, weil sie per Seeweg verschickt wurden, so würden die Bücher dort sein, wenn er selber ankam.

Zum ersten Mal in seinem Leben bestieg Georg ein Flugzeug. Er hielt den kleinen Koffer mit dem Kelch und dem Hostienteller auf den Knien, bis ihm die Stewardeß half, das Gepäckstück zu verstauen. Als die Maschine die Wolkendecke durchstoßen hatte, staunte Georg, was für eine Landschaft aus Schäfchen und Fetzen sich vor ihm auftat. Er versuchte sich zu erinnern, was er in der Schule über Wolken gelernt hatte; ihm fiel ein, daß es Quellwolken gab, und er versuchte auszumachen, welches der

Gebilde, die sich unter ihm türmten und verwandelten, Zirrus und welche wohl Kumulus heißen. Und er träumte: wenn er Psalmen schreiben könnte, würde er einen über Wolken verfassen. Aufmerksam verfolgte er die Demonstration der Sauerstoffmaske und las ausführlich die Anweisungen für den Fall einer Notlandung oder Notwasserung. Nachdem das Essen serviert war, trank er einen Kirsch »zum Abschied von der Heimat«.

Als die Durchsage kam, man solle wegen Turbulenzen die Sicherheitsgurte anlegen, stemmte er die Füße gegen den Boden, las im Brevier auch die Passagen für die kommenden Tage. Auf dem Meer nahmen sich die Schiffe wie aufgewühlte Wellen aus, und er überlegte, ob auf einem dieser Schiffe seine Bücher mitfuhren. Er schlief ein: als er erwachte, war es draußen hell; ihm gefiel, daß er in einen Morgen hineinflog, der länger dauerte als alle Morgen, die er bisher erlebt hatte.

In Manila holte ihn eine Ordensschwester ab und brachte ihn in eine Pension. Obwohl er von der Reise noch müde war und wegen der Zeitverschiebung leicht irritiert, machte er einen Spaziergang und kaufte ein ›English-Philipino-Dictionary‹. Dies zeigte er vor, als er am andern Tag auf dem bischöflichen Sekretariat vorsprach. Der Kollege klärte ihn auf, er werde nicht in Manila eingesetzt, sondern in Cebu, dort rede man Cebuano. Beim Essen erkundigte sich der Sekretär nach den Banken in der Schweiz und einer ökumenischen Hilfsorganisation, und dann kamen sie aufs Heilige Land zu sprechen; aber Georg war auch noch nie dort gewesen.

Das Schiff fuhr am gleichen Abend. Georg verbrachte die Nacht an Deck, da die Ventilatoren in den Kabinen ausgefallen waren; er saß an der Reling auf einem fremden Gepäckstück. Als er in Cebu im Bischofs-Palais vorsprach, wurde ihm mitgeteilt, es gehe gleich weiter, in den Süden der Insel. Wenn er dort eintreffe, solle er sich sofort bei der Polizei melden, damit man wisse, ob er durchgekommen sei; die Polizei verfüge über ein Telefon. Im übrigen habe er Dispens von seinem schwarzen Anzug. Er möge sich einen Barong kaufen, das philippinische Hemd, das man über den Hosen trage. Die Zeit reichte noch, um die Kathedrale aufzusuchen. Vor dem Portal standen zwei kleine chinesische Löwen, welche die bösen Geister fernhielten, und vor dem »niño«, der Statue des Jesusknaben, tanzte eine Frau zum Gebet, gekreuzte Kerzen in der Hand. Danach suchte Georg wieder eine Buchhandlung auf und erstand ein Taschenbuch ›English-Tagalog-Visayan-Illongo-Cebuano‹; er nannte es sein Pfingst-Wörterbuch.

Der Jeep, der ihn abholte, war überladen mit Säcken, Kisten und Kanistern, so daß sein Koffer kaum Platz fand, Georg kam mit dem Chauffeur allmählich ins Gespräch; er erkundigte sich nach dessen Familie. Der Chauffeur berichtete, Georgs Vorgänger sei nicht lange geblieben; überhaupt zögen immer mehr Leute weg, da sei keine Arbeit, und wenn Arbeit kein Auskommen. Georg wiederholte, er freue sich, daß er seine Arbeit mit einem Festtag beginne. Und der Chauffeur nickte: es sei gut, wenn er sich bei dem Anlaß zeige. Georg wunderte sich, weshalb er als Priester nicht anwesend sein sollte, und fragte, ob denn keine Prozession abgehalten werde. Doch, doch, sagte der Chauffeur, er selber spiele in der Blasmusik, aber er hatte nicht Fronleichnam gemeint, sondern die Wahl der Schönheitskönigin in der ›José-Burgos-Schule‹.

Von weitem schon erblickte Georg die Kirche, einen so mächtigen Bau, wie er ihn nach einer stundenlangen Fahrt über Straßen mit Schlaglöchern und an Dschungelwäldern vorbei nicht erwartet hätte. Die Spanier hätten die Mauern wegen der Erdbeben so dick gebaut, erfuhr er, und er erkundigte sich, wo denn all die Häuser seien, die zu diesem Gotteshaus gehörten. Der Chauffeur zeigte auf einen Kokoshain; dort waren, fast verdeckt, Wellblächdächer zu sehen. Die Siedlung der Fischer liege am Meer, hinter den Mangrovensümpfen. Und dann gehörten zur Gemeinde unzählige Dörfer, und die Pächter wohnten näher bei den Plantagen.

Die Alte, die den Haushalt führte, hieß Illuminada; ihre Nichte Corazon half ihr. Als Georg die Schönheit des Mädchens bewunderte, schickte Illuminada ihre Nichte in die Küche. Sie zeigte dem Neuankömmling den Medikamentenschrank, der fast leer war, und hinterm Haus die Hühner, den Papaya-Baum und die Bananen. Da Georg sich lange im Zimmer umsah, fragte Illuminada, ob etwas fehle: da seien das Kruzifix, das Bett, der Tisch, außer dem Schrank gebe es Haken an den Wänden, der Wasserkrug auf der Kommode werde jeden Morgen nachgefüllt und die Toilette sei im oberen Stockwerk. Georg lächelte, er vermisse ein Bücherregal. Da begann Illuminada zu jammern: Bücher seien nichts für dieses Klima, außer man habe air condition; ansonsten würden die Bücher immer feucht und man müsse sie an die Sonne legen, die hätten etwas im Leim, da gingen die Insekten dran.

Zum ersten Mal war Georg zu einer Gemeinde gekommen; seine erste Predigt sollte eine ganz besondere sein. Er sah in seinem Pfingst-Wörterbuch nach; er fand zwar die Bezeichnung für die Zahl ›drei‹, ›totolo‹ und ›tatlo‹, aber keinen Ausdruck für ›Dreifaltigkeit‹. Als er auf der Kanzel stand, mahnte er, es sei fatal, so werden zu wollen wie Gott. Wenn man dies wolle, müsse man auch die Nachteile des Gott-Seins mit übernehmen, und dazu gehöre, eine ganze Welt zu lieben, ohne wieder geliebt zu werden.

Nach der Predigt beschwichtigten ihn einige Gläubige: sie hätten nicht im Sinne, so zu werden wie Gott, sie möchten nur Philippinos sein, aber glückliche Philippinos. Mit einer Allwetterstraße wäre ihnen schon viel geholfen, und dann sei der Lastwagen kaputt und sie müßten für den Transport ihrer Kokosnüsse so viel bezahlen, daß ihnen von den wenigen Einnahmen gar nichts übrigbleibe. Und einer, der verlegen zu Boden sah, gestand: die Predigt sei schön gewesen, aber es habe Musik gefehlt. Georgs Vorgänger habe das Grammophon mitgenommen; nun säßen sie mit ihren Platten da, und auf einer sei ein ›Halleluja‹ drauf.

Georg richtete hinter dem Haus eine Werkstatt ein und wünschte, er hätte das Hobel-Set, das ihm Bruder Nikolaus geschenkt hatte. Er versuchte, mit dem Bambus zurechtzukommen, aber das Material hatte seine Tücken, und er glitt auch prompt mit dem Messer aus und stach sich in den Handballen.

Nachdem er das Bücherregal fertig und aufgestellt hatte, reparierte er den Schaukelstuhl. Illuminada setzte sich erst hinein, nachdem er ihr vorgeführt hatte, daß er hielt. Da lud sie eine Reihe von Bekannten ein, und alle schaukelten auf der Veranda. Eine Frau brachte einen kaputten Kochtopf, aber Georg mußte zugeben, daß er nichts vom Löten verstehe. Und als er zu einer letzten Ölung gerufen wurde, genierte er sich, weil das Öl ranzig war, sie zeigten ihm hinterher, wie durchrostet die Wasserrohre waren.

Illuminada hatte ihm beim Essen gesagt, die Leute würden in der Kirche nach wie vor gerne Geschichten hören, obwohl es jetzt auch hier Fernsehen gebe. So hielt sich Georg an Geschichten und versuchte sie anzupassen, indem er zum Beispiel das Senfkorn durch ein Reiskorn ersetzte. Großen Erfolg hatte er, als er erzählte, die Apostel hätten so viele Fische herausgezogen, daß beinahe die Netze rissen, und er mußte ergänzen, daß dies nicht nur mit Sardinen und Makrelen passieren könne, sondern auch mit Bangus und Milchfischen. Aber als er die Geschichte vom Hauptmann von Kafarnaum erzählte, der sich nicht würdig fühlte, daß der Herr sein Haus betrat, blieben alle mißtrauisch; sie hatten mit den Militärs andere Erfahrungen gemacht, wenn die mit ihren Soldaten die Häuser durchsuchten; von denen, die sie das letzte Mal abgeführt hatten, war noch keiner zurückgekehrt. Nur als Georg erzählte, wie Jesus Gast in einem Haus war und Martha sich die Beine ablief, um ihn zu bedienen, und wie Maria zu seinen Füßen saß und für ihr Nichtstun gelobt wurde, war Illuminada wütend: so etwas passe natürlich Corazon, die den ganzen Tag herumsitze statt dankbar zu sein, daß sie nach dem Tod ihrer Mutter hier zu essen kriege. Aber Corazon ließ sich auf keinen Streit ein, sie sagte bloß, sie gehe nach Manila, und sie nahm ihren jüngeren Bruder Godofredo mit. Als sich Georg von den beiden verabschiedete, zeichnete er ihnen ein Kreuz auf die Stirn und winkte lange dem Bus nach.

Georg fing an, eigene Gleichnisse zu erfinden. So dasjenige von der Schöpfung als einem baufälligen Haus. Da war ein Vater, der hinterließ seinen Kindern ein wundervolles Haus, das völlig intakt war. Die Kinder brauchten sich nur hineinzusetzen, ließen es sich gut gehen, dachten nicht mehr an ihren Vater, verjubelten das Haus und wurden eines Tages daraus verjagt. Da war ein anderer Vater, der hinterließ seinen Kindern ein baufälliges Haus, das es ständig zu flicken galt. Die Kinder waren oft nahe daran, alles aufzugeben und das Haus im Stich zu lassen, aber dann blieben sie doch; denn in diesem Haus hatte jeder seinen Platz. So besserten sie das Fundament aus, und als sie damit fertig waren, begannen sie das Dach zu reparieren, und hinterher mußten sie die Fenster erneuern. Doch sie wurden der Mühsal nie überdrüssig, sie hielten ihr Haus und gedachten stets ihres Vaters und all der Dinge, die er ihnen geraten hatte.

Georg schrieb nach Cebu und erkundigte sich auch in Manila, ob nicht Buchpakete für ihn eingetroffen seien. Die Antwort ließ auf sich warten, und als sie eintraf, war sie negativ. Die Postzustellung sei nun einmal unsicher, es sei tunlicher, nicht allzu große Hoffnungen zu hegen. Aber dann kam doch ein Paket, und zwar von seiner geistlichen Mutter. Illuminada war aufgeregt, weil man Zoll bezahlen mußte; sie packte die alten Kleider aus, welche hergerichtet worden waren, und schlug vor, aus den Mänteln Kissenbezüge zu machen.

An diesem Abend saß Georg beim Bootssteg; er hörte die Rufe der Jungen, die Fußball spielten; er blieb am Meer, nachdem die Sonne untergegangen war und sich die Palmen gegen das Mondlicht abzeichneten. Er sah aufs Wasser hinaus und lauschte den Wellen: Vielleicht waren seine Bücher mit einem Schiff untergegangen. Vielleicht schon vor der westafrikanischen Küste, an der sie einst die Schwarzen tauften, bevor sie sie als Sklaven verfrachteten. Möglich, daß seine ›Dogmatik‹ im Indischen Ozean herumtrieb, im Kielwasser eines Öltankers oder zwischen arabischen Daus. Denkbar, daß die ›Christologie‹ im Golf von Siam von Piraten aufgefischt wurde, die sonst Flüchtlinge ausraubten. Oder schwammen die drei Bände Fundamentaltheologie und die Kirchengeschichte vor Australien in den Gewässern, wo die internationalen Hochseeregatten abgehalten wurden. Und warum sollten die Wellen nicht die Bücher ans Ufer einer Südseeinsel spülen, die Atomversuchen gedient hatte.

Vom Chauffeur, der jede Woche zweimal nach Cebu fuhr, ließ sich Georg Schulhefte größeren Formates besorgen und auch Kugelschreiber von der besseren Sorte, deren Tinte nicht gleich ausfloß.

Andere, sagte er sich, führen ein ›intimes Tagebuch‹, warum sollte er nicht eine ›intime Theologie‹ führen.

Er begann damit, daß er sich einst ereifert hatte, weil Gott den Menschen aus dem Paradies vertrieben und ihm den Baum des ewigen Lebens vorenthalten hatte. Was Georg einst als Strafe aufgefaßt hatte, dünkte ihn jetzt eine Rücksichtnahme. Gott verweigerte das ewige Leben nicht aus Rache oder Eifersucht, sondern aus Liebe und Sorge. Denn wenn er dem Menschen etwas nicht zumuten wollte, war es, für immer am Leben bleiben zu müssen. Er selber hatte die Welt erschaffen, um aus seiner Einsamkeit herauszufinden, aber zu seiner eigenen Einsamkeit war noch die der Menschen hinzugekommen. Denn Allwissen macht einsam, und so fielen Allwissen und Einsamkeit zusammen; angesichts dieser Einsamkeit war das Alleinsein des Menschen nur Stückwerk. Und Georg gewann eine Vorstellung wie diese: Gott ist die Bereitschaft, von allem, was auf dieser Welt je geschah und geschehen wird, Kenntnis zu nehmen, und er ist zugleich die Fähigkeit, ein solches Wissen in seiner Totalität auszuhalten.

Doch lange blieb es nur bei dieser einen Eintragung, obwohl Georg oft am Abend über den leeren Seiten saß. Er führte noch ein ganz anderes Heft.

Es fehlte nicht nur an Werkzeugen. Georg hatte mitgeholfen, den Motor des Lastwagens auszubauen, aber der mußte ersetzt werden. Eine Fräse wäre nützlich gewesen, ganz abgesehen von den Brettern, an denen es mangelte. Und dann gab es nicht genug Schuluniformen. Zudem war das Medikamentenschränkchen nur notdürftig nachgefüllt worden. An eine Aufstellung über die Zementrohre, die benötigt wurden, mochte er sich erst gar nicht machen. Da erinnerte er sich, daß ihm nach fünf Jahren Aufenthalt auf den Philippinen ein Besuch in der Heimat zustand. Er schrieb nach Manila: er sei bereit, auf die Reise in die Schweiz zu verzichten, wenn sie ihm das Reisegeld oder einen Teil davon jetzt schon ausbezahlten. Er legte eine Dringlichkeitsliste bei und führte als ersten Posten die defekten Kirchenfenster an.

Um seinem Gesuch Nachdruck zu verleihen, beschloß er, persönlich in Manila vorzusprechen. Die Abfahrt des Schiffes in Cebu verzögerte sich wegen stürmischer See. Als er in Manila ankam, war ihm noch speiübel, so daß der Generalvikar schon fürchtete, er vertrage das Klima nicht. Georg wurde ein Teil vom Kaufpreis seines Tickets ausbezahlt gegen eine Verzichtserklärung. Zudem erhielt er den Namen eines Schweizers, der im Holzgeschäft tätig war, die Adresse konnte im Schweizer Club ausfindig gemacht werden. Georg fuhr hin und nutzte die gute Wartestunde, um die Schweizer Zeitungen zu lesen, die auflagen. Er informierte sich ausführlich über alles, was zwischen dem dreizehnten und sechsundzwanzigsten November in seiner Heimat passiert war.

Er glaubte, ein Gespenst zu hören; aber dann erkannte er die Stimme. Kudi haute eben an der Bar auf die Theke: »Diese Schlitzaugen sind auch Schlitzohren.« Er trug einen weißen Leinenanzug. Als er Georg erblickte, fiel er fast vom Barhocker: »Aus welcher Boutique hast du diesen Rock?« Und er war ganz neugierig, ob man die Soutane auch eine Handbreit überm Knie trage. Georg erkundigte sich nach Lora. Die habe sich nach Deutschland abgesetzt. Armando sei wieder eingelocht. Diesmal wegen Alkohol am Steuer. »Und der Club?« Ja, da hast du uns was Schönes eingebrockt mit deinem Ausläufer. Der hat schon am ersten Abend einem Detektiv Whisky ausgeschenkt und ist nach einer Woche mit der Kasse abgehauen. Und er, Kudi, sitze jetzt da. Sein ganzes Geld, das die Hühner in Zürich zusammenscharrten, habe er in einen Night-Club gesteckt. In Ermita. Georg wußte nicht, wo das lag. »Im Touristen-Gürtel«, sagte Kudi und fügte hinzu, »ein bißchen unterm Gürtel natürlich. Und für so ein Puff brauchst du einen philippinischen Partner. Oder eine Partnerin, was mir eher entspricht. Aber kaum war alles auf dem Papier okay, tauchte ein Ex-Freund auf. Ein Killer.« Klar könne er prozessieren, dann sei er für die nächsten Jahre wenigstens beschäftigt. Er würde ihm gerne den Club zeigen: Unten Schnell-Imbiß und oben Schnell-Sex und beide Male tiptopper Service. Aber er könne sich im Moment dort nicht sehen lassen. Er deutete auf zwei Kartonschachteln: »Das habe ich denen ausgerupft. Die Stereoanlage. Die stand nicht auf der Liste.« Lieber werfe er den Dreck auf den Müll, als daß er denen auch noch die Musik lasse. Aber der Rücktransport sei teurer als die ganze Anlage. Da sagte Georg, er hätte Verwendung dafür. Und Kudi erstaunte: »Hast du auch einen Club? Schade, daß wir nicht länger quatschen können.« Er müsse jetzt auf die Ein- und Auswanderung, sein Visum sei abgelaufen.

Georg fuhr nach Santa Cruz. Der Lagerist hatte bereits eine Sendung Bretter zusammengestellt. Und Georg suchte nach Latten und Dachpappe. Er bummelte auf der José-Rizal-Avenue zurück. Er blieb vor einem Kinoausgang stehen und lugte durch die Scheiben in die Restaurants. Die meisten Geschäfte lagen tiefer als das Straßenniveau; überall wurde Wasser geschöpft, das von der letzten Überschwemmung her fußhoch in den Läden stand. Auf der Straße und in den Gräben häufte sich Unrat. Georg zwängte sich an den Ständen vorbei und sah sich plötzlich vor einer Buchhandlung. Er las alle Titel in der Auslage. Dann ging er hinein und fragte nach den ›Philippina‹. Er wollte ein Buch über Früchte und Pflanzen kaufen, um endlich einmal zu wissen, wie das hieß, was in seiner Seelengemeinde blühte und wuchs. Als er in einem Band blätterte, hörte er einen Verkäufer schimpfen: Das sei ein Buchladen und kein Lesesaal. Schon gestern sei der Lümmel hier gewesen. Er lese nur und kaufe nichts. Georg sah auf und erkannte Godofredo. Er folgte dem Jungen, der wortlos hinausging. Godofredo war verlegen, als Georg ihn draußen ansprach. Er erklärte: Er wäre jetzt in die nächste Buchhandlung gegangen und hätte dort weitergelesen. Seitdem er nach Manila gekommen sei, habe er schon viele Buchanfänge gelesen.

Georg erkundigte sich nach Corazon. Godofredo zögerte: »Sie lebt in Ermita.« Ob man sie besuchen könne, wollte Georg wissen. Godofredo zuckte die Achseln, er müsse sowieso hin, das Dach abdecken.« Da korrigierte ihn Georg lachend, das heiße nicht »abdecken«. Godofredo sagte, das Radio habe einen Taifun angekündigt. Erst jetzt fiel Georg auf, daß einige Geschäfte bereits die Rolläden heruntergelassen hatten. Und mitten am Nachmittag kamen aus den Bürohäusern Sekretärinnen und Angestellte, drängten sich vor den Bussen und riefen den Kollektiv-Taxis und wollten heim, bevor das Unwetter kam.

Georg und Godofredo gingen zu Fuß. Auf der Passig-Brücke blieben sie einen Moment stehen. Im Südwesten türmten sich schwarze Wolken, eine Sturm-Säule zeichnete sich gegen den grauen Himmel ab. Sie steuerten auf den Luneta-Park zu. »Das da drüben ist ein chinesischer Garten«, sagte Godofredo. Im Park lungerten einige Jungen herum. Georg und Godofredo bogen in die Pillar-Straße ein. Als Georg die Kirche ›Nuestra Señora‹ sah, bekreuzigte er sich und auch Godofredo schlug das Kreuz. Die meisten Etablissements hatten bereits ihre Leuchtreklamen angezündet. Ausrufer trommelten auf die Pulte vor den Eingängen. Durch ein geöffnetes Fenster sah Georg Mädchen in knappen Badeanzügen auf einem Podest tanzen. Alle paar Schritte fragte einer nach ›Dollars‹ und machte Wechselkurs-Angebote. Vor einem Massage-Salon hielt ein Fünf- oder Sechsjähriger in einer Schuhschachtel Zigaretten und Kaugummi feil. Georg kaufte Kaugummi. An der Wand daneben lehnte ein betrunkener Krüppel. Aus den Garküchen stieg dicker Rauch, und ein paar blonde Europäer schleppten kichernde Mädchen hinter sich her. Godofredo bog in eine Seitenstraße ein und blieb vor einer Bretterwand stehen. Er riegelte ein Lattentor auf: »Achtung, Stacheldraht«. Sie betraten ein Stück Niemandsland; von dem Haus, das hier abgebrochen worden war, waren Betonpfeiler übriggeblieben, aus denen rostige Armier-Eisen ragten. »Da hinten«, Godofredo zeigte auf einen Verschlag in der Ecke; die Brandmauern der Nachbarhäuser bildeten zwei Wände für die Bretterbude. Godofredo fluchte: »Die Sauhunde, die klettern über den Zaun und lassen hier ihren Dreck liegen.« Er war in einen Kothaufen getreten. Er schloß die Türe der Bretterbude auf. Als Georg die Matratze am Boden sah, erklärte Godofredo, Corazon übernachte ja oft in den Hotels. Und wenn er wolle, könne er auch die Nacht in ihrer Bar verbringen. Und sonst würden sie am Morgen nach Quiapo hinüber gehen. »Dort fangen die Kinos um neun Uhr an zu spielen. Da kann man schlafen.«

Godofredo machte sich daran, die Klammern zu lösen, mit denen das Wellblech an den Seitenbrettern befestigt war. Georg half ihm. Die beiden trugen die Wellblechstücke zur gegenüberliegenden Mauer und legten sie auf zwei fast gleich hohe Betonklötze. »Das ist wie eine Bank«, sagte Godofredo, »darauf tun wir die Matratze.« Während Godofredo Sperrholz freilegte, stand Georg drinnen vor dem Toilettentischchen: ein Benzinkanister, über den ein Tuch gelegt war, darauf ein Handspiegel aus Plastik, ein paar Kämme, Spraydosen, Tuben und in einem Glas eine Strohblume. An der Wand Postkarten: Die Meerjungfrau von Kopenhagen, der Vierwaldstättersee und irgend ein Hafen, Hamburg oder Rotterdam. »Von ihren Freunden«, sagte Godofredo, »sie schicken die Karten an den Club.« Georg wickelte die Toilettensachen in das Tuch und stellte den Blechkanister in die Ecke. Dann nahm er von dem Nagel an der Wand Hosen und T-Shirts und hängte die Taschenlampe an seinen Gürtel.

Plötzlich stand Corazon unter der Tür. Sie hielt ein zusammengerolltes Plastiktuch unter dem Arm. Da fuhren sie alle zusammen. Ein Knall hatte sie aufgeschreckt, sie hörten, wie etwas auf der Straße in Scherben ging. »Eine Leuchtreklame«, meinte Godofredo, »es wird nicht die einzige sein. Da kommt noch vieles herunter.« Corazon berichtete, sie hätten im Club Kerzen bereitgestellt, man rechne mit Stromausfall. Und Eimer mit Wasser, man wisse nie, vielleicht müsse man löschen. Das Radio habe zwar durchgegeben, der Taifun ziehe südlich an Manila vorbei. »Aber Wind haben wir auf alle Fälle«, sagte Godofredo, »und der nimmt alles mit, und wenn die andern das Dach einmal haben, geben sie es nie mehr her.« Der Wind rüttelte an den Brettern, die kein Dach mehr trugen. Corazon löste die Postkarten von der Wand und nahm vom Boden ein paar Illustrierte. Sie breitete das Plastik über der Matratze aus und sah noch nach, ob das Wellblechdach darunter lag. »Wir setzen uns aufs Dach«, sagte Godofredo, »am besten im Schneidersitz, sonst wird man unten naß.« Die beiden kletterten auf die Matratze. Corazon machte vor, wie man das Plastik hinten hochhebt und dann über den Kopf nach vorn zieht, wenn es zu regnen beginnt. Sie drückte ihre Toilettensachen in den Schoß, und Godofredo hatte seine Kleidungsstücke zu einem Bündel gerollt, das er als Polster benutzte. Georg riß die Kaugummipackung auf, und Corazon fragte, ob sie zwei nehmen dürfe, man wisse nie, wie lange das dauert. Dann mahnte sie Georg, er müsse gehen. Es sei jetzt schon schwierig, noch ein Taxi zu finden: »Wenn es losgeht, sind die Straßen so überflutet, daß man nicht mehr durchkommt.« Aber Georg schüttelte nur den Kopf. Er setzte sich neben die beiden, die zusammenrückten. Er war nicht mehr einer, der sich unter ein Dach stellt, wenn es zu regnen beginnt, sondern er gehörte zu denen, die sich bei einem Sturm aufs Dach setzen, damit hinterher noch eines da ist.

Da die Mutter einen Gott gehabt hatte, gehörten zu unserer Kindheit und früher Jugend Heilige; denn ihr Gott war katholisch.

Die Frau wäre für sich mit einem einzigen Heiligen ausgekommen, einem barfüßigen, der Verständnis dafür hatte, daß Leute und vor allem Kinder Schuhe brauchten. Antonius schimpfte nicht, wenn sie etwas verlegte oder verlor, er half suchen. Er hatte sich Zeit genommen, als sie sich verlobte, obwohl er sonst viel zu tun hatte, und er war auch bereit, auf dem Personalbüro der Fabrik vorzusprechen, wo sich ihr Mann um eine Stelle bewarb. Allerdings wurde dieser wütend, er besitze ein Arbeitszeugnis, und einer in einer Kutte sei für Werkzeugmaschinen keine Empfehlung. Aber die Mutter wandte sich an Antonius, als ihr Mann sich bei einer zweiten und dritten Firma bewarb, und auch, als er stempelte und zwischendurch selbständig eine Werkstatt betrieb. Sie beriet sich mit ihm, als es um die Geburt ihrer Kinder ging, obwohl dies eher Frauensachen seien, und sie suchte Antonius auf, als ihr Mann auf dem Sterbebett lag.

Einen besonderen Heiligen benötigten wir, als ich mein erstes Fahrrad erhielt. Die Mutter hatte dafür vier Wochen Büroreinigung zusammengespart. Das Velo war eine Okkasion aus einem Inserat, der Rahmen sah noch fast ungebraucht aus, und ein Schutzblech war erneuert worden.

Wie immer, wenn es ernst galt, machte sich die Mutter an ihrer Schatulle zu schaffen: Darin bewahrte sie den Heimatschein auf, das Familienbüchlein und Taufdokumente, einen Paß aus ihrer Mädchenzeit und ein benutztes Bahnbillett zu ihrem Heimatort in Deutschland, die Uhrenkette aus dem Haar ihrer Mutter, eine Brosche, die sie nie ansteckte, aber manchmal vor die Bluse hielt, ein paar Goldmünzen, die Quittungen für die Mietzinse, ferner Rezepte und Rabattmarken und ein Medaillon von Christophorus, der auf seinen Schultern das Christuskind von einem Ufer sicher ans andere trug.

Als ich das erste Mal mit gespreizten Beinen im Leerlauf die Steilstraße hinunterfuhr, hockte Christophorus auf dem Gepäckträger und hielt sich am Sattel fest. Als ich in die Hauptstraße einbog, trat ich aufs Pedal und riß einen Stopp, Christophorus stemmte die Absätze gegen den Asphalt und preßte die Hände an die Felgen, so daß ich den Geruch von verbrannter Haut roch. Ich drehte mich um, da geriet ich mit dem Vorderrad in eine Straßenbahnschiene, und wir schlitterten über den Asphalt. Nachdem ich das Fahrrad nach Hause geschoben hatte, versuchte der Vater die gestauchte Gabel geradezubiegen, und die Mutter tadelte mich, ob ich nicht besser auf den Heiligen aufpassen könne.

Der Immune grinste, weil ich nicht ihn auf den Gepäckträger gelassen hatte: Stoßgebete würden Prämien nicht überflüssig machen, und er überlegte, ob es beim Beten nicht so etwas wie das Kleingedruckte in Policen gebe; man sollte sich nur mit Heiligen einlassen, die eine Haftpflichtversicherung abgeschlossen hätten.

Ich weiß noch, wie wir einander ansahen, als wir zum ersten Mal an einem Autoschlüssel als Anhänger nicht einen Christophorus, sondern einen Buddha erblickten. Der Immune wollte wetten, daß der Chauffeur bei einer Panne nicht den Tempel, sondern die Garage aufsuchte.

Ja, wir wollten unsere eigenen Nothelfer werden; wir hätten jederzeit behaupten können, daß wir, wenn wir unglücklich waren, es aus eignen Kräften waren.

Bei Gelegenheit aber hatte der Immune einen Heiligen erworben, einen mit Zertifikat. In einem Antiquitätengeschäft, das Taufbecken als Waschbecken oder Blumenschalen herrichtete und Beichtstühle zu Stehbars umbaute. Er hatte einen Lazarus gekauft, der sich leicht vorbeugte, sein Gewand hochzog und am Knie barocke Pestbeulen zeigte. Es war ein Heiliger ohne Eingeweide, sein Inneres war hohl, er stammte aus einem Bergbaugebiet, er hatte Erzbrocken und Goldstaub geschmuggelt.

In jener Nacht, als es zwischen dem Immunen und mir zu Ende ging, suchte ich Lazarus auf. Der Immune hatte mir einmal anvertraut, in diesem Heiligen könne man etwas verstecken. Ich drehte ihn um, aber er war leer; sein Inneres roch nach jener Beize, die man gegen den Holzwurm sprüht.

Auch ich erstand ein Stück von einem Heiligen. Es sollte ein entscheidender Moment in unserer wirtschaftlichen Existenz werden. Wir waren auf einer Fahrt nach Paris. Von weitem hatten wir in Troyes die Fabrikschlote gesehen, die nicht mehr rauchten. Erst vor der Einfahrt merkten wir, daß es sich um eine stillgelegte ›Sainterie‹ handelte, eine einstige Heiligen-Fabrik.

Wir stießen das Portal mit den Schultern auf. Eine hagere Person grüßte, sie stellte sich als Demoiselle vor, um den Hals ein schwarzes Samtband mit einer roten Kamee; sie stützte sich auf einen Stock mit einem silbernen Wolfsknauf. Sie führte uns zum Gästetrakt in den Salon, in dem einst Prälaten und Magistraten empfangen worden waren. Ihr Großvater habe die Firma vom Gründer übernommen; dem sei der Umgang mit den Heiligen nicht bekommen, er habe die florierende Fabrik verkauft, sei Atheist geworden und habe ein Vermögen im Kampf für die Feuerbestattung ausgegeben. Sie überreichte uns einen Katalog; Heilige aus Tonerde, allwetterbeständig. In die ganze Welt hätten sie geliefert, auch nach Afrika, damals hätten die Eingeborenen noch nicht Heilige geschnitzt. Sie zog aus einer Schublade ein Bündel verblichener Papiere hervor, unbezahlte Rechnungen; während des Ersten Weltkrieges habe die bürgerliche Zahlungsmoral gelitten. Nach 1918 hätten sie noch einmal eine Konjunktur erlebt, indem die Heiligenfabrikation auf Soldatendenkmäler umgestellt wurde, jedes Dorf habe ein Monument für die Gefallenen errichtet. Das sei nach dem Zweiten Weltkrieg anders gewesen, da hätten sie die neuen Namen auf die alten Tafeln geschrieben und es habe noch immer Platz darauf. Wenn wir im Ausstellungsraum vielleicht vereinzelt nackte Frauen fänden, seien es immer solche, die kauern. Der Vater habe auch auf griechische Masken und römische Porträtbüsten zurückgegriffen. Die Heilige Familie, die habe sich noch lange im Verkauf gehalten. Und natürlich einzelne Krippenfiguren, wie Ochsen, Esel, Schafe und Kamele. Es sei wohl unvermeidlich, daß nun Gartenzwerge hergestellt werden würden, wie wir geschrieben hätten, und beim Kaufpreis müßten wir bedenken, daß ein Ofen für Klinker wieder hergerichtet worden sei. Sie breitete einen Kataster-Plan der Fabrikanlage und des Terrains aus, wo Tonerde gewonnen wurde.

Wir klärten Demoiselle auf, daß wir nicht aus Deutschland seien und nicht die Interessenten, welche die einstige Sainterie für die Produktion von Gartenzwergen erwerben wollten. Sie erlaubte uns dennoch, das Fabrikgelände zu besichtigen, und wies uns mit dem Stock den Weg.

Neben der Treppe drängten sich zwischen den Aposteln und Propheten Schulter an Schulter Heilige. Einer hatte vor Trauer die Kapuze übers Gesicht gezogen. Die, die nicht mehr abgeholt worden waren, und jene, die produziert worden waren, ohne bestellt worden zu sein, sie alle sahen zur Tür. Der Stuckhimmel über ihnen, ein blaues Firmament mit goldenen Sternen, zog sich über die Prunktreppe bis zum Ausstellungsraum. Dort formierten sich die Heiligen zur Prozession. Der Jäger Hubertus führte einen Hirsch mit sich, und vor dem Eremiten lag ein Schwein, Elisabeth hielt eine Spindel in der Hand, und Theresa konnte die Rosen nicht fassen, die es auf sie heruntergeregnet hatte. Über sie alle legte die Sonne, die durch die zerbrochenen Scheiben eindrang, einen Schein aus Staub.

Wir warfen einen Blick in die Ateliers, wo an den Wänden noch Skizzen hingen und am Boden zerbrochene Gliedmaßen lagen. Wir suchten auch die Lagerhallen auf. Gestelle voll Hände, lauter linke und lauter rechte, solche, die segneten, und solche, die predigten. Abstellkammern mit Bischofsstäben, Schachteln voll Lilien und an Stangen Gekreuzigte, die nicht mehr auf ein Kruzifix geheftet worden waren. Im hintersten Depot waren die Flügel gelagert. Im Halbdunkel erkannte ich zwei Flügel, die denen glichen, die mein Schutzengel getragen hatte; sie hingen an einer Schnur vom Gebälk. Der Immune setzte die Flügel in Bewegung; da flatterte und zuckte es uns ums Gesicht, so daß wir erschrocken zurückfuhren. Der Immune hatte Fledermäuse aufgescheucht.

Der Besuch in der einstigen Heiligenfabrik hatte uns auf eine Idee gebracht. Da gab es Lagerbestände, die sicher anderswo noch gebraucht werden konnten und die günstig zu haben waren. Nicht daß wir mit Heiligen handeln wollten, aber zum ersten Mal dachten wir daran, nach stillgelegten Betrieben und nach Firmen, die Konkurs machten, Ausschau zu halten. Da waren überall Ersatzteile zu erwerben, und was konnte man aus Europa exportieren, wenn nicht Ersatzteile.

Damals hätte mich die Begeisterung des Immunen stutzig machen müssen: Eine solche Tätigkeit sage ihm zu, weil man dabei herumkomme. Er sei noch immer daran, sich umzusehen. Stattdessen hatte ich ihm zugestimmt. Wenn ich aus dieser Welt schon nicht draus käme, wolle ich wenigstens wissen, wie sie ausschaue.

Wir hatten die Hand mit dem Wundmal zuhause neben die Garderobe gelegt. Wenn wir gelegentlich noch Gäste hatten, fand sich stets ein Scherzbold, der beim Verabschieden eine Münze als Trinkgeld auf die Stelle der Hand legte, wo sie ein Nagel durchbohrt hatte.

Bei unseren Tätigkeiten und auf unseren Reisen sind wir immer wieder auf die Heiligen von früher gestoßen. Als Buben hatten wir mit Begeisterung geholfen, die Ochsen einzuspannen, die den Drachen aus der Stadt schleppten, den Sankt Georg erledigt hatte. Eines Tages trafen wir den Ritter wieder, noch immer saß er hoch zu Roß mit einer Lanze. Aber seine Hautfarbe war schwarz, und er hatte Kraushaar. Wir verstanden seine Sprache nicht; er redete Nago und stammte aus Angola. Er herrschte über das Eisen und was sonst in den Gedärmen der Erde wächst; und die, die ihn verehrten, tanzten vor ihm und opferten ihm Bananen.

Als uns eine alte Negerin, eine Pfeife im Mund, Isana vorstellte, meinten wir, diese Göttin sei eine Hochstaplerin, da sie sich als Barbara ausgab. In der Tat, sie half den Artilleristen, Dinge zusammenzuschießen, und der Feuerwehr beim Löschen. Sie hatte den christlichen Namen angenommen, wie sie sich einen europäischen Rock übergezogen hatte, darunter aber bewahrte sie die Erinnerungen an die heimatlichen Runddörfer. Sie nahm die Orgel hin, doch ihre Verehrerinnen und Verehrer tanzten zu Trommeln. Sie hatte mit dem schwarzen Georg auf einem

Sklavenschiff den Südatlantik überquert. Sie hatte als Isana afrikanische Gewitter befehligt, und konnte als Barbara den Nachfahren der Sklaven bei den brasilianischen Blitzen und Regengüssen beistehen.

Damals erinnerte mich der Immune daran, wie sinnvoll hohle Heilige seien. Die würden nicht nur dazu dienen, Gold zu schmuggeln, sondern auch Heiligen und Göttern, die aus einem andern Himmel stammten, Unterschlupf gewähren, und er fragte sich, wen von seinen Himmelskollegen wohl sein Lazarus retten würde oder ob sein Heiliger zuhause gar auf einen anderen hohlen Heiligen angewiesen sei, der ihn in seinem Bauch in andere Zeiten hinüberrette.

In dem Maße, wie wir uns von den einstigen Heiligen verabschiedet hatten, lernten wir neue kennen. Die brauchten nicht mehr aus Gips, sondern konnten aus Elfenbein sein; sie waren nicht nur aus Linden- oder Rosenholz geschnitzt sondern auch aus Ebenholz, sie mochten aus gleicher Bronze gegossen sein, und manchmal waren sie aus Brot geknetet.

Eines Tages war es nicht mehr Petrus, der den Fischern die Netze füllen half, sondern eine Frau mit rötlichen Pausbacken und Schlitzaugen; im Schneidersitz saß sie auf dem Altar und erhörte Seeleute, Matrosen und Hafenarbeiter. Neben jenen, die ihren Fuß zum Sieg auf ein Tier gesetzt hatten, standen andere, die den Kopf eines Elefanten oder Jaguars trugen. Noch immer zeigte eine Göttin hundert Brüste, um ein ganzes Volk zu nähren, noch immer entblößte Maria nur eine Brust, um ihr Kind zu stillen, aber wir hatten inzwischen eine Göttin gegrüßt, die sich über dem Portal eines Tempels reckte, und nach deren prallen Brüsten mit den metallenen Warzen ein Gott die Hand ausstreckte, und nach wie vor trug Agathe in einer Schüssel ihre Brüste; ihr, die ihre Jungfräulichkeit verteidigte, hatte der Kerkermeister die Brüste abgeschnitten.

Gelegentlich kehrte ich zum Gott meiner Mutter zurück, zum Singsang einer Litanei, zu den Opferstöcken und zum Ewigen Licht. Der Immune blieb jeweils draußen, weil er noch rauchen wollte.

In einem solchen Moment stand ich einmal hinter einem Indio; er kniete am Boden, der mit dürren Blättern übersät war, und ich sah die abgelaufenen Sohlen seiner Hanfschuhe. Er flüsterte mit einem Christus, der an eine Halbsäule gebunden war; dem Indio leuchtete ein Gott, der gegeißelt und geschunden wurde, mehr ein als ein Gott, der von den Toten auferstand. Ich überraschte mich dabei, daß ich die Zeitung, die ich in den Händen hielt, fast wie einen Rosenkranz durch meine Finger laufen ließ.

Wenn mich der Immune dennoch in Kirchen begleitete und wir vor einer Kanzel standen, dann nicht mehr, weil dort das Wort verkündet wurde, sondern wir bewunderten Schnitzereien, Reliefs oder die Säulenordnung, und wir sahen zu den Spitzbogen empor, die sich in einen Dunst auflösten, oder in eine Kuppel, wo gemalte Wolken sich zu einem Himmel öffneten, der seine triumphierenden Farben einer Palette verdankte, und wir merkten uns von diesen Kirchen nicht mehr die Heiligen, sondern ob sie romanisch oder klassizistisch oder frühgotisch oder sonst was Stilistisches waren.

Nach den methodischen Überlegungen des Immunen sollte das, was einst zu einem gehörte und was einen einmal ausmachte, nicht verworfen, sondern es sollte ihm ein neuer Platz angewiesen werden. Wenn wir die Heiligen schon um ihren Himmel gebracht hätten, müßten wir ihnen jetzt helfen, sich auf der Erde einzurichten. Dafür tat er sich mit den Künstlern zusammen. Nicht die Priester würden die Heiligen über ihren Tod hinaus retten, sondern die Maler und Bildhauer. Dank ihnen könnten die Heiligen ihr Hoffen und Bangen behalten, ihre Demut und ihr Lächeln. Nur daß das Bangen manchmal in einer Kleiderfalte liege und sich die Hoffnung in einem sfumato ausdrücke, die Opferbereitschaft sich in der Behandlung der Augenpartien abzeichne und das Lächeln in der Stellung eines Fingers.

Er, der sich soviel Gedanken machte, wie man etwas retten kann und wie man überlebt – in unserem eigenen Falle konnte er verwerfen, wie ich es kaum für möglich gehalten hätte.

Weit zurück liegt die Zeit, als wir einmal einen Heiligen unserer Mutter verteidigt hatten. Denn der Vater haßte einen, der in einer Kutte daherkam, der drei Knoten im Büßerstrick hatte, sich freiwillig eine Rundglatze scheren ließ und der nichts mit Weibern hatte. So pinkelte der Vater auf den Heiligen seiner Frau; für dieses Geschäft holte er seine Kinder, damit sie ihm zusahen. Wir halfen der Mutter hinterher, ihren Heiligen zu waschen und zu parfümieren.

An einem dieser Abende rief mich der Immune: Es sei wichtig, den Mann, der einen weinen mache, weinen zu hören. Wir lauschten am Schlüsselloch des Schlafzimmers, und wir hörten den Vater schluchzen, er versprach es nie mehr zu tun, dann vernahmen wir, wie sein Schluchzen in ein Stöhnen überging und wie die Mutter mitstöhnte, und wir wunderten uns; denn die Mutter wimmerte, aber der Vater hatte sie nicht geschlagen, sondern geküßt.

Er hatte sich dafür entschuldigt, daß er einen Teufel im Leib habe. Den hatte er seit früher Mannheit mit Alkohol zu ertränken versucht, und er hätte es auch beinahe geschafft; aber dann lernte der Teufel trinken und gewann Freude daran und verlangte immer Hochprozentigeren, der ihn konservierte. Der Vater schüttete nach und kriegte seinen Durst nicht weg, weil ihm der Teufel alles wegtrank, und so soff er drauflos, und der Teufel wurde mit jedem Glas frecher und stieg in ihm hoch bis in den Kopf und sah von dort hinaus, aber das konnte er nur tun, wenn die Augen des Vaters glasig waren.

Der Vater soll im Spital der Mutter versprochen haben, daß er, wenn er einmal drüben sei, nicht als Gespenst zurückkomme, er habe sie ein Leben lang genug geplagt. Er hielt sein Versprechen. Aber die Mutter wartete auf ihn, sie saß am Abend da, als sei er nicht nach drüben, sondern zur Arbeit gegangen.

Uns aber hatte der Vater kein Versprechen abgegeben; so geisterten nach seinem Tod seine Hände durch unser Leben.

Aber ich, der ich den Heiligen meiner Mutter einmal verteidigt hatte, habe ihn auch einmal umgestürzt. Ich war von der Schule nach Hause gekommen, und sie sagte kein Wort. Als ich fragte, was los sei, sprach sie nicht, sie stellte einen vollen Teller auf den

Tisch, ohne etwas zu sagen. Als ich nicht löffeln wollte, blieb sie ruhig, es kam kein Laut von ihren Lippen. Da haute ich mit dem Löffel auf den Tisch, aber er tönte nicht; da die Mutter nicht sprach, waren alle Gegenstände verstummt. Die Tür, die ich zuschmetterte, blieb still, als ich ihren Heiligen umstürzte, brach ihm der Kopf lautlos ab.

Ich zeigte dem Immunen, daß Antonius aus Gips war. Er aber suchte den Teddybären, dem wir einst, abends vor dem Einschlafen, soviel erzählt hatten und der seit langer Zeit in einem Schrank abgelegt war. Der Immune schlitzte ihn auf und rupfte die Füllung heraus: Die einen vertrauten sich dem Gips an und die anderen der Holzwolle. Während der Immune Antonius den Kopf wieder aufsetzte und leimte und die Bruchstelle am Hals mit einem Farbstift geschickt übermalte, erklärte er mir: Wer einen Heiligen stürzt, erliegt der Versuchung, ihn durch einen andern zu ersetzen. Man müsse nicht gegen die kämpfen, die auf dem Sockel stehen, sondern gegen die Sockel selber – und in der Tat, wir haben versucht, sockelfrei zu leben.

Auf diese Episode kam der Immune auch zu sprechen, als er mir zum ersten Mal seine Geschichte von Ödipus erzählte.

Der Schritt zur Seite

Es geschah an einem Kreuzweg. An was für einem, darüber gehen die dürftigen Informationen auseinander. Aber gleichgültig, ob es ein Dreiweg war oder eine Kreuzung mit vier Armen, es war ein schicksalshafter Begegnungsort. Hier trafen die Wege eines Vaters und eines Sohnes aufeinander.

Die Straßen waren im damaligen Böotien noch kaum ausgebaut. Man war eben darangegangen, ein Netz von Überlandstraßen anzulegen, und dies nicht nur, damit die Truppen sich mobiler bewegen konnten. Der aufkommende Handel ließ eine hellenische Infrastruktur notwendig erscheinen.

Man fühlte sich einmal mehr in einer Übergangszeit. Einig war man sich, daß es mit jenem Goldenen Zeitalter vorbei war, das weder Unrecht noch Unglück gekannt hatte. Verspielt war auch die hochkarätige Chance einer Silbernen Zeit. Der Disput ging darüber, ob die Epoche, in der die Menschen sich einzurichten hatten, eine heroische oder eine eiserne war und ob zu beiden ein eherner Charakter gehörte und der entsprechende Rost. In jedem Fall der Deutung blieb unbestritten, daß es von nun an nicht ohne Gesetz und Arbeit ging, und nicht ohne Schweiß, sei es der eigene oder der von andern.

Nach wie vor wohnten an den Quellen Nymphen, Mädchen, die unziemlichen Nachstellungen entgangen waren und die ihre Jungfernschaft gerettet hatten, indem sie sich in ungetrübtes Wasser verwandelten. Aber der Sprudelquell genügte längst nicht mehr. Die Nymphen ließen sich auch an Schöpf- und Laufbrunnen nieder. Man begann die Quellen anzuzapfen und legte Leitungen, um das Wasser dorthin zu dirigieren, wohin es von allein nie geflossen wäre, und man baute mit Kanälen auch fürs Wasser Straßen.

Noch immer erkannte man in den Zweigen des Lorbeers die Arme Daphnes, die den Beistand der Götter erfleht und sich in einen Baum verwandelt hatte. Aber die Lorbeerblätter wurden nun in der Küche dem Lamm und dem Zicklein beigegeben. Die Bäume wurden gepfropft. Vielleicht waren die Lieder über die Früchte nicht mehr so ursprünglich; dafür waren die Äpfel, die man besang, weniger sauer. Man hatte herausgefunden, daß das Öl, das man aus Oliven preßte, sich nicht nur für Opfer eignete, sondern auch als Konservierungsmittel.

Nach wie vor wurden den Göttern Tiere dargebracht. Doch unter denen, welche mit einem Zeremonienmesser die Leiber aufschlitzten, waren solche, die anhand der Lage und der Größe der Leber nicht mehr nur weissagten, sondern staunten, wie dieses Organ sich in die Gesamtheit der Eingeweide fügte. Sie taten am Altar nicht bloß einen Blick in die Zukunft, sondern darüber hinaus in die Gegenwart eines Organismus. Manch einer vergaß beinahe, die Fleischstücke und Innereien dem Himmel darzubieten, so fasziniert war er von der Erkenntnis, daß Auge und Gehirn zusammenhingen.

Vorbei war die Zeit, als einer mit seinem Zitherspiel die Steine derart bewegen konnte, daß sie sich zu Mauern fügten und diese sich zu einem Palast. Die Schwerarbeit konnte nicht länger Zyklopen mit einem Rundauge auf der Stirn überlassen werden; von nun ab wurden Zugwinden eingesetzt. Wollte man eine Akropolis mit Tempeln oder Häfen mit Molen bauen oder für die Theater Hügel abtragen oder Straßen anlegen, war man auf menschliche Arbeitskräfte angewiesen. Und die einheimischen Sklaven und die Kriegsgefangenen mußten ausreichend ernährt werden, damit sie Kräfte genug besaßen, um Steine zu schleppen und sie zu behauen und zusammenzufügen.

Die neue Zeit kündigte sich nicht zuletzt dadurch an, daß der Wagenverkehr rapide zunahm. Noch immer wurde das Pferd benutzt, waren es berittene Boten, welche den Expreß-Dienst versahen. Aber der Wagen bot eine neue Möglichkeit für den Personen- und Warentransport. Man baute nicht bloß Karren fürs Feld, sondern verzierte Wagen, die, leichter und eleganter, vor allem fürs Reisen benutzt wurden. Die Erfindung und Anwendung des Rades hatte einen Schnelligkeitstaumel ausgelöst. Manch ein Seher warnte, als die Jugend anfing, die Wagen nicht nur für Transport und Reisen zu benutzen, sondern mit ihnen im Kreis herumzufahren, wetteifernd, wer dies am schnellsten tue. Als ein Zeichen der neuen Zeit und des alten Himmels wurde genommen, daß es eine moderne Todesart gab; man konnte von nun ab auch an gebrochener Achse sterben.

Zu dieser Zeit trafen sich die Wege eines Vaters und eines Sohnes, ohne daß der eine gewußt hätte, wer der andere war, es begegneten sich ein ahnungsloser Ödipus und sein nicht minder ahnungsloser Vater Laios.

Zunächst fand allerdings nicht die Begegnung eines Sohnes mit seinem Vater statt, sondern der Zusammenprall von Wanderer und Fahrer; es war die erste Konfrontation zwischen einem Fußgänger und einem Wagenbenutzer.

Der Verkehr war damals ziemlich sich selber überlassen. Natürlich wurde ein Gott zum Schutz der Straßen bestellt. Hermes, der Briefträger der Götter, war schon aus beruflichen Gründen an guten Verbindungswegen interessiert, obwohl er für die Überbringung der Botschaften den Wind nahm oder sich auf seine geflügelten Füße verließ. Als Gott der Händler und Diebe war er zudem für Schmuggelpfade und Schleichwege zuständig. Zu seiner Ehre wurden die Wege markiert, Steinhaufen errichtet, auf denen gewöhnlich ein Pfeil steckte; aber der kündigte eigentlich nur an, daß es hier allgemein um Richtung ging, denn er wies in keine bestimmte.

Zudem waren die Dreiwege der Göttin Hekate anvertraut worden, deren nächtliches Kommen heulende Hunde anzeigten. Sie stammte aus Karien. Die Ureinwohner dieser Region im Südwesten Kleinasiens galten als ziemlich stumpfsinnig. Unter den Sklaven waren sie die, die man am geringsten schätzte und die man am billigsten kriegte. Aber die Göttin, die sie verehrten, schien doch als Schutzfrau für den Verkehr brauchbar zu sein. Man legte für Hekate an den Dreiwegen Speisen aus, und dies nicht zuletzt, um unruhige Geister zu besänftigen; denn diese irrten nicht mehr querfeldein durch die Gegend, sondern begannen die offiziellen Verkehrswege zu benutzen, was eine zusätzliche Belastung darstellte.

Trotz dem göttlichen Schutz wurde vor allem in den Großstädten, auch in einer wie Theben, die Forderung nach mehr Sicherheit laut. Ein Vorschlag ging dahin, eine Kommission nach Cholkis zu schicken, um dort Ausschau zu halten nach dem Kopf des Argos, der infolge eines Verrates vom Rumpf getrennt worden war. Von dem hundertäugigen Kopf dieses einst berühmten Wächters versprach man sich eine gewisse Garantie für die Verkehrskontrolle. Ohne Beachtung blieb der Minderheitsantrag, es nicht zuletzt im Sinne von Sparmaßnahmen, mit nur drei Augen, aber verschiedenfarbigen, zu versuchen, mit einem roten, einem grünen und einem gelben.

Für den Fernverkehr waren zwei Straßen ausgebaut worden – die große Transversale von Böotien durch Attika an den Isthmus von Korinth, und dann ein anderer Weg, der nach Delphi führte.

Dieses Delphi war mit seinem Orakel als religiöses Zentrum von eminent politischer Bedeutung. Bekannt war es wegen seiner direkten Verbindung mit den Göttern, als Empfängerstation überirdischer Einsicht. Hier hatte sich der Brauch entwikkelt, Orakelsprüche als Regierungserklärungen zu verwenden, und diese Orakelsprüche eigneten sich nicht zuletzt für politische Programme, zumal sie von vornherein das ›sowohl‹ wie das ›also auch‹ enthielten und zudem die Kürze einer Devise hatten. Und damit war Delphi gleichzeitig auch eine hohe Schule der Intellektuellen. Hier lernten sie von der Doppeldeutigkeit der Sprache zu profitieren: Eine Wahrheit auf solche Weise zu sagen, daß man Recht behielt, wie auch der Gang der Geschichte verlief, was für Beschlüsse auch immer der nächste Parteikongreß oder das nächste Konzil faßten.

In diesem Delphi hatte ein Sohn wie Ödipus Gewißheit über seinen Vater erhalten wollen. Und hierhin war auch ein Vater wie Laios aufgebrochen. Nicht zum ersten Mal. Aber da seine Frau nach jahrelanger Eheabstinenz wieder schwanger ging, wollte Laios wissen, ob er von diesem Kind das gleiche zu gewärtigen habe wie vom ersten, das er nach der Geburt zur Tötung freigegeben hatte.

Zu diesem Delphi führte eine Allwetterstraße, streckenweise eng, schwierig passierbar, da abschüssig und an einigen Stellen ein bloßer Hohlweg, wie dort, wo sich ein Sohn und ein Vater treffen sollten.

Denn diese Straße führte durch den Parnaß, ein massives Kalkgebirge mit einem vielgipfligen Kamm und tief eingerissenen Tälern; hier konnte der Schnee bis weit in den Frühling liegen bleiben. In der Abgeschiedenheit der Tannenwälder trafen sich die Thyiaden zur Biennale – fern von jenen Griechinnen, die protestierten, weil die Bacchantinnen einen Gott von der Macho-Stärke eines Stiers verehrten, und unbehindert von Hellas' Abstinenten, die behaupteten, die Frauen torkelten hier betrunken durch die Gegend, während diese selber sagten, sie streiften des Gottes voll durch die Haine.

Auf einem Ausläufer des Parnaß lag eine Stadt, die nicht wußte, ob sie für die Nachwelt Daulia oder Daulis heißen solle, ein Marktflecken ohne größere Bedeutung, der dennoch von Zeit zu Zeit erobert und von Zeit zu Zeit befreit wurde.

In der Nähe dieser Stadt befand sich die Kreuzung, an welcher Ödipus und Laios aufeinander trafen.

Zunächst war es nicht die direkte Konfrontation eines Sohns und seines Vaters, sondern die eines Sohnes und eines Bediensteten. Laios reiste als König von Theben zwar inkognito, aber standesgemäß. Hinten, auf dem einen Trittbrett, fuhr ein Diener mit, vorn saß der Wagenlenker, daneben der Herold, der mit Stimme und Trompete und mit einem Heroldstab akustische und optische Signale gab.

Aber Ödipus machte nicht Platz. Er wich nicht zurück und trat nicht zur Seite, obwohl der Wagen erst in letzter Minute vor ihm bremste. Er spürte den heißen Atem aus den Nüstern der Pferde, Staub legte sich auf sein verschwitztes Gesicht und drang bis in die Kehle, so daß ihn ein Husten schüttelte.

»Geh du aus dem Weg.« Ödipus keuchte und hustete noch, als er seine Antwort dem Mann auf dem Bock zurief. »Hau ab«, kam es zurück. Darauf folgten Beschimpfungen in archaisch-griechischer Manier. Ödipus spottete über den böotischen Akzent des

Herolds, der deutete grinsend mit seinem Stab auf die Füße von Ödipus: ein Mann, der auf verschieden hohen Absätzen ging.

In die Auseinandersetzung mischte sich der Wagenlenker ein; er hielt die Zügel, aber ihm gehörte der Wagen nicht; er machte zwar den richtigen Weg ausfindig, aber bestimmte nicht, wohin der Weg ging. Einem Höheren dienend war er überzeugt, er sei ein Höherer, und er war froh, daß es bei den Dienern eine Rangordnung gab.

Zu ersten Tätlichkeiten kam es, als der Wagenlenker drohte, die Zügel schießen und Ödipus zu Tode trampeln zu lassen. Als er mit der Peitsche ausholte, kriegte Ödipus sie in den Griff und zerrte daran, so daß er den Wagenlenker mit einem Ruck vom Bock riß und jener in halber Höhe an den Zügeln hängen blieb, während der Herold zwischen die Pferde neben die Deichsel purzelte. Der Wanderstab von Ödipus war wirksamer als der mit einer Schlange verzierte Heroldstab.

Da mischte sich der Wagenbesitzer selber ein. Der junge Mann möge Frieden geben, er wolle ihm sein Verhalten nachsehen; er begreife, daß der Wanderer gereizt und müde sei; er sei sicher schon lange unterwegs, zu Fuß, und er erkundigte sich nach der Art der Verletzung. Dann befahl der Herr dem Herold, der sich hochrappelte und den Staub von den Kleidern klopfte, er solle dem jungen Mann etwas Wegzehrung geben, dann werde der sicher zur Seite treten.

Ödipus aber fragte nur, mit wem er die Unehre habe, und bückte sich. Er hob ein paar Steine auf und rief: Wenn hier einer den andern füttere, dann füttere er, und wenn der Herr da oben auf dem Wagen Hunger habe, könne er ihm diese Steine in den Mund stopfen, und er warf den ersten Stein.

Der Alte holte mit seinem doppelten Stachelstab aus. Er hätte Ödipus voll und wuchtig auf den Kopf getroffen, wenn dieser nicht seinen Arm als Schild benutzt hätte. So durchschlug der Stachelstab nicht seine Schädeldecke, sondern riß das Fleisch an einer Schulter auf. Mit dem unverletzten Arm holte Ödipus den Alten von seinem Kissen herunter auf den Boden.

Nun war es Ödipus, der die Pferde antrieb, indem er ihnen den

Stab in die Flanken stieß. Sie bäumten sich wiehernd auf und rissen das Gefährt mit. Der Wagenlenker suchte Halt an den Zügeln; der Diener auf dem rückwärtigen Trittbrett klammerte sich an den leeren Sitz, die andern zum Kampf anfeuernd, und der Herold kam unter die Räder, an denen er sich festzuhalten versuchte. Für einen Moment unterbrachen der Alte und der Junge ihren Kampf; sie sahen gebannt zu, wie sich der Wagen überschlug. Ein Pferd stürzte, riß das andere mit, und beide Tiere zogen Wagen und Männer über die Böschung in den Abgrund. Die Eisenteile schlugen auf den Fels, und Funken sprühten. Aus der Schlucht hallte mehrfach das Echo von Gewieher und Geschrei.

Der Kampf zwischen dem Alten und dem Jungen wurde nicht mehr mit Stachelstab und Wanderstab geführt, sondern mit Fäusten und Würgegriffen. Als der Junge den Alten am Boden hatte, drückte er ihm seine Knie in den Brustkorb, bis er nicht mehr zuckte und zitterte und seine zum Schlag erhobene Hand leblos zu Boden fiel. Dann trat Ödipus dem Alten in den Unterleib und zermatschte ihm die Hoden, denen er sein Leben verdankte.

Zurück blieb ein toter Mann, das kostbare Blut und der kostbare Stoff zu einem schmutzigen Bündel verklebt. Die Augen waren aus den Höhlen getreten. Die Halskette war gerissen, und ihre Schmucksteine lagen zerstreut auf dem Weg, auch all die Drachenzähne, die daran erinnerten, aus welcher Saat einst sein Volk hervorgegangen war. Die ersten Kolonnen von Ameisen machten sich auf den Weg, und über dem Hohlweg kreisten die Geier.

Den Leichnam des Alten fand später ein Reisender. Zu mühsam war es, in der dünnen Humusschicht ein Loch zu schaufeln; so legte er den Toten, der bereits roch, neben wilde Erdbeeren in eine Mulde und schichtete einen Steinhaufen darüber. Der Reisende nahm an, dieser Anonyme sei von einem Räuber erschlagen worden, denn im Parnaß, dem Musengebirge, trieben sich als Wegelagerer unzählige Poeten herum, die an Stelle des Dichtens die Tat propagierten.

Von diesem Kreuzweg hatte sich ein junger Mann entfernt, der seine Wunden leckte und die größte mit einem Stück Stoff stillte.

Der Fuß tat ihm weh, wie sonst nur, wenn der Wettergott Anemos alle widrigen Winde gleichzeitig aus der Höhle losließ.

Es war an einem Kreuzweg geschehen, wo sich ein Alter und ein Junger getroffen hatten, Ödipus und sein Vater Laios. Was aber, wenn Ödipus einen Schritt zur Seite gemacht hätte?

Sicherlich, die Situation war prekär. Der Wagen versperrte den Weg in der ganzen Breite, und die Rufe des Herolds waren von routinierter Arroganz. Doch für den Wagenlenker war es in der Tat schwierig, rückwärts zu manövrieren und eine Ausweichstelle zu suchen. Es wäre leichter gewesen für den Fußgänger, einen Schritt zur Seite zu tun.

Nun hatte Ödipus schon immer empfindlich reagiert, wenn es ums Platzmachen ging. Er hatte seit seiner Kindheit einen Klumpfuß, ihm tönte jedes »Rasch, rasch« und jedes »Hopp, hopp« mißlich im Ohr. Der Klumpfuß lastete um so mehr auf seinem Gemüt, als Ödipus aus Andeutungen herausgehört hatte, daß es nicht ein naturgegebenes Gebrechen sei, sondern eines, das man ihm zugefügt hatte. Er konnte im Stadion bei den Rennen nicht mitmachen; aber er war trotz seines Humpelgangs ein guter Speerwerfer geworden. Dennoch schlich er sich manchmal von den Sportveranstaltungen weg und suchte einen Schuhmacher auf, der berühmt war für seine Maßanfertigungen.

Da dieser Schwellfuß hinderlich war, hatte Ödipus seine Kraft in die Hände gesteckt, und dies mochte er nicht nur mit Gewichtheben beweisen. Er schlug zu, wenn immer sich eine Möglichkeit bot; deswegen galt er als jähzornig. Zu seiner Kraft, über die er von Natur aus verfügte, kam noch die hinzu, die ihm aus dem Zorn erwuchs, und dies geschah immer, wenn ihm einer sagte: »Mach Platz«.

Was aber, wenn Ödipus trotz seines Klumpfußes zur Seite getreten wäre? Er hätte nicht einen alten Mann erschlagen, und damit seinen Vater. Er wäre zum Spielverderber geworden, der den Göttern einen Strich durch die Rechnung macht, ein Rebell, der den Himmel entmachtet hätte, indem er die Hand nicht erhob, gleichsam nebenbei, mit einem Schritt zur Seite.

Allerdings hätte er sich damit um ein Schicksal gebracht, das sich dramaturgisch als ergiebig erweisen sollte: um all die Szenen, in denen er entdeckt, daß er selber der Schuldige ist, den er sucht; er hätte nicht miterlebt, wie Iokaste, seine Mutter, die er zur Frau genommen hatte, sich erhängte; er hätte sich nicht mit ihrer Haarnadel geblendet, und man hätte nicht darüber streiten müssen, ob er danach im Dunkel seines Palastes dahingelebt habe oder mit seinen Kindern ins Exil gegangen sei. Er wäre um viele Auftritte gekommen und um einen wirksamen Monolog.

Was hätte er sich mit seinem Schritt zur Seite nicht alles erspart – und nicht nur sich, sondern uns und unserem Jahrhundert. Aber eines hätte er sich nicht erspart: nämlich die Konfrontation mit der Sphinx.

Diese Sphinx stammte aus der thebanischen Linie eines ägyptischen Clans. Daran war nicht zu zweifeln, denn sie besaß den Kopf einer Frau und den Leib einer Löwin. Ansonsten war man sich nicht im klaren über ihre Verwandtschaft. Es wurde behauptet, ihr Erzeuger sei ein Hund gewesen. Das war insofern einleuchtend, als ihr Bruder Kerberos eine Stelle als Höllenhund gefunden hatte; mit seinen Schlangenschwänzen wedelte er jedem freundlich entgegen, der sich dem Tor der Unterwelt näherte; aber wer einmal durch war, den ließ er nicht mehr hinaus. Feuer spie auch die Schwester, die Chimäre, die vorn einer Löwin glich, in der Mitte einer Ziege und hinten einem Drachen. Unter ihrem Brüllen und Meckern hatte die Sphinx in ihrer Kindheit gelitten. Da sie das Gesicht eines Menschen besaß, hielt sie nach Menschen Ausschau, aber wegen ihres Löwenleibes schämte sie sich vor ihnen, zudem waren ihr in der Pubertät noch zwei Flügel gewachsen. Sie hatte sich in verlassene Höhlen geflüchtet, aber mit der Zeit die Einsamkeit der Bergwelt nicht mehr ertragen und sich eines Tages auf einem Felsen vor Theben postiert. Und sie gab denen, die an ihr vorbei in die Stadt wollten, ein Rätsel auf, zerriß die, die es nicht lösten, einige verschlang sie ganz und manche nur teilweise und warf, was von ihnen übrigblieb, über den Felsen in den Abgrund. Über diesem lag ein Verwesungsgeruch, der je nach Wind schwer auf der Stadt lastete.

Warum Ödipus gerade nach Theben aufgebrochen war, ist

nicht auszumachen, vielleicht einzig, weil es nordwärts lag und somit in ganz anderer Richtung als Korinth, wo er seine Kindheit und seine Jugend verbracht hatte. Immerhin war Theben eine Großstadt, reich an Gartenfrüchten, aber andererseits von einem unangenehmen Klima. Es hieß von den Einwohnern, sie seien dreist, übermütig, anmaßend und gegenüber Fremden streitsüchtig. Handgreiflichkeiten, wie sie sich ihre Athleten bei den Sportveranstaltungen erlaubten, waren auch bei Gericht gang und gäbe. Und dann war dieses Theben für seine Kriegstüchtigkeit berühmt, aber auch dafür, daß es das Bildungswesen weitgehend vernachlässigte. Da das Land fruchtbar war, meinte man, ohne Schulen auszukommen. Das läßt vermuten, die Sphinx habe sich nicht zufällig vor einer solchen Stadt postiert. Der niedrige Wissensstand mochte auch eine Erklärung dafür sein, daß viele junge Thebaner mit Tapferkeit sich der Sphinx stellten, aber das Rätsel nicht zu lösen vermochten: Was das für ein Wesen sei, das am Morgen auf allen Vieren gehe, am Mittag auf zwei und am Abend auf drei Beinen.

Wie Ödipus das Rätsel löste, darüber gehen die Meinungen auseinander. Einige behaupten, er sei aus Zufall, das heißt aus purer Verlegenheit darauf gekommen. Als er das Rätsel aus dem Mädchenmund gehört, sei ihm das Wort ›Mensch‹ entfahren, wie einer aufstöhnt ›Mensch Grieche, was für eine Frage‹, den angstvollen Blick auf die Tatzen der Sphinx gerichtet. Als er das Wort ›Mensch‹ ausgesprochen, habe er bemerkt, wie die Sphinx zusammenzuckte. Was ihm in seiner Verlorenheit als Stoßseufzer hochkam, sei die Lösung gewesen.

Aber anderseits hatte Ödipus seinen Sinn für alles geschärft, was mit Beinen zu tun hatte. Wie alle Kleinkinder war Ödipus zunächst auf allen vieren gekrochen, aber er war unsicher, ob er nicht einer sei, der sich von den vieren nur Kraft eines Stockes erheben und, die zweibeinigen Jahrzehnte auslassend, schon in seiner Jugend auf dreien werde gehen müssen.

Auf jeden Fall fand Ödipus die Lösung. Alle, die bis dahin gefragt worden waren, hatten an einem Ungeheuer herumgerätselt. Aber die Lösung war ein Ungeheuer eigner Art, der Mensch.

Als Ödipus das Wort ›Mensch‹ ausstieß, zuckte die Sphinx zusammen und begann zu heulen. Ihre Flügel zitterten, als Ödipus das Wort wiederholte, und die Sphinx versuchte, sich mit ihren Schwingen die Ohren zuzuhalten; aber die Ohrmuscheln wuchsen, als bekämen sie nicht genug von dem Wort, als habe sie ein Schlag getroffen, der sie anschwellen ließ. Es wimmerte aus der Sphinx wie aus einem Kinderkörper, aber es schüttelte sich der Leib eines Löwen, und ihr Mädchenmund spitzte sich, als wolle er das Wort küssen und sich ihm hingeben; zugleich versuchte die Sphinx mit dem Schwanz auszuholen, um das Wort in der Luft zu treffen. Aus ihren Brüsten floß eine Milch, die das eigne Fleisch ätzte, und sie schrie auf; der Schrei kam von tief unten, als hätte sich die Erde gespalten. Und Ödipus schlug zu: Wort um Wort und ›Mensch‹ um ›Mensch‹. Die Krallen der Sphinx bohrten sich in den Felsen, und das Gestein begann zu bröckeln. Sie rutschte und warf sich in den Abgrund, in den sie die Verlierer zu Tod gestürzt hatte.

Ausweichen war in diesem Falle keine Lösung. Es gab angesichts der Sphinx keinen Schritt zur Seite, dank dem Ödipus dennoch durchgekommen wäre. Es hätte nur die Möglichkeit bestanden, sein Vorhaben aufzugeben und darauf zu verzichten, nach Theben zu gehen. Damit aber hätte er seine Niederlage akzeptiert. Es blieb nur eines, sich dem Kampf zu stellen.

Wenn also Ödipus schon für uns Verbindlichkeit erlangen sollte, dann nicht der, welcher an einem Kreuzweg einen alten Mann und damit seinen Vater erschlägt, sondern der Ödipus, der ein Ungeheuer erledigt. Nicht der Ödipus der persönlichen Abrechnung, sondern der, der eine Stadt und damit ein Kollektiv von der Tyrannei der Sphinx befreit.

Wenn schon Ödipus, dann nicht der, welcher zum Wanderstab als Waffe griff, sondern der, der entdeckte, daß das Wort eine Waffe ist.

Ein Ödipus aber auch, der hoffte, dank des Wortes den Kampf unblutig führen zu können, der aber eines Tages zur Kenntnis nehmen muß, daß einer, auch ohne daß Blut fließt, verbluten kann.

Ein Mann, der für seinen Kampf das Wort wählt – wie sehr leuchtete mir das ein. Aber zu was für einer lächerlichen Waffe griff ich, als ich auf den Immunen losging, und er selber, hat er nicht mit einem Küchenmesser auf eine Puppe, die er ausgestopft hatte, eingestochen.

Als der Immune mir zum ersten Mal die Geschichte von dem Manne erzählte, der in seinem und in unserem Interesse besser einen Schritt zur Seite getan hätte, führte er mir die Inkunabel eines Aufnahmegerätes vor.

Er redete nicht ungern von seinen Windrosen-Erlebnissen, und so überrascht es auch nicht, daß er in seinen Papieren von einem erzählt, der aufs Schiff wollte. Es hatte manchmal den Anschein, als habe er große Abenteuer zur See bestanden, dabei war er gewöhnlich mit der Eisenbahn oder mit dem Auto unterwegs, und wenn ihm flau wurde, dann nicht wegen eines Wellenganges, sondern wegen Turbulenzen in der Luft.

Aber der Immune hatte auf dem Schiff von Odysseus gedient. Er hatte die Stelle nicht nur deswegen angetreten, weil Odysseus eine überdurchschnittlich hohe Entlöhnung versprach. Es hatte sich im Hafen unter den Seeleuten bald herumgesprochen, daß der Ex-Combattante aus Troja für die zwölfte Etappe seiner Irrfahrt die Route wählte, die an den Sirenen vorbei führte, welche mit ihrem Gesang die Seeleute in den Tod lockten. Da gab es nicht viele Matrosen, die sich anheuern ließen.

Ein solcher Plan mußte den Immunen interessieren, wie alles, was nach Überstehen aussah. Er begriff, daß Odysseus sich an einen Mast binden ließ, um dem Lockruf der Totenvögel nicht folgen zu müssen. Aber anderseits störte den Immunen das Herrenverhalten des Schiffbesitzers und Kapitäns aus Ithaka, der selber den Gesang hören wollte, während er dies der Mannschaft versagte, sei es, daß er ihre Widerstandskraft unterschätzte oder ihnen die Todesmelodie mißgönnte, auf jeden Fall befahl er ihnen, die Ohren mit Wachs zu verstopfen. Aber anderseits: damit ein Großer Tapferkeit demonstrieren kann, müssen andere rudern.

Nicht daß es der Immune mit jenem Matrosen hielt, der sich

auf die Brust klopfte und verkündete, er brauche keinen Mast, um sich anzubinden, und kein Wachs, um die Ohren zu verstopfen, er trotze der Gefahr, er sei Manns genug. Er demonstrierte jenen Mut, zu dem sich Männer wegen ihres primären Geschlechtsmerkmals verpflichtet fühlen. Was seine eigene Männlichkeit betraf, ging der Immune hingegen vom schlechtesten Fall aus, nämlich von seiner Schwäche.

Jedenfalls sah der Immune mit den andern zu, wie dieser Matrose an der Reling stand und wie er sich immer weiter hinausbeugte. Als er das Gleichgewicht verlor, hätte der Immune nicht angeben können, ob dies in Erwartung eines Gesangs geschah, den er noch gar nicht vernommen hatte, oder ob er einem Lockruf folgte. Da den Zuschauern die Ohren verstopft waren, blieb offen, ob der Held, der ertrank, schrie oder nicht, und ob sein Schrei ein Hilferuf war oder ein Willkommensgruß.

Auch der Immune hatte sich die Ohren zugepfropft, aber er hielt Ausschau nach Ohren, die an seiner Stelle dem Gesang lauschten und festhielten.

Als Kind hatte er eine Muschel ans Ohr gehalten und in ihr dem Rauschen des Meeres gelauscht. Er fragte sich, ob eine solche Muschel nicht auch andere Geräusche festhalte. So präparierte er das Gehäuse eines Schalentieres; er fabrizierte eine Art mechanische Ohren. Als sie ins Einzugsgebiet des Sirenengesanges kamen, stellte er das Gehäuse auf und band es am Mast fest, weil er unsicher war, ob nicht auch leblose Dinge dem Lockruf des Todes folgten.

Als mir der Immune seine Frühform eines Aufnahmegerätes überreichte und ich hineinhorchte, waren vorerst nur Wellen und Wind auszumachen und ein Flügelschlagen. Doch dann ertönte ein Heulen und Wimmern, ein Schreien und Stammeln, Stimmen jeden Alters, einzeln herausgehoben und durcheinander, ein Ächzen und Stöhnen, das sich steigerte, ein ungeheures Seufzen, so daß mein Trommelfell schmerzte und ich die Muschel voll Entsetzen weit vom Ohr weg hielt.

Ich meinte zunächst, es sei eine mißlungene Aufnahme. Der Immune belehrte mich: der Sirenengesang sei alles andere als schön, der Lockruf des Todes grauenhaft. Deswegen gäben sie auch nie einen frei, damit keiner bezeugen könne, daß ihr Gesang nicht schmeichelnd, sondern abstoßend sei. Die Totenvögel mit ihren Mädchengesichtern seien Geier. Die Abfälle, von denen sie sich nährten, seien letzte Seufzer und das allerletzte Stammeln, all die Laute, die Sterbende im Bruchteil von Sekunden noch von sich geben. Wohin gingen dieses Weh und Fluchen, die geflüsterten Worte und abgebrochenen Silben, wenn nicht in die Luft? Würden die Sirenen dieses Stammeln und Stöhnen nicht fressen, wäre die Luft derart, daß man sie nicht mehr einatmen könnte.

Doch von Zeit zu Zeit komme in den Sirenen all das hoch, an dem sie sich mästen und dem sie den Glanz ihres Gefieders verdankten; dann breche aus ihnen hervor, was sie eine Welt weit und eine Geschichte lang zusammen gefressen hätten, und dieses Lärmen und Schreien sei unerträglich, so daß jeder, der es vernehme, nur einen Wunsch verspüre, ihm Einhalt zu gebieten – aber jeder Versuch, dieses Röcheln zum Verstummen zu bringen, führe nur dazu, daß dieses sich um eine Stimme vermehre.

Verglichen mit dem Sirenengesang war der Schrei, den der Immune in jener Nacht ausstieß, präzis und klar, nun war es auch ein Lockruf, den er an sich selber richtete.

Der Immune erzählte mir die Episode aus seiner frühgriechischen Seemannszeit, weil er damit illustrieren wollte, was für verschiedene Möglichkeiten es gebe, einen Schritt zur Seite zu machen, und sei es nur, indem man ein zweites Paar Ohren erfinde, die stellvertretend für die eigenen hören.

Und dann berichtete er mir von dieser Erfahrung auch, weil er überzeugt war, man müsse alte Geschichten schon deswegen neu erzählen, weil man sich kraft neuer Versionen von alten Leiden befreie.

Der Immune glaubte, die meisten Menschen litten nicht an dem, was ihnen wehtut, sondern an all dem, wovon sie gehört und worüber sie gelesen haben, deshalb erweitere sich unweigerlich durch die Alphabetisierung auch das Register der Leiden, und er sagte dies nicht ohne Seitenblick auf meine Bücher. Zwar seien in dieser Gesellschaft Ärzte wichtig, die einen von einer Krankheit heilten, aber noch wichtiger jene, die für alte Krankheiten neue Namen erfänden, und erst recht die, die neue Krankheiten entdekken, jede solche Entdeckung löse einen Boom aus. Wer wolle schon an dem sterben, woran die Väter gestorben sind; jede Generation möchte es wenigstens eine Todesart weiter gebracht haben.

Und was fürs Leiden zutreffe, gelte auch fürs Glück.

So sehr der Immune eigene und fremde Geschichten nicht genau trennte und zwischen eigenen und fremden Toten kaum unterschied, er wollte, daß ich immun werde gegen die Freuden und Leiden, die sie einem aufschwatzen wollten. Nicht zuletzt deshalb, weil wir in einer Zeit leben, die uns zu Kämpfen zwingt, die nicht die unseren sind, und uns in Kriege schickt, die uns nichts angehen.

Ja, wenn ihm daran gelegen war, daß ich nur an dem leide, was mir wehtut, könnte ich ihm bestätigen, daß ich ihm in diesem Moment voll und ganz Folge leiste.

Nun aber hat er seine Geschichte von Ödipus, der einen Schritt zur Seite macht, bei ganz anderen Anlässen vorgebracht, zum Beispiel, als uns ein Zuchtbulle seine Karriere vorklagte.

Wir hatten den Stier im Hafen von Lima kennengelernt. Wir warteten in Callao auf die Verladung von einigen Kisten Ersatzteilen. Aber die Zollbeamten und Hafenarbeiter waren mit Zuschauen beschäftigt. Ein Kran hievte in einem Netz einen Stier gegen die Mole, und als dieser über dem Quai schwebte, hob er seinen Schwanz und ließ etwas fallen, so daß die Honoratioren sich in den Toiletten drängten, bevor sie sich an die Festtafel setzten. Monate später trafen wir den Stier wieder in einem Seitental der peruanischen Anden. Er weidete inmitten von dürftigen Grasbüscheln. Es tropfte ihm aus dem Maul, als er unseren alemannischen Dialekt vernahm.

Er war von einem schweizerischen Unternehmen hierher geholt worden. Die Firma baute das Elektrizitätswerk von Lima; das Wasser wurde, bei einer Fallhöhe von über dreitausend Metern bis Meeresniveau, auf verschiedenen Stufen gefaßt. Dafür mußte man ein Bergtal erschließen, und man dachte daran, dieses landwirtschaftlich zu entwickeln. Dafür schenkte die Firma den

Gemeinden einen schweizerischen Zuchtstier, einen Muni, wie sich der Betroffene in seiner heimatlichen Sprache selber bezeichnete; er sollte die fremde Rasse verbessern, damit eine mastfähige Mestizen-Nachkommenschaft entstünde, die ebenso milchbringend wie fleischtragend sei.

Er habe, so stieß der Stier geifernd hervor, beim besten Erektionswillen nicht gewußt, ob er auch auf dreitausend Metern sprungfähig sei, also habe er sich akklimatisiert. Auf Meereshöhe habe er begonnen und habe, fünfhundert Meter um fünfhundert Meter, die Weibchen besprungen, und wenn er auf zweitausend Meter nicht nur vor Lust gekeucht habe, sei das nicht aufgefallen, auch die Kühe hätten die dünne Luft gespürt. Nachdem er aber auf dreitausend Metern seine Sprungfähigkeit bewiesen gehabt, habe eine Hexe seinen Potenz-Ruhm ruiniert. Eine alte Indianerin habe eine Kuh gebracht, genauso ausgemergelt wie sie; er habe sich auf seine Pflicht als Entwicklungshelfer besonnen und sei entschlossen gewesen, die Augen zuzumachen. Doch die Kuh sei gar nicht ›stierig‹ gewesen, wie er in seinem Zuchtjargon darlegte. Das Hutzelweibchen habe keine Ahnung gehabt, daß es bei Kühen einen Brunstzyklus gibt, die habe ihr Leben lang die Tiere draußen auf der Weide gelassen und da sei eine Kuh eben eines Tages trächtig geworden und habe eines Tages auch geworfen. Die Kuh, die man ihm zuführte, habe ihn gar nicht zugelassen. Die Alte aber habe ihn verflucht und miesgemacht; die Talbewohner seien mit Steinen auf ihn losgegangen, und die Eunuchen von einheimischen Ochsen, die seinetwegen kastriert worden waren, hätten dem wiederkäuend zugeschaut.

Man hatte unseren Simmentaler-Stier in das Seitental geschafft, wo wir ihn wiedertrafen. Dort verrichtete er als Toro seine tägliche Arbeit; aber er tat es nicht mehr gratis. Er nahm für jeden Sprung fünf Soles: seitdem er etwas koste, sei er etwas wert. Er träumte vom Frühling zuhause, den er mit Dotterblumen und Kerbeln zwischen den Zähnen zermalmt hatte. Er war einst als Hauptpreis einem Schwingerkönig zugesprochen worden, und sein erster Sprung hatte einer Leitkuh gegolten, die unterm Applaus der Dorfbevölkerung ihre Rivalinnen an den

Rand gestoßen hatte, und deren Hörner mit einem Blumengewinde geschmückt wurden.

Und der Stier bat den Immunen, er möge seinem Bruder Grüße überbringen. Der sei im Emmental geblieben; er werde ihn gleich erkennen, er habe wie er ein Mal zwischen den Hornansätzen, und das Zottelhaar um das Glied sei von der gleichen braunschwarzen Farbe. Der Immune machte diesen Bruder tatsächlich ausfindig. Doch dieser arbeitete für ein Besamungsinstitut; er sprang nicht auf Kühe aus Fleisch, sondern auf einen Lederbock; er steckte sein Glied in feuchten, saugfähigen Gummi und spritzte unter Gebrüll seinen Samen in einen Auffangsack. Der Stier, der uns sein Leid geklagt hatte, war einer der letzten gewesen, die man noch für die Feldbegattung verschickte und der in situ tätig war. Sein Bruder blieb zuhause; von ihm ging nur noch der Samen hinaus in die Welt, abgezapft und beschriftet.

Der Immune nahm den Stier, der auf eine Kuh aus Holz und Gummi sprang als Beispiel dafür, wie überlistbar die Natur ist. Und im Anschluß an den Besuch in der Besamungsanstalt schaltete der Immune eine Gedenkminute für die Schädlinge ein, jene Insekten-Männchen, die milliardenweise dem Duftstoff der Weibchen folgen, der jenem Mittel beigemischt und versprüht wurde, das tödlich wirkt.

Es wundert mich jetzt erst recht, daß er einst von einer biologischen Pflicht reden konnte, man müsse die Art erhalten. Deswegen sollten wir unsere Samen deponieren – es gelte, Notvorräte anzulegen.

Er redete von sich als einem Spender, ich aber hatte damals bereits die Erfahrung eines Schwängerers hinter mir, woran mich der Immune nie mit einem »weißt du noch« erinnerte; ich war ein Schwängerer, aber kein Vater geworden.

Als der Immune und ich eines Tages doch eine Samenbank aufsuchten, fragte ich ihn, woran er denke, wenn er für das Glasröhrchen Samen mit der eigenen Hand produziere. Er meinte nur »Nichts«, und ich fügte hinzu, er habe noch nie von einem Manne gehört, der im Moment der Zeugung etwas Vernünftiges gedacht habe. Und hinterher nahm er das Gespräch wieder auf, es sei besser, nicht wegen einer Ejakulation auf die Welt zu kommen, sondern wegen einer Konzeption.

Aber war das, was in jener Nacht zwischen uns zu Ende ging, nicht eine Konzeption?

Zudem – er hatte gut reden. Und konsequent war er auch nicht, denn er bestand doch darauf, aus dem gleichen Bauch zu stammen wie ich, und für unsere Entstehung waren wir auf den Erguß eines Erzeugers angewiesen gewesen.

Wir hatten uns oft überlegt, was dieser Erzeuger alles gesagt, wenn er einmal zu reden begonnen hätte. Aber unser Vater sprach kaum. Umso mehr erinnerten wir uns an Momente, in denen wir mit ihm Worte wechselten.

Ich hatte gerade die Probezeit im Gymnasium bestanden, und da sollten wir ein Wörterbuch für Latein kaufen. Als ich beim Mittagessen mitteilte, was ein Diktionär koste, legte der Vater den Löffel beiseite, er rechnete den Betrag um in seine Stundenlöhne. Dann fragte er, was das sei, ein Diktionär. Und ich erklärte: In einem Wörterbuch könne man die Wörter nachschlagen, die man nicht kenne. Da fuhr er auf: »Lern die Wörter, dann brauchst du kein Buch, um sie nachzuschlagen.«

Er hatte damals seine Hände auf den Tisch gelegt: Hände, die sich kaum sauber bürsten ließen, die kurzen Nägel mit dem Bohröl in den Betten, eine rissige Haut mit Schwielen am Handballen, zwischen den Linien eine Narbe und rubbelige Ränder, wo ein Heftpflaster geklebt hatte. Ich sah, wie meine Mutter diese Hände betrachtete, und ich wußte, daß sie zärtlich sein konnten.

Es waren diese Proletenhände, die bis heute durch unser Leben geisterten. Nicht zufällig lag neben unserer Garderobe eine Modellhand mit einem Wundmal, und der Immune fand eine Zeit ehrlich, die sich in Form von Robotern Arbeiter schafft, die nur noch aus Händen bestehen.

Jedenfalls suchte der Immune eines Tages für uns und unseren Vater einen gemeinsamen Vater. Er nahm dafür die Eisenbahn. Er fuhr in die Innerschweiz und mußte in Luzern umsteigen. Er saß für einen ›Kaffi fertig‹ im Bahnhofbuffet, einen Kaffee, der ins Glas geschüttet wird, nachdem dieses mit einem Fünfzigprozentigen bereits bis zur Hälfte gefüllt worden ist.

Neben seinem Platz drehten sich an einem Rundständer Postkarten mit Wetterleuchten und Alpenglühen. In seinem Rücken wurden Chalets angeboten, hob man das Dach, erklang die Melodie, daß es nirgends so schön und lustig sei wie hier. Aus andern Musikdosen ertönten Jodler und Kuhreigen. Japaner prüften die Bergstöcke, auf denen Edelweiß eingebrannt waren, und sie setzten sich Sennenkäppi auf. Unter einer Glasglocke hatte sich ein Löwe hingelagert wie auf dem Denkmal, das zu Ehren der Schweizer Söldner errichtet worden war, die den französischen König vor der Revolution retten wollten; drehte man die Glocke, schneite es in zarten Flocken auf den tödlich verwundeten Löwen.

Aber dann mußte der Immune den Zug nehmen, und er fuhr ins Entlebuch, ins Tal der Väter. Bis der Kondukteur rief: »Escholzmatt. Siebzehntes Jahrhundert, zwei Minuten Aufenthalt.« Doch der Zug hielt länger; denn es wurden Milchkannen verladen.

Der Bauernrebell

Wenn's nach denen ginge, wäre es noch verboten, Taufe zu feiern, als ob man das ganze Jahr hindurch Kindstaufe hielte. Daß es das letzte Mal nicht zu einem Fest kam, hatte andere Gründe. Die Steffi mochte nicht mehr aus dem Wöchnerinnenbett aufstehen und wagte nicht, ihm in die Augen zu schauen, weil man nicht neun Monate etwas im Bauch herumträgt, aus dem am Ende nichts wird. Aber sie hatte sich dann doch gegens Fieber gewehrt, schließlich war noch das Marieli da und auch er, ihr Mann.

Aber diesmal war's ein Bub. Er hatte nachgeschaut, gleich zweimal. Er selber hatte den Korb geflochten, in dem der Bub strampelte, und dem schien es drin zu gefallen; nun, er hatte auch die Weidenruten lange genug geklopft, bis sie schmiegsam wurden wie Bast.

Nein – niemand konnte den Studer Franz daran hindern, Taufe zu feiern, wie's der Brauch war, und selbst wenn der Brauch was kostete.

Nachdem die Weiber am Sonntagmorgen den Buben gewaschen hatten, lag der rosig in seinem Kissen und verhielt sich ganz ruhig auf dem holprigen Weg von der Chrummenegg bis ins Dorf, und er schlief auch noch in der Kirche. Aber als der Kaplan ihm Wasser über den Kopf goß und auf lateinisch sagte, er heiße Jost, da schrie er und machte die Faust; das war einer, der ließ sich nicht alles gefallen.

Einen solchen Buben mußte man feiern. Da konnten die Herren in der Stadt lang reglementieren, man müsse auf den Lebkuchen verzichten. Was wäre eine Taufe ohne Lebkuchen. Er hatte den Honig besorgt, einen Berghonig, der nach einer blühenden Alpenwiese schmeckte, und wenn nicht soviel Nüsse in den Teig kamen, dann nur, weil die hurenmäßig teuer waren. Er hatte seit Tagen die Milch abgerahmt, denn auf einen Lebkuchen gehörte Rahm, dicke Nidle, und am meisten auf das Lebkuchenstück der jungen Mutter. Als der Studer Franz mit der Kelle seiner Frau den Rahm auf den Lebkuchen klatschte, spritzte es, und er leckte ihr die Spritzer aus dem Gesicht, obwohl sie sich wehrte: Doch nicht vor allen Leuten.

So was durfte man einem weiß Gott nicht verbieten. Aber was sie nicht verboten, belegten sie mit Steuern. Den Wein konnte man sich schon gar nicht mehr leisten, und selbst vom Most wollten sie ihren Anteil haben. Das war dem Studer Franz eigentlich egal, er trank Enzian, einen Selbstgebrannten, einen Kräuterschnaps, den viele als unmögliches Gesöff abtaten. Aber als sie nach der Taufe zuhause um den Tisch hockten, hielten sie doch ihre Gläser hin. Als er die Schnapsflasche holte, wurde der Kleine unruhig; die Taufpatin konnte ihn wiegen, solange sie wollte, der ließ sich nicht einlullen, sondern sah zu den Männern hinüber. Bis der Vater einen Finger in den Schnaps tauchte und ihn dem Buben in den Mund steckte, der sog daran und lutschte sich in den Schlaf.

Wenn der Bub einmal fest auf den Beinen ist, nimmt er ihn mit zu Berg. Wo er die Kräuter pflückt, verrät er sonst niemand. Er kannte auf der Schrattenfluh die Stelle, wo die Hexen auf die Besen stiegen; dort konnte es donnern, daß die Vetteln vor Krach und Schreck ihr Wasser verloren und den Boden düngten; wenn man die Kräuter brannte, hatten die etwas von einem Hexenbesen in sich, der putzte den Kopf, und hinterher schlief man vom Hohdonnerstag, bis einen am Ostersonntag die Glocken weckten, wenn sie aus Rom zurückkehrten.

Als der Moser Sepp plötzlich auffuhr und durchs Fenster lugte, weil er meinte, er habe einen ums Haus schleichen hören, sie sollten rasch austrinken, da wurde der Studer Franz fuchsteufelswild und schenkte die Gläser erst recht nochmals voll: Was seien das für Zeiten, wo man nicht einmal gemütlich am eignen Tisch hocken dürfe, weil man Angst haben müsse, daß plötzlich ein Spitzel auftaucht. Das sei ja wie früher, als der Landvogt durch die Tür kam, einem in den Brei spuckte und Guten Appetit wünschte. Da müsse man eben wie früher handeln und dem Vogt den Kopf in den Brei drücken und ihn so lange fressen lassen, bis er an der eignen Spucke erstickt. Sollen sie nur kommen. Es gebe hier immer etwas zu beißen. Und beißen werde der Hund. Dann könnten die Schnüffler den Herren in Luzern ihre zerfetzten Hosenböden hinhalten. Wenn man nicht lesen und schreiben gelernt habe, schicke man die Grüße aus dem Entlebuch eben so.

Da warf der Ueli ein, sie hätten ihm den Jagdhund geholt, oder er hätte ihn abtun müssen. Den Bauern seien solch teure Hunde nicht erlaubt. Aber wozu sei ein Jagdhund gut, wenn die aus der Stadt die Jagd für sich reklamieren, als ob der Herrgott die Böcke für die Herren geschaffen hätt. Und wenn das Jagen schon arbeitsscheu mache, weshalb dürften die Herren arbeitsscheu sein, und nicht auch die Bauern.

Und wie man mit einem Hund umging, hatte der Moser Sepp erlebt; er hatte zugeschaut, wie ein Schultheiß aus Luzern ein Tier, das die Spur verloren hatte, an den nächsten Baum hängte und dort verhungern ließ. Noch ein Jahr darnach habe man das Winseln gehört, wenn man unter der Tanne durchgegangen sei.

»Die behandeln die Hunde, als seien es Bauern«, sagte der Studer Franz. »Wenn die uns gerade noch den Hochwald zur Jagd lassen, dann nur, weil die zu bequem sind, dort hinaufzusteigen. Aber wenn die einmal wissen, wozu so ein Murmeltier gut ist, nehmen sie uns auch noch den Berg.« Sie hätten seinerzeit zuhause den Großvater von unten bis oben mit Murmeli-Fett eingerieben und ihn so über ein paar Winter gebracht. Wenn die Herren den Bannwald beanspruchen, machen die einen zum Wilderer, nur weil man holt, was einem gehört, und die Forellen aus dem Ballenbach, die brutzeln genauso gut in der Pfanne eines Bauern, und nicht nur am Karfreitag.

»Die vertreiben uns noch alle von unseren Höfen«, sagte der Taufpate. Man denke nur, was die in Hasle alles anstellten. Und nicht nur dort, auch im Romoos. Das ganze Entlebuch hinauf und hinunter pfändeten sie die Höfe, und ob der Murpf Josef die Brüder-Alp behalte, sei noch lange nicht sicher.

Der Pate hatte ein Kreuz geschnitzt mit richtigen Nägeln für die Hände und Füße unseres Herrn Jesus, man müsse achtgeben, daß man sich daran nicht ritze. Dann klaubte er einen Batzen hervor: »Für den Jost. Für später. Oder«, er zwinkerte zum Studer Franz, »vielleicht auch für früher.« Die Schuldenboten hätten sich für nächste Woche angesagt. Das sei Termin in Escholzmatt. Wer denn nur so ein Gesetz habe erlassen können, daß diese Blutsauger sich in den Herbergen einnisten dürften und dort auf Kosten des Schuldners fressen und saufen, bis der die Schulden bezahlt hat. Der Lötscher Ferdi bringe den Zins nie zusammen und schon gar nicht, was diese Lausbuben von Eintreibern zusammenzechten, da könne der lange von Pontius bis zu Pilatus laufen.

Der Studer Franz lachte und ging zur Truhe; er holte unter dem Säcklein mit den getrockneten Apfelschnitzen einen Beutel hervor und ließ den Inhalt klimpern: da drin sind nicht nur Gulden, sondern auch Berner Batzen. Als die andern wissen wollten, wieviel er für den Ochsen gekriegt habe, mußte der Studer Franz zugeben: nicht soviel wie noch vor zwei Jahren. Aber die Herren erhöben jetzt Steuern auf alles, was über die Grenze verkauft werde, und so blöd seien die Viehhändler nicht, schon gar nicht die aus dem Bernischen; zwar müßten die Käufer das Aufgeld bezahlen, aber dafür drückten sie den Preis so lange, bis am Ende wieder einmal die Bauern die Tölpel seien, welche die Rechnung begleichen.

Und Salz kann man sich schon gar nicht mehr leisten, hörte man aus der Weiberecke. Die hatten eben noch gestritten, weil die Emmeneggerin behauptete, der Bub kriege einmal rote Haare. »Ja«, sagte der Studer Franz, »dann müßt ihr Frauen euch halt wehren. Und wenn ein Vogt kommt, holt ihr am besten den Wollhechel und kitzelt ihn so lange an den Fußsohlen, bis er vor Striegeln und Lachen den Geist aufgibt.«

Nein, solange noch ein Bub wie seiner auf die Welt kam, mußte man Taufe feiern. Und zwar mit Lebkuchen, Nidle und Kräuterschnaps. Und dies bis in alle Herrgottsfrühe, bis es Zeit war, in den Stall zu gehen. Die Taufe war ein grausam schöner Tag gewesen, an den sich der Studer Franz mit einem dumpfen Kopf noch ein paar Tage erinnerte.

Am darauffolgenden Sonntag ging er allein ins Dorf. Die Steffi war noch zu schwach, sie trug ihm ein Vaterunser extra für den Buben auf und zwei Ave Maria für ihre Mutter selig. Aber der Studer Franz meinte, ein Ave tue es auch, die könne beigottseel noch ein bißchen im Fegefeuer schmoren, langweilen tue sie sich sicher nicht mit all den Klatsch- und Tratschweibern.

Als er in der Kirchenbank saß, blickte er zur Seite hinüber, wo das Weibervolk saß. Es hatte ihm schon immer gefallen, sich auszumalen, was die Frauen, die man von hinten sah, vorn alles hatten. Da entdeckte er das Lisi, das er beinahe einmal geheiratet hätte; sie machte einen Buckel, aber nicht wegen des Alters, sondern aus lauter Frömmigkeit; die war eine richtige Paternosterin geworden.

Der Kaplan stieg auf die Kanzel, und der Studer Franz fragte sich, welches Gebot wohl heute drankomme. Er hatte schon im Religionsunterricht Mühe gehabt mit der Reihenfolge der Gebote, und er hatte sich stets gewundert, weshalb es ausgerechnet zehn sind; aber es gab wohl für jeden Finger eines. Das mit Vater-und-Mutter-ehren hatte ihm ohne Predigt eingeleuchtet, sonst setzte es Prügel ab. Und bei der Unkeuschheit hatte er schon damals an die Pfarrköchin gedacht, die hatte schon immer etwas auf der Pfanne.

Der Franz döste ein, als der Kaplan erzählte, wie der Heiland machte, daß die Lahmen gingen und die Blinden sahen. Dem Studer Franz fielen all die ein, die er in Flandern gesehen hatte, mit zerfetzten Gesichtern und Augen, die aus den Höhlen hingen, mit zerschossenen Gliedern; und er dachte an den, der auf seinen Stümpfen kroch und jeden fragte, in welcher Richtung es nach Hause gehe. Er selber hatte noch Glück gehabt mit seiner Schulter. Seit der Krieg zu Ende war, kamen auswärtige Krüppel ins Entlebuch; überall zogen sie durch und suchten Arbeit, wo's doch für die Einheimischen schon nicht reichte; und der Studer Franz dachte, ob's nicht an der Zeit wäre, daß der Heiland auch einmal ins Entlebuch komme.

Als der Kaplan dann sagte, er müsse noch eine Bekanntmachung verlesen, von den allergnädigsten Herren in Luzern an die Untertanen im Entlebuch gerichtet, da horchte der Studer Franz auf; der Kari neben ihm hätte ihn nicht stupfen müssen. Der Kaplan verlas, man müsse mehr Disziplin wahren, und die Bauern sollten nicht der Verschwendung obliegen, der gemeine Mann werde zu eignem Nutzen und Vorteil angehalten, selbst in seiner Kleidung Bescheidung zu üben, und dann las der Kaplan, was für neue Bußen festgesetzt worden seien.

Schon nach dem »Ite missa est« ging der Studer Franz hinaus; er war nicht der einzige, der die Kirche frühzeitig verließ. Bereits kamen auch die ersten Frauen. Während das Weibervolk mit den Kindern nach den Gräbern sah, standen die Männer in Gruppen vor dem Portal: Ausgerechnet die mit ihren gefärbten Mänteln und Schnabelschuhen, die, denen man schon an der Halskrause ansah, daß sie von den Spaniern bezahlt wurden, und dann die, die es mit den Franzosen hielten, die mit ihren Perücken und den Gürteln mit soviel Silber drauf, wie unsereiner nicht für den Käse eines ganzen Sommers kriegt.

Und auch der Studer Franz hätte beinahe vergessen, von der Messe zum Schoppen in die ›Drei Könige‹ hinüberzuwechseln. Als die Männer aufs Wirtshaus zugingen, sahen sie die beiden Schuldenboten. Der eine reckte sich gerade und schlug mit den Fäusten auf seine geschwellte Brust, dabei war ihm der Hut in den Nacken gerutscht, und über Krempe und Schulter hing eine lange Feder. Da sagte der Moser Sepp zum Studer Franz: »Wenn du dir so etwas auf den Kopf tust, nehmen sie dir's ab mitsamt dem Kopf.«

»Mein Kopf, der gehört mir, und mit dem mach ich, was ich will.« Wenn er seinen Kopf hinhalte, dann höchstens dem Barbier und dem auch nur einmal im Jahr, selbst dem sage er, wie er mit Schabmesser und Schere umzugehen habe, ansonsten seifen die einen ein und eh man sich's versieht, ist der Bart ab. Nur seiner Steffi halte er getrost den Kopf hin, und das sei noch immer schön gewesen, was die damit gemacht habe, wenn die einem über den Kopf fahre, spüre man, daß es eine Frau sei, die mit dem Heurechen umzugehen verstehe. Eigentlich genüge ihm, was er auf dem Kopf habe, sein Gestrüpp, wie das Marieli sage, das sich an diesem Gestrüpp festhalte, wenn es auf seinen Schultern reite, aber lange tue es das nie, das wolle auf eigenen Beinen herumpfurren und das könne laufen, als ob es ein Wespennest unterm Rock hätte, wie das erst einmal herauskomme, wenn der Bub groß sei. Aber wenn er, der Studer Franz, Lust habe, etwas auf sein Gestrüpp zu tun, gehe das die Herren in Luzern soviel an, wie eine Kuh fallen läßt, wenn sie ihren Schwanz hebt.

An diesem Abend begab sich der Studer Franz frühzeitig zu Bett, aber er wartete nur, bis er die regelmäßigen Atemzüge der Steffi hörte. Dann stand er leise auf und, die Hosen überm Arm, schlich er zur Tür; als er diese zuzog, wachte seine Frau auf. Sie dachte, daß ihm die Schulter wieder weh tue, und ging ans Fenster. Er stand am Brunnen, nahm einen Schluck von der Röhre und fuhr sich mit einer Handvoll Wasser übers Gesicht, aber dann stapfte er den Hang hinunter. Da erschrak die Steffi: was sie wohl falsch gemacht habe, daß der Franz zu einer Fremden gehe, der Jost war doch ein gesunder Bub und das Marieli ein liebes Kind.

Steffi setzte sich ans Fenster und sah, wie der böse Ritter Wolken jagte, sie hörte das Schnauben seiner Rosse, und einmal knallte er mit seiner Geißel gerade über ihr, so daß sie den Kopf einzog. Der Mond versteckte sich hinter einer Wolke, und als er wieder hervorkam, spürte die Steffi einen kalten Hauch, es wurde still, und plötzlich schrie ein Käuzlein, das mußte vom Stegacher herkommen, Steffi schlug das Kreuz für die arme Seele, die geholt wurde.

Sie erwachte auf ihrem Stuhl, weil es sie kitzelte. Statt daß sie mit dem Franz schimpfte, mußte sie lachen, weil er ihr ein paar Pfauenfedern unter der Nase durchzog. Er sei in Schüpfheim gewesen, jedenfalls an einem Ort, wo sie Pfauen halten. Die hätten den Hund losgelassen, aber er sei rascher gewesen mit dem Rupfen. Was die Weibchen wohl für Augen machten, wenn ihr Pfau am Morgen auf den Hag fliege und sein Rad schlagen wolle und merke, daß ihm die Mannespracht abhanden gekommen sei.

»Du bist mir einer«, rief die Steffi, und sie überlegte, ob sie die Pfauenfedern in ein Krüglein stecken solle oder hinters Kruzifix tun. Aber der Franz meinte: »Die kommen auf einen Hut.« –

»Tu doch nicht so wichtig«, lachte Steffi, »du hast doch gar keinen.« »Eben«, sagte der Franz, »du machst mir einen. Es hat doch noch ein Stück Filz, oder nicht?« Die Steffi schüttelte nur den Kopf, und als der Franz am Abend fragte, wo der Hut sei, wollte sie wissen, ob's denn so pressiere, und als der Franz meinte, klar, setzte sie sich halt hin und nähte ihm die Federn auf den Hut.

Kaum war er am andern Morgen im Stall fertig, ging er in die Stube und holte aus der Truhe einen Batzen. Und der Steffi, die ihm gefolgt war, sagte er, er gebe nur den halben aus, das sei versprochen. Da nahm die Steffi das Geldstück, polierte es mit ihrer Schürze und gab ihm die Münze zurück.

Das Marieli durfte den Vater ein Stück weit begleiten; es wollte den Hut aufsetzen, aber er rutschte ihm über die Ohren; so spielte es an der Hand des Vaters Blinde Kuh.

Als sich der Studer Franz von seiner Tochter verabschiedete, riß er von einer Weide eine Rute und bog sie und versprach dem Marieli, er werde ein Körbchen flechten, ein ganz feines und kleines, da könne es im Frühling die Schlüsselblumen hineintun, die gäben einen guten Tee. Und dann mahnte er das Kind: es soll auf die Geißen aufpassen, und wenn es jemanden kommen sehe, solle es die Tiere auf die eigne Wiese zurücktreiben.

Als der Studer Franz zum Dorf kam, fiel dem Moser Sepp die Mistgabel aus der Hand: Er habe gemeint, vor der Fasnacht komme noch Weihnachten. Als die Emmeneggerin den Studer Franz sah, bekreuzigte sie sich, nur der Leibhaftige trage solche Hüte. Und der Kaplan schaute hinter der Friedhofsmauer hervor und warf einen Blick gen Himmel, als müßte er die Engel davor warnen, daß man ihnen die Flügel rupfen wolle.

Der Studer Franz blieb unter der Tür der ›Drei Könige‹ stehen und sah sich um. Die Magd schlug die Hände zusammen und fragte, was denn das für ein Schabernack sei. Und der Studer Franz meinte, das sei die neue Bauernmode. Der gemeine Mann werde jetzt zur Arbeit auch etwas auf dem Kopf tragen, und zwar etwas mit Federn, und selbst wenn's nur fürs Mistführen sei. Da erblickte er an einem Fenstertisch die beiden Schuldenboten. Der eine schob gerade Speck auf ein Stück Brot, aber er biß nicht hinein.

»Der spinnt«, sagte der dickere der beiden. »Das Entlebuch ist voll von Spinnern. Das ist das Hinterstübchen der Stadt Luzern. Das wußte schon der Herrgott, darum hat er beim Eingang zum Tal einen Riegel vorgeschoben.«

»Dann seid ihr ja am rechten Ort«, gab der Studer Franz zurück und bestellte Wein. Die Magd zögerte, aber der Studer Franz zog seinen Batzen hervor und hielt ihn in die Höhe: »Schau, wie der glänzt.«

»Die Bauerntölpel müssen eben ihre Zeche selber bezahlen«, sagte der eine Bote zum andern. Und der andere seufzte: »Ja, morgen früh wird der Hof überschrieben und am Nachmittag wird verjagt.«

»Schnuderbuben«, rief der Studer Franz, und prostete ihnen zu. »Bei mir müßtet ihr nicht vorbeikommen wollen.«

»Ach«, fragte der eine, »wäre denn bei dir etwas zu holen? Obwohl, ich könnte es mir noch fidel vorstellen, dir den Ochsen vom Pflug auszuspannen.« Aber der andere sagte nur: »Das ist doch einer, der leiht sich das Zugvieh aus.«

»In den Boden würd ich euch pflügen«, rief der Studer Franz und nahm einen Schluck. »Tief in die Furchen. Da könnt man ja sehen, was an der Stelle im nächsten Sommer wächst, ob es zu roten Ähren reicht oder ob dort, wo man euch verscharrt, überhaupt etwas gedeiht.«

Da hielt der eine Schuldeneintreiber die Nase zu. »Es riecht nach Geißen.« Und der Studer Franz: »Kein Wunder, daß ihr euch parfümiert, wenn man die ganze Zeit den Herren in den Arsch kriechen muß.«

In dem Augenblick aber kam der Schibi Christian an den Tisch, der hatte schon eine Weile von der Küchentüre aus zugeschaut. Er setzte sich neben den Studer Franz und sagte: »Für deine Sprüche können die dich büßen und sogar mitnehmen. Was habe ich selber nicht schon fürs Lästern gebüßt.«

»Nicht fürs Lästern«, sagte der Studer Franz, »fürs Prügeln und Dreinhauen.«

»Tu nicht so«, beschwichtigte der Schibi Christian. »Seit wann bist du heikel. Du warst doch auch draußen im Kriegsdienst wie ich. Und nicht wie die, die abhauen, weil sie beim Hühnerdiebstahl erwischt werden.«

»Das büßt er uns«, sagte der Schuldeneintreiber, der, die Hände am Gurt, vor den beiden am Tisch stand: »Die Obrigkeit...«

»Wart mal«, der Schibi Christian stand auf, tat, als würde er vom Wams des Boten Staub wischen, und zog ihm aus der Tasche eine Spielkarte: »Dieser Rosenkönig, gehört der dir?« Und der Bote staunte, darauf ging der Schibi Christian zum zweiten, der noch am Tisch saß, und zog ihm aus dem Ärmel eine andere Spielkarte. Und während der Schibi Christian an seinen Tisch zurückging, sagte er: »Jetzt habe ich dann bald mein Spiel wieder zusammen.« Er kreiste mit der Hand über dem Hut des Studer Franz und zog ein Bündel Karten hervor, machte mit einem Zug draus einen Fächer, den er mit einer Hand hielt.

Auch der Studer Franz lachte mit, aber dann sagte er: »Die sollen denen in Luzern klarmachen: Wo die Herren einen Kopf haben, haben wir einen Grind.« Und er setzte sich den Hut auf.

Der eine Schuldeneintreiber war an den Tisch zurückgegangen: »Vielleicht kann er den Hut nochmals brauchen – und wenn's nur zum Betteln wäre.«

Der Studer Franz hielt seinen Batzen hin, und als die Magd herausgab, wurde er fuchsteufelswild: Ob jetzt die Bauern auch noch anfingen, einander zu bescheißen. Wirte seien überall das gleiche Lumpenpack, lauter Panscher.

Da belehrte ihn der Schibi Christian: Der Wein habe zwar aufgeschlagen, aber nicht so viel. Der Batzen sei abgewertet worden. Da wollte der Studer Franz wissen, was das wieder heiße, devalorisieren. Und der Schibi Christian erklärte: »Der Berner Batzen ist nur noch die Hälfte wert. Und es geht dem Solothurner Batzen nicht besser.«

Da sah der Studer Franz zur Decke und meinte: »Eines Tages stehst du auf und bist nur noch ein halber Mann, weil das die Herren so beschlossen haben.«

Auf dem Heimweg hielt er den Hut in der Hand, er schwitzte, aber nicht nur, weil er zügig ging. Er rechnete, wieviel ihm von den Batzen blieb, wenn sie nur noch die Hälfte wert waren, und er überlegte, wieviel wohl der Gulden noch tauge, aber das hatte er vergessen zu fragen.

Das Heimet war verschuldet, das war im Schuldbuch eingetragen, daran gab es nichts zu rütteln. Als er seinerzeit aus der Fremde zurückgekehrt war, hatte er kaum Geld mitgebracht; er hatte es nicht verjubelt, wie einige behaupteten. Und hätte er nicht noch die zwei Dolchscheiden, die so kostbar verziert waren, unterwegs verkaufen können, es wäre noch weniger gewesen. Man hatte ihm nicht einmal einen Drittel vom versprochenen Sold ausbezahlt; die Kasse des französischen Königs war leer, und in den Schatullen, die sie erobert hatten, war nichts drin gewesen. Er hatte zwar den Krieg mitgemacht, aber er hatte nichts davon gehabt; nur die, welche ihn verkauft und verschachert hatten, die hatten ihre Provision eingesteckt.

Aber sie waren zuhause nun einmal zuviele Mäuler gewesen. Zwar hatte die Pest einige geholt, auch zwei kleine Brüder, an die er sich kaum erinnerte, und die waren nicht in ein Einzelgrab gekommen. Die Mutter hatte oft wiederholt: »Wachs nicht so rasch!« Er aber wollte groß werden, und als er groß war, sagten sie ihm, er sei nun stark genug, um für sich selber zu sorgen. Er wollte zuerst in die Stadt ziehen, aber dort hatten die Bauern und die Zugezogenen kein Brot wegen all den Zünften. Nein, mit dem Handwerk war nichts gewesen. Und so hieß es, er könne in den Krieg ziehen; als er fragte, in was für einen, sagten sie, das würden sie einem schon mitteilen, wenn man einmal dort sei, und irgendwo sei immer Krieg. Die Mutter hatte noch gesagt, der Bub sei gar nicht so groß; aber dann ließ er sich anwerben und konnte der Mutter etwas vom Handgeld abgeben.

Bevor er loszog, war er zum Lisi gegangen, es war die einzige seines Alters, die er kannte, und er hatte sie gefragt, ob sie seine Frau werden wolle; er hatte gehört, die Fremde sei leichter zu ertragen, wenn man wisse, daß zuhause jemand auf einen warte. Und als er aus der Fremde zurückkam, suchte er zuerst das Lisi auf. Die lebte jetzt im Schwandacher oben. Sie wusch gerade den Melkschemel, als er auf den Hof zuging; wie sie ihn erkannte, erschrak sie: sie habe vernommen, er sei liegengeblieben. Weshalb solle er liegenbleiben, wenn jemand zuhause auf ihn warte; sie solle ihm einen Kuß geben. Doch das Lisi sagte, das wär eine Sünde, denn sie sei verheiratet.

Da war der Studer Franz am Ballenbach entlang hinaufgewandert, und er hatte sich bei der Brücke hingesetzt, obwohl man hier nicht lange bleiben sollte, weil einen sonst der Teufel holte und einen erst nach drei Tagen unten in der Kleinen Emme wieder freigab. Hier hatte er als Bub schon einmal gesessen, und er erinnerte sich, wie er geweint hatte. Er fragte sich, ob das bei einem Mann auch noch nütze, und er probierte es.

Dann ging er zu Steffi, die war recht jung gewesen, als er ins Welschland gezogen war. Als sie ihn vom Garten aus erblickte, rief sie »Herrjee, der Studer Franz.« Er fragte sie über den Hag, ob sie seine Frau werden wolle. Sie war ganz baff und meinte, »Aber du kennst mich doch gar nicht richtig.« Doch der Studer Franz sagte, er habe beschlossen, sie ein Leben lang gern zu haben, das dürfte ausreichen, um sich kennenzulernen. Da sagte die Steffi: »Ja, aber erst nach der Sömmerung.« Da zog der Studer Franz aus dem Reisesack ein Taschentuch und schenkte es ihr: »Spitzen, echte, aus Brüssel.« Die habe er einem auf dem Schlachtfeld abgenommen, und er wies auf einen Flecken im Tuch: »Das geht beim Waschen schon raus.« Dann knöpfte er sein Hemd auf und zeigte die linke Schulter: »Schön zusammengewachsen ist es nicht. Aber es hält. Sonst bin ich ganz.«

Erst darnach ging er zu den Seinen. Auch wenn er nicht viel Geld heimbrachte, es reichte für etwas Wein; er zeigte seine Stiefel und einen Gurt. Nur was der kleine Bruder, dem der Bart wuchs, wissen wollte, konnte er nicht bei Tisch erzählen. Aber beim ersten Mus, auf das er sich gefreut hatte, legte er los: wie das da unten in Flandern ausschaue, prächtige Dörfer, aber die meisten waren niedergebrannt, wenn sie einmarschierten. Einen richtigen Marschall hatte er gesehen, dem hatte er eine Zeitlang das Pferd betreut. Es habe schon Couragi gebraucht, das sei welsch und heiße Mut. Nicht nur in Flandern war er, auch in Frankreich, und da hatten sie gegen die Barfüßigen gekämpft, Bauern, die ohne Schuhe nur mit den Mistgabeln anrückten; aber sie hätten Gewehre gehabt, es habe Zeit gebraucht, bis er mit dem Schnapphahnschloß habe richtig umgehen können. Nachdem der Studer Franz fertig war mit Erzählen, wollte er ins Dorf, um Freunde von früher zu sehen und um der Mutter auf dem Friedhof zu sagen, daß er zurück sei.

Am Michaelstag ging er mit Steffi auf Wallfahrt nach Heilig-Kreuz. Nach der Messe hockten sie auf einem Felsen. Zum ersten Mal seit langem sah der Studer Franz wieder ins Entlebuch hinunter, und er erklärte der Steffi, wie es hinter den Kreten und den langgezogenen Felsgräten weitergehe, der Reuss und anderen Flüssen entlang, bis es nur noch eben sei. Aber als er mit seiner Hand an ihren Brüsten zeigen wollte, wie das sei mit den Bergen und der Ebene, wollte sie zu den Alphornbläsern zurück. Der Studer Franz war kaum von den Schwingern loszubringen, und er versuchte es auch mit dem Steinstoßen und war sogar unter den Besseren trotz seiner Schulter. Danach willigte die Steffi doch ein, zu den paar Tannen hinaufzugehen, und von dort in die Alpen zu schauen, und sie gingen auch noch ein Stück weiter hinter einen Felsen und setzten sich zwischen Stauden. Als er sie zu Boden drückte und sich auf sie legte, schrie sie. Der Studer Franz meinte, vor Lust, und so packte er erst recht zu, und sie spürte tatsächlich die Disteln nicht mehr, obwohl ihr Rücken hinterher noch tagelang zerstochen war.

Wenn er eine Heimet kaufen wollte, mußte er Geld aufnehmen, und es war in der Chrummenegg etwas zu haben, mit einem Stück Land vor dem Haus und einer Wiese ob der Straße. Einer im Dorf hatte ihm die Sache vermittelt. Er konnte mit der Steffi einziehen, und als erstes mußten sie halt ein paar Ritzen verstopfen.

Und wenn's ein Lottergütchen war, es war sein Gütchen, und wenn's Schulden waren, es waren seine Schulden, wie die Steffi seine Frau war und der Jost sein Bub und das Marieli sein Marieli und sein Kopf sein Kopf.

Als er nach Hause kam, mochte er der Steffi nicht alles erzählen, aber er mußte doch, weil er fast den ganzen Batzen aufgebraucht hatte. Er zählte im Säckel nach und meinte, man müsse wohl die Sau dran geben, es sei nichts mit dem Metzgen und sie würden für einmal keine Würste in den Kamin hängen.

Nach einigen Tagen tauchte der Schibi Christian auf, und dies am heiterhellen Tag. Der Schibi und der Franz hockten in der Stube, und die Steffi trug allein mit dem Marieli das Holz in den Schopf. Aber dann ging sie doch einmal in die Stube; die beiden hatten die Schnapsflasche auf dem Tisch, sie tranken kaum; der Schibi Christian zupfte an seinem Knebelbart und mit der andern Hand drehte er an seinem Schnurrbart. Als er sich verabschiedete, rief er noch: er komme bald wieder. Das paßte der Steffi nicht. Sie hatte es nicht selber gesehen, aber sie wußte, der konnte an den Wänden hochgehen und an der Decke mit dem Kopf nach unten laufen, und beim Kartenspiel ging's auch nicht mit rechten Dingen zu, und dann warb er junge Männer für den Kriegsdienst an, wozu er gar kein Recht hatte und wofür er auch schon bestraft worden war; aber der handelte mit allem, wenn der einem ein Pferd verkaufte, war's bestimmt dämpfig, und er war ja auch für ganz anderes schon gebüßt worden, das war ein Maulaufreißer und Herumsaufer, und von den Frauen tat er ganz wüst reden.

»Meinst du«, sagte der Franz, »ja, der stemmt dir mit einer Hand einen ganzen Ochsen. Aber drauskommen tut er.« Der Franz hockte sich auf die Truhe und trommelte mit den Fingern: »Wir müssen den Schuldzins bar hinlegen. Die nehmen keine Ware dafür. Auch keine Sau. Vielleicht haben wir Würste, aber keinen Kamin mehr, um sie hineinzuhängen.«

Als der Jost an diesem Abend schrie, fuhr ihn der Studer Franz an, er soll Ruhe geben, und auch das Marieli solle ins Bett und nicht die ganze Zeit herumplärren, und als dieses maulte, es habe gar nichts getan, gab er ihm einen Schubs. Da brachte die Steffi die Kinder in die Kammer, und der Studer Franz hörte, wie sie mit ihnen betete. Als sie wieder in die Stube trat, faßte er seine Frau um die Hüften und zog sie zur Türe. Wie sie die Nachtluft spürte, kuschelte sich die Steffi an ihren Franz. Er sah in den Himmel: »Irgendwo muß er sein. Der Komet. Das Jahr 1652, das ist das Jahr des Kometen. Man erkennt ihn gleich an seinem gestutzten Bart.« Steffi sah zum Napf hinüber, auf den Steilhängen zeichneten sich im Grau die schwarzen Flecken der Wälder ab. »Man hört kaum den Bach, ob der schon zugefroren ist?« Dann nahm sie eine Nase voll: »Es liegt Schnee in der Luft.« Und der Studer Franz sagte: »Nicht nur Schnee.«

Aber vorerst kam Weihnachten. Der Studer Franz setzte sein ganzes Pack auf einen Schlitten, die Steffi mit dem Jost, den man kaum in seiner Decke sah, und das Marieli vorn; er zog sie ein paar Mal ums Haus und dann den Hang hinauf zur Straße und meinte, er komme sich vor wie das Roß vom Heiland und das sei ein Esel gewesen. Er fuhr mit ihnen den Hang hinunter, und die Steffi behauptete, er habe extra gebremst, damit sie alle in den Schnee purzelten. Dann machte der Studer Franz einen Schneeball, ließ ihn den Berg hinunter rollen, sie würden Lawine spielen: »Vielleicht wird der Ball ganz groß und rollt bis nach Luzern und deckt alles zu.«

Noch vor Neujahr tauchte der Schibi Christian wieder auf. Diesmal durfte die Steffi mithören. Der Schibi Christian berichtete, es tue sich Großes, die hätten sich am Thomas-Abend in Schüpfheim heimlich getroffen, und sie wollten nach Luzern eine Abordnung schicken, jetzt gelte es ernst, alle seien dabei, der Landespannermeister und der Landessiegler, der Landesweibel und auch der Landeshauptmann.

Die Steffi meinte allerdings, Bauer sei nicht gleich Bauer. Ob denn die, die mehr als dreißig Kühe und zwanzig Rinder und fast soviel Stiere hätten und Rosse zum Ausleihen, ob die was übrig hätten für jene, die mit ein paar Geißen und einer Sau durchkommen müßten – das seien alles Pelzverbrämte, die stifteten eher eine Glocke oder vermachten etwas der Rosenkranz-Bruderschaft.

Natürlich seien es böse Zeitläufte, sagte der Schibi Christian. Aber sie würden nicht mehr alles hinnehmen. Es brodle überall, er gehe ja schließlich nicht umsonst regelmäßig nach Zurzach auf den Markt. Und auch der Studer Franz meinte, die Sache müsse bald in Ordnung kommen, damit man in Ruhe an die Frühlingsarbeit gehen könne.

Schon am andern Tag begab sich der Studer Franz wieder unter der Woche ins Dorf, und diesmal nahm er mehrere Batzen mit. Als er zurückkehrte, wunderte sich die Steffi, was für einen Holzklotz er anschleppte, der tauge weder als Brennholz, noch sei er für Bretter zu gebrauchen. »Das ist nicht Tanne, sondern Eiche«, sagte der Franz, und die Steffi staunte nur: »So was Teures.« Der Franz hatte bereits ein Beil geholt und schlug an einem Ende ein Stück ab und schabte daran, so daß etwas wie ein Griff entstand, und dann bearbeitete er den Klotz auch vorn und rundete ihn ab. Und die Nägel, die er vom Hufschmied mitgebracht hatte, trieb er vorne hinein, und zwar so, daß die Spitzen herausschauten. »Da kann man sich ja dran verletzen«, sagte die Steffi. Und als das Marieli wissen wollte, was das sei, antwortete der Vater: »Ein Knüttel.« Er faßte ihn mit beiden Händen und holte damit aus. »Aber nicht gegen den Himmel«, rief Steffi, »du weißt von dem, der einen Dolch in den Himmel warf, so daß es Blut geregnet hat.« Der Studer Franz versetzte der Luft von rechts und links ein paar Schläge: »Das ist für die Herren in Luzern.«

Mit dem Knüttel ging der Studer Franz auf Wallfahrt nach Heiligkreuz, und er setzte auch seinen Hut auf. Als sie sich in Hasle versammelten, sah er zum ersten Mal die drei Tellen. Der Käspi Unternährer hatte sich als Wilhelm Tell verkleidet mit Pfeil und Armbrust, und der Hinterueli, der kam als Stauffacher, und als der Studer Franz fragte, was der lange Zemp darstelle, erfuhr er, das sei der junge Melchthal. Das sei ja alles wie damals, hieß es, nur daß es diesmal nicht gegen fremde Vögte gehe, sondern gegen eigene. Und als einer spottete, ob der Studer Franz mit seinem Hut als Gessler am Zug teilnehme, meinte der: »Damit die Herren was zum Grüßen haben.«

Die, welche der Prozession vorangingen, stampften den Schnee, damit die hinter ihnen und die Geistlichkeit nicht gleich einsanken, und doch rutschten ein paar Ministranten aus und fluchten. Auf dem ganzen Weg waren die Litaneien zu hören und die Bittgesänge und auch immer wieder das Tellenlied. Bei einer Wegbiegung blieb der Studer Franz stehen und versuchte all die Knüttel zu zählen, die den Berg heraufkamen, und unter ihnen auch Äxte und Dreschflegel. Er bedauerte, daß er die Steffi nicht mitgenommen hatte, es waren viele Frauen da, welche ihre Männer begleiteten, und schade, daß der Jost noch nicht alt genug war, um zu sehen, was man tun muß, wenn man sich nicht alles gefallen lassen will.

Der Studer Franz war unter denen, die noch Platz in der Kapelle fanden. Aber er blieb hinten, er betete und sang nicht gern laut. Er stand unter dem Stationenbild, auf dem ein paar Soldaten Christus die Dornenkrone auf den Kopf drückten, so daß ein Dorn durchs Auge stach. Die Dornenkrone sah der Studer Franz wieder auf dem Entlebucher Panner, das vorn neben dem Altar aufgepflanzt war. Und neben der Krone waren der Nagel und das Kreuz drauf, aber auch der Baum mit dem Wurzelwerk und einem breiten Dach von Blättern, und dem Studer Franz war, als sei der Baum der Ahorn, der hinter seinem Gütchen auf der Chrummenegg wuchs. Als der Kaplan zum Wedel griff und ihn in den Kessel tauchte, streckte der Studer Franz seinen Knüttel dem Weihwasser entgegen und hielt gleichzeitig die linke Hand nach vorn, damit auch die nackte Faust etwas vom Segen abbekam.

Darnach versammelten sich alle vor der Kapelle, sie hatten kaum Platz und drängten sich, weil ein kalter Wind ging. Der Pannermeister sagte, er wolle kein »geschenkter Mann« sein, und das wollten die alle, welche zuhörten, auch nicht, und der Pannermeister berichtete, wie schlecht es der Abordnung in Luzern ergangen sei: wenn's die Herren eben nicht friedlich wollten, könnten's die auch anders haben. Die Äntlibucher hätten ihr eignes Siegel und ihr eignes Panner und sie wollten ihre Rechte wieder haben. Auch der Studer Franz grölte, als er vernahm, jetzt hätten die Herren auch noch einen Verstorbenen gebüßt und die Hinterbliebenen hätten dafür aufzukommen: »Wenn die es von den Toten nehmen, was holen die erst aus Lebendigen heraus.«

Der Studer Franz hatte sich alles gemerkt, um es der Steffi genau erzählen zu können. Zuerst aber legte er den Knüttel auf den Schrank, damit die Kinder nicht darankommen konnten, und dann saßen sie alle um den Tisch: Sie hätten ein Lied gesungen, ein schönes Lied, er habe bereits die Worte vergessen, obwohl sie sich reimten, nur etwas habe er behalten; daß man mit den Knütteln die Herren lausen werde. Als er versuchte, die Melodie nachzusummen, schloß der Jost die Augen, aber der Vater stupfte ihn: Das sei kein Lied zum Einschlafen. Im Gegenteil.

Aber als die Entlebucher wieder auf Wallfahrt gingen und diesmal nach Wertenstein, nahm der Studer Franz nicht daran teil. Er fand, ein Segen genüge, und er wartete auf anderes als auf Wallfahrten. Er wollte soviel wie möglich zuhause erledigen und mindestens den Hag fertig machen, bis es soweit war. Er vernahm, daß überall Knüttel hergestellt würden und daß beim Lötscher Stephan in Schüpfheim fünfhundert Knüttel in der Wirtschaft eingelagert waren. Dann kam die Nachricht, die Bauern würden sich am Aschermittwoch in Wolhusen treffen, und alle müßten hin. Es sei eine Versammlung. Der Studer Franz fand Platz auf einem Karren, da waren auch ein paar Alphornbläser darauf, und er traf einen, den er seit Jahren nicht mehr gesehen hatte, weil der hinten im Chuchimoos wohnte. Als sie gegen Wolhusen kamen, mußten sie immer langsamer fahren, weil soviele Wagen unterwegs waren, und erst all die, die zu Fuß kamen, im Trupp und allein.

Als der Studer Franz von der Versammlung zurückkehrte, wußte er gar nicht wo anfangen mit Erzählen. Sie hätten geschworen; es sei ein Schwurtag gewesen, und sie hätten alles wiederholt, was ihnen einer vorgesagt habe. Das habe er noch nie in einer Kirche erlebt, da habe nicht einfach einer vorne gepredigt, sondern einer nach dem andern sei aufgestanden und habe seine Meinung gesagt, auch er, und bei einigen habe es bis zur Empore hinauf getönt. Es stehe jetzt fest, ihre Rechte seien verbrieft, ein Lehrer, der auch Orgel spiele, der habe in den Archiven nachgeschaut und da stehe es schwarz auf weiß, daß man ihnen ihre Rechte gestohlen und abgelaust habe. Es gebe jetzt wieder einen Bund. Und die Steffi staunte; so schön habe er noch nie geredet, und sie meinte das mit »dem nächsten Nebenmenschen«, und der Studer Franz sah auf den Jost: »Der lernt mir lesen und schreiben. Es nützt gar nichts, recht zu haben. Es muß irgendwo stehen.«

Von nun an hielt der Studer Franz in seiner Arbeit manchmal plötzlich inne und sah den Weg hinunter und ins Tal. Als der Geißbub eines Nachmittags den Hang heraufkeuchte, es sei soweit, war der Studer Franz gerade dabei, Mist zu zetteln. Er steckte die Gabel in den Karren und lief aufs Haus zu. Er holte den Knüttel herunter, das Marieli brachte den Hut, und die Steffi packte etwas Speck ein und legte ein Fläschchen Selbstgebrannten dazu. Der Studer Franz prüfte mit den Fingern die Spitzen der Nägel. Unter der Türe sagte er dem Jost, er solle schön wachsen, und dem Marieli, es solle der Mutter helfen, und der Steffi: er werde den Mist fertig zetteln, wenn er zurückkomme.

Der Studer Franz schloß sich denen an, die der Schibi Christian um sich versammelt hatte. Der war jetzt ein Oberst geworden und trug einen Degen; der paßte zu ihm, und daß er befehlen konnte, das hörte man an seiner Stimme. Er war seit Tagen mit ein paar Mannen durch die Gegend gezogen, und er hatte die Pfarrköchin in Schüpfheim verhaftet, weil sie aufbegehrt hatte.

Jetzt aber ging's gegen Luzern. Voraus marschierten zwei Fiedler, die der Oberst Schibi aufgeboten hatte und die er noch aus der Zeit kannte, als er eine Wirtschaft führte. Die Musikanten mußten Bogen und Saiten strapazieren, wenn sie sich einer Ortschaft näherten. Es liefen ihnen Kinder entgegen, und wenn sie die Ortschaft verließen, hatten sich immer ein paar angeschlossen. Auch ein Trommler war dazugekommen, und das tat gut, weil die Trommelschlegel den Beinen beim Marschieren halfen.

Oberst Schibi hatte den Studer Franz in die erste Reihe beordert, weil er mit seinem Hut etwas vorstelle. Neben dem Studer Franz ging ein Torfstecher; man könne sicher einen brauchen, der was von Gruben verstehe, irgendwo müsse man die Herren verscharren. Und auf der anderen Seite marschierte ein Köhler: er habe in seinem Meiler das kleine Feuer gelöscht und er möchte in Luzern ein größeres anzünden. Der Studer Franz schulterte seinen Knüttel: »Die haben in Luzern Söldner aufgeboten, auswärtige, wir wollen mal schauen, ob diese Soldaten, wie die Herren behaupten, stich- und schußfest sind.«

Als sie nach Luzern kamen, kampierten sie vor der Stadt auf der Allmend. Der Boden war bald nur noch Matsch, und keiner wußte recht, ob man ein Feldlager aufschlagen oder sich nach einer Unterkunft umsehen solle. Sie waren an die dreitausend, Rotten bewaffneter Bauern schwärmten durch die Gegend, und vom Rothenburgischen her waren andere im Anzug. Auch der Studer Franz fand es richtig, sich auszuruhen, bevor man ans Stürmen ging. Die Brücke über die Reuss war besetzt und auch die über die Emme, und die Zufahrtsstraße hatten sie gesperrt, da kam kein Getreide durch, bald würden die Herren aus lauter Hunger die Tore öffnen. Bis in die Nacht hinein trommelten die Trommler, und die Musikanten fiedelten; einige hatten Fackeln und Windlichter aufgetrieben. Aber am anderen Morgen hieß es, es finde eine Tagung statt, eine Kommission sei gebildet worden, und es werde verhandelt. Ein Haufen machte sich daran, den Seeweg zu sperren; das Gerücht hatte sich bestätigt, daß ein Hilfstrupp in die Stadt eingeschleust worden war. Es wurde ums Kommando gestritten. Der Lötscher Stephan polterte, und der Studer Franz gab ihm recht: die ersten Mannen liefen bereits davon; die meisten hätten Verpflegung nur für einen Tag mitgenommen, man müsse jetzt niederbrennen, die Herren hätten den Schiß in den Hosen und alles Silber sei bereits aus der Stadt in die Innerschweiz geschafft.

Als Oberst Schibi am drauffolgenden Tag die Bauern zusammenrief, meinte auch der Studer Franz, es gehe los. Aber der Schibi Christian teilte mit, es sei ein richterlicher Spruch gefällt worden und man habe Frieden geschlossen. Zwar seien die Bedingungen nicht angenommen worden, aber die Herren wüßten jetzt, wo Gott hockt und der Teufel die Seelen brät. Und als die Bauern wissen wollten, wozu der Aufmarsch gut gewesen sei, erfuhren sie, es sei eine Heerschau gewesen. Der Studer Franz, auf seinen Knüttel gestützt, fragte: »Haben wir den Krieg gewonnen oder verloren?«

Die Steffi war gottfroh, daß der Franz heil nachhause kam, und das Marieli wollte sehen, was er mitgebracht habe. Der Studer Franz sagte nur, man müsse auf der Hut sein. Kaum hatte er eine Arbeit fertig, lief er ins Dorf, aber er konnte auch eine Arbeit liegenlassen. Dem Marieli, das nach seinem Körbchen fragte, sagte der Vater, es solle warten. Überall trieben sich Spähvögel herum, und in den Wirtschaften saßen Agenten. Es hieß, die Stadt werbe Söldner, sie wolle die Bauern zum Gehorsam biegen. Aber als die Herren den Landvogt schickten, verweigerten ihm die Bauern die Huldigung. Als eine Abordnung Escholzmatt aufsuchte, meldete sich der Pannermeister krank, und statt daß die Herren verlasen, was sie an Ordnung und Reglement wünschten, ließen die Bauern verlesen, wie sie es sich vorstellten. Nur allzu gerne wäre der Studer Franz dabei gewesen, als sie einem Schuldenboten eine Weidenrute durch den Mund zogen und hinten zusammenbanden, bevor sie ihn aus dem Dorf prügelten; er hätte gerne selber diesem Aristokratenlecker Haar und Bart geschoren und ihm auf den kahlen Kopf einen Strohkranz gesetzt.

Er konnte der Steffi bei jeder Heimkehr Neues berichten: man würde auch mit den Bürgern in der Stadt verhandeln, die seien gar nicht zufrieden mit der Regierung. Man habe in die Innerschweiz Boten geschickt, vielleicht würden die Bauern dort mitmachen statt den Herren zu helfen. Und dann seien die Berner ganz groß dabei. Die hätten einen Schwur geleistet, und auch Äntlibucher hätten daran teilgenommen; es gebe jetzt nicht nur einen Herrenbund, sondern auch einen Bauernbund. Die Steffi meinte: »Aber das sind doch Protestanten.« Doch der Studer Franz antwortete: »Mag sein, daß sie in einen andern Himmel kommen, aber auf dieser Welt sind sie Bauern wie wir. Wenn die Herren einander helfen, schauen die auch nur bei der Seele auf den Taufschein und nicht beim Geld.«

Der Studer Franz war mit dem Schibi einer Meinung, daß die Herren ein scheinheiliges Geschäft betrieben. So war er unter den ersten, die der Oberst Schibi wieder um sich sammelte. Diesmal sollte es brennen. Sie kampierten wieder auf der Allmend.

Aber dann zogen sie nach Kriens und plünderten das Schlößchen Schauensee. Der Studer Franz nahm einen Pfannen-Knecht an sich; den würde er zuhause auf den Tisch stellen und die heiße Pfanne drauf, und bei jedem Essen würde der Pfannen-Knecht einen daran erinnern, daß man von den Herren holen muß, was sie einem nicht freiwillig geben. Und dann zog eine Schar auf den Gütsch, den Hügel über der Stadt. Jeden einzelnen Ziegel zerschlugen sie und ließen das Gebäude in Flammen aufgehen, und der Föhn tat das Seinige dazu. Von diesem Hügel aus war der Pilatus ganz nahe, der Studer Franz hätte den Berg in die Tasche stecken können, und die Stadt lag direkt unterm Fuß, er hätte den nur heben müssen, um sie zu zertreten.

Mindestens wußten die Herren jetzt, daß die Bauern nicht klein beigaben. Obwohl, die Berner waren vor Bern aufmarschiert und hatten dort verhandelt. Das Ergebnis war, daß die Herren die Bauern verhöhnten. Aber der Studer Franz redete auf die andern ein: »Uns schicken sie nicht unterm Joch durch.« Der Oberst Schibi hatte recht, die Herren planten einen Feldzug. Als sie im Entlebuch hörten, daß aus Zürich eine Armee aufgebrochen und ins Aargauische marschiert sei, wurde zum Landsturm geblasen. Oberst Schibi befahl einen Eilmarsch, und die Bauern machten doch eine Rast, um nicht auf den Knien anzukommen. Als sie auf die Bauern aus dem Bernbiet stießen, hatten die sich bereits verschanzt; es wurden neue Gräben gezogen, und sie vernahmen, im Baselland, da hätten sie die Bauernführer aufgeknüpft.

Der Studer Franz wurde zum Auskundschaften ausgeschickt. Er staunte, weil die andern fast alle Uniform anhatten, blaue und rote Röcke; daran erkannte man die gleich, denen es galt die Schädel einzuschlagen. Und dann hatten die Feinde mit Artillerie Stellung bezogen. Der Studer Franz überlegte, ob es nicht gut wäre, die Suppenhäfen und Sennenkessel zu Kanonen umzuschmelzen. Aber man mußte diese Soldaten nur nahe genug an sich herankommen lassen, bei einem Kampf von Mann zu Mann, da konnten sie denen schon den Meister zeigen mit ihren Stich- und Handwaffen und einem Knüttel wie dem seinen.

In der Nacht überfiel der Studer Franz unter dem Kommando von Schibi mit ein paar andern das Nachtlager der Feinde. Die ließen vor Schreck ein paar Schüsse los, und ein paar brauchten ihre hohen Lederstiefel, die noch ganz neu waren, nicht mehr selber auszuziehen. Aber dann wußte niemand, weswegen plötzlich das Dorf in Flammen aufging, ob es die Bauern angezündet hatten oder die andern, und ob's ein Scharmützel war oder eine Schlacht und warum abgeblasen wurde, was eben angefangen hatte. Es krachte nicht nur aus den Kanonen, sondern auch am Himmel, und ein Unwetter reinigte die Luft vom Pulvergeruch. Der Oberst Schibi war wütend und der Studer Franz fuchsteufelswild, sie sahen hinüber zu dem Zelt, wo ein General drin saß und mit den Bauern verhandelte, und die gaben wieder nach. Dieser Berner Bauernführer verstand mehr von der Dreifaltigkeit als vom Krieg. Wenn die Berner und Solothurner Kapitulanten waren, mußte man die Sache halt zwischen dem Entlebuch und Luzern direkt ausmachen. Oberst Schibi gab Befehl, stracks die Reuss hinaufzumarschieren und denen zu Hilfe zu kommen, welche die Stadt Luzern belagerten. Eben hatte der Studer Franz an der Brücke von Gisikon Stellung bezogen, da öffneten die Herren die Schleusen, das Wasser kam im Fluß mit Wucht daher und riß die hölzernen Brückenpfeiler ein. Ein Trupp griff die Bauern an, und die wehrten sich und trieben ihn zurück. Der Studer Franz blieb neben dem Pferd stehen, auf das er eingehauen hatte, und er sah zu, wie es am Boden zuckte und aus dem Hals verblutete; er stellte sich vor, zu was allem ein Pferd auf dem Hof hätte gut sein können.

Als Oberst Schibi seine Leute zählte, stellte sich heraus, daß viele davon gelaufen waren, einige schon vor der Schlacht und manche erst hinterher und auch, nachdem sie die Herren-Soldaten vertrieben hatten, und ein ganzer Haufen hatte erst gar nicht mitgemacht, die hatten drüben im Wäldchen gelagert. Auch unter denen, die sich beim Appell meldeten, waren manche, die fanden, es lohne sich nicht, die Herren seien stärker.

Dann bleibt halt nur noch das Entlebuch, einigten sich der Schibi Christian und der Studer Franz. Sie marschierten mit denen, die weitermachen wollten, in ihr Tal zurück. Beim Hasenstutz beschlossen sie, eine Sperre zu errichten. Sie fällten Bäume, trugen Balken und Bretter zusammen für einen Verhau und gruben eine Schanze, damit keiner durchkomme. Aber Oberst Wyr, der aus Luzern mit seinen Truppen anrückte, schoß sich durch, und er schoß sich bis Schüpfheim durch. Dort quartierte er sich ein und ließ verlauten: er bleibe so lange, bis die Bauern entwaffnet seien und die Rädelsführer der Obrigkeit überstellt, und es wurde der Bevölkerung vorgerechnet, was das koste, so eine Besatzung.

Als der Studer Franz auf der Chrummenegg eintraf, saß der Moser Sepp bei der Steffi in der Stube, und die rief nur: »Um Gotteswillen.« Sie lief davon, bevor der Studer Franz ihr einen Kuß geben konnte. Der Moser Sepp klärte ihn auf: sie suchten ihn, die Soldaten kämen wieder, er gelte als Aufrührer und Volksverhetzer. Die Steffi brachte ein Bündel und weinte, als sie es dem Franz reichte. Das Marieli holte den Hut. Aber der Studer Franz rief, man würde den Hut am besten verbrennen, sie sollten den Pfannen-Knecht vergraben. Der Moser Sepp schärfte dem Marieli ein, es dürfe niemandem sagen, daß es den Vater gesehen habe, und der Studer Franz hielt seine Frau einen Moment im Arm, bevor er hinterm Haus den Hang hinaufstieg.

Er wollte hinauf zur Schrattenfluh, und er wollte vor dem Eindunkeln mindestens noch bis zum eisernen Wegkreuz, wo es jäh hinunterging. Dort verbrachte er die Nacht. Als es ihn fröstelte, öffnete er das Bündel und wickelte sich in die Decke. In aller Herrgottsfrühe machte er sich an den Aufstieg. Als er auf die Schratten kam, lag der nackte Fels bereits in der Sonne. Der Studer Franz setzte sich auf einen Stein, und er sah zu, wie die Sonne von der Fluh abwärts stieg übers Geröll zu den Alpwiesen und von dort auf die Weiden und wie die Tobel zwischen den Wäldern im Schatten blieben, und wie die Einzelhöfe auftauchten, als hätte die einer mit einem weiten Wurf ausgestreut, und dann wurde es hell und grün auch unten bei den Dörfern im Tal, wo er sich nicht mehr zeigen durfte.

Er kannte einen Felsvorsprung; dort richtete er sich ein. Er begann aus Gewohnheit Kräuter zu suchen und ging bis zur Stelle, wo die Hexen auf die Besen steigen. Er sah den Vögeln zu und machte ein Nest am Fels ausfindig, wo sonst keiner sich hinwagte. Er schrak auf, als er das Rollen und Poltern hörte, aber es rührte von einem Steinschlag her. Er merkte, daß er schon lange nicht mehr richtig geschlafen hatte; er ging vorher noch zum Bach, und da sah er an seinem Schienbein und an seinen Armen, was er alles abgekriegt hatte und was er erst jetzt spürte.

Nach zwei Tagen stieg er zur Alp hinunter. Er kannte den Senn, den hatte er schon gekannt, als er noch ein Bub war, und er war ihm damals bereits alt vorgekommen und sah noch immer gleich alt aus. Der Senn sagte kein Wort. Der Studer Franz meinte, er sei kein guter Käser, aber er könne überall Hand anlegen. Der andere nickte, erst beim Abendessen ergriff er das Wort: Es sei viel Sünd im Tal. Man habe sich gegen die Obrigkeit erhoben. Jetzt komme das Blutgericht.

Am drauffolgenden Sonntag kam der Zusenn vom Tal herauf; der war ganz verdattert, als er den Studer Franz sah, und wollte nicht reden, aber berichtete dann doch: Der Schibi Christian habe sich gestellt und zwar freiwillig. Das wollte der Studer Franz nicht glauben, aber der Zusenn wußte es genau, der Schibi hatte es vorher selber in der Wirtschaft verkündet, man müsse beim Gericht zum Rechten sehen; sie hätten auch den Pannermeister geholt. Dafür seien jetzt die Soldaten weg. Das wollte der Studer Franz ganz genau nochmals hören. Und der Zusenn erzählte, die ersten seien schon hingerichtet worden und das Volk mache Wallfahrten zu den Richtstätten. »Nicht Wallfahrten«, unterbrach der alte Senn, »Galgenfahrten.«

Am andern Morgen verließ der Studer Franz die Alphütte, bevor es hell wurde. Er stieg auf die Schrattenfluh hinauf und setzte sich auf einen Felsen und sah dorthin, wo das Entlebuch lag. Er dachte daran, was alles hinter den Kreten und den Hügeln lag, wenn man dem Lauf der Reuss folgte, und immer weiter weg ging bis dorthin, wo es eben war. Er kletterte und wußte nicht, warum, und kletterte weiter. Er pflückte Kräuter und sog unten an den Blütenblättern, wo sie süß waren. Er kletterte herum, und erst als die Sterne längst aufgegangen waren, versuchte er es mit dem Schlaf.

Mit der ersten Sonne stieg er ins Tal hinunter. Er nahm nicht einmal den Weg sondern ging geradewegs das Tobel hinunter, er rutschte aus und konnte sich an Stauden halten, schlug gegen einen Baumstrunk und riß sich dabei den Handballen auf. Auf den Weiden grasten bereits die Kühe. Vor dem ersten Haus, an dem er vorbeiging, stand auf der Bank ein Topf. Das mußte ein Ziberlisturm sein; die Bewohner hatten dieses Mus von wilden Pflaumen hinausgestellt, um die Erdgeister zu besänftigen. Der Studer Franz aß das Mus auf und leckte den Topf leer, zwischendurch sah er sich um, damit ihn nicht ein Erdmännchen dabei erwischte, wie er ihm das Mus wegfraß.

Als er zu seine Heimet kam, stellte er sich hinter den Ahorn und sah zu, wie das Marieli die Geiß an einem Strick zerrte. Er wollte schon rufen, aber dann verhielt er sich still. Er wunderte sich, daß die Steffi die ganze Zeit nicht vors Haus kam. Nach dem Einnachten schlich er ins Haus, blieb hinter der Tür stehen und rief leise »Steffi, Steffi«. Als er Schritte hörte, rief er: »Erschrick nicht, ich bin es.« Und die Steffi antwortete: Wie sollte sie erschrecken, da sie doch auf ihn warte. Er möge sich einen Moment gedulden, die Kinder schliefen bei ihr. Und der Studer Franz sah, wie sie die Kinder in die andere Kammer trug, und er hörte, wie das Marieli im Schlaf murmelte. Da winkte ihn die Steffi; sie hielt die Kerze übers Bett, in dem die beiden Kinder schliefen. Er lehnte seinen Kopf an ihre Schulter. Und während sie ins Zimmer zurückgingen, fragte die Steffi, ob er schon gehört habe. Er sagte, er möge nicht hören, aber dann fragte er doch: »Was?« Der Schibi Christian sei wegen Zauberei und Magie angeklagt, aber er behaupte, das habe nichts mit Schwarzkunst zu tun, das sei alles nur Geschwindigkeit gewesen. Als der Studer Franz ins Bett kletterte, sagte er: »Wie schön angewärmt das ist.« Er wolle bei ihr liegen und ganz fest, und er wolle das Denken vergessen, sonst fange er an, sich zu hintersinnen.

Als es an die Tür polterte, sprang der Studer Franz auf und griff nach den Hosen. Aber dann legte er sich wieder hin und streckte sich im Bett aus. Die Steffi war schon draußen auf der Treppe, er drückte sein Gesicht ins Kissen, das noch nach seiner Frau roch. Die Soldaten hatten einen Strick in der Hand. Der Studer Franz wehrte sich: So was braucht man fürs Vieh, es sei nicht nötig, ihn zu binden. Aber die beiden schrien, was nötig sei, bestimmten sie. Als sie ihn gebunden hatten, zerrten sie ihn die Stiege hinunter, daß er fast gestürzt wäre, und als sie ihn den Hang hinunterpufften und mit einem Tritt nachhalfen, winkte das Marieli von einem Fenster aus, und die Steffi stand mit dem Jost unter der Türe und rief noch nach: »Gib auf die Schulter acht.«

Im Dorf wartete er vor den ›Drei Königen‹, bis er auf den Karren verladen wurde. Droben stand schon einer; nachdem sie den Studer Franz hinaufgeschubst hatten, fragte er den andern: er habe ihn nie gesehen, wo er mitgemacht habe. Der wehrte sich: Er sei kein Aufhetzer, er komme vor Gericht, weil er Grenzsteine versetzt habe. Als die Soldaten schon mit der Peitsche knallten, lief der Kaplan dem Karren nach und erteilte seinen Segen, und die Köchin stoppte die Fuhre und reichte dem Studer Franz etwas Eingepacktes hinauf, das könne er sicher im Turm brauchen. Sie hatten ihn an das Ladegatter gebunden. Als die Pferde anzogen, rutschte er; er hörte, wie sich die beiden auf dem Bock unterhielten: Was doch so Verurteilte für Sorgen hätten, aber eben, es sei nicht das gleiche, ob man geköpft oder gehängt werde, Köpfen sei immer noch standesgemäßer als Hängen, obwohl, so ein einzelner aufgespießter Kopf gereiche einem auch nicht gerade zur Ehre, und geschoren würden sie ja alle, mit der Mannesehre sei's auf alle Fälle aus, ob gehängt oder geköpft.

Im Turm erfuhr der Studer Franz, zu was allem man sonst verurteilt werden konnte – verschimmeln würde man hier drin nicht, obwohl man die Feuchtigkeit recht bald in den Gliedern spüre. Die jüngeren und die kräftigeren, die würden in den Kriegsdienst verkauft, da hätten die Herren noch was davon, aber die, die so verschachert würden, die hätten Glück, die könnten davonlaufen, auch wenn sie nie mehr zurückkehren dürften. Aber die andern, die würden auf die Galeeren geschickt, auch davon hätten die Herren was, aber die, die kämen nie mehr frei, die würden an die Venezianer oder an die Türken verkauft, die würden für immer unten in einem Schiffsbauch angekettet und nie mehr die Sonne sehen und die ruderten sich zu Tode und keiner käme zu einem ehrlichen Grab in christlicher Erde.

Als sie den Studer Franz zum Verhör holten, sah er als erstes die Hüte mit den großen Federn neben dem Schreibzeug auf dem Tisch. Ein Schriftstück wurde entrollt, und der Studer Franz staunte, wie lang das war: Darin war die Rede von kriegsähnlichen Überfällen, er wurde der Drohworte und Schmähreden angeklagt, der Aufreizung und der Aufwiegelei. Der Richter lehnte sich in den Sessel zurück und wollte wissen, ob er schuldig sei. Aber der Studer Franz wußte gar nicht, was er darauf sagen sollte, und dann fragten sie ihn, wo die andern sich versteckt hielten. Da er keine Antwort wußte, zogen sie ihn an einem Gestell in die Höhe; als er, an den Händen aufgehängt, in der Luft baumelte, banden sie ihm an seine Füße einen Stein, und da er immer noch schwieg, hängten sie größeres Gewicht an. Zuerst hatte es nur in der Schulter gerissen, aber dann spürte er es überall.

Die Gerichtsdiener mußten ihn stützen, weil er hinterher nicht auf den eignen Füßen stehen konnte; als sie ihn endlich in den Turm zurückgebracht hatten, warfen sie ihn aufs Stroh. Einer neben ihm begehrte auf, der suchte unter ihm ein paar Halme hervor. Er rechnete nach, was die Hinterbliebenen alles nach seiner Hinrichtung zu bezahlen hatten: die Prozeßkosten, die Turmkost und den Scharfrichterlohn. Er rechnete nach, was er schon ausgerechnet hatte, und schob von neuem Halme zusammen, und anstelle der Finger hatte er nur einen Klumpen Fleisch.

Die Gefangenen schreckten in der Nacht auf, als sie die Riegel hörten; ein Neuer wurde gebracht. Der wußte zu berichten: ein Bub habe verraten, wo sich die drei Tellen versteckt hätten; aber diese seien ihren Häschern entkommen und hätten sich auf ein Dach geflüchtet und von dort ihre Verfolger mit Steinen beworfen, doch dann hätten die Soldaten die drei vom Dach geschossen, das sei gegen den Befehl gewesen, denn man habe sie lebend fangen wollen. Nun bringe man die drei Leichen nach Luzern und mache ihnen den Prozeß, als ob die drei Toten Red und Antwort stehen könnten.

Am andern Tag führten sie den Studer Franz ein zweites Mal vor, und sie entrollten das gleiche Schriftstück, und der Richter fuhr ihn an, ob er ihm nicht ins Gesicht zu schauen wage. Das aber tat der Studer Franz. Der Richter wollte wissen, ob er so was Trotziges gesagt habe wie das: Wenn nur die Armen in den Himmel kommen, müsse man den Reichen helfen und sie arm machen. Der Studer Franz erinnerte sich nicht. Sie banden ihm wiederum die Hände und zogen ihn an einem Strick hoch und hängten diesmal gleich den schwereren Stein an, weil er so bockig und stur sei, und wiederholten die Frage. Da staunte der Studer Franz, daß man ihm einen so schönen und richtigen Satz zutraute, und er sagte »ja«.

Als ihn der Wächter in den Turm zurückbrachte, mußten sie unter einem Gewölbe durch; da drückte der Soldat dem Studer Franz den Kopf nach unten, so daß der aufbegehrte: er behalte seinen Kopf oben, wenn sie den haben wollten, müßten sie ihn abschlagen. Aber der Wächter lachte nur: »Den Kopf kannst du behalten.« Mit ihm sei ganz anderes vorgesehen, er werde erwürgt, da bleibe der Kopf oben, aber nachher komme der auch nach unten, er werde aufs Rad geflochten. »Damit.« Der Soldat zog eine Handvoll Weidenruten hervor, es waren die von der ganz feinen Art, aus denen man auch ein Körbchen für Marielis Schlüsselblumen hätte flechten können.

Bevor der Wächter die Stufen hinaufging, rief er dem Studer Franz nach: Noch etwas sei für ein Lästermaul wie seines vorgesehen, aber das werde er schon selber merken und spüren auf jeden Fall. Der Studer Franz fragte die andern, was er wohl damit meine, und einer sagte, man würde den Lästerern und Schmähern die Zunge aufschlitzen, ob er noch nie einen mit gespaltener Zunge gesehen habe? Aber sie schlitzten dem Studer Franz die Zunge nicht auf, sondern sie legten sie auf einen Pflock und trieben einen Nagel durch.

Als der Studer Franz in seiner Benommenheit die Stimme von Steffi hörte, meinte er zuerst, nun fange er an zu spinnen. Aber dann stand sie auf der untersten Stufe der Treppe, die ins Gefängnis führte, und fragte nach ihm. Sie sagte, sie habe ihm ein Mus und einen Kräuterschnaps mitbringen wollen, aber das habe sie der Wache abgeben müssen, sonst hätten die sie nicht reingelassen. Sie legte ihren Kopf auf seine Schulter, und zwar auf die, die ihm nicht wehtat, aber jetzt tat auch die weh, doch er wollte nicht, daß sie den Kopf wegnahm. Sie erzählte, das Marieli sei jetzt im Schwandacher oben, die Lisi habe versprochen, mit ihm gut zu sein, es sei ja ein schaffiges Kind. Sie selber sei beim Moser Sepp untergekommen, da könne sie den Jost behalten. Dann sah die Steffi ihrem Franz ins Gesicht. Er deutete mit dem Finger auf seinen Mund. Sie nickte. Sie zog unter der Schürze das Tüchlein hervor, das er ihr aus Flandern gebracht hatte. Sie netzte es und tupfte ihm den Mund ab. Als der Studer Franz das Tüchlein sah, schwarz vom Blut und die Spitzen völlig verklebt, wollte er etwas sagen. Doch es kam nur Blut und Schleim über die Lippen. Die Steffi schaute ihn fragend an. Er deutete aufs Tüchlein, er hatte bloß sagen wollen: Das geht nie mehr raus.

Weshalb er einen Abstecher ins Tal der Vorfahren gemacht hatte, hatte der Immune mir nicht verraten, umso neugieriger war ich hinterher auf seine Erfahrung mit dem Bauernrebellen.

Fast unwirsch hatte er mir geantwortet: Was das für eine Rebellion sei, dieses blinde Aufbegehren, ein wilder Protest, ein bloßes Dreinschlagen. Wie erschreckend, wenn bei jemandem alles darauf angelegt ist, daß er ein Opfer wird.

Aber ich spürte, wie er mit diesem Urteil mehr als Mitgefühl verdeckte. Seine Augen verrieten ihn; er hatte für einen Moment seine dunkle Brille abgenommen. So sehr er seine Stimme kontrollierte, seine Augen staunten über die Bereitschaft und Fähigkeit dieses Mannes zu leiden, als beneidete er ihn.

Ein Verdacht, der nachträglich nicht gewagt scheint, hatte der Immune doch bei unserem Bruch zum ersten Mal mir nicht aus meiner Desperatheit geholfen, sondern um einen Anteil davon gebettelt, was mich so verdutzt gemacht hatte, daß ich vorerst ganz ruhig und scheinbar überlegen war.

Aber wenn er doch einmal näher auf den Bauernrebellen einging, fiel mir auf, wie gut er sich in den Methoden von Folterungen und Hinrichtungen auskannte. Er gab nicht nur Auskunft über die Eiserne Jungfrau oder die Pfähle, die man jemandem durch die Brust trieb, oder darüber, wie man einen Verurteilten zwischen Pferde band und die Tiere in verschiedene Richtungen jagte, so daß sie den Körper zerrissen, oder wie man jemanden derart in den Boden eingräbt, so daß nur der Kopf frei bleibt; er wußte von den Folterungen mehr, als was man mit Daumenschrauben oder glühenden Zangen ausrichten kann, mit siedendem Öl und flüssigem Blei.

Darauf angesprochen, ging er gewöhnlich gleich zu heutigen Foltermethoden über, von einem Mittelalter ins andere wechselnd: wie man zwischen zwei Fragen auf der Haut des Verhörten eine brennende Zigarette ausdrückt oder jemanden in nasse Tücher einrollt, die sich beim Trocknen so zusammenziehen, daß der Eingewickelte kaum mehr zu atmen vermag. Er kannte die Nuancen von Isolations- und Dunkelhaft, wußte davon, daß in einer Zelle alle halbe Stunde eine 40-Watt-Lampe aufleuchtet und der Schieber beim Guckloch zur Seite geschoben wird, daß man die Schreie der Gefolterten übertönt, indem man zum Beispiel klassische Musik ab Band spielen läßt, daß es aber auch seine Wirkung tut, wenn die anderen Gefangenen hören, wie die Schreie durch die leeren Gänge gellen. Er kannte sich im Schergen-Jargon aus – bei der ›Papageienschaukel‹, erklärte er mir, da hängt ein Gefangener nackt mit dem Kopf nach unten an einer Stange, Hände und Füße zusammengebunden, und beim ›U-Boot-Spielen‹ wird der Kopf so lange unter Wasser gedrückt, bis einer fast erstickt, und beim ›Telefonieren‹ schlägt man dem Opfer mit den Händen gleichzeitig auf beide Ohrmuscheln.

Der Immune redete vom Elektroschock, dem Drachenstuhl oder dem Prügelstock, der Injektion von Sulfazin oder der Verabreichung von Aminozin als seien das bekannte und alltägliche Dinge, er behauptete auch, man müsse das alles wissen, wenn man eine zeitgemäße Allgemeinbildung haben wolle.

Ich hatte ihn einmal gefragt, ob wir eine Folterung überstehen würden, eine Situation, in der wir keinen Schritt zur Seite machen könnten, weil sie uns gleich mit dem Gewehrkolben zurückstießen oder weil unsere Sohlen so verkohlt wären, daß wir nicht mehr drauftreten könnten, oder weil sie uns zwängen, stundenlang bis zum Kreislaufkollaps an ein und derselben Stelle zu stehen, und das Wort, mit dem wir kämpfen möchten, würde sich schon deswegen versagen, weil über die geschwollenen und aufgesprungenen Lippen kein Laut mehr käme, und an Einzelheiten wäre nur noch vorhanden, was andere auf eine Zellenwand ritzten.

Ich hatte die Frage nicht nur gestellt, um zu erfahren, ob wir trotz der Schmerzen bei unserer Meinung bleiben und niemanden und nichts verraten würden oder ob wir das täten, was wir so gut können, nämlich uns und den andern Dinge andichten.

Ich hatte gefragt, weil mich eine schreckliche Vorstellung verfolgt, was, wenn sie mir Glassplitter oder etwas Spitzes unter die Fingernägel treiben oder am Fuß und an der Hand die Nägel aus den Betten reißen. Eine Vorstellung, die mich jedesmal zusammenzucken läßt, daß ich alle Finger in den Handballen drücke, in der Hoffnung, niemand könne diese Faust je öffnen.

Nicht daß die zwei Detektive, die aufgetaucht sind, mir in der Hinsicht Angst gemacht hätten, obwohl ich nicht weiß, mit welchen Gefühlen ich ihrer nächsten Befragung entgegensehen soll.

Der Immune hatte geschwiegen, und dann zurückgefragt, ob ich ihn so schlecht kenne, er bringe die Immunität nicht mit, er immunisiere sich; er kam gleich von sich aus auf seinen Abstecher ins Tal der Vorfahren zurück und sagte, unser Vater sei schon einer gewesen, für den man einen gemeinsamen Vater habe suchen können; so gleichgültig wir ihm auch gewesen seien, es habe an uns gelegen, aus seiner Gleichgültigkeit ein Stück Unabhängigkeit zu machen; er sei wohl einer gewesen, der nicht wußte, was das Leben soll, und der daher die andern gewähren ließ auch in ihrer Not; so sei seine Gleichgültigkeit eine Form von Zuneigung geworden, in deren Genuß wir kamen.

Im übrigen aber, fügte er hinzu, es hätte gar kein schweizerischer Rebell sein müssen, es hätte auch ein Bauer sein können, der statt Ziegen Lamas hat, der anstelle von Hafer Maniok pflanzt und der sich vor den Regierungstruppen nicht in den Alpen, sondern im Dschungel versteckt.

Überhaupt frage er sich, weshalb er für diesen Vorfahr mit einem Bummelzug so weit in die Vergangenheit zurückgegangen sei, es wäre vielleicht tauglicher gewesen, sich in der Zukunft umzusehen; im Grunde sei es besser, die Vorfahren nicht zu suchen, sondern sie zu entwerfen.

Damals sprach der Immune noch gelegentlich vom »Bauern in uns«. Er meinte damit nicht eine Herkunft sondern eine Sturheit, die sich nicht unterkriegen läßt, eine Unbelehrbarkeit, die aussät, auch wenn die letzte Saat verdorrt ist oder im Regen verfault, und die das Feld bestellt, auch wenn der Pilz oder Insekten an die letztjährige Frucht gegangen sind.

Etwas von dieser Sturheit hätte ich uns in jener Nacht gegönnt, nur ein wenig davon.

Allerdings hatte der Immune bald alle solche bäuerlichen Vergleiche gelassen; er sprach meines Wissens zum letzten Mal davon, nachdem er einen Ausflug durchs Mittelland in die Butterberge und zu den Milchseen gemacht hatte.

Aber immerhin, er war in das Tal gefahren, aus dem unser Vater ausgewandert war. Er war der jüngste gewesen und verwöhnt worden, aber als er erwachsen war, halfen sie ihm den Koffer packen. Und als er im Alter etwas Geld auf der Seite hatte, kaufte er sich mit Hilfe von Hypotheken ein reparaturbedürftiges Bauernhaus mit einer stillgelegten Schmiede und wurde am Feierabend und an den Wochenenden Hügelbauer; er hatte eine Voralpenlandschaft gewählt, die jener glich, in der sie ihn einst nicht hatten brauchen können.

Der Immune und ich sind später oft an Busbahnhöfen gestanden, wo Landflüchtige ankamen, oder wir hatten zugeschaut, wie sie von Lastwagen kletterten, und ihre Koffer, Emballagesäcke, Kisten und Schachteln abluden, immer einige Schwangere und Großmütter, und immer wieder ein Junge, der auf einem Bündel saß, eines der jüngeren Geschwister zwischen die Knie geklemmt und sich selber an seiner Habe haltend, staunend wegen all des Lärms und der Lichter.

Einmal hatten wir auch gemeint, wir seien unserem Vater wieder begegnet. Der Mann versuchte einen Zettel zu entziffern und hielt ihn dem Chauffeur und dann dem Hilfschauffeur hin und fragte Passanten und selbst solche, die mit ihm aus dem Bus geklettert waren, und er streckte auch uns den Zettel entgegen, als wir einige Schritte auf ihn zumachten, aber wir hätten auch nicht sagen können, wo das lag, wo er hin wollte, und ob man zu Fuß dorthin gelangt. Zuerst war uns nicht aufgefallen, daß er seine Machete unter die Schnur einer Kartonschachtel geklemmt hatte, sein Werkzeug vom Land in die Stadt mitbringend, uns waren seine Hände aufgefallen.

An einen solchen Busbahnhof muß ich denken, wenn ich neben all den Papieren vor mir das Blatt sehe, auf dem ein Kind zwei Tiere gezeichnet hat, von denen das eine einer Kuh und das andere einem Wasserbüffel gleicht.

Wir selber, der Immune und ich, wir sind in der Stadt auf die Welt gekommen – auf die Welt gekommen, was für ein fataler

Ausdruck, wenn ihn der Immune nur nicht so wörtlich genommen hätte.

Allerdings hatten wir vorübergehend auch in der Agglomeration gewohnt, die weder zur Stadt noch zum Land gehört, und wir waren Pendler geworden. Aus der Zeit stammt wohl die Überzeugung des Immunen, man kenne eine Stadt erst, wenn man ihre öffentlichen Verkehrsmittel zur Stoßzeit benutzt habe. Was bin ich in der Folge in Bussen und Straßenbahnen gesessen, in Untergrundbahnen und Vorortszügen, selbst in solchen, wo auf den Trittbrettern Trauben von Passagieren hingen. Am Morgen vor Arbeitsbeginn und nach Arbeitsschluß, diese verschwitzte und zugleich fade Luft, durchgerüttelt und mich puffend, an einem Griff hängend und zum vierten und fünften Mal das gleiche Werbeplakat lesend, eingepfercht und eingezwängt, so daß nicht einmal für die Finger eines Taschendiebs Raum war. Ansonsten war diese Agglomerationszeit ereignislos.

Zuoberst in unserem Hochhaus wohnte der Bauer, dem einst das Land gehört hatte, auf dem die Siedlung gebaut worden war. Als der Unternehmer und der Architekt wegen der Bodenpreise und der Überbauung vorgesprochen hatten, hatte die Bäuerin getrotzt: nur mit den Füßen voran bringe man sie aus dieser Stube. Aber der Architekt überredete sie, man könne das Täfer Stück für Stück ablösen und auch den Kachelofen auseinandernehmen und beides in einer Wohnung wieder aufbauen, so werde sie wieder zu ihrer Stube kommen mitsamt der Ecke, wo sie das Hochzeitsphoto und den Konfirmandenspruch aufhängen könne. Der Bauer selber wurde Verwalter, er schnitt die Sträucher und rechte die Kieswege, betreute die Waschküche, schob zweimal die Woche die Container mit den Abfallsäcken an die Hauptstraße und säuberte den Kinderspielplatz; nur anfangs war es einmal zu einem Krach gekommen. Da er gewohnt war, bei Tagesanbruch das Frischfutter fürs Vieh zu schneiden, hatte er in der Frühe damit begonnen, den Rasen zu mähen.

Als wir mit Ersatzteilen für landwirtschaftliche Maschinen handelten, kamen wir oft in Dörfer und Städtchen, wo am Morgen sich die Taglöhner auf einem Platz versammelten und wo sie für die Arbeit auf dem Feld abgeholt wurden und wo immer einige zurückblieben. Jedesmal mußten wir an die landlosen Bauern zuhause denken.

Neben dem Rasen lag eine Wiese, darauf stand noch ein Bauernhaus. Karli und Klärli hatten alles Land verkauft, es war ihnen als Land geblieben, was ans Haus angrenzte. Als sie mit dem Scheck an einem gewöhnlichen Nachmittag im ›Sternen‹ saßen, beschlossen sie, die bis sechzig die Wurst geteilt hatten, auch einmal Ferien zu machen und sie kauften, was man für Ferien braucht. Freizeitkleidung, ein neues Auto und eine Kamera. Aber als sie in Italien von der Autostraße aus sahen, wie blau schon die Trauben waren, fiel Klärli ein, daß jetzt zuhause die Beeren reif sind, und sie machten kehrt. In der Tat war außer den Vögeln niemand an die Beeren gegangen. Und Karli half einem andern Bauer, der kein Land hatte verkaufen können, weil sein Hof in der Landwirtschaftszone lag. Karli zeigte den Spaniern und Jugoslawen, »wie man bei uns Mist führt«, und arbeitete auf dem Hof als Meisterknecht.

Von dieser Agglomerationszeit pflegte der Immune in der Sprache der Spruchweisheiten zu reden. Damit bot er eine seiner Konversationsnummern, mit denen er unterhaltsam wirken konnte, auch wenn mir immer klarer wurde, daß seine Gesprächsbereitschaft oft nur auf Terraingewinn aus war, um das abzustecken, wovon er nicht reden mochte.

Man müsse mit dem Volksmund reden, führte er aus; denn wenn's der Brauch will, legt man die Kuh ins Bett. Hundertjährige Erfahrung rede aus der Erkenntnis, daß man es mit den Schafen halten muß, die Wolle tragen, und aus dem Rat: Heirate über dem Mist, dann weißt du, wer sie ist. Ohne Arbeit wird es keinesfalls gehen; im Bett spart man höchstens die Schuh, und in eine leere Scheune kriecht keine Maus, wer sich aufs Erben verläßt, kommt immer zu früh oder zu spät. Der Herrgott ist nun mal ein langer Bürge und ein sicherer Zahler, aber wer an den Galgen gehört, ersäuft nicht. Nach wie vor sterben den Armen die Geißen und den Reichen die Kinder, wie noch immer reiche Töchter und armer Leute Käs schnell reifen.

Von seinen Kalendersprüchen hatte er den einen für sich beansprucht. Je weiter das Märchen fliegt, umso mächtiger lügt es. Manchmal sah er in seinem Flugschein nach, ob nicht statt dem Flugzeugtyp ein Märchen eingetragen sei. Mir aber hatte er den Spruch überlassen: Was man nicht erfliegen kann, kann man erhinken; nur wüßte ich im Moment ganz gern, in welcher Richtung ich hinken soll.

Der Immune hatte das Blatt mit den Sprüchen aus einem Kalender gerissen, und es findet sich inmitten seiner Papiere, zusammen mit unzähligen Seiten aus Zeitungen oder Zeitschriften, Photokopien von Artikeln und Notizen.

Er hatte den Kalender aus dem Tal der Vorfahren mitgebracht, aber nicht nur dies. Auch ein Souvenir, das friedlich schlief, als ich oben nachsah, ob im Inneren des Lazarus etwas versteckt sei.

Eine Wurzel, die einem Menschen ähnlich sieht, obwohl man den Augen mit zwei Nägeln nachgeholfen hatte. Dem Männchen wuchsen von den Schultern lange Arme, die sich in mehr als fünf Fingern verzweigten und deutlich waren seine Beine auszumachen, die sich verjüngten, und sein Glied wuchs ihm als Würzelchen nach unten, und an ihm wie am ganzen Körper hingen Fasern. Später verhalf er dem Männchen zu einem Wurzelweibchen, einer Alraune, einem Nachtschattengewächs. Und er fragte sich, ob es die beiden wohl zusammen trieben, und wie sie es zusammen trieben, das erlebte ich, als ich einmal spät nachts betrunken nach hause kam; aber die beiden wollten sich am andern Morgen an nichts erinnern.

»Endlich einer, der Wurzeln hat«, hatte der Immune gerufen, als er das Männchen aus der Tasche geholt hatte. Kaum ein Wort konnte ihn reizen, wie das Wort Wurzeln, und wenn er jemanden vom Menschen und seinen Wurzeln reden hörte, konnte er aufspringen und ihn bitten, die Schuhe auszuziehen, er möchte einmal einen sehen, der statt Füßen Wurzeln hat.

Ja, wir wollten nicht mit Wurzeln, sondern mit Füßen leben.

Der Immune hatte auch einmal von einer Karte gesprochen, auf der all die Routen eingezeichnet sind, welche Pflanzen und Bäume zurückgelegt haben, die Samen, welche Auswanderer,

Wissenschaftler und Eroberer mit sich geführt hatten – der Weg der Aprikose und der der Kirsche und ganz sicher die Route der Kartoffel aus den Anden in die botanischen Gärten Europas und von dort auf die Äcker, von dort in die Pfannen und von dort in die Teller.

Genau eine solche Skizze findet sich unter seinen Papieren, auf einer durchsichtigen Folie, sie ist in ein Typoskript gerutscht, in welchem der Immune die Städte besingt.

Deine Register-Arie der Städte

Was für ein Gefieder besaß wohl der Vogel, der an Javas Küste »Surabaja, Surabaja« sang. Wärst du nicht hingefahren, die Melodie wär nicht verstummt. Nie wirst du nach Timbuktu gehn. Mögen Karawanen und Legionäre ohne dich aufbrechen. Einen Namen willst du bewahren, der sich als Klang schon wie Verheißung anhört – hinter den Dünen eine Stadt, wo die Wüste klingt wie »Timbuktu, Timbuktu«. Als ob die Landkarte ein Notenblatt wär; aber die Städte sind nicht für die Ohren gebaut.

Auch die nicht, die nur erahnt werden können, mit Münzen an sich erinnernd, wenn der Pflug seine Furchen zieht, zerbrochene Keramik, als könnten aus Scherben, liegen sie lang genug nur im Boden, Schalen und Krüge wachsen.

Und die nicht, durch die nach dem Weggang des letzten Bewohners der Jaguar streift, entsprungen dem Relief, auf dem seine Jäger ihn abgebildet haben, die Wege dorthin überwuchert, der Dschungel als Retter, aber einer, mit dessen Hilfe im Fundament sich die Wurzeln einnisten.

Sind Namen wie diese nur Klang: die Stadt der Sieben Tore und die Stadt der Guten Lüfte und die Stadt der Engel?

Wonach aber hätte Zürich geklungen?

Von unzähligen Städten kennst du nichts als die Namen und von diesen wiederum viele nur, weil sie ein Lautsprecher ausrief. Das windige Echo in einer Bahnhofshalle. Den Blick kaum von der Zeitung gehoben, so daß es aufs gleiche herauskam, ob dein Finger einen Fahrplan abfuhr oder ein Zug eine Strecke.

Was haben Städte geworben den Autobahnen entlang. In regelmäßigem Abstand meldeten sie, wieviel Kilometer und Meilen noch fehlten. Du aber bist durchgefahren oder hast die Umfahrung gewählt, eine Stadt mehr, von der du im besten Fall weißt, wie nah du ihr einmal warst.

Wieviele lagen am Weg, aber an einem, den du nicht eingeschlagen, und erst all die, die nicht am Wege gelegen.

Und neben den verpaßten Städten die aufgeschobenen, aufgespart für ein nächstes Mal, als ob du immer ein Alter hättest, für das es ein nächstes Mal gibt.

Doch plötzlich ein Aquädukt, der eine Stadt ankündigt, auch wenn die Bogen mitten im Feld abbrechen, ohne Verbindung zu den wasserreichen Hügeln. Oder in der Ferne eine glasige Glocke, weit in den Himmel hinauf ein Zeichen, daß unter dem Dunst aus Abgas, Nebel und Rauch eine Stadt liegen wird.

Lauter Städte um anzukommen.

Und wieder eine erste Begegnung in einer Schienenlandschaft mit Abstellgleis, Stellwerk und Weichen. Bekanntschaft mit Städten zwischen Imbißecke und Schließfach, zwischen dem ›Wie geht's‹ der Wechselstube und dem »Danke schön« der Kioske.

All die Städte, die nötig waren, um in anderen anzukommen.

Und die ausgebreiteten Städte, wie ein Teppich zum Empfang ausgerollt. Und die Stimme des Kapitäns: »Zu Ihrer Linken Zagreb. Wir werden in vierzig Minuten landen.« Städte, die ein Flügel oder ein Düsentriebwerk abdeckt, und die, die für immer unter Wolken liegen. Aber dann nach aller Turbulenz eine Stadt, grau und verhangen, auf festem Grund.

All die Städte, die im Niemandsland begannen, und die, die terrain vague geblieben sind.

Du bist mit dem Flugzeug in Städten gelandet, die sich aufs Wasser ausrichten. Du bist in ihrem Rücken angekommen und hast bei der Ankunft der Stadt nicht ins Gesicht geschaut.

So bist du eines Tages in Lissabon ans andere Ufer gefahren und mit der gleichen Fähre zurück. Du wolltest auf dem Tejo ankommen, auf dem Seefahrer-Fluß, dem die Stadt Macht, Arroganz und Melancholie verdankt: Während im Hintergrund die Hügel zusammenrücken, öffnet sich mit seinen Kolonnaden der Platz, der nach vorn offensteht, wo die Schiffe anlegen.

Es gab eine Zeit, da wolltest du für jede Stadt eine eigene Ankunft erfinden.

Wie, wenn hinter den Fabriken und Hochhäusern die gestaffelten Dächer der Cheddis auftauchen und du bei einer Pagode an Land gehst, wo vom Bootssteg die geschnitzten Verzierungen abstehen wie künstliche Fingernägel von Tänzerinnen. Auf dem Menam in Bangkok ankommen, auf dem Fluß, der die Mutter aller Wasser ist, die besitzt, was die Reisfelder brauchen, die auch jene Kanäle speiste, die inzwischen versumpft und zugedeckt sind, und die nach wie vor ihr träges dreckiges Wasser an die Klongs abgibt für die schwimmenden Märkte.

So viele Häfen und ein Meer, das seine Passagiere an die Luft verlor.

Keine der Schleifen möchtest du missen, die über einer Stadt je ein Flugzeug gezogen. Und hast zugleich eine Ankunft gewünscht, zu der die Topographie der Berge, Küsten und Täler zwingt. Die Ankunft auf dem Landweg, wie ihn die Füße einschlagen und wie ihn die Räder und Schienen mit Hilfe von Tunnels und Brücken zurücklegen müssen. Und hast wiederum den Autos, Bussen und Eisenbahnen für den letzten Moment Flügel gewünscht, um die Stadt zum Willkomm von oben zu grüßen, von einem Bullauge aus, höher als jede Aussichtskanzel und mobiler als jeder Turm, auf den du geklettert bist.

Zu viele Städte, als daß dir zu jeder eine Ankunft eingefallen wär.

Wie hättest du dort ankommen sollen, wo heute das Grundwasser höher liegt als das einstige Straßenniveau, und sich ein See ausdehnt, wo früher der Himmel sich wölbte, so daß über der Stadt keine Vögel fliegen, sondern Frösche quaken?

Und wie in der Stadt, die erst auf dem Reißbrett entsteht und von der das Land, auf dem sie gebaut wird, keine Ahnung hat, obgleich die Spekulanten bereits parzellieren?

Und dann: Seit Jahrzehnten bist du daran, in Zürich anzukommen, der Stadt, aus der du kommst.

Wie unwichtig konnte die Ankunft werden, wenn du nur ankamst, froh, daß es eine Stadt war, gleichgültig welche.

Hinterher, da hast du manchmal gewußt, wie du hättest ankommen sollen. So fielen Abschied und Ankunft zusammen, und oft nicht einmal das.

Aber es gab ja die Rückkehr.

Nicht nur die Rückkehr in die eigene Stadt. Der Moment, wenn das Auto zur Limmat abbiegt, die falsche Burg und der echte Bahnhof und ein Bauplatz mehr, an der ersten Brücke vorbei, und über den Altstadtdächern die Kirchen und Kranen und die große Turmuhr, die man Fremden zeigt, und als Abschluß des Sees die Berge, und diese umso näher, je stärker der Föhn.

Aber oft ein zweites Mal nur, um zu schauen, ob die Stadt, in der du gewesen, noch da sei, um sicher zu sein, daß es ein erstes Mal gab.

Und nicht nur ein zweites, sondern ein drittes Mal, ein siebtes und neuntes. Und mit jedem Mal das Unbekannte ein Stück weniger fremd und das Fremde jedesmal größer, als du gedacht, doch vertrauter das Alleinsein.

All die Städte, denen du Treue geschworen, und all die, denen du Treue gehalten.

Wieder der Moment, wenn das Taxi zum East River kommt und Manhattan mit seiner Skyline vor dem Himmel steht. Die Konkurrenz zwischen Beton, Stahl und Glas. Jeder Wolkenkratzer ruft mit seiner Höhe aus, was er gekostet, und kann sich doch nur im kompakten Ensemble behaupten. Auf der Insel gegenüber Felswand, Hügel, Höhle und Tal, alles aus Häusern gemacht, auch das Geröll und das Ödland.

Wie, wenn du beim ersten Mal mit dem Schiff den Hudson heraufgekommen wärst – die Freiheitsstatue groß und größer. Stattdessen der Moment, da du für den Brückenzoll in die Tasche greifst. Eine Stadt, in der du nie richtig und nie falsch gewohnt hast, was du an Nähe zum einen, hast du an Ferne zum andern gewonnen. Eine der Städte, in denen du Nachbarschaft eröffnet hast, ohne die Nachbarn zu kennen.

Und nicht nur die Rückkehr in eine Stadt, sondern innerhalb der Stadt selber die Rückkehr. Wieder ins Viertel, in dem du aufgewachsen bist, und wieder das Staunen, wie wenig Hinterhöfe für eine Kindheit genügen.

Was hast du von Städten schon gesehen? Einiges von dem, was sie selber anpreisen, ihr Capitol und ihre Feldherrenhalle, ihren Dom oder ihren Serail, ihre Brunnen und Monumente, hier einen

Tempel und dort ein Schloß und manchmal einen Bazar, einen Botanischen Garten mit drei Sternchen oder einen Monumentalfriedhof mit zwei.

Deine Sehenswürdigkeiten waren die Straßen, ob Sackgasse oder Boulevard, die Steiltreppe wie die Promenade, Straßen verstellt von Reklamen und solche mit Tüchern überspannt, mit Bänken ausgestattet und mit Abfall übersät, mit einer dunklen Ecke, günstig für den Flirt und den Überfall, die toten City-Straßen am Wochenende und die Stoßzeit-Straßen, die mit den Warenhäusern, Department Stores und Emporiums und die mit den Bars und Bordellen, das schummrige Gäßchen und die ausgeleuchtete Allee, Straßen an Ufern entlang und Hügel hinauf, die nackten Straßen und die mit Platanen, Pappeln und Palmen, und manche so eng, daß du dich kaum durchzwängen mochtest, und die großspurige Allee, immer wieder eine Passarelle und die Maulwurf-Unterführung. Straßen als Ring angelegt oder Stern, verwinkelt und schnurgerade, die Nebenstraßen von Nebenstraßen und dies Kreuzung um Kreuzung.

Überall hast du Städte gesucht. Städtchen, wo sie die Fremden grüßen, und Metropolen, die auf niemanden warten.

Du hast Städte nicht nur aufgesucht, du bist mit ihnen gewandert. Eben noch hast du dich zwischen Ruinen auf dem Markt eingedeckt, aber dann bist du der Stadt über die Berge gefolgt, wo sie ein zweites Mal erstand und wo sie ein zweites Mal zusammenstürzte, weil auch das Erdbeben folgte, obwohl sich dieses Zeit nahm, um Kräfte zu sammeln.

Zu deinen Städten gehörten auch die aufgegebenen.

Die, welche wegen Wassermangel aufgegeben wurden und in denen noch immer die Springbrunnen stehen. Und die, deren Hafen verlandete. Und die, welche die Jungen verließen und wo die Alten täglich zum Postamt wandern. Und die, aus der die Weißen flohen, weil die Schwarzen sich einzumieten begannen.

Du hättest unter denen sein können, die vor mehr als tausend Jahren die Häuser rot anstrichen, bevor sie die Stadt ihrem Schicksal überließen, und mit sich führten, was tragbar war, die aber vorher die Mauern mit der Farbe des Todes bemalten, weil Bauten als Werke Sterblicher sterblich sein dürfen.

Oder warst du auch unter denen, die sich auf und davon machten, als die Mine erschöpft war, so überstürzt, daß im Saloon auf dem Tisch der Becher liegen blieb und die Würfel, mit denen der Wind nun versucht zu spielen? Stabile Kulissen, für die Dauer einer Dreharbeit noch immer verwendbar.

Aber du hast Gespensterstädte nicht nur besucht. Indem du als Gespenst durch Straßen irrtest, hast du aus lebenden Städten Geisterstädte gemacht.

Was bist du nicht alles in den Städten gewesen. Gespenst und Krämer und Schüler. Flaneur und Hurenbub. Kofferträger und Steuerzahler. Träumer, Trinker und Taschendieb. Alles konntest du in den Städten sein, Stadtstreicher und Kaffeehaushocker. Einer, der um Auskunft bat, und einer, der Auskunft gab. Der sich in der Schlange anstellte und im Stau stecken blieb. Schwarzfahrer und Museumsbesucher. Kinogänger und Liftbenutzer, Selbstbediener und Voyeur, Delegierter, Randalierer. Mieter und Passant.

Einer unter vielen, aber unter vielen einer.

Und an Städten dafür fehlte es nicht. Es gibt zum Beispiel die Verbotene Stadt.

Nachdem ein Kaiser und sein Clan vertrieben worden sind, lassen die Löwenwächter auch Leute wie dich in die Verbotene Stadt, du brauchst dich nicht zu verkleiden, niemand dich einzuschmuggeln. Der Guide erklärt in der ›Halle der höchsten Vollendung‹ die Zeichen der Gerechtigkeit: das Viereck der Sonnenuhr und das Getreidemaß.

Allerdings hast du nur auf dem Bildschirm gesehen, wie groß der schwarze Stein in Mekka ist. Aber es gibt andere verbotene Städte, und eine steht offen, oben im Himalaya, in den Nebel hinein gebaut, in die Nähe der Götter, dem Wind ausgesetzt, in dem die Gebetsfahnen flattern.

Es gibt ja nicht nur die Verbotene Stadt, sondern auch die Heilige.

In manch heiliger Stadt hättest du der Taufe nach zu den Gläubigen zählen können. Aber du bist als ungläubiger Pilger den Prozessionen gefolgt: zum Baum der Erleuchtung und zum Schrein, zum Stein der Fruchtbarkeit und zum Heiligen Buch. Du warst in den Städten der Propheten und der Ketzer, der Asketen, Bettler und Mystiker, dort wo Potentaten und Krüppel nebeneinander knien.

Aber wo immer du dich zur Wallfahrt eingereiht hast, deine Wallfahrt galt der Stadt selbst.

Es könnte auch die heilige Stadt der tanzenden Derwische sein oder die mit dem Orakel. Oder verwechselst du sie mit der Stadt, die Allen Heiligen geweiht ist?

Aber es gibt ja nicht nur die heiligen Städte mit Altären und Scheiterhaufen, die der Schutzgöttinnen und Schutzpatrone. Nicht nur die, über denen Weihrauch liegt oder der Geruch verbrannter Leichen. In denen die Glocken erklingen und Choräle zu hören sind, der Singsang der Koranschule, die afrikanischen Trommeln oder der Gong der Mönche.

Es gibt auch die Ewige Stadt.

Aber ist die Stadt ewiger, die von jedem Jahrhundert soviel behält, daß man sich seiner erinnert? Aus dem einen Jahrhundert die Katakomben und aus einem andern die Untergrundbahn, den Corso, die Via Appia und die Ausfallstraße, aus einem nationalen Jahrhundert das Nationalmonument mit Ehrenwache und aus dem barocken Saeculum Kirchen und Paläste, aus jedem etwas, so daß der Campanile neben der Siegessäule und der Fernsehturm neben dem Obelisken steht, und du vom Forum zum Fußballstadion gehst und dann zum Platz vor Sankt Peter und von dort in die Oper.

Oder ist eine andere Stadt ewiger, jene, vor fünftausend Jahren gebaut, vor Jahrzehnten ausgegraben ? Die Mauern kniehoch geschichtet, der Raster erkennbar: Schon damals ein Rechteck, schon damals im Schwemmland zwischen Euphrat und Tigris Haus an Haus und an den Häusern vorbei Straßen um Straßen, die sich kreuzen.

Aber es gibt nicht nur ewige Städte, sondern auch goldene.

Du hättest in eine aufbrechen können, als Japan noch Cipangu hieß. Und du hättest in Ghana, zur öffentlichen Speisung eingeladen, mit Tausenden vor dem Palast eines Fürsten sitzen können, dessen Söhne ihr Kraushaar mit Goldfäden schmückten und dessen Hunde goldene Halsbänder trugen. Und du hättest mit den Konquistadoren nicht mehr zurückkehren können, die nach den ›Sieben Goldenen Städten‹ suchten.

Aber es gibt nicht nur goldene, sondern auch irdene Städte.

Die, die aus Erde gemacht sind, Ziegel aus Lehm mit Stroh vermischt und an der Luft getrocknet, kubische Städte, die Dächer flach und einstöckig die Häuser, leicht wiederholbar von Generation zu Generation. Und die Anlage einer irdenen Stadt auf eine Tontafel geritzt, der Stadtplan aus beständigerem Material als die Stadt selber.

Angesichts nur schon all dieser Städte – solltest du zuerst in die verbotenen gehen und danach in die heiligen, oder zuerst die goldenen und irdenen aufsuchen, aber was, wenn hinterher die ewigen nicht mehr zu finden sind?

Nein, an Städten fehlt es nicht, und doch hast du einmal Städte gebaut. Nicht nach dem Ratschlag eines Philosophen und nicht nach der Empfehlung eines Künstlers, die für alle Städte ein gleiches Aussehen forderten, damit ein für allemal Ordnung herrsche und keine Stadt mehr zum Reisen verführe.

Noch unterm Weihnachtsbaum hast du aus dem Kasten die Klötze ausgepackt. Du hast eine Stadt gebaut, in der die Häuser in einer Reihe standen, als müßtest du noch einmal die Bergarbeiterstadt erfinden. Und du hast die Klötze im Kreis um ein Stuhlbein gruppiert, als wäre das Stuhlbein Kathedrale, Pfalz und Zitadelle, als seien im Zentrum Brunnen, Pranger und Galgen. Auf der Tischplatte hast du bis hart an den Rand Bauklotz um Bauklotz wie ein Schachbrett aufgestellt, aber für mehr Figuren, als für ein Schachspiel nötig sind. Und dann hast du die Klötze hingeworfen und liegen gelassen, als wärst du ein Makler. Und dann hast du die Stadt als Turm gebaut, zuoberst immer wieder den Klotz draufgelegt, der das Ganze zum Einsturz brachte, du hast die vertikale Stadt errichtet, als ob der Quadratmeterpreis unerschwinglich wäre. Und dann hast du eine Stadt ausgedacht, in der die Dächer nach unten zeigten, als wären die Häuser Schiffe, als könne die Stadt schwimmen von Zimmer zu Zimmer.

Wenn du groß seist, hast du der Familie verkündet, wollest du nicht mehr Zauberer werden, sondern Städtegründer.

Überall hättest du Städte gegründet. Zwischen Gletschern und Wolken. Am Meer und im Hinterland, mit einem Pfahlrost im Sumpfgelände und mit Leitern an einer Felswand. Und du hättest an einem See auch die Stadt gegründet, aus der du kamst, aber du hättest Zürich nicht an einem Fluß nur wie der Limmat gebaut, sondern von Anfang an auch am Kleinleutefluß der Sihl.

Sicherlich hättest du Städte an Buchten gebaut wie San Francisco oder Hongkong, mit Hängebrücken und Fähren. Und du hättest in Rio Land aufgeschüttet, und an einer Bucht wie der von Guanabara allen Windungen entlang Straßen gebaut und durch die Hügel Tunnels gebrochen, so daß in diesem Wechselspiel von Berg und Ufer der bucklige Corcovado immer wieder anders ausschaut, und der Zuckerhut nicht mehr weiß, ob er einen Hut trägt oder ob er ihn in Copacabana verloren und ihn die Beiden Brüder an sich genommen haben.

Und sicher hättest du einer Stadt geholfen, der Lagune Boden abzugewinnen und dem Wasser in Kanälen Platz zuzuweisen, und du hättest einer andern Stadt geholfen, Gräben zu ziehen und einen Fluß umzuleiten, so daß die Palazzi und Brücken Venedigs sich im Salzwasser spiegeln und im Süßwasser der Grachten alle Giebel von Amsterdam.

Moskau aber hättest du im Frühling gegründet. Als du dort warst ging der Frühling des Lichts zu Ende, mit dem die Tage länger werden. Der Frühling der Blumen hatte noch nicht begonnen, unter den weißen Birkenstämmen war der Boden noch weiß. Aber der Frühling des Wassers war ausgebrochen; es tropfte von den Häusern, und auf den Straßen ein fröhlicher Matsch, ein zaghaftes Licht über dem Kreml und den Zwiebeltürmen. Und in der Moskwa türmten sich Schollen; mit einem Knall sprang die Eisschicht, und das Wasser drang von unten herauf und drückte mit der Strömung gegen die Sperre und drohte übers Ufer zu treten und schmolz alles Eis fort. Moskau im Frühling, weil keine Stadt fürs Tauwetter sich eignet wie diese.

Paris aber hast du im Herbst gegründet. Als Student im September. Die Ferien vorbei. In den Buchhandlungen die neuen Titel. Erste Premieren und erste Verrisse. Noch Sonne genug für die Boulevard-Cafés, im Wind die neueste Création des Oktober-Parfums, und die Frauen zeigen bereits, was sie im Winter tragen. Und dieser Winter keine Jahreszeit sondern eine Saison. Und auf dem Boul'Mich auf den Trottoirs die Stände mit Büchern, Heften und Schulutensilien. Wann immer du nach Paris kommst, ist »rentrée des classes«, und du kaufst als erstes ein Schulheft, überzeugt, es sei eine Stadt, in der es etwas zu notieren gibt.

Jeder Anlaß war dir recht, damit eine Stadt anfing – ob Einsiedelei oder Heerlager, ob Tankstelle oder Karawanserei.

Aber als du nach Spanien kamst, da waren es nicht tausendunddrei. Auch nicht, wenn du Buda und Pest und andere Schwesterstädte als zwei und alle Budenstädte mitgezählt hast.

Du gingst das Alphabet durch: Aarau ja, aber nicht Al-Kuweit, dafür Altdorf und Aarhus, hingegen nicht Ahmadabad und nicht Aberdeen, dafür wiederum Aachen und Altona, aber warum nicht Antwerpen, aber sicher Arles und daneben Avignon; aber Algier nicht und nicht Aserbeijan, Arica ja, und vielleicht eines Tages doch Anchorage, und sei's zur Zwischenlandung, doch über Alexandria hast du soviel gelesen, daß du behaupten darfst, dort gewesen zu sein.

Und nach dem ›A‹ wäre ›B‹ gekommen und damit Basel, Baden und Bern, aber bevor das ›B‹ kam, hast du schon wieder eine Stadt gegründet. Nicht an einer Bahnhofstraße. Und nicht an einer ›Mainstreet‹ mit Kirche, Schule, Drugstore und Polizei, sondern an den ›Ramblas‹, an einem Plural von Straßen, der an der Hauptstraße zeigt, was Städte sonstwo verstecken – hier hat die Heilige Jungfrau ihre Hausnummer neben dem Pornokino.

Du warst ein Städtegründer zur Zeit der Billigstflüge.

Vier Tage Wien, die Wiege des Walzers, Metropole an der Donau, inklusiv Transfer, fünf Gehminuten zur Oper, und am Abend Geselligkeit beim Heurigen und als Alternative das Riesenrad.

Fünf Tage London, die Weltstadt an der Themse, der Kronschatz und die internationale Atmosphäre in Soho. Covent Garden mit Geschäften und Galerien, ein Charter und zwanzig Kilo Freigepäck.

Inbegriffen die Meerjungfrau in Kopenhagen und der Männikenpiss in Brüssel. Was, Sie waren noch nie in Tokio? Sie reden von Straßen und sind nie auf der Ginza spaziert? Sie wissen nicht, wieviel Füße dort pro Minute auf einen Quadratmeter kommen?

Du hast Städte gegründet, indem du sie aufgesucht hast, als gebe es sie erst, nachdem du dort gewesen. Als sei deine Ankunft ein Gründungsakt: Ich bin da, es werde Stadt.

Und du hast Städte gegründet, indem du sie besungen hast.

Die eine wegen Lebkuchen und die andere wegen Nüssen. Die, deren Namen ein Schinken trägt, und die, nach der ein Baumwollstoff heißt. Die, welche das schönste Blau für Kacheln herstellt, und jene, in welcher die besten Puppenspieler leben.

In der Stadt, aus der du kommst, die Dämmerung. Zögernd der Abgang und zögernd der Auftritt. Die Türme lösen sich im eignen Hintergrund auf, und die Brücken geben dem Flüstern der Limmat nach. Ein Feierabendgrau, das schläfrig wird, und über den Dächern eine Gutenachtgeschichte, die sich hinzieht zwischen Kaminen und Fernsehantennen. Vereinzelt ein Stern, und um die Straßenlampen wächst ein Dunkel, das ihren Lichtschein heller macht. Das größte Zifferblatt Europas verblaßt. Zeiger und Zahlen werden eins; von nun ab ist die Zeit nur noch zu hören.

Und dann die Tropenstadt ohne Dämmerung. Wenn die Sonne ihre letzten Strahlen schräg durch die Straßen in die Fenster schickt, und wenn gegen ihre sich aufbäumende Helligkeit Reklamen und Straßenlampen antreten, noch überflüssig aber ihres nächtlichen Triumphes gewiß, doch vorerst Turbulenz von Farben, in denen das Abschiedsrot der Sonne dominiert, wenn auch zerstückelt und auseinandergerissen, und wenn, in allem sich spiegelnd, was reflektiert, aus Naturlicht und Kunstlicht ein drittes entsteht, das zwischen dem, was beginnt und was aufhört, nicht unterscheidet, und für einen heftigen Moment beides gemeinsam aufleuchten läßt.

Das Licht als Architektin, die als Rohmaterial für die Stadt die Nacht verwendet, verschönernd und schummelnd, die versteckt und bloßstellt und orientiert, mit Scheinwerfern preist und mit Leuchtschriften hurt.

Was hast du in die Landschaft von Wolkenkratzern geschaut, wenn nach dem Einfall der Nacht die Lichter angingen. Konstant die Linienführung der Straßen mit ihrem sturen Dreiklang der Ampeln. Mobil alle Fassaden. Weit oben fast wie ein Stern das Rotlicht einer Antenne, als gäbe es dazu kein Fundament, und dann von unten in ganzer Größe eine Front angestrahlt. Einzelne Stockwerke erleuchtet, als schwebten sie in der Luft, aber dann wird das Dunkel darunter stückweise hell, und Licht, wo eben noch Nacht war, und Schwärze, wo eben noch Licht, und dies in die Höhe hinauf und in die Breite, und dieser Wechsel an einem Gebäude und von Bau zu Bau und ganze Straßenzüge lang, und mit jedem Anmachen und Auslöschen entwirft das Licht die Landschaft aufs neue.

Oh wäre alles so einfach zu besingen wie dieses Licht.

Aber wieviel Dezibel erreicht deine Arie? Und wieviel Phon hat der Preßluftbohrer und der Dampfschlaghammer?

Ist das Hupen der Autos und ihr Motorengeräusch nicht lauter als dein Lobgesang, und wird deine Arie nicht übertönt von den Sirenen der Feuerwehr, der Polizei und der Ambulanzen?

Wie willst du die Städte besingen, die Planer im Wettbewerb und mit Studien zerstören, Städte, die den Hauseigentümern und Grundstückbesitzern gehören? Und jene, von denen ein Friedhof blieb und die selber zum Friedhof wurden. Nekropolen, nicht als Totenstädte angelegt.

Und wie besingst du die Stadt, die ausgehungert wurde, und die, die Hunger hat, ohne daß sie belagert wird?

Alle, die namenlos untergingen. Nicht jede hatte das Glück

der Großen Hure, an die sich alle erinnern, weil ein Prophet Babylon verfluchte.

All die Städte, welche Feuersbrunst und Sturmflut heimsuchten, die im Boden versanken, auf den sie gebaut, über die es Asche regnete und durch die ein zäher, heißer Schlamm floß, der später zu fruchtbarer Erde zerfiel. All die Städte, welche Kanonen zusammenschossen, deren Mauern erklettert und geschleift worden sind, groß genug für ein Flächenbombardement, und die zwei Städte, für die je eine einzige Bombe genügte und über denen als Grabkreuz ein flüchtiger Atompilz stand.

Hast du, der du Städte besingst, nicht auch Städte zerstört?

Hast du nicht Karthago mit der hinterhältigen Waffe des Schulbuchs geschleift? Du hast den Lehrern geglaubt, und einer war im übrigen der Meinung, man müsse Karthago zerstören. Und als die Stadt dem Erdboden gleich war, hast du Salz gestreut, damit auf diesem Boden nie mehr etwas gedeihe. Als du hinkamst, war Karthago die Station einer Vorortbahn.

Hast du nicht gejubelt, als Ilion fiel? Als du nach Troja kamst, stand auf dem Gelände ein hölzernes Pferd, nicht von den Griechen errichtet, sondern vom türkischen Verkehrsverein. Unter ›Troja Eins‹ lag ›Troja Zwei‹, Schicht um Schicht eine Stadt unter der andern bis zu ›Troja Sieben‹, und keiner wußte genau, welches das Troja war, das wir meinen und das du mitgeholfen hast zu erobern.

Deine Register-Arie, sie ist auch ein Katalog der Zerstörung.

Willst du die Trümmerberge überwachsen lassen und darauf ein Paradies für Konsumenten und Käufer errichten? Oder überläßt du das Ruinenfeld sich selber und baust daneben die Stadt? Oder baust du sie noch einmal getreu nach Gemälden, Stichen und Photos, als habe der Krieg nicht stattgefunden?

Wie gut, daß Städte selber Städte gebaren, und sei's nur, indem sie andern als Steinbruch gedient.

Jerusalem die Mutterstadt – unter allen Breitengraden bauten sie ihr himmlisches Jerusalem, aber die Klagemauer, die blieb der Mutter vorbehalten, wie groß müßte diese Mauer sein, damit an ihr all die geschundenen Töchter klagen könnten.

Mutterstadt und Pflanzstadt. Die Städte des »Noch einmal, aber anderswo«. Immer wieder Neapolis, heiße es nun Neustadt oder Neuville, Novo Friburgo, New Hamburg oder Nueva Gerona.

Wie oft warst du erst bei den Töchtern und hinterher bei den Müttern, oder hast diese gar nicht kennen gelernt.

Du bist vor dem geschlossenen Apollo-Theater gestanden und hast in den Auslagen des ›Liberation-Bookshop‹ gewühlt, bevor du in eine Stadt kamst, die auch Haarlem heißt und wo blonde Holländer Tulpen ziehen.

Die Städte haben sich vermehrt, ohne daß sie einer besang.

Nirgends hast du wie in Los Angeles auf den Freeways und an den Billboards vorbei, in den Canyons und am Ufer und in der Wüste eine Stadt gesucht, die nirgends aufhört, weil sie nirgends beginnt. Du hast Städte aufgesucht in den Jahrzehnten der Agglomeration, der Trabanten und Satelliten.

Und deine Register-Arie wurde zur Litanei, als könntest du die Städte beschwören, indem du sie nennst.

Die Namen der Hauptstädte, die du einmal in der Schule gelernt hast. Es kamen neue dazu, und andere Kapitalen änderten den Namen. Und die zweiten Städte, die sich gegen die Hauptstadt schwer behaupten, und die, die aus der Hauptstadt eine zweite machen. Städte, die sich als Staat genügen, und jene, die nur in der Hansa und im Bund bestehen. Die, welche ohne Hinterland auskommen, und die, denen man das Hinterland wegnahm, und die, die man teilte. Und dann all die, von denen du nur in den Nachrichten hörtest – aber Beirut hättest du gerne anders kennen gelernt als wegen Barrikaden und Bomben.

Deine Register-Arie und deine Litanei, sie wurden ein Bittgesang, weil du willst, daß es Städte gibt.

Wie aber willst du Städte anflehen, die nicht atmen können und denen es an Wasser fehlt und die in Unrat und Abfall erstikken? Du hast Städte um Erbarmen angefleht, aber es waren die Städte selber, welche Erbarmen brauchten. Und sie stimmten ihre eigene Litanei an, und ihr Register lautete anders:

Ob Bidonville oder Favela, ob Villa Miseria oder Shantytown.

Und immer wieder der Slum – der am Rand entsteht, oder der zustande kommt, weil im Zentrum Häuser verfallen, so daß auch das, was in der Mitte liegt, marginal werden kann. Und in dieser Litanei auch der Gezekondu: was über Nacht gebaut, darf am andern Tag nicht abgebrochen werden.

Doch welches Idiom auch immer in diesen Barackenstädten zu hören war, sie redeten eine gemeinsame Sprache, und diese war aus Sperrmüll und Wellblech verfertigt und verfügte manchmal schon über Ziegel. Aber eines hast du mit den Barackenstädten geteilt, den Glauben an die Stadt.

Indessen klammerst du dich an alles, was dir erlaubt, dein Register weiterzuführen. Und sei es nur, um einen Duft zu loben. Als könnte ein Duft eine Stadt retten wie einst ein einziger Gerechter. Aber gab es nicht Gerechte, die ihre Städte wie Sodom und Gomorrha dem Zorn Gottes überließen? Und wie lange hat Ninive überdauert, nachdem der Prophet es gerettet hat?

Und doch – stieg nicht in Bahia der Ölgeruch der Dendepalme von den Straßenküchen der Mulattinnen empor? Und wieviel Eukalyptus lag in der mundfrischen Luft der kalifornischen Kleinstadt? Und was für ein Juni, wenn an der Bahnhofstraße in Zürich der Duft der Lindenblüten die Banken lieblich macht.

Du willst, daß es Städte gibt. Ein Stadtflüchtiger, der von Stadt zu Stadt flieht, als suche er Schutz. Aber die Freiheit, die du meinst, die garantieren weder Wall noch Graben.

Du suchst in der Stadt die große Verfügbarkeit: alles disponibel, was du brauchst, aber auch all das, worauf du verzichten kannst, aber von dem du möchtest, daß es da ist, für den Fall, daß dir der Sinn darnach steht. So wenig dir am Ende genügen mag, damit die Freiheit nicht wenig ist, muß das Verfügbare so groß wie möglich sein.

Dort, wo eine Möglichkeit andere möglich macht, und all die andern Möglichkeiten die eine, und unter den einen die deine, die wiederum die einen und die andern ermöglicht.

Du bist in Städten auf die Welt gekommen, und eine unter ihnen war deine Geburtsstadt.

Wir werden geboren, aber wir kommen nicht auf die Welt, hatte der Immune in jener Nacht gesagt. Geht man das Register seiner Städte durch, darf man annehmen, es hätte zumindest nicht an Möglichkeiten gefehlt anzukommen.

Es wundert mich je länger je weniger, daß ich einem anderen Immunen begegne als dem, den ich zu kennen gemeint habe. Mir kommt es vor, als habe er mich mit diesen Papieren hintergangen.

Wenn er sich jeweils verabschiedete und tat, als gehe er weit weg – sollte er etwa nur zu diesen Papieren gegangen sein? Aber vielleicht liegen diese viel weiter weg als alles, wohin wir je aufgebrochen sind.

Anderseits kann es mich nicht überraschen, daß der Immune einen Katalog von Städten zusammentrug. Er hatte einmal davon gesprochen in einer jener Metropolen, in denen die Sonne nicht bei Tagesanbruch aufgeht, sondern wenn es ihr gelingt, durch den Smog zu dringen.

Wir standen auf einem der Hauptplätze und taten nichts als schauen, wer uns entgegenkam und an uns vorbeiging: Südländer und nordische Typen, Indios und Levantiner, Mulattinnen und Mestizen, Mestizinnen und Mulatten, Juden und Farbige jeder Tönung, Germanen, Slawen, Japaner und all die, über deren Herkunft und Zugehörigkeit wir nur Vermutungen anstellen konnten. Was es da alles an Haaren zu sehen gab, an seidenfädigem, krausem, struppigem, blondem, braunem und rotem, wie verschieden die Backenknochen ausgeprägt waren und wieviele Formen die Augen hatten und erst die Vielfalt der Nasen.

Er versuchte mich davon zu überzeugen, daß die Städte von morgen die seien, in denen möglichst Verschiedene zusammenleben. Und daß die Rassenkrawalle Wehen sein könnten, die durchgestanden werden müßten. Aber wenn diese Städte einmal alle Diskriminierungen hinter sich hätten, würden sie von den Städten beneidet, die sich zwar ihrer Ruhe rühmen konnten, aber die entdecken müßten, wie arm sie sind, da in ihnen nur lauter Gleiche wohnen.

Es könne nie genug Anders- und Verschiedenartiges zusammenkommen – wie mir dieser Satz im Ohr klingt, wenn ich an uns selber denke. Wie wenig es in unserem Falle genützt hat, daß wir uns ein Leben lang aneinander zu gewöhnen versuchten.

In seiner Aufzählung der Städte hat er Bombay unterschlagen. So überstürzt wie dort hat er selten gepackt. Zwar behauptete er, er habe gesehen, was ihn interessiere. Er war spät nach Hause gekommen, zu Fuß, und er erzählte, wie er über die gestolpert sei, die bis in die Mitte der Straße auf dem Asphalt schliefen, mit alten Zeitungen und Lumpen zugedeckt, einer neben dem andern und dies Straße um Straße, und als er sich bei einem entschuldigte, auf dessen Füße er getreten sei, habe er gemerkt, daß der vor seinen Augen mit einem kurzen Röcheln weggestorben sei, und der, der neben dem Sterbenden lag, habe den Toten etwas beiseite geschoben, um mehr Platz zum Schlafen zu gewinnen.

Der Immune war damals geflohen, und ich hatte es ihm ins Gesicht gesagt, und er hat es zugegeben: Fliehen gehöre auch zu seiner Methode des Davonkommens, allerdings sei es eine Primitivform, aber als Zwischenlösung durchaus brauchbar.

Nein, an Methoden hätte es dem Immunen nicht gefehlt, zumal er selber gestand, jede Situation rufe nach einer eigenen Methode.

So konnte er plötzlich nach dem Wörterbuch greifen und seitenlang ein Wort nach dem andern laut lesen; es hörte sich wie eine Litanei an; er nannte ja auch das Wörterbuch ein Buch der Bücher. Sein Vor-sich-hinlesen war eine Beschwörung all dessen, was es gab und was es hätte geben können.

Sein Aufzählen konnte zur Manie werden. Er legte nicht nur ein Register der Städte an. Er machte ebenso eine Aufstellung von Ghettos, auch wenn mir nicht klar ist, wofür er die brauchte. Angefangen bei dem Ghetto, wo jeden Abend eine Kette vorgehängt wird. Dann das Ghetto, das einer ersten Generation Rükkendeckung gewährt. Und das, aus welchem die zweite Generation auszieht und wo nur noch Straßennamen als Erinnerung bleiben und wo sich die Bäckereien am längsten behaupten, die an Festtagen traditionelle Brotformen anbieten. Und das Ghetto, aus dem auch die dritte und vierte Generation nicht herauskommt. Aber auch das Ghetto, in dem Besitz neben Besitz liegt und Villa neben Villa steht, und um das eine Mauer errichtet wurde, und wo bewaffnete Wächter die zwei, drei Zufahrten kontrollieren.

Wenn der Immune sonst vom Ghetto sprach, meinte er gewöhnlich meinen Kopf, oder er spielte auf unsere Wohnung und unsere Terrasse an.

Auf dieser Terrasse hatte ich ihn eines Morgens überrascht, wie er seltsame Bewegungen und Verrenkungen ausführte; ich war verdutzt – ob er plötzlich Gymnastik treiben wolle? Aber er übte Boden-Luft-Signale, für den Fall, daß wir uns einmal auf einer einsamen Insel befänden oder nach einem langen Marsch durch den Dschungel auf eine Lichtung gelangen würden und plötzlich am Himmel ein Flugzeug auftauche. Beide Arme gerade empor gestreckt, signalisierten: »Kommt mich holen.« Und beide Arme waagrecht ausgebreitet, heiße: »Ich benötige dringend Hilfe.«

Solche Momente häuften sich in letzter Zeit und weckten in mir den Verdacht, der Immune fange an, sich übers Davonkommen lustig zu machen oder das Davonkommenwollen sei bei ihm zu einem puren Reflex geworden, er hatte ja damals auch an seiner Arche herumgebastelt.

Nun diente uns die Terrasse nicht in erster Linie als Turnplatz, sondern als Loge. Aufs Geländer gestützt, konnten wir verfolgen, was sich unten auf der Gasse tat; aber manchmal ging ich nur kurz hinaus, gleichsam um mich zu vergewissern, daß es die Gasse noch gab. Der Immune kannte den Tagesrhythmus so gut, daß er manchmal nicht auf die Uhr sah, wenn er wissen wollte, wie spät es war, sondern einen Blick hinunterwarf. Dort traten auch die Straßensänger auf, und einer sang einen Sommer lang davon, wie grün es in Irland sei, so daß wir uns fragten, weshalb er nicht hingehe. Eines der längsten, wenn auch monotonen Straßentheater, dem wir von hier oben beiwohnten, boten die städtischen Arbeiter, als sie Rohre verlegten und Kabel einzogen.

Auch der Immune wollte einmal eine Straße aufreißen, und zwar jenes Teilstück, das vom Gymnasium, wo wir zur Schule gegangen waren, hügelan zu den Hochschulen führt. Der Immune war überzeugt, wenn man hier die Straßen aufrisse, kämen all die Gräber zum Vorschein, in denen junge Leute auf ihrem Weg nach oben ihren Dichter verscharrten.

Und was für Gräber unter dem Straßenniveau lagen, erfuhren wir, als die Häuser in unserer Umgebung renoviert wurden und von ihnen nur die Fassadenmauer stehen blieb, die man abstützen mußte. Zum ersten Mal sahen wir, wie verwinkelt die Grundrisse in diesem Teil der Altstadt waren. Sie höhlten die Häuser bis auf die Keller aus, und als sie die Kellerböden aufbrachen, stießen sie auf Gräber aus dem zwölften oder elften oder einem noch früheren Jahrhundert. Die Bauarbeiten mußten vorübergehend eingestellt werden. Wir sahen zu, wie ein junger Archäologe Schicht um Schicht löste. Er trug eine Mütze mit Ohrenklappen und glich einem Dackel, der nach Knochen wühlt. Jugendliche Arbeitslose halfen ihm die Knochen sauber zu pinseln und zu Skeletten zusammenzusetzen.

Wir hatten schon immer gewußt, daß wir auf einem einzigen Friedhof wohnten, aber wir hatten es bis anhin noch nie gesehen.

Was nicht alles zu unseren Füßen liegt, meinte der Immune, als könne man keinen Fuß mehr auf den Boden setzen, ohne ihn gleich wieder hochheben zu müssen, so daß einem nichts anderes übrig bleibe als zu laufen, irgendwohin und in jede beliebige Richtung.

Er und seine Füße. Er hatte einmal die Völker danach eingeteilt, wie sie sich auf der Straße bewegen. Zuunterst hatte der die placiert, die geradeaus und drauflos gehen: Achtung ich komme. Viel höher hatte er die eingestuft, die von vornherein eine tänzelnde Gangart einschlagen, so daß das Aneinander-Vorbeikommen nie nach Ausweichen ausschaut.

Ich erinnere mich an den Immunen als Tänzer wegen eines ganz anderen Anlasses. Wir saßen hinter einem Einfamilienhaus auf einem Gartensitzplatz, der mit Granitplatten ausgelegt war, unter einem Sonnenschirm, im Hintergrund alter Baumbestand, der Rasen wurde besprengt, und auch die Konversation war, als ob sie aus dem Sprinkler käme.

Kaum hatte jemand vom Menschen und dessen Verwurzelung gesprochen, sprang der Immune auf und stellte sich vor einen Baum. Ich glaube, es war eine Linde, aber ich war nie stark, was Kronen und Blätter betrifft. Er breitete seine Arme aus und bat den Baum um einen Tanz. Er trat einen Schritt zur Seite und wartete darauf, daß der Baum es ihm nachmache. Der aber verharrte an Ort und Stelle. Der Immune hüpfte und fragte den Baum, ob er keine Lust habe zu tanzen, und nach einigen Trippelschritten wandte er sich erneut an den Baum, ob er vielleicht gar nicht tanzen könne. Der Immune setzte zu langen Schritten an, als hätte eine Kapelle einen Tango angestimmt, dann wirbelte er im Dreivierteltakt und ging in die Knie, als wolle er einen Charleston hinlegen, er tanzte um den Stamm und führte dem Baum vor, was für Schritte man machen kann, wenn man nicht an einer Stelle festgewachsen ist.

Doch dann stellte er sich erneut vor den Baum und bat mit einer Kavaliersverbeugung um Entschuldigung. Nicht für sein Benehmen, sondern dafür, daß die Menschen den Baum nicht Baum bleiben lassen, sondern sich bei ihm anbiedern. Der Immune erzählte dem Baum von Pfahlwurzeln und Luftwurzeln. Darauf wünschte er ihm »Gut Wind und gut Vogel« – der Wind und die Vögel, die würden dem Baum helfen, Träume zu verwirklichen, der Wind und die Vögel, die würden die Samen weit wegtragen, so daß der Baum zwar nicht selber, aber alle seine Sprößlinge anderswo wachsen und einen andern Teil der Welt kennenlernen könnten.

Natürlich belehrten die Gäste den Immunen, der Vergleich mit den Wurzeln sei nur ein Bild, und der Gebildetste unter den Eingeladenen sprach von einer Metapher. Doch der Immune entgegnete scharf, die Leute würden immer dann symbolisch, wenn sie keine Lust hätten, zu Ende zu denken. Und dann erkundigte er sich bei den Gästen, woher sie stammen; natürlich lebte keiner mehr an dem Ort, wo er geboren worden war; sie hatten mindestens das Stadtviertel gewechselt, und andere waren aus Gemeinden, Dörfern und Städten weggezogen, und der Gastgeber selber stammte aus einem anderssprachigen Landesteil und einer seiner Geschäftspartner aus einem andern Kontinent. Der Immune ließ nicht locker: sie seien doch alle innerhalb der Hierarchie gewandert, von unten nach oben – dann hielt er inne, als suche er nach einer Erklärung: Es gebe natürlich auch Kletterwurzeln.

Der Immune wehrte sich nicht nur dagegen, daß man uns Leid oder Glück aufschwatze oder daß man uns mit Problemen traktierte, die nicht die unseren waren, sondern er wollte sich auch gegen falsche Vergleiche immunisieren, die seien noch viel gefährlicher als falsche Meinungen, weil falsche Vergleiche einem so leicht fallen.

Bei seinem Tanz um den Baum kam mir in den Sinn, wie gerne der Immune vor dem Eindunkeln in Zürich landete; dann, wenn die kleinen und mittleren Flugzeuge, welche für Städteflüge eingesetzt wurden und europäische Ziele bedienten, am Rand der Piste, eines neben dem andern, standen. Da konnte mich der Immune in die Seite stoßen: »Schau, die Vögel sind schon zuhause.«

Es leuchtet ein, daß sich unter den Papieren ein Kartenblatt findet, auf dem Vögelzüge eingetragen sind. Es ist von gleicher Art wie das Blatt, das vor die Register-Arie der Städte rutschte und auf dem die Routen der Bäume und Pflanzen eingezeichnet sind, so daß man daraus ablesen kann, welchen Weg der Reis oder der Mais von einem Kontinent in den andern zurückgelegt haben.

Ein fast unentwirrbares Bündel solcher Kartenblätter liegt vor. Die topographischen Karten machen nur einen geringen Teil aus, viel zahlreicher sind die thematischen. Eine mit Schiffsuntergängen: die Titanic und die römischen Schiffe, die mit griechischen Plastiken beladen vor der sizilianischen Küste versanken, Pearl Harbour und die Armada sind Stichworte, aber es gibt auch Punkte für die Stellen, wo die Boote von Schwammtauchern und Sardinenfischern untergingen. Und neben den Schiffsuntergängen die Flugzeugabstürze. Und neben einer Karte mit Schiffslinien eine mit Fluglinien und eine mit den Bahnen der tropischen Stürme und den Umlaufbahnen der Satelliten nach der Bahnkorrektur. Ein eigenes Blatt für Handelsrouten, die Seidenstraße und die Salzwege, für die Karawanen und die Öltanker. Und nicht nur Kriegszüge, sondern auch Flüchtlingsströme und Missionsreisen werden eigens berücksichtigt. Und dann wieder eine Karte mit Fundstätten, seien es Königsgräber oder Phosphatlager. Und auf der Karte mit den Eisenbahnlinien sind die Strecken mit Punkten markiert, auf welchen Deportierte in die Lager transportiert worden waren.

Viele dieser Blätter sind erst angefangen. Auf einigen sind am Rand Namen notiert oder Angaben über den Eiweißverbrauch. Auf der Schmuggelkarte findet sich lediglich eine Urwaldschneise für Kokablätter und ein Pfad für Menschenschmuggel. Ein Blatt aber ist fast schwarz. Darauf hat der Immune die Wege eingetragen, die Liebende zurücklegten, um einander zu finden.

Alle diese Blätter sind durchsichtige Folien. Mir scheint, der Immune habe sich an dem Doktorbuch inspiriert, das wir als Jugendliche konsultierten und in dem wir unter »Geschlechtsleben« nachlasen; in diesem »Praktischen Hausarzt« gab es Blätter, die man übereinanderlegen konnte, eines für den Knochenbau, eines für die Muskeln und Nervenstränge und eines für die Blutbahnen, zusammen ergaben sie ein Ganzes.

Ähnlich sollten wohl auch diese Blätter verwendet werden; denn sie sind numeriert, allerdings sind die meisten Nummern korrigiert, und oft stehen auf einem Blatt verschiedene Nummern, so daß nicht klar ist, ob die Mondkarte über die mit der Zoneneinteilung gehört, so daß das Honigtal über dem Hungergürtel läge, oder ob ein Brutgebiet unter einem Soldatenfriedhof hervorschimmern oder dort die Temperaturkarte liegen sollte, aus der man ablesen kann, wo sich die Fischschwärme aufhalten.

Und daneben ein Blatt, das mit den andern nichts zu tun hat, ein Blatt mit einem Haus auf Pfählen und einem Reisfeld, mit einer Kuh und einem Wasserbüffel und Schriftzeichen, die ich nicht lesen kann – vielleicht ist diese Kinderzeichnung auch ein Kartenblatt.

Jedenfalls verstehe ich jetzt besser, was der Immune meinte, als er sagte, er orientiere sich nach einer Karte, auf der sich die Routen der Kreuzzüge mit der der Pipelines träfen und die Wege der Völkerwanderung mit den Waffenstillstandslinien und diese wiederum mit den Leitlinien der Vögel und sie alle mit jenen Grenzabschnitten, wo der illegale Übergang leichter sei.

Die Anordnung dieser Blätter wird umso schwieriger, wenn nicht unmöglich, weil der Immune auf einige Seiten nur Spielkarten geklebt hat, darunter auch runde aus Indien, als gehöre zu seinem Konsultieren der Karte auch jenes Kartenlesen, das der Wahrsagerei dient. Und zwischen einer Karte mit Fähren und Pässen und der mit den Landbeben und den Seebeben liegt eine kosmologische Karte. Gehört nun der Karo-Bube über den Weltberg oder darunter, und überhaupt, welches Blatt müßte zuunterst liegen? Jenes mit den Leuchttürmen oder jenes, auf dem ein Pionier Orte eingetragen hat, die es gar nicht gab, aber die er einzeichnete, weil er die Leere des Raums nicht ertrug?

Der Immune wollte eine Karte anlegen, und es wäre ein Buch daraus geworden.

Aber damals, als die Neue Welt so neu war, daß sie noch nicht zu ihrem endgültigen Namen gekommen war, damals, als der Immune in Lissabon aufs Schiff wollte, da nahm er keine Karte mit; er trug lediglich einen Beutel auf sich; denn oft hat uns das Geld weitergebracht als eine Karte.

Der Aufbruch

Es roch nach frisch geteerten Planken, zusehends verloren in der Sonne die Bretter den feuchten Glanz ihres Anstrichs. Pech kochte in einem Kessel; wenn eine Blase platzte und Spritzer den Arbeiter trafen, der im Brei rührte, stieß der Flüche hervor. Der Geruch von Pech verband sich mit dem der Stockfische, zerstükkelt und eingesalzen lagen sie zuhauf nebeneinander, und ihre dicke Kruste bröckelte. Zwischen Plaudern, Zetern und Feilschen präzise Kommandos, als Antworten darauf Rückfrage, Bestätigung und Murren. Und von den nackten Rücken der Träger, die Balken und Ballen buckelten, ein Schweiß, als würde Knoblauch gedünstet. Der Singsang der Frauen, die Orangen und Feigen anpriesen, sie kauerten im Schatten einiger Plachen, die sie über Stecken gespannt hatten; einer kroch auf dem Schoß ein Kleinkind herum, das sich am schwangeren Bauch zu halten suchte. Das stumpfe Klopfen auf Steinen und das tänzelnde Hämmern auf einem Amboß. Und um einen Bottich Kinder, die Muscheln schrubbten. Das Grölen einiger Angetrunkener, die einander herumbugsierten und die ein Schwein jagten, das sich grunzend verirrte. Irgendein Gekicher und Schimpfen, und in der Menge vereinzelt ein Fischweib, ihre Rufe so glitschig wie die Last, die sie auf dem Kopf trug, den Hals aufrecht, so sehr sie auch die Hüften schwenkte. Als der Wind auffrischte, wirbelte er Späne, Staub und Röcke hoch, zerrte an den Stoffen, die über Stangen hingen, und zerriß Rauchschwaden. Ein Husten und Hüsteln, ein Keifen und das einsame Gekreisch einer Säge. Der Wind trieb vom Kloster das Bimmeln der Glocken über die Buden bis zu den hintersten Stapelplätzen. Und mit dem Ave Maria ein Hauch von Mandelblüten, der sich für einen Moment über die Ecke legte, wo neben den Schuppen die Marktleute ihre Notdurft verrichteten und wo es nach Exkrementen stank. Dann wiederum ein monotones Scharren von Mauleseln, ein Peitschenknall und das ratternde Aufschlagen von Ware auf einer

Ladebrücke. Die Keramikkrüge, zum Verkauf aufgetürmt, schwitzten, ein stumpfes Leuchten über den Kupferkesseln und dem Zinngeschirr. Neben Tuchballen war ein Händler eingeschlafen, wie zur Bewachung ein Bein über seinen Kram geschlagen, an einer Stange darüber geschnitzte Rosenkränze. Der wohlige Geruch von Fäulnis, der von Pfählen hochstieg, an denen sich Algen verfangen hatten. Und der polierte Geruch von Leder; nicht alle Häute, die auf die Verladung warteten, waren gegerbt, einige nur sauber geschabt, es hingen noch Fleischfetzen daran, die verwesten; Schmeißfliegen, die hinüber wechselten zum Stand mit den Brotlaiben, wurden verscheucht und schwärmten um den, der auf dem Boden saß und sein Geschwür am Oberschenkel aus Lumpen wickelte. Von irgendwoher ein Schwall von ranzigem Öl und einzelne Trompetenstöße, als würde ein Instrument ausprobiert. Ein träges Flimmern in der Luft und diffuse Schatten. Und ein plötzlicher Windstoß, der alle Gerüche wegblies und alle Gespräche zerpflückte. Auf dem Fluß trieben neben den Fischerbooten vereinzelte Laute, mischten sich mit dem Kreischen der Vögel und verloren sich zwischen ausgefransten dösenden Wolken.

Durch dieses Gewühl, an Händlern und Gaffern vorbei, unbekümmert um Träger und Marktfrauen, bahnte sich ein junger Mann seinen Weg, die Arme ans Wams gepreßt, am Gürtel einen Beutel und auf dem Rücken einen Reisesack. Als er an den irdenen Ofen stieß, auf dem eine Frau Sardinen briet, hörte die auf, mit dem Wedel die Holzkohle zu fächeln und rief ihm Verwünschungen nach. Doch der junge Mann nahm die Frau so wenig zur Kenntnis wie den Bettler, der den Weg versperrte, ihn mit weißen Augäpfeln anglotzte und vor sich hinleierte; das Mädchen, das den Blinden führte, hockte am Boden, knackte eine Laus, die es eben gefangen hatte, und zog von selbst seine Beinchen zurück. Der junge Mann wich aus, als hätte er die Strohmatte bemerkt, auf der eine Bäuerin ein paar Zwiebeln anbot, aber er hatte nicht hingeschaut, und ohne hinzuschauen entschuldigte er sich bei einer Schönen, die ihr Knie sanft an sein Bein drückte und das Schultertuch spannte, so daß dieses ihre

Brüste griffbereiter nach oben preßte. Zwar hatte der junge Mann im letzten Moment einen Schritt zur Seite gemacht, aber er war dennoch an den Küfer gestoßen, der ein Faß zunagelte, und dieser stieß seinerseits an das Faß, daß dieses überschwappte, eine braune Brühe ergoß sich daraus, einzelne Fleischstücke schlidderten über den Boden, Essig stach in die Nasen, und ein Hund, hechelnd und ausgemergelt, schnupperte an der Brühe, aber die Lake war ihm zu scharf.

Der junge Mann sah nur eines und fragte sich, ob es eine Galeone oder eine Karavelle sei oder ein neuer Schiffstypus, wie er bisher noch nie gebaut worden war. Von den Werften kommend, hatte er von weitem die Takelage erblickt, und, obwohl er verschwitzt und übermüdet war, die Füße aufgeschwollen in seinen Stiefeln, hatte er seine Schritte beschleunigt, sich durchpuffend und die Stöße, die man ihm versetzte, kaum spürend, die Einkaufskörbe und gefüllten Taschen zur Seite drängend, an allem Geschrei vorbei und durch alle Gerüche hindurch.

Wie der junge Mann an der Mole das Schiff in seiner ganzen Größe vor sich hatte und wie er auf den Fluß hinausschaute, der sich hier zu einem Meer auftat, und wie er der Strömung folgte flußabwärts zur offenen See, die sich nur ahnen ließ, und wie er die Höhe des Großmastes abschätzte und durch das Tauwerk in den Himmel sah, wurde er aufgescheucht. Ein stöhnendes Bündel von Armen und Beinen kollerte ihm zu Füßen, und ein dunkler Haarschopf verbarg sich zwischen seinen Beinen. Der junge Mann sah sich einem Matrosen gegenüber, der zwar noch mit dem Fuß ausholte aber nicht mehr zutrat, und der schimpfte auf den jungen Mann ein, auch wenn er nicht ihn, sondern den Lümmel meinte, der sich inzwischen hinter dem jungen Mann verkrochen hatte. Das nächste Mal werde er den Lumpenkerl zum Krüppel schlagen oder besser noch, er werde ihn einsperren und auf hoher See ins Wasser werfen, all das Pack, das sich aufs Schiff einschleiche und zu nichts nütz sei, außer zum Fressen, immerhin, er habe ihn zusammengestaucht, daß der nicht so rasch wieder auftauche.

Der Matrose zog Rotz hoch und zielte vor die Fußspitzen des jungen Mannes, eine dicke Spucke klebte auf dem Boden, wie um die Drohungen zu besiegeln.

Der junge Kerl kroch zwischen den Beinen hervor, blieb am Boden sitzen, streckte sich, stöhnte und rieb sich die Lenden unter seinem zerrissenen Hemd, dann streckte und bog er seine Finger und prüfte, ob die sich noch bewegen ließen, da erst hob er den Kopf, und der junge Mann blickte in ein Bubengesicht, dessen Augen feucht vor Wut und Angst waren und die Wangen verschmiert: Das nächste Mal würden sie ihn nicht erwischen, er werde sich woanders und nicht im Beiboot verstecken, und auf hoher See würden sie niemand ins Wasser werfen, da würden ihm sicher die Padres helfen. Der Junge zeigte mit der Hand über den Fluß: Er stamme vom andern Ufer, aus dem Alentejo, von Jenseits des Tejo, er habe die Männer begleitet, die Käse brachten, sieben Fässer, aber er sei nicht mit ihnen ins Dorf zurückgekehrt, schon als sein Vater noch lebte, sei er überflüssig gewesen, er bleibe hier, er wolle aufs Schiff: »Und wenn es nicht dieses Schiff ist, wird es das nächste sein, und wenn es nicht das nächste ist, dann eben ein anderes.« Da lächelte der Bub, der fremde Senhor, der werde wohl kaum begreifen. Aber der Fremde widersprach: Wenn er etwas verstehe, sei es das, denn deswegen sei er hierher nach Lissabon gekommen, auch er wolle aufs Schiff.

Da verzog der Junge das Gesicht; ein Mundwinkel hing herunter, und der Junge tupfte mit dem Finger auf die Stelle, die rot angelaufen war, betrachtete kurz den Blutfleck an der Fingerkuppe, dann blickte er wieder zu dem jungen Mann hoch und sagte nur: »Pedro«. Er wußte nicht, sollte er in dem Fremden einen Kumpan und Schicksalsgefährten begrüßen, oder war das einer, der den Platz wegnahm, der ihm zustand.

Aber der junge Mann achtete längst nicht mehr auf den Jungen und auch nicht auf eine Alte, die das Ganze seit geraumer Zeit verfolgt hatte und sich nun heranmachte und auf den Buben einredete: »Sei dem Heiligen Antonius dankbar, daß dich einer vom Schiff geprügelt hat« – er solle zurückkehren, ins Dorf, zum Vieh und zu den Feldern, und dort eine Frau nehmen und darauf achten, daß die ihm nicht Kinder gebäre, die dann auf und davon in die Welt hinauslaufen. Mit einem Ruck breitete sie die Arme aus und streckte sie gegen das Schiff, ihre Tücher flatterten, als sei sie ein schwarzer Vogel, der sich wehrt und angreift zugleich, und sie krallte ihre Finger in die Luft, als wollte sie mit ihnen die Maste knicken und die Taue zerreißen: »Die sind verrückt, alle Portugiesen sind verrückt, eine wahnwitzige Rasse.« Männer, die nur darauf aus seien, aus Frauen Witwen zu machen und die selbst aus einer Verlobten wie ihr eine Witwe gemacht hätten, ohne daß sie je Frau gewesen wäre. Als ob es nicht genüge, vom Fischfang nicht mehr zurückzukehren. »Jetzt fahren sie so weit weg, um von noch viel weiter nicht mehr zurückzukehren.«

Pedro tippte an die Stirn. Als die Alte merkte, daß ihr der junge Fremde nicht zuhörte, schlich sie sich an ihn heran und zerrte ihn von hinten an seinem Reisesack, daß er unwillig und erschrocken herumfuhr. Sie schob ihr schwarzes Kopftuch beiseite und zeigte unter grauen Strähnen in ihrem Faltengesicht trübe Augen und ausgelaugte Säcke darunter: Ob er wisse, wie das Volk diesen Ort nenne? Doch war der junge Mann gar nicht neugierig auf eine Auskunft; sie aber näherte sich seinem Ohr, als müßte sie ihm ein Geheimnis zuflüstern; wie sie mit ihrem Mund über seiner Achsel war, schrie sie, daß es gellte, und der junge Mann zusammenzuckte, er hörte nur etwas von »Quai« und »Tränen«.

Der junge Mann schüttelte die Alte ab; sie torkelte einen Moment, kicherte und murmelte ins Tuch, das sie sich wieder übers Gesicht gezogen hatte. Er selber beugte sich über die Mole und sah zu, wie das Wasser versuchte an den Quadersteinen hochzusteigen aber nicht mehr bis zu dem Rand gelangte, der einen früheren Stand markierte. Sein Blick verweilte an der Stelle, wo die Ankerkette im Wasser verschwand und wo sich Kreise bildeten und verliefen, dann folgte er langsam der Schiffswand hinauf bis zu den Luken, hinter denen metallen glänzte, was die Geschütze sein mußten. Darüber erblickte er einen Seemann, der Fugen mit Werg ausstrich, und über ihm wickelte ein anderer aus Plachen ein Segel frei.

Bis ihn ein Meckern aufhorchen ließ. Ein paar Ziegen stießen verzweifelt gegen die, welche sie an ihren Hörnern zerrten und am Steiß packten. Die Männer trieben die Tiere auf ein Netz, das am Boden ausgebreitet war und in dem sie sich verfingen, einer drückte die Ziegen mit dem Knie zu Boden und band ihnen die zuckenden Beine zusammen, dann warfen sie das Netz darüber, und knüpften es an den Haken des Flaschenzugs. Als das beladene Netz in die Höhe ging, baumelte in der Luft ein Bündel schlotternder und meckernder Leiber, und durch die Maschen hing ein zitterndes Euter herunter.

Erst da bemerkte der junge Mann neben sich den Matrosen. Der biß in einen Halbmond von einer Wassermelone, daß es ihm über Finger und Kinn auf die Brust tropfte, wo in grauen Härchen einzelne Kerne klebten. Den andern Arm hatte der Matrose lang ausgestreckt, eine Liste haltend, mit der er die Fässer für Wein und Süßwasser kontrolliert hatte. Der junge Mann erkundigte sich nach dem Namen des Schiffes und erfuhr nicht nur, daß es ›Santa Maria‹ hieß, sondern auch, daß es am nächsten Tag in See stechen werde, und diesmal über Indien hinaus, vielleicht bis zu den Molukken, zu den Gewürznelken. »Morgen schon«, wiederholte der junge Mann mit gedehntem Lächeln, und wollte wissen, ob der Matrose zur Besatzung gehöre. Was denn sonst, grinste der. Am liebsten wäre er wie sein Vater schon dabei gewesen, als sie Kap für Kap an der afrikanischen Küste entlang südwärts fuhren, als sie noch glaubten, man gelange an ein Ende, von wo es einen über den Rand der Erde spüle, damals, als sie ausprobierten, wie man gegen den Wind segelt, ja damals wäre er schon gerne dabei gewesen, als sie bis zum ›Meer der Finsternis‹ vorstießen, als sie Angst hatten, daß die Tropensonne die Haut verbrenne, und auch sein Vater meinte, man kehre schwarz zurück und bleibe für den Rest des Lebens ein Neger. Selbst dabei gewesen sei er erst, als sie um Afrika herumfuhren, um das ›Kap der Stürme‹, das sie wegen der Hosenscheißer in das ›Kap der Guten Hoffnung‹ umtauften, er sei stets ein guter Tänzer gewesen, den besten Tanz biete noch immer das Meer, dann, wenn die Wogen aufspielen, die Kreuzsee, wenn die Wellen gleichzeitig aus verschiedenen Richtungen kommen. Der junge Mann stimmte in die Begeisterung ein und erkundigte sich, wie groß das Schiff sei. »Zu klein«, gab der andere zur Antwort, »für den Pfeffer, den Zimt, den Ingwer, die Edelsteine und das Sklavenpack, immer zu klein«, doch dann stutzte er, saugte an der Melonenschale, warf sie fort und brummte im Weggehen, weswegen denn der Fremde sich für die Lastigkeit der ›Santa Maria‹ interessiere?

Der junge Mann bemerkte, daß ihm Pedro gefolgt war, und dann entdeckte er die Alte, die etwas abseits stand, lauernd, die Hände unterm Schal verborgen, die aber, sobald sie sich beobachtet fühlte, sich an einem Abfallhaufen zu schaffen machte und aus ihm einen Fischkopf hervorwühlte. Doch dann wurde sie zur Seite geschubst. Von überall liefen Leute an einer bestimmten Stelle zusammen, selbst Lastenträger drehten sich um, und zwei, die bisher am Boden gespielt hatten, packten Würfel und Becher ein, eine Händlerin deckte die Oliven-Töpfe zu und ließ sie stehen, und eine andere langte im Vorbeigehen nach ihrem Kind und suchte einen guten Platz zu ergattern. Es bildete sich ein Kreis, Reihe um Reihe, Schulter an Schulter, und Halbwüchsige drängten sich nach vorn. Auch der junge Mann stellte sich hinten an, ein Korb mit Fischen verdeckte ihm die Sicht, er reckte sich auf den Zehen, um zwischen Köpfen und Tüchern und Hüten zu erspähen, was sich in dem Kreis tat.

Einer mit einem glattrasierten Gesicht und einem bronzenen Ohrring bis zur Achsel zeichnete riesige Wolken in die Luft; seine Finger begannen die Wolken zu pressen, bis diese regnen ließen, er machte einen Sprung und hüpfte ein zweites Mal und führte vor, wie der Wind, von Blitzen begleitet, umsprang und wie er von West-Süd-West auf Süd-Ost wechselte; er formte die Hände zu einem Trichter, zischte und heulte und brüllte, und die Köpfe der Zuschauer begannen zu schaukeln, und ihre Körper machten, vom Sturm gepeitscht, die Wellenbewegungen mit und einige wurden vom Zuhören schon seekrank. Und der Bänkelsänger versprach eine Meertragödie, die schauerliche Geschichte von der Karracke ›São João‹, die am Tag von Corpus Christi vor der afrikanischen Küste bei Natal jämmerlich in Grund gebohrt wurde:

»Mitten im Sturm versuchten sie das Großsegel zu setzen, um seewärts gehen zu können, aber das Ruder klemmte, das Schiff war nicht mehr zu steuern, der Wind riß das Segel von der Rahe, und sie versuchten das Focksegel einzuholen, selbst auf die Gefahr hin, quer vor dem Wind zu liegen, aber das Schiff drehte in den Wind, und sie waren bereit, Fässer und Kisten über Bord zu werfen und darunter die Ladung mit den eiergroßen Smaragden und allen Rubinen der indischen Fürsten, und die ersten Schwarzen sprangen von allein in die tosende aufgewühlte See, das Schiff geriet ins Schlingern und wehrte sich gegen die schweren Brecher, und einige bemühten sich, die abgerissenen Schoten zu knüpfen, aber es war unerläßlich, den Mast zu kappen, damit der Sturm das Schiff nicht zum Kentern brachte; die Äxte schon in der Hand, vermochten sie nichts mehr auszurichten, denn keiner konnte sich auf den Beinen halten, gerade als sie den Mast umhauen wollten, splitterte der von alleine, das ganze Rigg stürzte zusammen, begrub einige unter sich, und vom Großmast blieb ein Strunk, der Rest wurde über Bord geschleudert und riß mehrere Männer mit, unter ihnen den Lotsen.«

Da schrie einer der Zuhörer, und alle andern lachten, weil sie meinten, er nehme Anteil am Schicksal der Unglückseligen, und einige Jugendliche äfften die Litanei jener nach, die, sich an irgend ein Holz klammernd, um nicht abzurutschen, laut ihre Sünden bekannten. Aber der, welcher geschrien hatte, hatte gerufen: »Haltet den Dieb.« Der junge Mann spürte, wie einer sich zwischen seinen Beinen durchzwängte, so daß er beinahe den Stand verlor. Die Zuschauer wußten nicht mehr, in welche Richtung sie schauen sollten: dorthin, wo einer, das Messer noch in der Hand, in ein Pferd hineinrannte, das sich aufbäumte und dem vom Maul Schaum spritzte; ihn verfolgte einer, an dessen Hals ein leerer Bändel flatterte, von dem ihm der Dieb den Beutel weggeschnitten hatte. Oder sollten sie sich wieder dem Bänkelsänger zuwenden, der ein schauriges Ende in Aussicht stellte, eine ungeheure Bedrängnis, wie sie noch nie miterlebt worden war, und der mit aller Wucht den Wind von neuem einsetzen ließ, so daß die ›São João‹ unaufhaltsam gegen die Sandbänke trieb.

Da spürte der junge Mann auf seiner linken Achsel den Druck einer Hand, er meinte zunächst, ein Zuhörer stütze sich auf ihn und er preßte seinen Beutel fester an sich, doch der Druck wurde fast schmerzhaft und hart wie ein Polizistengriff. Als er sich, neugierig und irritiert, umdrehte, erkannte er den Seemann von vorhin, der gleich auf ihn wies: »Das ist er.« Er war nicht allein. Neben ihm stand einer, der mußte der Kleidung nach ein Fidalgo sein, und der stellte sich auch als Mestre vor, als Erster Offizier. Auf seine Frage bestätigte der junge Mann: Natürlich sei er ein Fremder, das sehe man wohl schon an seinen Strümpfen und Schuhen, und er klopfte sich Staub von den Hosen, von seiner Sprache nicht zu reden, er komme aus der Schweiz. Während der Fidalgo noch überlegte, mischte sich der dritte ein: das liege im Norden Italiens, in der Lombardei. Bevor der Schweizer genauer werden konnte, winkte der Fidalgo ab: Er habe gehört, der Senhor interessiere sich für die Santa Maria, er könnte ihn dem Kapitän vorstellen. Ob er Mitglied einer Mission sei? Ob er zu einem ausländischen Handelsunternehmen gehöre? Deutsche und Flamen würden sich zuhauf und zu Konkurrenz in Lissabon niederlassen, und die renommiertesten Bankhäuser eröffneten Filialen. Kein Wunder, nachdem dank den christlichen Portugiesen der Gewürzhandel nicht mehr länger ein Geschäft der Ungläubigen sei. Die Ausrüstung eines Schiffes koste, und das gehe nicht ohne Kredit. Aber der Geldgeber habe nichts zu bereuen, selbst wenn nur zwei Drittel eines Geschwaders zurückkehrten, habe sich das Unternehmen gelohnt.

Doch der junge Mann mußte den Fidalgo enttäuschen. Was er an Geld besitze, stecke hier drin, und er klimperte mit seinem Beutel. Da leuchtete es über das ganze Gesicht des Seemanns: Er habe gewußt, da sei die Bestätigung. Der Fidalgo fragte fast im Verhörton, weshalb der Fremde sich nach der Manövrierfähigkeit der ›Santa Maria‹ erkundigt habe. Und der Dritte meinte, mehr zu den andern als zu dem Fremden, überall im Hafen trieben sich Individuen herum, die an irgendwelche Informationen herankommen möchten. Aber Portugal habe sich vorgesehen, es sehe sich nicht umsonst zu einer Politik der Irreführung verpflichtet, wenn er nur an die Seekarten denke, auf denen bewußt falsche Routen eingetragen würden. Selbst Diplomaten betätigten sich als Agenten. Der Fidalgo zeigte über die Köpfe hinweg flußabwärts auf die Zinnen eines Turmes, der nicht weit vom Ufer entfernt im Wasser stand, ob er wisse, wie man mit Spionen verfahre? Und der Seemann ergänzte: »Dort gibt es Zellen, die machen die Gezeiten mit, da steht einer sechs Stunden im Wasser, und dies einmal am Tag und einmal in der Nacht.«

Einen Moment lang amüsiert, aber dann über die Verdächtigung beunruhigt, wehrte sich der junge Fremde: Wem sollte er schon Informationen verkaufen? Er habe dem französischen König gedient, er könnte auch dem portugiesischen dienen. Der Dritte nickte nur: Berühmt seien die Schweizer Soldaten schon, aber wo kein Geld, da sei kein Schweizer. Der junge Mann begehrte auf, er sei bereit Geld hinzulegen. Nur einen Wunsch verspüre er, aufs Schiff zu gehen. Er habe gehört, daß es neue Welten gebe.

Verdutzt sahen sich die drei an, ungläubig und mitleidig die Schulter zuckend. Der Fidalgo deutete auf den Seemann: »Der Guardião, der kennt sich aus.« Der Maat fragte, ob der Binnenländer etwas vom Astrolabium verstehe, und er feixte, indem er ein Auge zukniff und tat, als nehme er etwas wie ein Fernrohr in die Hand: »Soll ich ihm den Jakobsstab erklären? Oder kennt der Herr eine eigene Methode, um die Position eines Schiffes zu fixieren, wenn ihm nur der Horizont, die Sonne oder die Sterne zur Verfügung stehen?« Der Dritte mischte sich ein: Als Verwalter könnte er Leute gebrauchen, die sachverständig mit Waren umgingen – ob er Barchent von Canequim unterscheiden könne, die kenne er sicher, diese feine indische Baumwolle? Oder ob er eine Kaffernsprache beherrsche, das sei immer nützlich, wenn das Schiff an eine afrikanische Küste verschlagen werde.

Da rief es vom Schiff herunter, und alle sahen hinauf. Auf dem Setzbord hockte einer, winkte, hatte die Hosen hochgekrempelt und ließ die Beine baumeln, der Gurt war ihm unter die Wülste gerutscht und er sonnte seinen nackten Bauch, an dem er mit einem Becher kratzte. Der Fidalgo fragte hinauf: »Hast du schon geladen?« – »Klar«, rief der von oben zurück, »zwei Fässer, ein großes Weinfaß und ein kleines Tintenfaß.« Und der Fidalgo erklärte dem Fremden: »Selbst der Posten des Dichters ist besetzt. Mit einem, der schwimmen kann, notfalls mit einem Arm, weil er mit dem zweiten das Manuskript über Wasser hochhalten muß.« Sie bräuchten einen, der ihre Taten besinge, denn was, wenn nicht zu Vers werde, was sie erlebten. Und der Maat stimmte ein: »Einer, der die Frauen besingt. Die Dunkelhäutigen, deren Handflächen und Fußsohlen hell sind, und die Schlitzäugigen, die kaum Haar am Körper haben.« Schon deswegen müsse er mit, um zu schauen, was die Kinder machen, er habe je nach Wind Kinder gezeugt, Monsun-Kinder und Passat-Kinder, bei Sturm und Flaute, und »Gott weiß, vielleicht kommen eines Tages Kinder auf die Welt, die kariert sind wie ein Schachbrett oder gestreift wie ein Zebra.« Der Fidalgo fragte zum Deck hinauf, ob der Poet schon gedichtet habe. Der holte seinen Blick von den Wolken zurück: Für einen Trinker gebe es nichts Menschenfreundlicheres als ein Schiff, da wisse er nie, torkle er selber oder schwanke der Boden.

Eine Prozession tauchte aus der Menge auf, voran ein Soldat, der zog an einem Strick, an dem vier Männer gebunden waren, mit gefesselten Händen, einer hinter dem andern. Kinder grölten und feuerten die Gefangenen an. Der Unteroffizier, der daneben ging und kommandierte, blieb beim Mestre stehen, schob die schwarze Binde zurecht, mit der er sein ausgestochenes Auge verdeckte, und rapportierte. Er nannte die Gefängnisse, aus denen sie die Männer geholt hatten. Der erste sei ein Dieb, ein ganz gewöhnlicher, aber zu lebenslänglich habe es gereicht, weil er Sakristeien geplündert habe. Und der zweite, dessen Gesicht man vor lauter Bart nicht sah und der an einem Stengel kaute, der sei zu gebrauchen, ein berühmter Totschläger, der habe einen Rivalen erstochen, im Rausch, als er ihn bei seiner Frau erwischte. Und der dritte sei ein Betrüger und Fälscher, einer, der unter der Folter Taten gestand, die er nicht verübt hatte, ein Halunke von

Gottes Gnaden, gerissen und hinterhältig. Und der vierte ein Raubmörder, der nichts bereue; der reckte sein vernarbtes Gesicht und genoß es, daß die Sonne seine Augen blendete, er lehnte den Oberkörper zurück, als wolle er sich nicht mitnehmen lassen, aber er stolperte willig hinterher.

Der junge Mann, unruhig geworden und von nervöser Neugierde, wollte wissen, weshalb sie Gefangene aufs Schiff brächten. Die hätten die Wahl, entweder ihre Strafe bis zu ihrem Tod im Gefängnis abzusitzen und dort zu vermodern oder auf dem Schiff Sklavendienst zu machen, solche Leute könne man gut einsetzen, wenn man an einer Küste anlege, wo man nicht wisse, ob dort Menschenfresser wohnten oder ein Stamm, der keinen Kopf und dafür die Augen im Bauch habe, da schicke man die, die nichts mehr zu erwarten hätten, als Kundschafter aus; würden sie eingefangen, niedergemacht oder gefressen, wüßten die andern, woran sie sind. Und der junge Mann flüsterte: »Was für Chancen Verbrecher haben.«

Der Gefangenenzug hielt an, da neben der Ladebrücke ein Streit ausgebrochen war. Über ein Faß beugten sich zwei Kapuzen, eine weiße und eine braune; als die Männer sich aufrichteten, gab jede Kapuze eine Tonsur frei, und jede Tonsur glänzte im Licht. Aus den weißen Ärmeln einer Tunika streckten sich zwei Hände nach oben, so daß der schwarze Mantel im Rücken frei herunterhing, und der Dominikaner rief den Himmel als Zeugen an. Aber aus der braunen Kutte reckten sich ebenfalls zwei Arme empor, und der Kapuziner rief den gleichen Himmel als Zeugen dafür an, daß das Faß mit dem Meßwein nicht dem Dominikaner, sondern ihm, dem Kapuziner, dem ergebenen Diener seines Herrn, gehöre. Da kletterte der Dominikaner aufs Faß, streckte den Umstehenden ein Kruzifix entgegen und gemahnte sie an ihre Sünden; doch der Kapuziner trat gegen das Faß, so daß der Dominikaner von seiner runden Kanzel purzelte, und der Kapuziner nahm den Büßerstrick in die Hand, um den andern zu vertreiben.

Der Mestre beendete den Streit, indem er einem Soldaten befahl, das Faß herbeizuschaffen; der rollte es unter den Füßen der frommen Streithähne weg, band rasch ein Seil darum, so daß der Maat rief, was das für ein Knoten sei, aber der Matrose gab unwirsch zurück, das sei nicht der erste in seinem Leben, den er knüpfe, und er schnürte das Faß mit einer Kiste zusammen. Dann ging die Ladung ruckweise am Flaschenzug hoch, und gerade als der Matrose das Zeichen gab, den Arm des Flaschenzugs zu schwenken, löste sich das Seil, Faß und Kiste fielen herunter und erschlugen den Mann, der noch immer die Hand erhoben hatte, um die Ladung zu dirigieren. Die Dauben sprangen auseinander und bildeten um den Erschlagenen einen Kranz, und der Matrose lag in einer roten Lache, die um seinen Schädel dikker war vom Blut und sonst dünner vom Meßwein. Auch die Kiste war beim Aufprall aufgebrochen, und es hatten sich in weitem Umkreis Nägel verstreut. Als einige Nägel vor die Füße des Maat kollerten, fluchte der: Die müßten einzeln abgetrocknet werden, sonst rosteten sie, geschmiedete Nägel, das sei für die Kaffer beste Tauschware, mindestens so gut wie Ringe und Schellen.

Bereits kniete Pedro neben dem Erschlagenen, und der Junge hielt sein Gesicht nahe an den zertrümmerten Schädel, dann hob er seinen Kopf und verkündete keuchend den Umstehenden: »Er ist tot.« Er mochte sich nicht von dem Kapuziner beiseite schieben lassen, der dem Toten ein Kreuz auf die Brust zeichnete, und Pedro begehrte auf, als der Pater dem Erschlagenen kurz die Lider öffnete: Er solle ihn nicht von den Toten erwecken. Der Junge hüpfte, und er spürte nicht, wie er mit seinen nackten Füßen in die Nägel trat, er hüpfte aus der Lache heraus, und wie er an der Alten vorbei, die sich schimpfend bekreuzigte, stampfend und johlend weitertanzte, hinterließ er auf dem Boden feuchte Spuren, und er hüpfte bis vor den Ersten Offizier. Noch immer in die Hände klatschend, teilte er ihm mit: »Es ist ein Platz frei geworden.« Die Männer blieben stumm; der Junge holte tief Atem. Er habe zuhause auf dem Land Ziegen gehütet, er könne auch auf dem Meer Ziegen hüten.

Der Unfall hatte dem Bänkelsänger alle Zuhörer weggelockt, und dieser ging durch die Menge und verkaufte als Flugblatt, was er vorher mündlich vorgetragen und vorgespielt hatte. Die

Schaulustigen drängten sich im Halbkreis um den Toten, erzählten sich gegenseitig noch einmal, wie dumpf Faß und Kiste aufgeschlagen wären und wie der Matrose nicht einmal geschrien hatte, und sie fragten sich, ob man den Vorfall als Zeichen des Himmels deuten soll, wie der Dominikaner behauptete, oder als Beweis dafür, wie mies die Schiffe ausgerüstet würden, und sie stritten, ob der Erschlagene Familie habe und ob er aus Porto oder aus Portimão stamme, ob er selber schuld sei oder nicht, aber fast alle waren sich einig, daß er einen besseren Tod verdient hätte.

Der Erste Offizier ließ die Stelle absperren; denn einige hatten begonnen, Nägel aufzulesen und einzustecken. Zwei Matrosen wickelten den Leichnam in eine Plache, traten nach dem Hund, der daran schnüffelte, und trugen den Toten beiseite, deponierten ihn zwischen Kettenkugeln, die zu kleinen Pyramiden aufgeschichtet waren, und Steinsäulen mit einem Kreuz am obern Ende.

Fast beiläufig hatte sich einer zur Gruppe gesellt: sein Lippenbart verriet eine feine Rasur, wirkte fast geschminkt und kontrastierte mit dem Grau seiner Augenbrauen und der wenigen Lokken auf seinem Kopf. Makellos seine Krause, die Knöpfe am Wams glänzten, auch die Schnallen an den Schuhen waren aus Silber. Als sein Blick fragend auf dem jungen Mann ruhte, erklärte der Erste Offizier, das sei einer von denen, die gern mitkommen möchten.

»Ach«, rief der junge Mann, als bereue er, einen Wunsch vorgebracht zu haben, und er wandte sich ab, als wolle er weggehen, aber dann blieb er achselzuckend stehen und spielte mit seinem Beutel, ihm sei klar geworden, daß er als Fremder keine Chance habe. Dem widersprach der Neue. Der Ankermaat sei ein Genuese, und der, der die Geschütze betreue, stamme aus Venedig. Und er deutete auf die Rollen unter seinem Arm: An diesen Karten habe einer aus Nordafrika mitgezeichnet. »Und war es nicht ein Moslem, der als erster die Portugiesen durch den Arabischen Ozean nach Indien lotste?« Er frage sich manchmal, welcher Portugiese welcher andern Nation eines Tages den Weg durch die Meere weisen werde. Das nahmen die andern recht unwillig auf, und er redete leiser. Er selber sei Spanier. Gonzales. Er habe seine Heimat verlassen. Die liege am gleichen Fluß, aber der heiße zuhause anders. Er sei ein Neu-Christ, im Namen der Dreieinigkeit getauft, sein Vater habe noch als Levi in der Synagoge gedient.

Der junge Mann antwortete nichts, er sah sich nur um. Am Unfallort diskutierten einige weiter. Die Marktfrauen waren zu ihren Ständen und Buden zurückgekehrt. Wieder der Singsang der Händlerinnen und die Rufe der Fischweiber. Auf einer Karre rumpelte eine Fuhre Zuckerrohr vorbei, und in einigen Gitterkisten gackerten Hühner. Und einer schrie, weil etwas ins Wasser geplumpst war, und die daneben lachten. Ein paar Soldaten in Brustpanzer und Helm und hinter ihnen Handwerker in ledernen Schürzen und eine Rotte Jugendlicher, die mit einem Erdklumpen spielten, und überall Herumlungernde. Der Flaschenzug war wieder in Betrieb, und die Träger buckelten über die Ladebrücke Ballen und Kisten. Eine barmherzige Schwester, die einer verwachsenen Idiotin zum zweiten Mal übers Gesicht fuhr; diese plärrte und ließ sich nicht von der Stelle zerren, wo sie sich hingehockt hatte. Der Soldat, der den Toten bewachte, beaufsichtigte auch die Gefangenen, die bereits eingesetzt wurden und eine Steinsäule schleppten, und zwischen den Köpfen und Hüten mit Federbüschen ein einzelner Turban, und ein Händler, der einen Ballen Seidenstoffe auspackte und ihre orientalischen Muster anpries. An einem Mast kletterte ein Matrose hoch und prüfte Taue und Rahen.

»Wer da nicht alles mitfährt«, begann Gonzales; er wies mit der Rolle zum Schiff und von dort über Mole und Markt in Richtung der Werften und landeinwärts zum Kloster und auf den Hügel hinauf, wo ein Friedhof lag. »Wer da eines Tages nicht alles mitfahren wird. Nicht nur der Matrose, der kein anderes Handwerk gelernt hat, und nicht nur der, der froh ist, möglichst weit und lange von zuhause weg zu sein, und nicht nur der, der einen seidenen Mantel kriegt, wenn er als erster Land sichtet, und all die, die zwischen den Ladungen ihre privaten Säcke mit Pfeffer oder Spezereien verstecken, und nicht nur der, der mit jeder Seemeile seine Karte korrigiert und sich nur für Stundenglas und Tiefenlot interessiert. Zur Besatzung gehören nicht bloß Mestre und Contermestre und nicht nur Hauptleute, sondern auch ein Kapitän und ein Admiral, der vielleicht nichts von Nautik versteht, der aber über Ansehen und Beziehungen verfügt und die längsten Begrüßungsformeln beherrscht. Aufs Schiff müssen auch die Lanzenträger und Armbrustschützen, und die Soldaten, die vor einem Speer Angst haben werden und sich gegen Pfeil und Bogen wehren und die mit den Donnerbüchsen ihrer Bombarden vorführen, welche Streuwirkung Kanonenkugeln haben. Die, die als Soldaten ausziehen und als Soldaten zurückkommen und oft nicht mehr zurückbringen als Narben oder noch ein Fieber dazu, und die, welche Pflanzer, und die, welche Piraten werden, und der, der als Korsar beginnt und später in einen Orden eintritt. Auch der steht auf Posten, dem als stärkste Erinnerung bleiben wird, daß Pelikane wie Esel schreien, und der zuhause berichten möchte, wie Seelöwen und Gazellen ausschauen. Und all die, denen die fremden Götterbilder Furcht einjagen, bevor sie sie schleifen. Und wie und wo sollen all die Platz finden, die Städte niederbrennen und neue Städte gründen und Städte suchen, die aus purem Gold sind. Und all die, die auf Edelsteine hoffen und ihre Schiffe mit Brasilholz beladen. Und die, welche die Insel, auf der sie landen, ein Paradies heißen, und die all das benennen, was noch keinen Namen hat, und umtaufen, was bereits einen trägt, und der, der sich erkundigt, wie man die Ananas nennt, und die, die nicht nur einen Seidenaffen mitbringen, sondern auch Fremdwörter, und die, die mit dem Kampfer Sklaven ausladen und gleich mit der Versteigerung beginnen. Jäger, welche die Sklaven selber einfangen, und die, die sie einfangen lassen, und die, welche taufen, was sie als menschliche Ware verladen, und die, die diese Fracht bei Sturm als Ballast über Bord werfen. Damit all die und noch mehr Platz haben, müssen ganze Geschwader ausfahren, und man muß ein zweites ausschicken, bevor das erste zurückkehrt. Denn auf die Schiffe wollen nicht nur blinde Passagiere, sondern auch ein Gouverneur und ein

Vize-König, und die nehmen ihre Familie mit. Und auch die, denen wegen Skorbut die Zähne ausfallen werden und die man auf einer Insel oder an einem Strand ihrem Schicksal überlassen wird, die, welche den Schiffbruch überstehen und sich an Land retten und die an Land auf ihren Märschen zugrundegehen, und die, deren Namen man auf keiner Liste mehr führt. Und der Chronist, der alles festhält, auch was dem König nicht paßt. Und die Kauffahrer, welche Buch führen über Moschus und Indigo, die Glaskugeln einpacken und den Tauschwert der Perlen kennen und die Blei in Schellack umrechnen können und Aloeholz mit Baumwolle verrechnen. Und die, welche ihre Bluthunde im Zwinger knapp halten, bevor sie sie auf die Eingeborenen hetzen, und der, der wahrnimmt, daß diese Wilden mit ihren Kindern liebevoller umgehen als die Getauften, und die, die Gefangene machen und selber in Gefangenschaft geraten, die Gastgeschenke tauschen und den Gastgeber in den Hinterhalt locken, die sich mit einem Zweiten gegen einen Dritten verbünden und, wenn der Dritte besiegt ist, den Zweiten niedermachen. Für all die braucht es Platz auf den Schiffen, und so muß man sie notgedrungen immer größer bauen, nicht nur für die Beamten wie den Zahlmeister und Landvermesser und die Handwerker wie den Schmied und den Bäcker, sondern auch für all die, welche dafür sorgen, daß nicht nur Pulverdampf, sondern auch Weihrauch zurückbleibt. Für die, welche das Meßbuch und das Kruzifix einstecken, die sich fragen, ob die Nackten Seelen haben, und die wenigen, welche sich der Unmündigen erbarmen, und die, die sie der einen Gewalt entziehen, um sie der eignen zu unterwerfen. Und alle die, welche den Getauften den Himmel versprechen und sie in die Minen schicken, und die, welche die Frohbotschaft bringen, neben denen, die den Jungbrunnen des ewigen Lebens suchen, die ein Kontor auftun und ein Neues Jerusalem errichten. Und all jene, die, wenn ihr Schiff beladen ist, gleich mit dem ersten günstigen Wind nach Hause segeln, und die, die so lange bleiben, bis sie sich bereichert haben, und die, die hängenbleiben, und die, welche nicht wüßten, weshalb sie heimkehren sollten. Und so fahren eines Tages auf dem Schiff die Mädchen, die man in den Waisenhäusern aufgelesen hat, damit die drüben zu weißen Frauen kommen. Und die den Katechismus und die Gesetzbücher mitnehmen, ihre Methode zu bauen und zu foltern, ihre Kleider, Rezepte und Lieder, ihre Hörsäle und ihre Bordelle, und die in der Neuen Welt noch einmal die alte aufbauen. Und unter denen die mitfahren auch einer wie der, der...« Als Gonzales schwieg, fragte der junge Mann, wen er meine, und als Gonzales nicht antwortete, erkundigte sich der junge Fremde, weswegen er, Gonzales, mitfahre. Der lächelte: »Um das Kreuz des Südens zu sehen, ein kleines Sternbild, aber mit seinen vier Sternen eines der hellsten, in der Mitte ein Stück Milchstraße und ein dunkler Sack – wenn man den ausschütten könnte.« Er berechne die Distanzen und Bahnen der Gestirne, er messe einen Himmel aus, den ein Gott komponiert habe, für den weder das Alte noch das Neue Testament zuständig seien.

»Wenn so viele mitfahren«, rief der junge Mann, »unter all den Soldaten und Verwaltern, den Hurenbuben und Missionaren, den Abenteurern und Kauffahrern, den Beamten, Marodeuren, Handwerkern und Profiteuren, unter all denen und den andern muß auch Platz sein für jemanden wie mich.« Doch winkte der junge Mann gleich ab, als verwerfe er selber solche Hoffnung: Er wisse nicht einmal genau, weswegen er wegfahren wolle. Das habe wohl mit seiner Krankheit zu tun. Da wurde die Neugierde von Gonzales ganz sachlich: Er sei nicht nur Astronom, er berechne als Astrologe nicht bloß die günstigen Konstellationen für Ausfahrt und Weiterfahrt, er sei auch Arzt, und als Mediziner überzeugt, man könne wie für die Sterne auch für die Nerven des Menschen eine Karte anlegen.

»Warum nicht«, antwortete der junge Mann, es sei eine schweizerische Krankheit, jedenfalls nenne man sie so in Frankreich, »une maladie suisse«. Und dies, weil sie besonders Schweizer befalle; wenn seine Kompatrioten, die mit ihm Söldnerdienst machten, die heimatlichen Musikinstrumente hörten, hätten sie zu weinen begonnen, ihnen seien die Augen übergelaufen, obwohl sie nüchtern gewesen seien, alle hätten an ihre Dörfer und ihre Städtchen gedacht. Es sei aber eine Krankheit, die ihn selber nicht heimtreibe, sondern fort, nicht dorthin, wo er einmal zuhause war, sondern dorthin, wo es andere Zuhause gebe. Nicht, daß er ein neues Zuhause suche, aber er möchte wissen, was alles ein Zuhause sein könnte. Aber wer solle schon eine solche Maladie verstehen. Gonzales nickte: Er stamme aus einer Rasse, die sei immer gezwungen gewesen, die Fremde mit der Fremde zu kurieren.

Und dann erkundigte sich Gonzales nach den Symptomen dieser Krankheit. Doch der junge Schweizer zögerte: Sie lasse sich nicht einmal lokalisieren. Er zum Beispiel könne sie als Reißen in der Brust spüren, als Flimmern vor den Augen oder als Stich in den Schläfen, und wenn er meine, er habe sie, indem er die Hand aufs Knie lege, spüre er sie im Ellenbogen, es sei eine Wanderkrankheit, die im Körper herumirre, selber auf der Suche nach der Stelle, wo sie sich niederlassen und ein für allemal weh tun könne.

Der Erste Offizier erkundigte sich, ob diese Krankheit anstekkend sei. Und Gonzales analysierte, das sei eine Art Melancholie, die komme von der Leber, von dem schwarzen Saft, den diese absondere und der ins Blut gehe. Der junge Mann überlegte, ob das wohl der Grund sei, daß sie zuhause die Leber mit Alkohol abtöteten. Der Mestre insistierte, ob dies eine Wehmut sei, die ebenso beschwinge wie blöd mache, die die Sinne ebenso wecke wie trübe. »Eine Wehmut, die hochsteigt, wenn ein neuer Tag beginnt, und die zunimmt, wenn der Tag zu Ende geht, und die keinen Schlaf braucht, so daß sie alle Nächte durchwacht, eine Traurigkeit, die auch Pflanzen befällt, so daß man hinterher nicht sagen kann, ob die verdorrt seien oder erfroren.« Sie hätten eine ähnliche Krankheit, die ›saudade‹, nur lasse die sich nicht übersetzen. Und Gonzales fügte hinzu: »Alle großen Krankheiten sind unübersetzbar, sie sind in dem Maße unübersetzbar, wie sie nicht heilbar sind.«

Da begannen ein junger Schweizer und ein gestandener Portugiese ihre Sehnsuchtskrankheit zu vergleichen. Die eine stammte aus den Bergen und die andere von den Ufern. Der eine kannte das Firnlicht, die Schneeschmelze und die Lawine, und der andere das Elmsfeuer, den Schiffsuntergang und die Springflut. Der eine unterhielt einen Bannwald und der andere baute Dämme. Der eine besaß Alpweiden und der andere Buchten. Der eine folgte dem Bach, von Nebenfluß zu Nebenfluß über Stromschnellen und Wehre, durch die Seen in die Ebene hinunter und dort bis zur Meeresküste. Aber dort saß der andere, und der verließ den Strand, den Sand und die Klippen, und fuhr am Vorgebirge vorbei, lernte Untiefen und Strudel kennen, studierte die Strömungen, und gelangte an ein Ufer, wo er wieder dasaß und ans nächste Meer dachte. Der eine schrie sein Leiden den Bergen entgegen, aber diese waren aus Stein und hörten mit ihren Felswänden, Gletschern und Gipfeln nichts, sondern gaben all das, was man ihnen entgegenrief, zurück, drei- und vierfach, und einige Berge waren für ihr Echo berühmt. Und der andere rief sein Leiden ins Meer hinaus, der Wind trug es fort, so daß jener, der Klagen beraubt, ein Schiff baute, um dorthin zu fahren, wohin der Wind seine Klagen entführt hatte.

Als die beiden ihre Sehnsucht verglichen hatten, klopfte der Mestre dem jungen Schweizer auf die Schulter und ernannte ihn zu einem Süßwasser-Portugiesen. Er gab dem Wachsoldaten Befehl, den Fremden durchzulassen. Und der Maat riet ihm, er solle sich eine Cochim suchen, oder sonst eine Kokosmatte, vielleicht vorn beim Bug, er werde sicher irgendwo einen Platz finden zwischen den Weinfässern und dem Zwieback, den Pumpen und den Baumwollballen, zwischen den Kanonen, der Marmelade und den Oliven, vielleicht beim Frischwasser oder bei den Truhen oder beim Wein, und während der Maat noch aufzählte, wo möglicherweise ein Platz frei sein könnte, lief der junge Mann schon los. Von oben winkte ihm Pedro entgegen. Als der junge Schweizer zur Ladebrücke kam, stolperte er, zwischen den Füßen huschten schwärzliche magere Tiere mit nackten Schwänzen; auch die Ratten gingen mit aufs Schiff.

Hatten wir einen Söldnerdienst hinter uns, fuhren wir gewöhnlich weg; da wir oft unsere Stelle wechselten, war dies häufig der Fall. Allerdings wurde uns nur einmal, als wir eine Firma verließen, das Geld ausgehändigt, das wir in die Pensionskasse einbezahlt hatten. Der Immune war der Ansicht, man müsse das Altersgeld ausgeben, solange man noch die zweiten Zähne und die ersten Beine habe.

Sich um die Zukunft keine Sorgen machen, diese Devise konnte nicht überraschen bei einem, der sich in der Kunst des Davonkommens übte. Aber hätte ich nicht hellhörig werden müssen, wenn er mir andererseits darlegte, das Davonkommen werde immer schwieriger? Er hatte damals eine Weltkarte vor sich und suchte sie nach weißen Flecken ab: Wohin man denn fliehen soll, wenn die Luft selber der Feind ist und man vom Wind verfolgt wird, der jeden Moment umschlagen kann und dem alle Richtungen offenstehen.

Und wenn ich an unseren Küchenschrank denke, in dem sich Kartons, Dosen und Flaschen stapeln. Hirse, Mehl, Bohnen, Reis, Sardinen, ich weiß nicht einmal genau, was sonst noch. Doppelt hatte der Immune alles eingekauft, was unsere Regierung der Bevölkerung für den Ernstfall zur privaten Lagerhaltung empfiehlt.

Ja, der Immune hat mich auf Notvorrat sitzen lassen; ich weiß nicht, ob ich das als Vorsorge oder als Hohn empfinden soll.

Habe ich ihn nicht eines Tages überrascht, wie er am Tisch saß und rechnete, mit Zahlen hoch zehn und etwas. Er hatte sich die Listen der Waffen verschafft, über welche die einzelnen Länder verfügen, die entwickelten, die unterentwickelten und die Schwellenländer; sie könnten vierzig bis fünfzig Mal daneben schießen, und es sei noch immer genug da, um uns zu treffen. Er hatte nur die Munition für konventionelle Handfeuerwaffen aufgeteilt, und er machte sich eben daran, herauszudividieren, wieviele Leute sich einen Tank teilen müßten.

In dem Zusammenhang machte er eine jener Bemerkungen, die man ihm so übel nahm. Er beneide jene, die erst vor Raketen-Sprengköpfen Angst hätten, er habe manchmal schon Angst, an den nächsten Türpfosten zu stoßen, weil er fürchte, dieser könnte einstürzen und nicht nur unsere Wohnung und unser Haus mitreißen, sondern den ganzen Rest dazu.

Jedenfalls betrachte ich es nicht mehr nur als Laune oder Hobby, daß der Immune gerne bei Baugruben stehen blieb und sich nicht sattsehen konnte an der Arbeit der Bagger und Bulldozer. Ohne den Immunen wäre ich auch nie in eine Mine hinuntergestiegen, eine, die tiefer als der Meeresspiegel lag. Allerdings folgte ich ihm nicht bis in den untersten Schacht, für das letzte Stück hatte ich Bedenken wegen des Förderkorbs, zudem war die Hitze unerträglich geworden; aber es machte dem Immunen nichts aus, bis zum Ende eines Förderstollens vorzudringen, und er nahm jenen Staub in Kauf, der die Lungen versteinert.

Wenn Erde ausgehoben oder verschoben wurde, nahm er dies als Beweis dafür, daß der Boden unter unseren Füßen nicht hohl ist.

Nun war mir schon aufgefallen, daß der Immune in letzter Zeit ängstlicher geworden war, er konnte nervös werden, wenn er in einer Abfertigungshalle oder im Bahnhof ein unbewachtes Gepäckstück sah.

Ich weiß nicht mehr, welchen TV-Kanal er gewählt hatte, ich sah ihn erst, als er aus dem Bildschirm kletterte, die Jacke und das Hemd zerrissen und das Gesicht geschwärzt. Er redete wirres Zeug, und ich verstand nicht, wo er gewesen war, ich hörte nur das Wort ›Warenhaus‹ heraus. Er hatte Papiertaschentücher kaufen wollen, als die Bombe in der Abteilung Damenwäsche losging; mit ausgestreckten Fingern deutete er an, wieviele tot liegen geblieben waren, und er nannte die Abkürzungen irgendwelcher Organisationen, die einander die Verantwortung für den Anschlag streitig machten.

Er holte damals zu einem seiner »Weißt du noch« aus, und er spielte auf ein südamerikanisches Land an, in dem die klassischen Gegner aus dem letzten Jahrhundert, die Liberalen und die Konservativen, einen jahrelangen Bürgerkrieg führten. Da drang doch eines Tages ein selbst ernannter Caudillo der Liberalen in eine von den Konservativen beherrschte Stadt ein und staunte, daß er nach vollführter Operation nicht die Macht übernehmen konnte, obwohl er alle Leute niedergemetzelt hatte in dem Tempelbau, über dessen Portal ›Conservatorio‹ gestanden hatte.

Man fiedle auf seiner Geige herum und werde ein politisches Opfer, nur weil der andere nicht richtig lesen könne. Der Immune erwähnte dies nicht zuletzt im Hinblick darauf, daß sich bei uns die funktionellen Analphabeten ausbreiteten. Er war schon deswegen für die allgemeine Schulpflicht, weil er nicht ein Opfer derer werden wollte, die Mühe haben mit langen Wörtern.

Aber im gleichen Moment gab er zu, man müsse erst recht vor denen auf der Hut sein, die lesen und schreiben könnten, vor allem, wenn die an das glaubten, was sie läsen, und von den Buchstaben nicht abwichen, die sie sich einmal einverleibt hätten, und ihre Lesekünste gegen jene einsetzten, die anders lesen als sie selber.

Aber Davonkommen konnte in unserem Fall oft nur heißen: Wie bezahlen wir die Miete, die Prämie für die obligatorische Krankenkasse und die Alters- und Hinterbliebenenversicherung, die Gas- und Stromrechnung und die fürs Telefon und die Gebühren für Radio und Fernsehen ...

Mit Söldnerdienst meinte der Immune nicht die Zeit, als er einst einem französischen König gedient hatte und an einen mailändischen Bischof ausgeliehen worden war. Er und unsere Kompatrioten brauchten längst keine Uniform mehr anzuziehen für fremde Kriegsdienste. Wir brauchten die Heimat nicht mehr zu verlassen, um Fremden zu dienen, das konnten wir zuhause auch hinter einem Bankschalter besorgen.

Wir haben bis heute nie etwas anderes zu verkaufen gehabt als unsere Arbeitskraft, und wir erinnern uns genau, wann aus politischen Programmen das Wort ›Proletarier‹ gestrichen wurde. Das war damals, als die Pornofilme noch nicht direkt beim Hosenladen begannen, sondern noch in den Vorzimmern von Ärzten.

Nun versuchte der Immune unsere Phantasie als Arbeitskraft

einzusetzen, was unsere Verdienstmöglichkeiten zwar abwechslungsreich gemacht, uns jedoch nichts erleichtert und schon gar keine Sicherheit geboten hat.

So oft wir eine Stelle antraten, so oft sahen wir uns genötigt, dem Arbeitgeber das Mitbestimmungsrecht zu entziehen, und in diesen Fällen kam uns jeweils die Entfesselungskunst des Immunen zugute.

Bei einer Betriebsfeier hatte der Immune den Personalchef persönlich gebeten, die Stricke anzuziehen und die Schlösser einschnappen zu lassen. Es dauerte einige Zeit, bis sich der Immune befreit hatte. Während die Arbeiter und Angestellten noch applaudierten, bat der Immune den Boss der Druckerei, den Besitzer der Zeitung selber, ihm die Zwangsjacke anzuziehen; ein Mitglied des Verwaltungsrates half dabei, und sie zogen so fest, daß ich dachte, der Immune würde ersticken. Aber er atmete ganz tief aus und warf ab, womit sie ihn eingeschnürt hatten. Als er die Arme frei bewegen konnte, bat er den Boss, ihm in die Tasche zu greifen, der tat es und zog unser Kündigungsschreiben hervor. Der Immune hatte sich aus einer Zwangsjacke befreit, über deren Farbe und Schnitt wir hatten mitbestimmen dürfen.

Hinterher erlebten wir eine unserer wirtschaftlichen Flauten. Der Immune betätigte sich wieder einmal als Berater – wissen, wie man es macht, sei nicht das Problem, die Frage sei, ob man Lust dazu habe. Nie hätte ich gedacht, daß er derartiges sagen würde, als es um unsere Existenz ging.

Damals, als die zweite Computer-Generation die erste ablöste, hatten unzählige Gemeinden im Land herum alte Mühlen, Trotten und Kornhäuser zu Heimat-Museen umbauen lassen, und überall stellte sich die Frage, was man ausstellt, nachdem man Ausstellungsflächen zur Verfügung hat.

Der Immune hatte einer reichen Vorortsgemeinde empfohlen, ein zeitgemäßes Raritätenkabinett einzurichten. Er schlug vor, neben der Kasse als Exponat einen Mann aufzustellen, der bis zu seinem fünfundsechzigsten Altersjahr für ein Waschpulver gekämpft hat und hinterher merkt, daß ihm dessen Tiefenwirkung egal gewesen ist. Nicht ein Kalb mit zwei Köpfen, nicht die

Dame ohne Unterleib, nicht die dicke Berta und nicht siamesische Zwillinge wollte der Immune in seinem Kuriositätenkabinett ausstellen – kurios fand er, was eine große Zahl von Menschen wenn nicht gar die Mehrheit ein Leben lang lebt.

Nun hatten wir selber nicht nur an verschiedenen Wirtschaftsfronten gekämpft, sondern auch den militärischen Ernstfall geübt; denn trotz meiner Hornhautverkrümmung war ich diensttauglich geschrieben worden.

Vor dem Tag des Einrückens, dem ich mit Bangen entgegengesehen hatte, ernannte mich der Immune zum General. Damit war ich in der Lage, an meiner Stelle einen Soldaten in den Krieg zu schicken, und so kommandierte ich den Immunen für mich in die Rekrutenschule ab.

Als wir später kurzfristig für eine Firma arbeiteten, deren Spezialität Simulatoren waren, hatte der Immune als Empfehlungsschreiben sein Militärdienstbüchlein vorgelegt.

Er, der behauptete, er kämpfe mit dem Wort, hielt sich in der Rekrutenschule an das Wort ›supponiert‹. ›Supponiert‹, das hieß, ›angenommen daß‹. Supponiert war eine Brücke gesprengt worden, so bauten sie neben einer, über die der Verkehr rollte, einen Notsteg. Supponiert war ein Haus zusammengestürzt, so krochen sie unter dem Schutt hervor und durften auch kein Wasser trinken, weil dieses, supponiert, verseucht war. Supponiert war Krieg, allerdings einer ohne Gefangennahme, und solange dieser Krieg sich auch hinzog, er mußte so rechtzeitig abgebrochen werden, daß das verwendete Material geputzt, kontrolliert und in die Zeughäuser zurückgebracht werden konnte.

Nach seiner Entlassung hatte der Immune eine Zeitlang das Wort supponiert wie einen Modegag verwendet. Supponiert, wir haben Hunger, und wir öffneten den Eisschrank, um zu schauen, was drin war. Supponiert, wir sind glücklich, da waren wir allerdings verlegen, weil wir nicht wußten, was für ein Gesicht wir machen sollten.

In seinem letzten militärischen Wiederholungskurs hatte es der Immune, obwohl gewöhnlicher Soldat, aber Spezialist im Supponieren, zum Schiedsrichter mit einer weißen Armbinde gebracht. Es wurden Manöver im großen Verband durchgeführt, verbunden mit einem Mannschaftskampf. Der Immune hatte sich hinter einem strategischen Fliederbaum zu postieren; er mußte Atomalarm auslösen und beobachten, ob sich die Mannschaften gefahrenkonform verhielten. Eben hetzte wieder ein Trupp den Hügel hinauf unter dem Kommando eines älteren Korporals. Der Immune formte mit beiden Händen einen Schalltrichter vor dem Mund und rief: »Atomalarm.« Der Korporal zog aus der Kartentasche sofort vier Schnürchen hervor und band sich Arm- und Beinstöße ab, erst danach legte er die Gasmaske an; er befahl seinen Mannen, das gleiche zu tun, aber diese hatten keine Schnürchen dabei. Da erklärte der Immune den Korporal und seine Leute für tot. Der Unteroffizier begehrte auf und wehrte sich gegen diesen Schiedsspruch. Es stellte sich heraus, daß der Korporal einige Wiederholungskurse im Rückstand war, er hatte noch gelernt, daß man bei Atomalarm zunächst einmal die Arm- und Hosenstöße zubindet, um dem Eindringen von Atomstaub zu wehren. Aber inzwischen hatte eine Militärkommission beschlossen, daß man als erstes die Gasmaske aufsetzen müsse. Der Korporal mußte hinnehmen, daß er seine Leute reglementswidrig in den Tod geführt hatte; diese hatten zum Zeichen dafür, daß sie tot waren, bereits die Helme abgenommen, lagen auf dem Rücken im Gras und machten Rauchpause.

Der Immune pflegte diese Geschichte zum besten zu geben, wenn er mit Kompatrioten zusammensaß; wenn sich Schweizer treffen, kommen sie schon bei einem geringen Feuchtfröhlichkeitsgrad auf ihre Militärdiensterlebnisse zu sprechen. Der Immune redete allerdings nicht wegen des Militär-Lateins mit, sondern er wollte darlegen, wie entscheidend es sei, mit dem richtigen Reglement in den Atomkrieg zu ziehen.

Was er anstellte, daß er umgeteilt wurde, weiß ich nicht. Ich vermute, daß ihm der Dienst bei den Füsilieren nicht paßte. Er ließ sich in die Sanität umteilen, weil er annahm, daß man mir diesen Dienst zumuten könne, so daß es nun an mir war, einzurücken.

Als Sanitätssoldaten wurden wir ausgeschickt, um Verwundete ausfindig zu machen, die am Straßenrand, in Waldlichtungen, in Häusern und in Tobeln ausgelegt worden waren. Es war nicht immer leicht, sie aufzustöbern, weil nicht alle den Befehl hatten, zu stöhnen oder um Hilfe zu rufen. Fanden wir sie, suchten wir in ihrer Brusttasche nach Abbildungen ihrer Verletzungen; manchmal tauschten wir diese aus, wenn ein ganz Dicker eine Verletzung auf sich hatte, die ihm das Gehen verunmöglicht hätte. Ausschlaggebend war unser richtiges Verhalten: einem, dem die Gedärme aus dem Bauch quollen, durften wir kein Wasser geben, auch wenn er vor Durst fast krepierte. Und es war an uns, Knochenbrüche mit mitgebrachtem oder improvisiertem Material zu fixieren, und das war bei einem Unterschenkel leichter vorzunehmen, als wenn einer das Rückgrat gebrochen hatte.

Zu unserem Dienst gehörte auch, daß wir zwischendurch bei Schießübungen eingesetzt wurden. Mit Gehörschutzpfropfen ausgerüstet, arbeiteten wir bei den Zielscheiben. Einmal schossen sie auf zweidimensionale Männchen, die in unberechenbaren Abständen nur für kurze Zeit über einem Schützengraben auftauchten. Wir hatten die Resultate durchzugeben: ein Herz- oder Kopfschuß wurde höher bewertet, als wenn nur irgendwelche Extremitäten getroffen worden waren. Wir überklebten die Einschußstellen. Wir flickten die Verletzten und erweckten die Toten zum Leben und machten aus ihnen neue, saubere Zielscheiben.

In der Tat, für diese Übungen brauchte ich den Immunen nicht; es war nicht so, daß ich die ganze Zeit auf ihn angewiesen gewesen wäre. Aber als ich beim Triage eingesetzt wurde, war ich froh, daß es ihn gab.

Ich hatte zu lernen, daß ›Triage‹ ›Aussonderung‹ bedeutet, und es galt zu entscheiden, was fürs erste einmal mit den Verletzten geschah, die in ein Notspital eingeliefert wurden. Bei meinem ersten Einsatz mußte ich einen mit einer schweren Kopfwunde entgegennehmen. Ich wollte ihn gleich in den Operationssaal einweisen. Aber der Arzt belehrte mich, man könne diese Kopfverletzung zwar operieren, aber das sei ein Eingriff, der Stunden dauere, in dieser Zeit aber könne man drei oder vier andere operieren, zum Beispiel den, dem man ein Bein amputieren, oder den, dem man die Hand annähen müsse. Also wies ich den Kopfverletzten in jenes Zimmer, wo schon ein anderer lag, der aufgegeben worden war.

Es war ein teures Gespräch, das ich hinterher mit dem Immunen führte, obwohl wir zum Nachttarif telefonierten – darüber, daß man den einen am Leben erhält, indem man einen andern dem Tod überantwortet.

Jedenfalls kenne ich mich in lebensrettenden Maßnahmen aus: einen Geschockten bette ich in Seitenlage und lege seine Atemwege frei, indem ich sie von Erbrochenem säubere oder auch nur den Kaugummi heraushole, und wenn es in regelmäßigen Stößen aus einer Ader spritzt, lege ich einen Druckverband an und erneuere ihn gegebenenfalls.

Aber was für lebensrettende Maßnahmen gibt es für einen wie mich in einem Moment wie diesem? Nichts an mir läßt auf einen Notfall schließen. Meine Lippen und Nägel sind nicht blau verfärbt, ich atme regelmäßig, ich blute nicht, ich habe Puls, und ich bin ansprechbar, auch wenn niemand da ist, der mit mir redet.

Im Moment nützt mir kein Gewehr, keine Axt und kein Soldatenmesser, auch nicht die Signale, die ich dem Immunen abgeschaut habe, und auch nicht, was er mir als Notvorrat hinterließ.

Als ich mich eines Morgens fragte, wozu ich aufstehen und weshalb ich diesen Tag noch mitmachen solle, hatte der Immune mich belehrt: nicht fragen warum, könne schon eine lebensrettende Maßnahme sein.

Aber in jener Nacht hatte er, entgegen seinem eigenen Ratschlag, »warum« gefragt.

Ach, hätte nicht alles anders sein können? Und wie anders wäre es gewesen, wenn es anders gewesen wäre? Und wäre es mit Lukas so anders gewesen?

Die andere Antike

Als er diesmal nach Griechenland fuhr, nahm er das Flugzeug. Der Jet würde ihn in zweieinhalb Stunden nach Athen bringen.

Am letzten Schultag noch hatten sie wegen des Fliegens gestritten. Zwar war es bei der Lehrerversammlung anfänglich darum gegangen, wo man die Fahrradständer auf dem Pausenhof aufstellen solle. Von den Fahrrädern war man auf die Motorräder gekommen und von den Abgasen auf das Waldsterben und auf die Umweltverschmutzung und dann auf die Frauenemanzipation, weil der Mathematiklehrer von Benutzern und nicht auch von Benutzerinnen gesprochen hatte. Bei der Gelegenheit zitierte der Lehrer für Sozialkunde Ikarus als warnendes Beispiel für die tödlichen Folgen technologischer Vermessenheit.

Da hatte sich Lukas eingeschaltet: Dieser Ikarus sei schon eine Warnung, aber für etwas anderes.

Sicherlich zeige Griechenland in Dädalus ein Erfinderschicksal, und nicht nur, weil er aus Eifersucht einen Konkurrenten getötet habe, seinen Neffen und Schüler, der die Säge, den Zirkel und die Töpferscheibe erdachte, wobei ihm, Lukas, auffalle, daß in keiner Quelle von Patenten die Rede sei.

Was habe es Dädalus genutzt, geniale Pläne zu entwerfen, solange die Projekte Skizzen blieben. Bestätigung und Befriedigung habe er als Techniker erst gefunden, als er Wissen und Fähigkeit einem Mächtigen zur Verfügung stellte. Damit habe einmal mehr ein Grieche vorweggenommen, was heute Wissenschaftlern und Forschern widerfahre, die im Dienst von Firmen und Regierungen arbeiten und nicht Herr der eigenen Erkenntnisse sind.

Der Auftraggeber von Dädalus, der Potentat, habe nicht nur eine Erfindung gekauft, sondern mit ihr auch den Erfinder: So geriet der Erbauer des berühmtesten Gefängnisses selber in Gefangenschaft. Er, der ein Labyrinth ausgedacht hatte, aus dem kein Weg hinausführte, mußte für sich selber einen Ausweg erfinden. Und er wählte dafür die Luft.

Damit schließe sich bereits das nächste Kapitel des Erfinderschicksals an. Dädalus hatte auch für seinen Sohn Flügel konstruiert und ihn in der Handhabung dieser Flugmittel unterrichtet. Trotz Warnung aber flog der Sohn zu hoch, so daß die Sonne das Wachs schmolz, und der Jüngling in die Tiefe stürzte. Das hätte vermieden werden können, wenn dieser die Bedienungsvorschrift für die Flügel ernster genommen hätte.

Aber eben: Mit jeder Erfindung sei schon die Erfahrung gepaart, daß nicht jeder mit der Erfindung umzugehen verstehe. Der Erfinder selber habe sich dank seiner Erfindung retten können, aber er verlor ihretwegen den Sohn. Er begründete die Janusköpfigkeit des Fortschritts: die Erfindung, die gleicherweise in die Freiheit führt wie in den Tod.

Als die Maschine in Kloten auf die Startbahn rollte und ein Steward leicht verstört nachsah, ob die Passagiere vorschriftsgemäß angegurtet waren, kam es Lukas vor, als führe Dädalus selber die Kontrolle durch.

Bei seiner ersten Griechenlandreise hatte sich Lukas von Kleinasien her genähert; er war mit dem Schiff von Istanbul nach Athen gekommen.

Der Zufall hatte diese Route bestimmt. Aber Lukas war damals als Student in einem Alter, in dem er den Zufälligkeiten Absichten unterschob und den Absichten tiefere Bedeutung zumaß.

Gab es einen klassischeren Weg als den von Kleinasien her, schwärmte Lukas. Von dort, wo der Frühling der Philosophie geblüht hatte. Obgleich – Lukas war nicht von der Ionischen Küste weggefahren, sondern von Istanbul.

Als Lukas den Dampfer der ›Turkish Line‹ bestieg, glaubte er, zehntausend junge Griechen weinen zu hören, sie, die einst nach Kleinasien hinauf und bis nach Persien in den Krieg gezogen waren und die in verzweifelten Märschen hierher zurückgefunden hatten, wo sie, »Thalatta, Thalatta« rufend, unter Tränen den Bosporus als heimatliches Meer begrüßten.

Und in Nachahmung eines persischen Despoten wäre Lukas

in der Laune gewesen, das Wasser noch einmal zu peitschen, wenn ihm Wellengang und Sturm den Weg nach Hellas versperrt oder auch nur die Abfahrt verzögert hätten.

Lukas hatte zwei Wochen in Istanbul verbracht, er selber hätte gesagt, er sei in Byzanz gewesen.

Er hatte in dieser Stadt zum ersten Mal mit der Hagia Sophia ein Gotteshaus kennengelernt, das seinen Gott gewechselt hatte und das eines Tages in ein Museum umgewandelt worden war.

Er hatte auch zum ersten Mal die Schuhe ausgezogen, um ein Gotteshaus zu betreten, und er hatte die Kühle in Erinnerung gehalten, die von Kacheln ausging. Er war auf ein Minarett hinaufgestiegen, und ein Muslim hatte ihm die Stadt aus der Vogelperspektive erklärt: am Horizont lag über einigen Dächern Rauch, eine Feuersbrunst, noch immer gebe es ganze Viertel mit ausschließlich Holzbauten.

Und Lukas war auf den Stadtmauern herumgeklettert, über Burggräben, zwischen Zinnenkränzen und Wachtürmen. Als er zu den Kasematten der Befestigung hinunter wollte, vertrieben ihn ein paar Jugendliche mit Flüchen und Steinen. Er hatte zum ersten Mal gesehen, wie man sich in antikem Gemäuer aus flachgehämmertem Kanisterblech und Sperrholz eine Behausung baut.

In dieser Stadt hatte er zum ersten Mal vor Geschriebenem gestanden, ohne ein Wort zu begreifen, obwohl er alle Buchstaben kannte.

Dann aber legte das Schiff in Piräus an. Lukas drängte sich mit seinem Koffer das Fallreep hinunter und stand verloren am Quai, inmitten von Lastenträgern, Beamten, Matrosen und Passagieren, ein Gewühl, in das er gestoßen wurde und in dem er mitstieß. Als er sich in seiner Verlegenheit umsah, las er plötzlich über den Köpfen: EXODOS.

Dieser Exodus war kein Abgesang. Nicht das Verstummen des Chors, der keine lyrische Partie mehr vorträgt, weil auf der Bühne die Tragödie ihrem Ende zugeht.

Es war nicht der Aufbruch eines Volkes, das sich von Moses

sah und nicht selber betrat.
ins Gelobte Land führen ließ, jenes Land, das der Prophet nur sah und nicht selber betrat.

Und es war nicht der Exodus ins Exil.

Und Exodus war auch nicht der Name jenes Schiffes mit der Dynamitladung im Rumpf, das mit dreihundert jüdischen Kindern ausfuhr in der Hoffnung, die Sperre der Engländer durchbrechen und an der Küste Palästinas anlegen zu können.

Es war nicht der Exodus anderer Völker und anderer Rassen in andere Länder und zu anderen Zeiten. Nicht die Verschleppung aus Afrika in die Neue Welt, und nicht die Abwanderung aus den Baumwollfeldern in die Städte. Nicht Auszug und Verbannung, weder Menschenschmuggel noch Auswandererschiff, nicht verzweifelter und nicht geplanter Aufbruch, weder mit Habseligkeit noch mit leerer Tasche, weder mit noch ohne Paß, nicht Emigration und nicht Heimatvertreibung. Und es war auch nicht die Flucht, die hinter die nächste Grenze in die Auffanglager führt.

Sein Exodus war ein Wort über einer Klapptür. Das Milchglas war in einer Ecke gesprungen, der Lack unten von Fußtritten abgeschlagen, und schmierig der Grünspan des Metallgriffs. Es hätte statt ›Exodos‹ auch ›Sortie‹, ›Exit‹ oder ›Uscita‹ heißen oder sonst ein Wort für ›Ausgang‹ dort stehen können.

Es waren Buchstaben, die Lukas zu lesen verstand, er konnte den Sinn der Zeichen entziffern. Er jubelte. Laut wiederholte er »Exodos, Exodos«. Er kehrte dank eines Wortes durch eine griechische Ausgangstür heim nach Europa.

Lukas hatte sich in Griechenland ausgekannt, bevor er ein Flugticket löste oder eine Schiffspassage erstand.

Er hätte nie schlüssig angeben können, weshalb er am Gymnasium die Abteilung mit Altgriechisch gewählt hatte. Er hatte später sein mangelhaftes Englisch nicht ohne ein Gran Hochmut damit entschuldigt, daß er Voll-Humanist sei.

Ihren Griechischlehrer hatten sie »Onkel« genannt. Der Onkel war gerührt, daß junge Burschen bereit waren, sich den Kopf darüber zu zerbrechen, wann sie unter ein Omega ein Iota setzen mußten; er ermahnte sie, einander wegen eines Iotas nicht den Kopf einzuschlagen, wenn schon, dann aus anderen Gründen, oder besser noch überhaupt nicht.

Er pflegte im Gang zwischen den Bankreihen auf und ab zu gehen, die Linke auf dem diskreten Embonpoint, über dem sich eine silberne Uhrkette spannte. Wenn er im Gehen innehielt, konnte er einem der Schüler den Kopf streicheln; er tat dies auch, als einer seiner Zöglinge seinen Haarschopf mit Pomade vollgeschmiert hatte.

Der Onkel lobte einen antiken Sammler wie Apellikon, der die von Würmern angefressenen und vom Wasser beschädigten Manuskripte der Philosophen aufkaufte. Der Onkel war auch den Arabern dankbar, weil sie während Jahrhunderten all die griechischen Schriften weitergaben, die zu jenen Zeiten als heidnisch galten.

Zu den beiden Töchtern hatte der Onkel einen Negerjungen hinzuadoptiert, einen ›Mohrenkopf‹. Er war überzeugt, daß er als Jude genügend Erfahrung besitze, um einem elternlosen Jungen einer andern Hautfarbe beibringen zu können, wie man mit der Verachtung der eigenen Rasse fertig wird.

Wenn die Schüler ihre Hausaufgaben nicht gemacht hatten oder keine Lust verspürten, sich mit den Zeitformen unregelmäßiger Verben abzumühen, tüftelten sie Fragen aus. Oft war es Lukas, der dazu bestimmt wurde, sich mit erhobenem Finger zu melden, bevor der Onkel die Grammatik oder das Übungsbuch aufschlug: Er komme nicht draus, warum die Göttermutter Hera auf dem Schiff der Argonauten mit Dionysos darüber gestritten habe, wer dem Atlas helfen solle, damit dieser den Stall des Augias putze.

Lächelnd sah der Onkel durchs Fenster und strich Lukas übers Haar: Er sei ein Meister der Verwirrung; nur wenigen gelinge es, fünf Dinge in einem einzigen Satz zu verwechseln; aber nur wer einiges wisse, könne auch einiges durcheinanderbringen. Um Klarheit zu schaffen, müsse er leider ausholen. Die Schüler streckten sich in ihren Bänken, schoben die Bücher von sich und hofften, der Onkel werde soweit ausholen, daß es bis zum Läuten der Pausenglocke andauere.

Um mit Atlas zu beginnen, gab der Onkel zu bedenken, mit dem Mann, der auf seinem Nacken das Himmelsgewölbe stütze, – ein mühsam lastendes Geschäft, wenn der Träger sich nur ein wenig bewegte, begann die Erde zu beben, so sei die Welt beschaffen, schon ein Schnupfen könne sie zum Einsturz bringen.

Lukas hatte nie eine Märchentante gekannt, aber einen Mythenonkel. Der Onkel erzählte, wie ein Sohn dem Vater das Glied abschnitt, wie er es ins Meer warf und wie aus dem Blutschaum Titanen wuchsen. Wie ein Vater seine Kinder zerstükkelte und sie als Mahlzeit auftrug. Und wie sich die Göttermutter schämte, weil sie einen Sohn geboren hatte, der hinkte, und ihn auf eine Insel abschob. Wenn Lukas solches hörte, kamen ihm die Verhältnisse zuhause erträglich vor.

Während Jahren hatten ihn Griechen begleitet, ohne daß er in Griechenland gewesen wäre. Die Universität seiner Heimatstadt, an der er seine ersten und letzten Semester absolvierte, hatte einen Lichthof, in dessen Untergeschoß die Antiken untergebracht waren. Die Statuen, auf gleich hohem Sockel und in gleicher Distanz zueinander, sahen alle zur gleichen Wand: die Göttin mit dem Jagdtier und der Halbgott mit der Keule.

›Gipsköpfe‹, wie sie als Studenten meinten. Sie blickten von den Galerien, die sich in vier Stockwerken um den Innenhof zogen, auf die Kopien hinunter, und das gedämpfte Licht ließ manchmal die Patina des Staubes, der auf den Moulagen lag, noch grauer erscheinen.

Lukas hatte nie jemanden gesehen, der sich bei diesen Antiken aufgehalten hatte, außer den Putzfrauen, und zu seiner eigenen Überraschung war er selber nie hinuntergestiegen.

Als Lukas Jahre nach seinem Studienabschluß die Universität wegen eines Fortbildungskurses aufsuchte, hatten die Moulagen einer Cafeteria Platz gemacht. Die Statuen waren in ein eigenes

Museum umgesiedelt worden. Noch immer hingen an der einen Wand die Reliefs, auf denen Giganten zum Kampf mit den Göttern antraten. Belassen worden war auch Nike. Eine Wand bot der Siegesgöttin Rückendeckung; mit abgeschlagenem Kopf, die Arme gebrochen, reckte sie nach wie vor ihre Brust, als wolle sie sich vom Boden erheben, die Flügel gespannt, bereit, über die Nichtraucherecke hinwegzufliegen, um eine Siegesbotschaft zu überbringen. Auf ihrem Sockel klebte ein Aufruf für eine Protestversammlung; aber das, womit Solidarität geübt werden sollte, war durchgekritzelt und abgekratzt.

Inzwischen hatte sich sein altgriechischer Bekanntenkreis um Tänzerinnen und Epheben erweitert. Opfernde und Krieger waren dazu gekommen. Ein Wagenlenker, die abgerissenen Zügel in den Händen haltend. Ein Seher, dem ein Stück Eisen Oberarm und Hand zusammenhielt. Ein Athlet, der ohne Fäuste kämpfte. Eine Göttin, deren Thron die Füße fehlten. Und ein geflügeltes Pferd, von dem nur noch die Flügel und die Hinterbeine zu sehen waren.

Sein Umgang mit Griechenland war immer wieder ein Gespräch mit Steinen.

So hatte er sich, als er zum ersten Mal in Griechenland war, am Rand eines Ausgrabungsfeldes gefunden, auf einem Trümmerhaufen sitzend, inmitten zerschlagener Palmetten und Traufdächer. Sein Blick war auf eine Votivtafel gerichtet.

Die Flötenspielerin kauerte; das Haar fiel ihr in den Nacken, sie stützte die Arme auf die hochgezogenen Knie; doch der Flöte fehlte der vordere Teil, und keine ihrer Hände hatte noch fünf Finger. Lukas ließ seinen Blick von den Lippen der Flötenspielerin dem Instrument entlang gleiten bis zur Bruchstelle; er setzte erneut an, aber diesmal beim Handgelenk. Seine Augen wanderten langsam hinauf zur Handfläche und dorthin, wo einst Finger gewachsen waren. Seine Augen wiederholten diesen Weg und verharrten nicht bei den Bruchstellen, sondern gingen darüber hinaus, der angedeuteten Richtung folgend, ins Leere. Da nahm die Luft plötzlich Form an. Das Musikinstrument kam zu seinem Vorderteil mit dem Trichter, und auf den Löchern der Flöte bewegten sich die Finger, so daß die Mücken über der Spielerin zu einer hörbaren Melodie zu tanzen begannen.

An dieser Flötenspielerin hatte Lukas die heilende Wirkung des Schauens geübt. Er kam sich bei ähnlichen Gelegenheiten vor wie ein Sanitäter und Schönheitschirurg, der dem jungen Gott das Glied einsetzte, das aus den Schamhaaren herausgeschlagen worden war, und der der Nase der Liebesgöttin zu jener sanften Schwingung verhalf, die mit dem Bogen ihrer Augenbrauen übereinstimmte.

Sein Dialog mit den Steinen war nur dank eines Bildhauers möglich; denn was war Bildhauerei anderes als die Alphabetisierung des Steins.

Waren die Karyatiden Säulen, die davon geträumt hatten, Mädchen zu werden und unter den Schlägen von Hammer und Meißel zu ihrer Gestalt gekommen waren? Oder waren sie Mädchen, die ihre Jugend retteten, indem sie sich in Marmor verwandelten und ihre schlanke Schönheit verdingten?

Ob Stein gewordene Zuflucht oder zu Gestalt erwachter Traum, die Karyatiden auf der Akropolis waren zum Tragen bestellt. Sie fügten sich in ihre Aufgabe so willig, daß kaum auszumachen war, ob die Ei-Formen und die Speer-Spitzen noch zu den Flechten ihrer Haartracht gehörten oder schon zum Hut ihres Kapitells.

Sie winkelten ihre Arme nicht nach oben ab wie die männlichen Träger. Die Atlanten, die Lukas sonst gesehen hatte, demonstrierten mit diesem Stemmen Kraft. Die Frauen hingegen ließen die Arme ungezwungen hängen. So verlor der Baldachin über ihren Köpfen an Gewicht, und die Karyatiden trugen weniger schwer daran.

Für ihren öffentlichen Auftritt verbargen sie ihre Schönheit hinter ionischen Tuniken, auch wenn der Faltenwurf andeutungsweise Reize vermuten ließ. Ihres Geschlechts bewußt, stellten sie es nicht zur Schau. Nie würden sie sich nackt zeigen. Lukas versagte sich jenen aufdringlichen Blick, dessentwegen die Jungfrauen hätten versucht sein können, die Hände vor ihre Scham zu legen.

Aufrecht standen sie vor ihm, vergleichbar jenen Frauen, die auf ihren Köpfen Wäschebündel, Wasserkrüge und Fischkörbe tragen. Man sagt diesem Gang Stolz nach, auch wenn er nur von der Kunst zeugt, nichts zu verlieren und nichts zu verschütten. So sehr die Karyatiden diesen Frauen vergleichbar waren, sie legten mit ihrer Last keinen Weg zurück; sie alterten nicht unter dem Gewicht eines einzigen Lebens. Unbewegt blieben sie von dem, was während Epochen hinter ihrem Rücken im Saal des Erechtheion geschah; als dort die Chorgesänge der Mysterienspiele verstummten, als die Choräle der byzantinischen Messe nicht mehr angestimmt wurden und als die Haremslieder verklangen. Ob ein Pulvermagazin explodierte, ob es soldatische Willkür war oder die Unbill der Witterung oder die Unberechenbarkeit von Erdbeben; sie verloren ihre Nasen, ihnen wurden die Arme bis zu den Ellbogen abgeschlagen und Stücke aus ihren Haarflechten herausgebrochen.

Sie waren auch Opfer der Bewunderung geworden. Ein Lord hatte eine von ihnen heraushauen lassen. Es hieß aber auch, sie habe dem Märchenprinzen so lange schöne Augen gemacht, bis er sie in einer Kiste ins Britische Museum entführte. Die andern harrten aus. Eine Moulage aus Terrakotta ersetzte die Geraubte und Vergewaltigte. Es halfen bereits auch Eisenstangen. Das Gebälk mußte hergerichtet werden und das Dach des Erechtheion erneuert. Zudem stiegen von den einstigen Prozessionswegen Abgase hoch. Die verpesteten die Luft, die auch Steine zum Atmen brauchen, und Blei fraß an der Marmorhaut der Mädchen.

Lukas war den Karyatiden in das Asyl gefolgt, das man Museum nennt. Man hatte sie gerettet, indem man sie ihrer Aufgabe beraubte. Sie stützten nicht mehr ein Gebälk, sondern ein Nichts von Last, aber die leere Luft wog schwerer als Stein. Über ihnen lag kein Baldachin mehr, sondern Gestänge, statt des Himmels dehnte sich eine Saaldecke aus. Auf sie fiel kein attisches, sondern elektrisches Licht.

Und Lukas war auf die Akropolis zu den Kopien zurückgekehrt, denen die Karyatiden ihren Platz überlassen hatten. Die Imitatorinnen zeigten von Anfang an die Verwundungen und

Zerstörungen, zu denen die Originale erst im Laufe der Zeit gekommen waren. Zum Verwechseln ähnlich stellten sich die Abgüsse auf, mit der Härte von Portland-Zement, noch immer das eine Bein fest auf dem Boden und das andere wie zum Spiel leicht angehoben. Sie taten, als sei alles nach wie vor in der Schwebe: stellten sie sich gerade zum Tragen und Stützen auf, oder setzten sie mit einem Fuß bereits zum Weggehen an?

Um diese Stellvertreterinnen war ein Gerüst errichtet. Sie waren eingesperrt hinter einem Gitter von Eisenrohren. Lukas folgte ihrem Blick am Gestänge vorbei vom Hügel in die Ebene hinaus bis zum Attischen Meer. Die Trägerinnen, durch ihre Last an einen Ort gebannt, suchten mit ihren wasserlosen Augen Wasser, und auf dem Meer ein Schiff mit einem Bug, seine Spitze stützte eine Frau mit nackten Brüsten und buntbemaltem Haar, ein geschnitztes Wesen, das in die Richtung schaut, die das Schiff hinter ihm einschlagen wird.

Bevor Lukas nach Griechenland fuhr, war er nach Italien gereist, zu den Siegern, zu jenen Römern, welche aus seinen Griechen Sklaven gemacht hatten und aus den Sklaven Lehrer. Er war in ein Nachkriegsitalien gefahren.

Eigentlich hätte die Fahrt eine Maturreise werden sollen. Schon Monate vor der Schlußprüfung hatten die Schüler über die Route gestritten, ob Jugendherberge oder Hotel und ob in beiden Fällen Flöhe, und einer wußte, daß es in Italien noch Bordelle gab. Die Gruppenreise kam nicht zustande, und sein bester Kamerad wollte nordwärts in die Wälder hinauf zu den Lappen. So reiste Lukas allein nach Italien; es war seine erste Auslandreise.

Lukas fuhr nicht nach Rom, um zu schauen, wie es ist, sondern um zu sehen, ob es stimmt.

Er ging an den Besuch der Stadt wie an die letzte Aufgabe seiner Reifeprüfung. Systematisch ging er den antiken Stätten nach, er lernte die Sippen der römischen Kaiser nach ihrer Haartracht zu unterscheiden. Er fühlte sich bei seinem Herumflanieren als

Rhetor und Konsul, stand als Volkstribun auf der Rostra, spazierte als Legionär die Via Sacra hinauf und saß im Colosseum als gottähnlicher Kaiser, der mit nach unten gestrecktem Daumen bedeutete, wer zu Tode kommen sollte; im Zirkusrund schüttete eine alte Frau aus Zeitungspapier Freßbares vor ein Rudel räudiger Katzen.

In Ostia war er fast geniert wegen seiner Neugierde auf Mehrfamilienhäuser. Die Römer, wie er sie von der Schule her kannte, hatten alle in Villen um ein Atrium gewohnt und in der Mitte des Wasserbeckens hatte eine Eros-Statue gestanden. In der einstigen Hafenstadt aber entdeckte er Häuser, die den Wohnblocks glichen, in denen er aufgewachsen war, und er fragte sich, wie hoch wohl die Mieten waren für die Nachfahren jenes Romulus, den einst eine Wölfin gesäugt hatte.

Die erste Begegnung mit der Antike hatte schon etwas von einem Abschied.

Lukas hielt sich nur kurz in der Villa d'Este auf, und nicht nur, weil die Wasserspiele nicht eingeschaltet waren. Er beschloß, auf dem Rückweg bei der Villa Adriana einen Bus zu überspringen. Ohne Erwartung schlenderte er durch die Zypressenallee. Doch dann packte ihn der Architektur gewordene Versuch eines Caesar, die melancholische Bilanz eines Weltreiches zu ziehen. Hadrian hatte den Portikus und die Akademie aus Athen nachgebaut und eine Palästra angelegt, noch einmal Tragödie mit Kothurn und Maske, aber eine, in der auch Gladiatoren mit Netz und Dreizack auftraten und ein Sänger, der an den Freund erinnerte, der im Nil ertrunken war. Lukas flanierte durch ein Tempe-Tal, das seine Lieblichkeit nicht der Erosion verdankte, sondern Bauarbeitern, die hier aus den Hügeln Tuffsteine geschlagen hatten: Griechenland, die Italiensehnsucht der Römer.

Im Rücken hatte er die einstigen Bibliotheken, die griechische und die lateinische. Er suchte den ›Saal der Philosophen‹ und fand weidende Schafe. Lukas ließ sich ins Gras nieder und ging freiwillig an etwas, worüber er bisher gestöhnt hatte. Er bemühte sich, einen lateinischen Text zu übersetzen, das einzige oder das einzig erhaltene Gedicht von Hadrian: »Animula, vagula, blandula, / Hospes comesque corporis, / Quae nunc abibis in loca / pallidula, rigida nudula, / nec ut soles, dabis jocos.« Doch fehlten ihm einige Vokabeln, er übertrug die Verse am Abend in der Pension; er hatte für seine Italienreise nicht ein italienisches Wörterbuch mitgenommen, sondern das lateinische. »Seelchen, unstet und kokett / Kumpan des Körpers und Gefährtin, / wohin soll's gehn, / nun da du blaß und blöd und bleich. / Ab jetzt versagt der Witz sich selber die Pointe.«

Lukas hatte sich bis in den späten Nachmittag in der Villa Adriana aufgehalten. Auf einer überwachsenen Kuppel sitzend, verfolgte er, wie die Schatten der Pinien länger wurden. Er erinnerte sich an einen Vers von Vergil: »et sol crescentis decedens duplicat umbras« – »die untergehende Sonne verdoppelt die wachsenden Schatten.« Er hatte den Vers bewundert, weil der Dichter eine mathematische Kategorie (Vervielfachen) mit einer biologischen (Wachsen) zusammenbrachte, wodurch die Schatten unendlich wuchsen. Als der Schatten zu seinen Füßen immer größer wurde und den Horizont erreichte, war nicht auszumachen, ob der Schatten den Vers eingeholt hatte oder ob der Vers Schatten geworden war.

Eine Zeitlang hatte Lukas daran gedacht, ein Onkel zu werden, weswegen er sich zuerst bei den Altphilologen einschrieb.

Wenn es nach den Vorlesungen ging, endete die Antike mit der Schließung der Akademie in Athen; aber wie sollte ein Leerlauf ein Ende setzen? Wenn schon, leuchtete es ihm ein, daß am Ende einer im Kerker sitzt und versucht, die Zeit bis zur Hinrichtung erträglich zu gestalten; für Jahrhunderte zum letzten Mal war es die Philosophie, die Trost verhieß.

Lukas interessierte sich für diese Spätzeit, als, wie er sich ausmalte, die Tiere nicht mehr wußten, wo sie hingehörten: als der Adler sich nicht länger auf der Schulter von Zeus niederließ, sondern seine Schwingen dem Evangelisten Johannes lieh, als die Taube nicht mehr um die Liebesgöttin gurrte, sondern um den Heiligen Geist; als die Eule so lange zögerte, bis kein Apostel,

Bekenner oder Märtyrer sie mehr aufnahm; als neue Vögel in Erscheinung traten wie der Pelikan, der mit dem Schnabel die Brust aufriß, um mit dem eigenen Blut seine Jungen zu nähren.

Lukas setzte das Ende anders fest; er wählte dafür eine Figur wie Prokop. Einer, der bereits getauft, aber dem das Taufwasser nicht in die Poren gedrungen war, der aus den Barbaren von einst die Nicht-Christen von damals machte. Ein Historiker im Dienste des byzantinischen Kaisers, der aus Anschauung schrieb, da er an Kriegen persönlich teilnahm; er konnte den Perser-, Vandalen- und Goten-Kriegen ›vermischte Kriege‹ beifügen.

Lukas war fasziniert, daß dieser Mann in völlig entgegengesetzter Absicht zwei Bücher geschrieben hatte, eines, ›Die Monumente‹, über die vom Kaiser errichteten Bauten, und eines, ›Die Anekdota‹, in dem er dessen Geheimnisse aufdeckte; ein Buch, in dem er vom »Christus-geliebten, frommen und in jeder Hinsicht erfolgreichen Kaiser« sprach, und ein anderes, in dem er den Brotgeber bloßstellte: »Er war über die Maßen einfältig und gleicht aufs Haar einem trägen Esel, der sich von seinem Treiber am Zügel führen läßt und dabei nur mit den Ohren wackelt.«

Dieser Mann, der im Dienst eines Mächtigen log, wollte auch einmal die Wahrheit sagen, die Wahrheit ohne Konsequenzen, das Arrangement für den Tag und die Bedingungslosigkeit für den Abend. Aber was er am Abend verkündete, war ein »Jetzt packe ich aus«, wie man es von Ehescheidungen her kennt, privater und politischer Art. Doch seine Wahrheitssuche war lüstern. Er machte aus ihr eine Enthüllungssensation, betrieb Medisance und Ohrenbläserei. Er benutzte die Wahrheit, um abzurechnen, aber er verpaßte sie selbst dort, wo er Dinge sagte, die stimmten; denn er rechnete nur mit dem andern ab und nicht auch mit sich selbst. Er wollte die Wahrheit nachholen, aber auch die Wahrheit hat ihre Stunde.

Lukas war diesen Gedanken in einer Seminar-Arbeit nachgegangen. Verzweifelt hatte er daran getippt, weil er das Bedürfnis verspürte und es als Auftrag verstand, alles, was er mit einundzwanzig Jahren wußte, mitzuteilen, und er fürchtete, daß Zeit und Papier nicht ausreichen würden. Er schrieb Sätze, die er wie Perioden baute: »Als Prokop, nachdem er, obwohl er wußte, daß er, während die andern ...«

Er hatte seine Arbeit unter den Titel ›Zwischen den beiden Alpha-Privativa‹ gestellt. Er begann mit einer grundsätzlichen Ausführung über das ›alpha‹, das im Griechischen die Funktion hat, welche das ›Un‹ im Deutschen ausübt, das aus ›Gutem‹ ›Un-Gutes‹ und aus ›Erträglichem‹ ›Un-erträgliches‹ macht. Er hielt sich bei dem Ausdruck ›privativum‹ auf, weil er in dem Zusammenhang realisierte, daß ›privat‹ sich von einem Wort herleitet, das ›rauben‹ heißt; er fragte sich, an wem wohl das Private seinen Raub begeht und hielt sich an die Erklärung in seinem Duden: »Verben des Enteignens. Zum Beispiel ›häuten‹ (= die Haut abziehen) schälen, schuppen, köpfen.«

Die beiden ›alpha privativa‹, die er meinte, waren das ›a‹ von ›a-letheia‹, was mit ›Wahrheit‹ übersetzt wird, aber auch das ›Un-vergessene‹ oder das ›Un-vergeßbare‹ heißen kann, und das ›a‹ der ›anekdota‹, was eigentlich das ›Un-veröffentlichte‹ heißt, aber als Anekdote (Geschichtchen) geläufig wurde. Zur Wortwurzel von ›a-letheia‹ assoziierte er ›Lethe‹, den ›Fluß des Vergessens‹, aus dem die Verstorbenen trinken, bevor sie ins Totenreich gelangen. Sollte die ›Wahrheit‹ das sein, was sich nicht weg-vergessen und weg-trinken läßt? Sollte die Wahrheit eine sein, die immer ›unveröffentlicht‹ ist. Und die, wenn veröffentlicht, zur ›Anekdote‹ wird?

Dank der Antike wurde Lukas Philosoph im zweiten Nebenfach.

Lukas war kein Mythenonkel geworden, auch wenn die Geschichten, die er seinen Schülern erzählte, nicht minder blutig waren. Keiner seiner Helden kam als Sternbild an den Himmel, aber seine Generäle und Rebellen, die Konspiratoren und Diktatoren kamen auch auf Denkmalsockel und Münzen, in die Lieder und auf die Bühne und sogar auf T-Shirts. Auch er erzählte von Hinterlist, Raub und Folterung, wenn er ausholte, von Revolutionen und Völkermord, von Parteiprogrammen, Chartas und Menschenrechten, denn er unterrichtete in Neuerer Geschichte.

Den Krieg, den er als ersten persönlich zur Kenntnis genommen hatte, hatte er als Kind mit Verdunkelung, Rationierung, Probealarm und väterlichem Militärdienst verbunden. Dieser Krieg hatte außerhalb des Landes stattgefunden, und er hatte früh Wörter wie Stukas und Tanks gelernt, er hatte Bilder von Gefangenenlagern und zerbombten Städten gesehen, von Invasionen und Fallschirmjägern; es hatten sich polnische Internierte und finnische Winterschlachten eingeprägt. Der erste Krieg aber, von dem er jeden Vertrag und jeden Verrat kannte und über dessen Niederlagen und Siege er ausführlich orientiert war, war der peloponnesische gewesen, den Sparta und Athen führten; über keine Plage war er so gut informiert wie über die Pest, die damals Athen heimgesucht hatte.

Nicht ohne Stolz trat er als junger Lehrer jeweils vor die Klasse, um zu erklären, daß ›Poetik‹ und ›Technik‹ aus dem Griechischen kommen, wie auch ›Politik‹. Er schrieb die Wortwurzeln an die Wandtafel auf griechisch; auch die ›Pluto‹ und die ›Aristo‹ und alle andern ›Kratien‹ seien griechischen Ursprungs, auch alle ›Logien‹, und er ließ die Schüler aufzählen, was für und wieviele ›Logien‹ sie kannten, und er erinnerte auch an das griechische ›phil‹, das Liebe bedeutet; er machte den Menschenfreund und den Briefmarkensammler zu Nachfahren der Hellenen.

Nicht zuletzt in Erinnerung an den Onkel ergriff er Partei für seinen Kollegen Mösli, der Griechisch und Latein unterrichtete. Auch ihn hatte der Auftritt dieses Altphilologen belustigt, als er in Sandalen mit einem Rucksack in der Schule erschienen war. Kahlgeschoren war er und trug einen Vollbart, nicht weil er Philosoph sei, sondern Appenzeller. Er hatte schon am ersten Tag im Lehrerzimmer vor die Büchse mit Pulverkaffee eine Schachtel mit Kräuterteebeuteln gestellt.

Lukas mochte den Kollegen schon deswegen, weil er bei jeder Gelegenheit darauf hinwies, daß »schon die alten Griechen« und

»schon die alten Römer«. Schon die alten Griechen hätten Sklaven gebraucht, um ungestört der Demokratie nachgehen zu können; schon sie hätten bei Gericht eine Wasseruhr aufgestellt, um die Redezeit zu beschränken. Schon bei den alten Griechen hätten die renommiertesten Hymnendichter gegen Bezahlung Preislieder auf Sportler verfaßt. Als es um die Nähkurse für Schülerinnen ging, zitierte er Musonius Rufus, der dafür eingetreten war, daß auch die Mädchen in Philosophie unterrichtet werden sollten. Als der Prorektor den Schülern die Wandzeitung verbieten wollte, erinnerte der Altphilologe daran, daß schon 387 in Antiochia die Studenten randalierten, weil sie statt in alter Rhetorik in einem modernen Fach wie Stenographie unterrichtet werden wollten.

Dieser Altphilologe hatte im Biologielehrer Mettler einen Todfeind gefunden. Der hatte sich anfänglich dagegen gewehrt, daß in der Schule Sexualkunde eingeführt werde, weil Aufklärung im Schoße der Familie stattzufinden habe, worauf einige Kollegen ›das mit dem Schoß‹ genauer umschrieben haben wollten. Als der Sexualkundeunterricht obligatorisch wurde, beharrte er darauf, daß dieser in der Biologie abgehalten werde, weil es dort schon immer um ›Bestäubung‹ gegangen sei. Er eröffnete auch die erste Stunde in Sexualkunde ›Rechte und Pflichten der Fortpflanzung‹ mit dem Hinweis auf die Bienen, so daß er, der über das »schon die alten Griechen« des Altphilologen spottete, zu eigenem Spott kam: »schon die alten Bienen«.

Der Biologielehrer war ein prominentes Mitglied des Vorstands der ›Schweizerischen Offiziersgesellschaft‹, und er erschien nicht ungern in Uniform vor der Klasse. Er protestierte mit einem Brief an den Regierungsrat, als der Altphilologe mit seinen Schülern ›Der glorreiche Soldat‹ von Plautus aufführte. Dieser glorreiche Soldat steckte im Grau einer schweizerischen Soldatenuniform, seine Prahlereien handelten von Abenteuern mit Serviertöchtern während der militärischen Wiederholungskurse, und alle Heldentaten hatte der helvetisch glorreiche Soldat in Manövern vollbracht.

Lukas hatte als Beleuchter mitgeholfen; er stellte sich auch bei weiteren Inszenierungen zur Verfügung. Unvergeßlich war ihm die Aufführung von ›Lysistrata‹, nicht nur, weil die Mädchen auf der Brust alle das Anti-Atom-Symbol trugen, als sie zum Kampf für den Frieden antraten. Lukas blieb im Ohr, wie diese Mädchen in lautem Versmaß verkündeten, sie würden sich nie mehr ihren Männern hingeben; es waren Mädchen, von denen höchstens eine oder zwei geschlechtliche Intimitäten kannten. Die meisten Verschwörerinnen träumten davon, endlich von einem Freund in die Arme genommen zu werden.

Lukas erinnerte sich während der Vorstellung daran, wie er einst in Epidaurus auf der Skene gestanden und von der Bühne aus gegen die Zuschauerränge hinauf durch die hohle Hand »Hallihallo« gerufen hatte. Es hatte sich angehört, als prüfe einer mit einem Jodler die Akustik eines griechischen Theaters.

Nun brauchte Lukas für seine Fahrten nach Griechenland gar kein Ticket zu lösen; es genügte, daß er ein Buch aufschlug.

Er pflegte noch immer in seiner Bibliothek die Ecke der antiken Autoren. Dort standen nicht nur die Schulausgaben, zerschlissen, mit Eselsohren und Bleistifthilfen zwischen den Zeilen. Er kaufte andere Autoren dazu, gewöhnlich zweisprachige Ausgaben. Er las die Übersetzung, um dann aufs Original zurückzugreifen und mit einem »natürlich« und »ach ja« ein Wort oder eine Redewendung wieder zuerkennen. Besonders liebte er Gesamtausgaben. Nicht weil er auf Vollständigkeit aus gewesen wäre, sondern weil diese Ausgaben eine Illustration dafür waren, was von einem Werk und einem Leben übrigblieb. Er mochte die Editionen, in denen in mühsamer Sucharbeit und mit Sinn für Zusammensetzspiele vereint war, was von einem Dichter auf Stein, Papyrus oder Pergament gefunden worden war, oder als Zitat bei einem andern Autor überliefert wurde, oft nur Zeilen, manchmal ein Wort oder bloß Silben:

»War... vor-... zu... den Unheilbaren...(?) besänftigen... du wollen mögest; und nicht... gering verwünschte.«

Was fehlte, war mit Strichen und mit Punkten angedeutet. Die

Schrift stand, geschrieben von einer Hand, die nicht mehr aller Wnegativen Markierungen nahmen gelegentlich mehr als zwei Drittel einer Seite ein. Es war eine graphische Aufteilung, wie sie die Zerstörung anordnete, eine Überlieferung, welche die Leerstellen mit einschloß. So liebte Lukas ein Gedicht wie dieses:

»und ließen vernichten... schmerzlich,... den(?) Lieben-d(en)... das liegt im (Sch)oß der Götter... wurde ihm solches zuteil (trägst du den schweren Verlust vermutlich gefaßter); doch...«

Als Lukas zum ersten Mal nach Griechenland gefahren war, führten die Reisebüros das Land noch nicht unter ihren Pauschalarrangements; ein Fremder konnte auffallen, wie er sich nicht ohne Verlegenheit erinnerte.

Lukas war vom alten nach dem neuen Korinth unterwegs. Er hatte sich in der Distanz verrechnet und hing seiner halben Enttäuschung nach, daß er nicht die Ruinen einer griechischen Stadt gesehen hatte, sondern die einer römischen Kolonialstadt in Griechenland. Er wählte eine Abkürzung durch das Rebengelände, und als er eine Rast einlegte, blieb eine alte Frau neben ihm stehen und bot ihm, dem Fremden, ihren Maulesel als Reittier an.

Bei seinem ersten Streifzug durch Athen hatten es ihm byzantinische Bauten angetan, ein Kloster, das auf einem Hügel lag und zu dem er hinaufzusteigen beschloß, und dann eine kleine Kirche, die sich mit ihren Apsiden unter die Arkaden eines Hochhauses duckte, das man über ihr errichtet hatte. Und die ersten Bauten in griechischem Stil, die er zur Kenntnis nahm und die intakt waren, waren klassizistische Gebäude, wie sie die repräsentativen Hauptstraßen säumten, und eines erinnerte ihn mit seiner Säulenvorhalle an den Hauptsitz der Kantonspolizei zuhause.

Lukas war am Omonia-Platz in eines der Restaurants hinuntergestiegen, die im Kellergeschoß lagen. Er war erleichtert, als der Koch gleich die Deckel von den Töpfen hob, so daß Lukas nur auf das zu deuten brauchte, was zur Auswahl stand: Hammelfleisch, über dem eine dicke Ölschicht schwamm, gebratene

Auberginen, Fleischklößchen, gefüllte Kohl- und Weinblätter. Während Lukas hin und her überlegte, sprach ihn der Kellner an, er beherrschte einige Brocken Englisch. Lukas gab zurück, er könne auch Griechisch. Der Kellner zwinkerte: Was »ich liebe dich« auf griechisch heiße? Lukas stellte sich zwischen den Tischen auf: »Andra moi ennepe, Mousa, polytropon...«

Als er mit seinem Vortrag fertig war, hielt der Kellner sein Lachen nicht mehr zurück, der Koch trommelte mit der Kelle auf die Deckel und von den Tischen her applaudierten Gäste: Sie versprachen Lukas ein Dessert, wenn er das Ganze wiederhole. Lukas rief in seiner Schulaussprache noch einmal die Muse an, sie möge besingen den Mann, den vielgeprüften und vielgereisten. Er deklamierte die zwanzig Eingangsverse der Odyssee, die er einst für den Griechischunterricht hatte auswendig lernen müssen, und erhielt dafür einen Baklava, einen tropfenden Kuchen aus Sirup, Honig und Mandeln, der ihm viel zu süß schmeckte.

Als Lukas Jahre später seinen Sohn auf den Knien hielt und sie zusammen im Fernsehen die Kinderstunde ansahen und ihre Freude an den Cartoons teilten, versuchte er dem kleinen Luki beizubringen, daß Tom und Jerry zwei griechische Helden seien, die nicht mehr um Ilion an der ionischen Küste kämpften, sondern in einem Bungalow in den Hügeln von Hollywood um einen Eisschrank stritten, und der ließ den Buben im Rhythmus der schmückenden Beiwörter reiten: Jerry, die löchersuchende, käsenaschende, schwänzchenwischende Maus, die gegen Tom antrat, den Kater, den krallenbewehrten und kraulsüchtigen.

Lukas kannte ein Griechenland, auf das er nicht ungern zu sprechen kam. Er sei in Arkadien gewesen; nicht wie jene, die sängen »et ego in Arcadia«, die behaupteten, auch sie seien in Arkadien gewesen, aber nicht dorthin gereist seien; er besuche, was andere besängen.

Er war nicht allein hingefahren, sondern mit Marianne, die damals noch nicht seine Frau war. Er hatte seine Freundin nicht leicht von dieser Reise überzeugt, sie hätte es vorgezogen, im

Wallis zu wandern. Er redete ihr ein, man müsse im Herbst dorthin, wo es keinen Herbst gebe, und Arkadien sei das Land, in dem das einfache Leben zuhause sei. Kaum hatte Marianne Geschmack daran gefunden, runzelte sie die Stirn, weil Lukas ausführte: das einfache Leben sei eine Erfindung der Großstädter, alexandrinische Literaten und mondäne Römer hätten das unterentwickelte Arkadien gefeiert; die, die für die Kühlung ihrer Getränke sich aus den Bergen Eis kommen ließen, schwärmten davon, wie ursprünglich es sei, keine Wasserleitung zu haben.

Marianne und Lukas hatten in Tripolis gleich nach ihrer Ankunft am Corso teilgenommen. ›Nymphenmarkt‹ heiße das, hänselte Lukas seine Freundin, an dieser Brautschau könne man schon auf dem Dreirad teilnehmen und zuletzt als Großvater, es sei nicht nur der Aufmarsch der Bräute, sondern auch der Schwiegermütter, was unvorsichtig sei, weil man auf diese Weise vorgeführt kriege, wie die Geliebte von heute später einmal ausschauen werde. Marianne fand, es sei an der Zeit, aus einer Brautschau eine Bräutigamschau zu machen.

Sie fuhren mit dem Mietwagen südwärts. Obwohl sie nicht katholisch sei, wie Marianne betonte, hätten ihr in Mistra die Malereien und Mosaiken Eindruck gemacht, die orthodoxen Heiligen sähen durch einen hindurch, daß man sich nach dem umdrehe, was im Rücken liege. Das hatte Marianne mindestens so beeindruckt wie all das, was ihr Lukas sonst vorführte; obwohl auch sie in Mykene die Burgkonstruktion aus Steinquader imposant fand, hatte Lukas behauptet, diese Brocken hielten bis heute zusammen, weil sie mit Blut zementiert seien – mit dem Blut eines siegreichen Heimkehrers, der von seiner Gattin und ihrem Liebhaber im Bad erschlagen, und vom Blut der Gattenmörderin, die von ihrem eigenen Sohn getötet worden war. Sie solle still sein, dann vernehme man vielleicht die Schreie. Aber sie hörten nichts. Deswegen gebe es Tragödiendichter, damit das Mauerwerk sein Schweigen breche.

Jedesmal war Marianne beeindruckt, wenn Lukas die Menükarte entzifferte, sie ließ es sich gefallen, daß er aus Büchern vorlas, die er nicht vergessen hatte wie das Reisenecessaire mit ihrer

Haarbürste. Nicht zufällig wohl, so belehrte Lukas sich und Marianne, sei in Arkadien die größte Stadt der Antike gebaut worden, eine Megalopolis; dementsprechend groß sei auch das Theater ausgefallen. Von ihm aus sahen sie hinter den Pinien die Kühltürme des thermodynamischen Elektrizitätswerkes. Der arkadische Himmel war rauchgeschwängert, und als die beiden wieder losfuhren, gelangten sie zu den Schürfstellen, wo im Tagbau Braunkohle abgetragen wurde.

Kreuz und quer wollten sie durch die Berge fahren. An den Kurven trafen sie auf Wegkapellen, die an die erinnerten, die hier zu Tode gestürzt waren. Sie kamen durch riesige Eichenwälder und machten auf kahlen Kuppen Halt; zwischen Feldern, Gemüsegärten und Brachland leuchteten in den Tälern die Wellblechdächer der Stallungen und Wohnhäuser.

Marianne jubelte, als Lukas wegen einer Schafsherde bremste, und er mußte auch anhalten, als eine Schildkröte unbekümmert träge über die Straße kroch. Marianne trug das Tier auf die andere Straßenseite. Sie hätte am liebsten auch gestoppt, als sie am Straßenrand einer arkadischen Familie begegneten, aber diesmal aus Empörung, weil der Mann mit der Tochter im Arm auf dem Maultier saß und die Frau zu Fuß ging, eine Sichel in der Hand.

Hie und da hatten sie in den Matten Bienenstöcke ausgemacht. Marianne kaufte an einem der improvisierten Stände zwei Töpfe Honig, und suchte ungebleichte Schafswolle aus und nahm an Lukas Maß für einen Pullover. Aber als Lukas anhielt, weil eine Frau Eier feilbot, wunderte sie sich. Die Alte zeigte ihnen eine Photographie: Ihr Sohn studiere in Athen, ihm schicke sie das Eiergeld.

Als Marianne es einmal mehr mit einem Ouzo versuchte, las ihr Lukas aus einem Reiseführer vor: schon zu den alten Zeiten habe die Regierung in Arkadien Mühe gehabt, das Jungvolk zurückzuhalten, und sie habe mit obligatorischem Chorsingen und Pflichttanzen versucht, diese Jugend für das rauhe Klima und die schweren Arbeitsbedingungen zu entschädigen.

Lukas, der den Anisgeschmack mochte und der es schon genoß, mit dem Zugeben von Wasser eine milchige Flüssigkeit von unterschiedlicher Trübe hervorzuzaubern, begann wieder einmal zu spintisieren, wie Marianne lachend feststellte: Schon damals sei der vielbesungene Hirte Alexis ausgewandert, die schöne Galathe habe in Athen eine Stelle in einem Haushalt gesucht, auch Thyrsis habe sein Bündel gepackt, und der appetitliche Corydon, dem Alexis ohne Erfolg nachgestiegen sei, habe nicht mehr milchstrotzende Ziegen gehütet, sondern sich im Hafen von Piräus herumgetrieben.

Es war Marianne, die in Zürich den Griechen ausfindig machte; sie war zufällig auf seinen Laden gestoßen. Der Grieche stamme aus Adritsena; dort seien sie doch gewesen, er koche für sich allein im Hinterraum seines Ladens und habe Poster der Olympic Airways aufgehängt; warum sie die Soldaten mit den Röcken und Boleros und den Pompons an den Schuhen nicht gesehen habe. Wenn sie Gäste hatten, tischte Marianne einen griechischen Salat auf; sie besorgte Olivenöl und Schafskäse bei ihrem Griechen. Sie brachte auch Retsina nachhause, den Lukas nicht mochte, aber sich der antiken Weinlieder erinnernd, fand er den Harzgeschmack des Weines erträglich.

Gerne wäre Lukas mit Marianne wieder nach Griechenland gefahren. Aber einmal hatte sie nachgegeben, nun war es an ihm, zu einer Reise in die Bretagne ja zu sagen, »wo es auch alte Steine gebe«. Im folgenden Jahr kam das Kind, und die Schwiegereltern besaßen ein Häuschen in den Voralpen.

Ungeachtet dessen stellte Lukas, wenn ihn die Laune überkam, Programme für ein noch unbekanntes Griechenland zusammen: wie man von einer Insel zur andern hüpft, und er ergänzte die Liste ständig und stellte sie um.

Eine Insel, auf der eine Frau gedichtet hatte: »Untergegangen der Mond, ich aber schlafe allein«, eine der ersten, die in einem Vers »ich« gesagt hatte. Eine Insel, die frei herumtrieb, bis sie auf vier Diamantsäulen im Meeresgrund verankert wurde, und eine, an deren Ufer die Liebesgöttin gestiegen war, als sie aus dem Schaum geboren wurde. Und dann die Insel, auf der Zehntausende von Nachtfaltern lebten, und die, auf der sich Hippies und Tramper eingenistet hatten. Auch die, welche einst für einen Philosophen und noch immer für einen süßen Wein bekannt war, und sicher die, auf der sie aus dem Harz des Mastixbaumes einen Schnaps brannten, und die Lukas wegen eines Massakers im Unterricht erwähnte.

Diese Liste wurde eines Tages um eine Insel bereichert, von der er bisher nie gehört hatte, um Makronissos, eine KZ-Insel, wohin die Obristen ihre politischen Feinde deportierten, und eine zweite, die in keinem Reiseführer erwähnt wurde, Leros, auf der es auch Bauten mit weißgetünchten Mauern gab, ehemalige Kasernen, die nun als Gefängnis dienten und in denen gefoltert wurde.

Wenn Lukas seine Programme zusammenstellte und vor sich den Löwen von Delos sah, Taubenschläge und Windmühlen, merkte er, daß er in einem Griechenland der Reiseprospekte zu blättern begann.

Eines Tages erzählte ihm ein Kollege in der Pause, sie, eine kleine Gruppe, seien zwischen den Ionischen Inseln herumgesegelt. Lukas fragte gleich, ob er den Leukadischen Felsen aufgesucht habe, aber der Kollege ließ seinen Mund schrumpfen: sie hätten in kristallklaren Buchten getaucht und sie hätten dem Meltemi ausweichen müssen, einem gefährlichen Wind. Da erkundigte sich Lukas nicht weiter nach dem Fels, von dem sich einst unglücklich Verliebte zu Tode gestürzt hatten.

Aber auf einer Insel war Lukas dennoch gewesen, damals, als er zum ersten Mal in Griechenland gewesen war.

Er hatte das Frühschiff genommen, um in Ägina den Bus zu erreichen, der am Morgen zum Ruinengelände hinauffuhr. Da er einen vollen Tag zur Verfügung hatte, hielt er sich schon bei den Säulen ausführlich auf, durch die man in den Vorraum des Tempels gelangt. Er studierte die Planskizze, auf welcher die Bauetappen in verschiedenen Farben eingetragen waren; und er machte die Stellen ausfindig, wo der Altar und wo die Propyläen gestanden hatten, aber er war nicht sicher, ob er auch den Platz der Zisterne richtig bestimmte.

Danach saß er auf der Erde, den Rücken an einen Stein gelehnt, vor sich den Tempel, dessen Säulen er noch einmal zählte. Durch die Bäume zitterte das Licht. Er fand sich wieder in einer Natur, in der die Götter noch immer lebendig waren, auch wenn ihnen nicht mehr geopfert wurde. Es leuchtete ihm ein, daß man in einer Landschaft wie dieser für eine Quelle eine Nymphe erfand; er war überzeugt, sie sitze noch immer am Wasser, und wenn er sie nicht antreffe, dann nur, weil sie für einen Moment weggegangen sei. Es hätte ihn nicht überrascht, wenn sich in die Vogelstimmen die Flötentöne einer Syrinx gemischt hätten und wenn zwischen den Bäumen Pan im Gestrüpp aufgetaucht wäre.

Aber es tauchte nicht Pan auf, sondern ein junger Amerikaner, an seinen Bluejeans und den Turnschuhen sofort erkennbar. Der warf seinen Matrosensack auf den Boden, öffnete ein Buch, hob von Zeit zu Zeit den Blick, um zu verifizieren, worüber er gelesen hatte. Darüber mußte Lukas lachen, bis er merkte, daß er selber nicht anders vorgegangen war.

Der Amerikaner war für einige Zeit zwischen den Säulen in der Halle verschwunden; er mußte sich wohl bei der Nordterrasse aufhalten. Dann erschien er wieder, schleifte seinen Matrosensack hinter sich her und setzte sich neben Lukas. Und Lukas fragte Joe: »Wie findest du unsere Antike?« Er sagte ganz gezielt »unsere«, obwohl er wußte, daß zu der Zeit, als die Griechen diesen Tempel gebaut hatten, seine Vorfahren noch dabei waren, Pfähle in den See zu rammen, und eben herausgefunden hatten, wie man Honig zu Met vergären läßt.

Joe schob seinen Kaugummi in die Wange und meinte: Im Gegensatz zur amerikanischen Antike sei die europäische... Da horchte Lukas auf, er war fast beleidigt, daß Joe das Wort Antike für einen Kontinent wie Amerika beanspruchte, er hörte nicht genau hin, als Joe ausführte, daß die Griechen sich mehr an menschliche Vorbilder gehalten hätten im Gegensatz zu den Olmeken, wenn er zum Beispiel an ihre Kultur von La Venta in Villahermosa denke. Da wollte Lukas wissen, wo sich diese Villa befindet, und Joe klärte ihn auf: Sein Vater stehe in diplomatischen Diensten, so habe er die Chance gehabt, Mexiko kennenzulernen, sicherlich dürfe man bei den Statuen in Villahermosa wegen ihrer negroiden Züge auch auf menschliche Vorbilder schließen, ihn locke es, die Tänzer von Monte Alban mit denen auf griechischen Schalen und Gefäßen in einer gemeinsamen Show auftreten zu lassen, aber viel neugieriger sei er darauf, die amerikanische Antike mit der asiatischen zu vergleichen, sein Vater sei nach Indien versetzt worden, da habe er gedacht, er nehme auf dem Weg dorthin die europäische Antike mit.

Lukas sah sich jemandem gegenüber, der über drei Antiken verfügte, während er nur eine hatte; und da beschloß Lukas, eines Tages mehr als nur eine Antike zu kennen.

Joe und Lukas stiegen nach Hagia hinunter, von wo auch ein Bus nach Ägina fuhr, und als sie die Hügel abwärts kletterten, sagte Joe, eine seiner Lieblingspflanzen sei der Bärenklau, und Lukas meinte, das höre sich nach einem Gesundheitstee an. Joe lachte nur, er kenne die Pflanze bestimmt unter ihrem griechischen Namen ›Akanthos‹, das sei eine Blume, die von Europa aus in die Welt hinausgefahren sei, wo sie nicht in die Erde, sondern auf die Kapitelle kam, so gedeihe sie auch in den Tropen.

Sie badeten in einer kleinen Bucht. Als Joe wieder ans Ufer stieg, war es Lukas, als sei das nicht der Amerikanerboy, der sich kurz im Wasser getummelt hatte, sondern ein Bote, der den Atlantik und den Indischen Ozean durchschwommen habe und der nun hier an Land stieg und seinen durchtrainierten Körper in der Sonne reckte. Lukas bemerkte, wie Joe sich bäuchlings in den Sand warf, als wolle er die Insel begatten.

So ging Lukas eines Tages daran, in einem andern Kontinent eine andere Antike aufzusuchen. Gelegenheit dazu bot sich, als er an einem Sommerkurs der Universität von Austin teilnahm. Das Thema ›Expansion von Neuenglandstaaten nach Südwesten‹ fiel in sein Arbeitsgebiet; von Texas aus war Mexiko verhältnismäßig leicht erreichbar.

Marianne kam nach und brachte ›Spanisch in der Tasche‹ mit. Sie rechneten zusammen eine Route aus: möglichst viel ohne zu hetzen, auf jeden Fall wollten sie bis Merida, an der Pazifikküste hinunter und an der Golfküste wieder hoch. Sie erstellten ein Budget und setzen einen täglichen Posten für ›Unvorhergesehenes‹ ein.

Sie kauften einen gebrauchten Chevrolet, den sie hinterher wieder in den USA zu verkaufen gedachten. Der Wagen gefiel ihnen schon wegen der Karosserie, zudem war der Straßenkreuzer so geräumig, daß sie alles auf den Hintersitzen deponieren konnten, auch die Publikationen der University-Press – nicht für jetzt, sondern für später, wie Lukas Marianne beruhigte.

Sie fuhren durch, ohne anzuhalten. Aber kaum hatten sie die kalifornisch-mexikanische Grenze hinter sich, bockte der Motor und stand still. Marianne blieb im Wagen, den sie an den Straßenrand geschoben hatten, und sie versprach, die Scheiben nicht herunterzukurbeln, wer immer mit ihr ins Gespräch kommen wolle. Erst gegen Abend tauchte Lukas mit einem Abschleppwagen auf. Der Mechaniker, der unter die Haube sah, verwarf die Hände.

Die Reparatur kostete so viel, wie sie für fünf Tage budgetiert hatten; aber es war nur gesund, sich eine Zeitlang von Früchten zu nähren. Seltsam kam es Lukas vor, daß der Mechaniker ihm einen Plastikbeutel mit Schrauben und Metallteilen überreichte. Er betätigte gleich den Starter. Der Motor sprang an. Als sie losfuhren, gab das Getriebe beim Schalten eigenwillige Geräusche von sich, aber der Wagen zog an und hielt die Geschwindigkeit, sie wollten durchfahren bis Mazatlán. Daß der Motor zuweilen stotterte, fiel nicht groß auf, aber dann nahm das Stottern zu, als die Straße anstieg. Beide realisierten, daß sie durch eine Kakteenlandschaft fuhren, die einer Wüste glich. Der Wagen schaffte es bis zur Paßhöhe, von da ab ließen sie ihn rollen, und er rollte bis vor eine Werkstatt, neben der eine Pension lag.

Da es Samstag war, würde man erst am Montag an die Reparatur gehen. Nun hatten Marianne und Lukas auch Badetage eingeplant, warum sollten sie diese nicht vorziehen, hier in Mazatlán, auch wenn es ihnen zu viele Amerikaner hatte. Der Pensionswirt erzählte, daß Hollywood am Kokosstrand schon verschiedene

Filme gedreht habe. Marianne nutzte die Zeit, um Spanisch zu büffeln, und Lukas las über präkolumbische Völker. Es gebe hier auch zyklopisches Mauerwerk wie in Mykene, und bevor Marianne fragen konnte, wo, sagte er: In Peru, aber das sei etwas für die nächste Reise. Marianne weckte Lukas morgens um sechs, das sei die beste Zeit, um auf den Leuchtturm zu klettern, den zweithöchsten der Welt. Von oben sahen sie weit draußen die Schaumkronen, dort heulten die Seehunde, die nur zu hören waren, aber nicht zu sehen.

Lukas hatte sehr schlecht geschlafen, ihm waren in Traum und Halbschlaf eine gefiederte Schlange und ein Vergaser durcheinandergekommen, neben den Stufen zum Tempel hing ein Keilriemen, ein bärtiger Gott war zurückgekehrt und machte sich in einer Sternwarte an einer Kurbelwelle zu schaffen.

Als sie die Garage aufsuchten, hatte der Mechaniker bereits den Motor ausgebaut. Sie verlangten einen Kostenvoranschlag. Wenn sie den Wagen reparieren ließen, mußten sie die Halbinsel Yucatán vom Programm streichen. Am liebsten hätten sie den Wagen verkauft, doch das durften sie nicht, weil der auf ihrer Touristenkarte eingetragen war. Sie mußten ihn wieder ausführen. Sie sprachen bei der Polizei vor, dort bestätigte ihnen ein Beamter schriftlich, daß sie das Auto in der Garage zurückgelassen hätten. Dem Garagisten sagten sie, sie würden es bei ihrer Rückkehr abholen, doch der verlangte eine Vorauszahlung. Dann räumten sie die Hintersitze, verbrachten einen Vormittag damit, Pakete zu verschnüren, um das, was sie nicht unbedingt brauchten, nach Hause schicken zu können, sie mußten auf der Post die Pakete alle noch einmal öffnen für die Zollkontrolle.

Lukas kannte nur *ein* Ziel, Villahermosa, von dort könne man die Rückreise neu organisieren. In Mexico City stiegen sie um, und auch Marianne fand, daß in diesem Land schon ein Busbahnhof ein Erlebnis sei. In Villahermosa stellte Lukas das Gepäck im Hotelzimmer ab und zog Marianne gleich ins Museum. Sie wunderte sich, weil er in den Katalog kritzelte, sie hatte ihn noch nie zeichnen gesehen. Er skizzierte eine Maske, deren eine Hälfte das Leben und die andere den Tod darstellte. So etwas habe er bei den Griechen nie gesehen, sicher, die hätten sterbende Krieger oder zu Tode verwundete Amazonen abgebildet, aber nirgends den Tod, oder doch, einen Jungen, der die Fackel senkt, aber wie harmlos sei das verglichen mit dem Tod, der hier durch ein lebendes Gesicht nach außen blickt.

Als Lukas vor den Zeremonialäxten in Bewunderung verfiel über ein Volk, das vom ›Rand des Salzwassers‹ kam, aus dem ›Land des Kautschuks‹, von dort, wo ›die Dinge versteckt liegen‹, als er gerade eine Mädchenfigur bewunderte, die sich an den Hals griff, belehrte ihn Marianne: im Katalog stehe, das seien gar nicht Werke der Olmeken, sondern der Maya. Da brach Lukas erst recht in Begeisterung aus: Schon wieder eine Antike mehr. Er rührte sich nicht vom Fleck, als er einen Gott entdeckte, der sich die Haut eines andern überzog. Bevor Marianne Lukas kennengelernt hatte, war sie mit einem Medizinstudenten befreundet gewesen, von dem wußte sie, daß man Mäusen praktisch die ganze Haut abziehen konnte. Lukas erklärte ihr, die Mexikaner, also die, die noch nicht so hießen, hätten das mit lebenden Menschen gemacht, was Marianne schockierte. So unbekannt sei das in Europa auch nicht. Der Gott Apollo habe einen Konkurrenten, der im Wettgesang unterlag, gehäutet, so daß dieser Marsyas die Haut mit Haar und Nägeln als Mantel überm Arm tragen konnte, hier opferten sie beim Ballspiel die Verlierer, wenn das zuhause auch so wäre, ginge er öfters zum Fußball, was Marianne nur blöd fand; ihr Bruder spielte bei Joung Boys, und der Club war eben in die B Liga abgestiegen.

Nach dem Museum suchten die beiden ›La Venta‹ auf. Im Freilichtmuseum folgten sie den sohlenförmigen Steinplatten und spielten Hüpfen. Plötzlich standen sie vor einem Jaguar-Mosaik oder einem Altar, inmitten einer Vegetation, von der Marianne gerne gewußt hätte, was das für Bäume seien, sicherlich Palmen, Bananenstauden oder Agaven, aber wie wohl das hieß, was sonst als Dickicht wucherte, von Lianen behangen. Beide legten neben einer Tierstatue den Kopf tief in den Nacken und hielten wie der Affe Ausschau nach dem Himmel. Als sie den ersten Kolossalkopf erblickten, malten sie sich aus, wie die

Monolithe hierhergeschafft worden waren, einer wog zwanzig Tonnen. Sie fragten sich, ob die Babygesichter der Krieger wohl nach menschlichen Vorbildern geschaffen seien, und wofür der Gott mit der langen Nase zuständig sei. Als Marianne herausfand, daß eine weibliche Statue ›die Großmutter‹ hieß, erinnerte sie Lukas daran, daß sie dem kleinen Luki einen Poncho versprochen hatten.

Sie hockten sich an den Rand des Statuenparkes auf eine Böschung. Was für schöne Namen die Seen hier haben, schwärmte Marianne, weshalb der Zürichsee nicht auch der ›See der Illusionen‹ heiße. Und Lukas fragte zurück: »Hast du das Lächeln gesehen? Wie die frühen Griechen. Vielleicht ist es das gleiche Lächeln. Das Lächeln des Anfangs, wenn noch alles Erwartung ist. Oder lächeln die Statuen, weil sie zu Leben erweckt worden sind? Sie lächeln, als würden sie im nächsten Moment zum Reden ansetzen, nur, daß der nächste Moment das nächste Zeitalter ist. Aber sie lächeln auch so, als möchten sie kundtun, daß es besser ist, nichts zu sagen? Oder sollten sie lächeln, weil sie gar nichts preiszugeben haben? Möglich, daß sie sich lächelnd in ihr Schicksal fügen, aus dem sorgenlosen Reich der Mineralien in das der Menschen überführt worden zu sein. Und wenn man sie zerschlägt, warum brechen sie nicht in ein Gelächter aus. Ob sie über ihren Zerstörer lächeln wie über ihren Schöpfer? Wer weiß, vielleicht auch über uns. Oder lächeln sie an uns vorbei und auch an all den andern Steinen, die lächeln?«

Als sie am Abend im Bett lagen, wagte sich Lukas nicht zu bewegen, so quietschten die Federn. »Wenn wir erst einmal in Indien sind«, verkündete er Marianne, und sie meinte, ob ihm die Hitze nicht bekomme, jetzt seien sie in Mexiko, und sie könnten nicht einmal all das anschauen, was sie sich vorgenommen hätten, wegen diesem blöden Auto, aber er fuhr fort, von Indien zu reden. Lukas formte seine Hände, als müßten sie prächtige Kugeln umfassen: Solche Brüste hätten die Statuen dort, da gebe es eine ganz andere Antike, und erst noch in Hinterindien und noch weiter dahinter, und er demonstrierte an ihren Brüsten, wie prall und groß indische sein können. Sie wußten nicht, sollten sie den Ventilator abstellen und die Schwüle in Kauf nehmen, oder sich mit dem Geknatter abfinden. Lukas hatte sich bereits in Marianne verkrochen. Als sie am andern Morgen in einem zerwühlten Bett erwachten, zählten sie am andern und an sich die Stiche. Marianne holte Nadel und Faden. Lukas mußte zugeben, daß es nicht unsinnig war, Nähzeug mitzunehmen, obwohl er sich immer darüber lustig machte, was Frauen alles in ihrer Handtasche unterbrachten; sie flickte notdürftig das Moskitonetz, das sie in der Nacht zerrissen hatten.

Als Lukas diesmal nach Griechenland fuhr, reiste er allein. Marianne hatte für diesen Sommer getrennte Ferien vorgeschlagen, sie sollten die fünf Wochen nutzen, um über ihre Ehe nachzudenken.

Er hatte sich gleich für Griechenland entschieden. Er hatte lediglich geschwankt, ob er nicht den Zug nehmen soll, sich Griechenland einmal vom Norden her nähern, auf dem Landweg, an eine Grenze kommend, die keine war, da das Griechische schon vorher begann, einmal mit dem Balkan-Griechenland zu beginnen. Aber dann hatte er spontan die Daedalus-Methode gewählt, und vielleicht nur, um so rasch als möglich die Szene zu wechseln.

Er brachte nach Griechenland Erinnerungen an eine andere Antike mit, auch wenn die bescheiden waren. Er wollte den Karyatiden Grüße von den schwarzen Kriegern aus Tula bestellen, von Atlanten, die sich auf der mexikanischen Hochebene behauptet hatten, auch wenn sie nicht mehr das Dach des Sternentempels stützten.

Lukas hatte sich vorgenommen, im Nationalmuseum den Kykladischen Saal genauer anzuschauen: die Muttergöttin und den Lyraspieler, die schon da gewesen waren, ehe die Griechen einwanderten. Er dachte an den Onkel, was der wohl sagen würde, wenn sein Schüler die noch kaum gegliederte Masse dieser Figuren schön finden wird. Der Onkel hatte vom Wunder gesprochen, aber sein Schüler wollte die kennen lernen, welche die Voraussetzung für dieses Wunder boten.

Auf der Wolkendecke flog der Schatten des Flugzeuges mit. Wieder einmal Griechenland. Er überlegte, wie oft er schon dort gewesen war, aber dann sagte er sich: Vielleicht ist nur der in Griechenland gewesen, der an Griechenland weiterdichtet.

Er war als Schüler empört gewesen, weil Prometheus dafür, daß er den Menschen das Feuer gebracht hatte, an einen Felsen geschmiedet wurde; er hatte damals keine Ahnung, wo der Kaukasus lag. Statt auf einer Karte nachzuschauen, hatte er den Kaukasus erfunden. Sicherlich, Prometheus verhöhnte den Gott, der ihn bestrafte, und er lachte den Adler aus, der täglich kam, um an seiner Leber zu fressen; das mußte wehgetan haben, auch wenn er es nicht zeigte; er krallte wohl seine Finger in den Stein, wenn der Adler ihm den Schnabel ins Fleisch hackte, und stemmte die Füße gegen den Felsen. Und unter dem Krallen und Scharren, dem Stampfen und Kratzen eines wortlosen Schmerzes wurde der Kaukasus zu einem zerklüfteten Gebirge.

Die Wolkendecke tat sich auf, war zerrissen wie die griechische Küste, die sichtbar wurde. Ihm fiel ein Fluß im Peloponnes ein; er war an ihm durch ein wildes Bergtal ans Meer hinuntergefahren, mit Marianne. Er erinnerte sich nicht mehr an den Namen, er wußte genau, daß dieser Fluß keine Geschichte hatte, und so nahm er sich vor, diesem Fluß zu einem Lebenslauf zu verhelfen, denn schließlich hatte in Griechenland die Natur eine Biographie.

Der Fluß stürzte sich von der Hochebene durchs Gebirge, grub sich ein und wusch sich einen Weg zurecht, warf sich in eine Schlucht und vertiefte sie und sammelte, was an Wasser von den Felsen kam, und stürmte über Katarakte nach unten. Wie der Jüngling Mäander, der aus dieser Hochebene stammte, den nicht die Tränen der Mutter und nicht die Bestürzung der Schwester zurückhielten und der gegen Räuber und Wegelagerer antrat und jeden erschlug, der sich ihm in den Weg stellte, und der von den Geliebten fortschlich, mit denen er unterwegs die Nächte verbrachte, und der nur im Sinne hatte, ans Meer zu kommen, der aber erschrak, als er ans Ufer kam, und der an diesem Strand im Kreis herumirrte, bis er sich in seinen eigenen Spuren verlor. Gleich wie der Fluß erschrak, als er einen schmalen Küstenstreifen vorfand, nachdem er sich den Weg durchs Gebirge erkämpft hatte, und der nun angesichts des Meeres, das er mit aller Wildheit gesucht hatte, anfing, seine Mäander zu ziehen, Schleife um Schleife und Windung um Windung, und der alles daran setzte, sich nicht in jenes Meer ergießen zu müssen, in dem er aufhören würde, Fluß zu sein.

Unsere Liebe zu den Rändern hatte mit simpler Geographie angefangen, mit einem Schulatlas. In ihm lagen Griechenland und Portugal am Rand, dort, wo unser Heimatkontinent begann und wo er aufhörte. Aber hinter einem westlichen Vorgebirge erwartete uns ein neues Meer, und hinter dem tat sich ein anderes auf, und im Osten hatte nicht einfach alles mit einem Wunder begonnen.

»Weißt du noch, als wir aus Kleinasien zurückkehrten und von den Lydiern, den Barbaren, das Geld und das Alphabet heimbrachten? Als wir zum ersten Mal unsere Miete nicht mit Rindern bezahlten, sondern mit Münzen? Wie fasziniert waren wir, als es uns gelang, Gedanken und Erfahrungen in Buchstaben umzusetzen, und wir entdeckten, daß es auch für die Worte, die dabei entstanden, einen Wechselkurs gab.«

Wir waren zu den Rändern gefahren, um an ein Ende zu kommen, aber für uns wurde das Ende nur eine Verschnaufspause. Jetzt aber bin ich an einem Ende, wo es mir den Atem hätte verschlagen müssen, und doch, ich atme noch immer.

Vielleicht bin ich einer, bei dem die Leichenstarre erst nach Jahren eintritt.

Wenn wir manchmal in der Stadt unterwegs waren, konnte der Immune mich plötzlich in eine Papierwarenhandlung, in einen Spielzeugladen oder in ein Warenhaus ziehen, in ein Geschäft, in dem sie Globen verkauften. Nicht daß er einen solchen zu kaufen beabsichtigte; die Verkäuferinnen und Verkäufer merkten bald, daß er sich bei den Modellen besser auskannte als sie selber.

Er wollte eines seiner Kunststückchen vorführen, er versetzte dem Globus einen Stoß, so daß die Erdkugel zu rotieren begann, und zwar so rasch, daß die Farben der einzelnen Länder und die der Kontinente und Ozeane in einem bunten Wirbel ineinander übergingen. Sein Bravourakt ließ die Nabel der Welt und ihre Herzen verschwinden und zauberte alle Reiche der Mitte fort.

Er sah manchmal so aus, als drehe er nicht einen Globus, sondern eine Lostrommel. Als ich ihn einmal darauf ansprach, sagte er, das sei vielleicht richtig – nur seien eben die Lose in dieser Trommel längst verglüht.

Und er führte sich auf, als habe er entdeckt, daß die Welt rund sei. Er ereiferte sich, links sei nicht immer links, und der Ferne Osten könne im Westen liegen, das hänge davon ab, von wo man aufbreche und in welche Richtung man fahre. Man könne in jede Richtung gehen und komme bei Gelegenheit auch wieder dorthin zurück, von wo man aufgebrochen sei, das verführe manche zur Überzeugung, man könne auch unterwegs sein, indem man an Ort und Stelle trete.

Wir redeten noch immer flächig statt kugelförmig, unsere Worte täten, als müßten sie die Erdumdrehung nicht mitmachen. So konnte er manchmal seiner Sprache einen Stoß versetzen und brachte sie zum Rotieren; dabei wirbelten Singular und Plural durcheinander, ›weil‹, ›insofern‹ und ›nachdem‹ ließen sich nicht trennen vom ›obwohl‹ und ›sobald‹. Man müsse alles mit allem in Beziehung setzen, und das konnte sich so äußern, daß der Immune unbekümmert alles mit allem durcheinanderbrachte. Es tat schon seine Wirkung, wenn er zitierte: »Veni, vidi, ergo sum«, und wenn ihn die anderen verdutzt anschauten, meinte er nur: »Quod erat delendum.«

Sicher, wir hatten kein Talent für Grenzen entwickelt; das hing wohl damit zusammen, daß wir ohne Wurzeln, aber mit Füßen leben wollten, doch es lag nicht an uns, daß wir unentwegt auf Grenzen stießen.

Wir, die wir aus einem Binnenland kamen, lernten, daß jedes Ufer nach einem Gegenufer ruft, und was die Alpen betraf, waren wir keine Gipfelstürmer; wir liebten an den heimatlichen Bergen die Saumwege und Pässe.

›Ränder, die keine sind‹, ist ein Blatt überschrieben. Darauf Namen aus der europäischen Geographie. Namen, die auf Nordafrika, und unzählige, welche auf das slawische Europa hindeuten. Zwiegesichtige Städte. Gottheiten, die in vier verschiedene Himmel schauen. Und auf einem Blatt findet sich eine Skizze; der Immune hatte eine Windrose entworfen und auf jede der sechzehn Spitzen ein Auge gezeichnet.

Aber mehr als dieses Blatt irritierte mich, daß auf einem anderen ›Entlastungsmaterial‹ steht. So viel ich auch in diesen Papieren blättere, ich mache nichts ausfindig, das diesem Stichwort entspricht. Sollte mein Verdacht berechtigt sein, daß es irgendwo noch ein anderes Bündel gibt und daß ich nicht sorgfältig genug gesucht habe? Oder sollten die Geschichten, die vor mir liegen, schon das ganze Entlastungsmaterial darstellen?

Wir jedenfalls, wir hatten einmal das Gegenteil zusammengetragen.

Ich habe den Anwalt erst vor kurzem wiedergesehen, als ich, nach langer Zeit, einmal wieder ausging, ›auf die Gasse‹, wie das einst hieß, und als ich eine der Bars aufsuchte, in der der Immune und ich früher Zeit und Geld ausgegeben hatten und von wo wir oft erst spät in der Nacht aufgebrochen waren und uns gegenseitig nach Hause gestützt hatten. Damals, als wir das Sich-Betrinken als eine Möglichkeit des Davonkommens ausprobierten.

Der Anwalt saß an der Bar, die Turnschuhe und die zerknitterte Hose hätten nicht auf seinen Beruf oder Stand schließen lassen. Er war umringt von Huren, die eine Pause einlegten, ein Gelegenheitszuhälter neben ihm und ein Quartalssäufer. Er war gerade am Bezahlen, hielt einen Geldschein in die Höhe und sagte: »Wir verdanken unsere Runde der Unzucht mit einem Kind.«

Als er mich erblickte, bestellte er noch eine Runde und für mich gleich mit. Auf die Frage, wie es ihm gehe, antwortete er wie immer, er lande bald einen großen Coup. Der Umgang mit Wirtschaftskriminellen habe ihm Einblick in Methoden gewährt, die nicht zu nutzen blöde wäre. Man entdecke doch nicht Lükken im Gesetz, ohne selber hindurchzuschlüpfen. Da hole er für seine Kunden zwei, drei Jahre heraus und die würden sich hinterher zur Ruhe setzen, er werde es ihnen gleichtun, er sei eben dabei, für sich die mögliche Höchststrafe auszurechnen.

Aber dann zog er mich beiseite, ich lehnte am Wurlitzer, und er hielt sich am Revers meiner Jacke. Er flüsterte mir zu, er sei mit einer Mission betraut worden, mit einem geheimen Auftrag, überall in der Welt seien Juristen an der Arbeit, es werde eine große Umschuldungskonferenz stattfinden, die Vorbereitungen dazu seien enorm, er sei für unser Land zuständig, für Banken, Investitionsgruppen und Multis. An dieser Umschuldungskonferenz werde endlich aufgerechnet. Noch sei nicht klar, wie man das Lager des einen Landes mit einem KZ des anderen verrechnen soll, es gebe noch keine verbindlichen Einheiten für Folterungen und Zensur, man wisse nicht, ob man den direkten Diebstahl an einem Volk mit dem indirekten gleichsetzen dürfe, inwiefern Vettern- und Parteienwirtschaft von der Individualkorruption zu trennen seien, ob man die Besetzung durch eine Armee gleich veranschlagen soll wie die Finanzierung von Stellvertreter-Armeen oder die Beschlagnahme durch eine Firma. Man komme um eine solche Umschuldung nicht herum, die Interdependenz sei zu groß geworden, es laufe wohl auf eine allgemeine Schuldentilgung hinaus und hoffentlich nicht nur darauf, ein paar Nullen zu streichen; aber es müsse etwas geschehen, wenn jedes Land für die Schuld, die es auf sich geladen habe, zur Kasse gebeten werde, breche das internationale Währungssystem zusammen.

Wir wußten alle, daß er vom großen Fall träumte. Die meisten Klienten, deren Interessen er vertrat, hatten Kleinkredite erschwindelt oder Versicherungen betrogen, er mußte sich mit Hausfriedensbruch, Fahrerflucht und Kündigungen abgeben, mit Taschendieben und Zuhälter-›Alltagsspucke‹, wie er selber sagte. Allerdings war ihm einmal von einem Studienfreund, der als Pflichtanwalt eingesetzt worden war, ein Raubmörder abgegeben worden, der Kollege ging auf eine Weltreise und übergab ihm seinen Klienten. Das hatte unseren Freund begeistert. Denn der Raubmörder, der seine Kindheit und Jugend in Heimen verbracht hatte, hatte sich dagegen gewehrt, daß man zu seiner Entlastung seine unglückliche Kindheit ins Spiel bringe, er wolle die volle Verantwortung für seine Tat übernehmen, lasse sich nicht als Idioten behandeln, der nicht wisse, was er tue; er habe sich nach Arbeit umgeschaut, aber schon wegen der Arbeitszeiten nichts gefunden, was ihm entsprochen hätte, da habe er sich überlegt, wo es Geld gebe, dazu sei ihm als erstes eine Bank eingefallen, dabei habe sich ein Wärter in den Weg gestellt und ein Kassierer sich sperrig benommen. Doch der Studienfreund war schon nach sechs Wochen von seiner Weltreise heimgekehrt, weil er Amöben erwischt hatte. Da hätte unser Anwalt den Raubmörder zurückgeben müssen, worauf er Werkzeug in dessen Zelle schmuggelte; nachgewiesen konnte dies nie werden, so daß er seine Zulassung als Anwalt behielt.

Der Immune hatte den Anwalt kennengelernt, als dieser gerade seine Praxis eröffnet hatte und eben zu seinem ersten Fall gekommen war: Ein junger Mann, der einen Prozeß gegen seinen Vater anstrebte – der habe kein Recht gehabt, ihn in eine Welt wie diese zu setzen, und wie es in dieser Welt ausschaue, habe sein Vater als Direktor einer internationalen Firma gewußt, er verlange, daß sein Vater gerichtlich zur Rechenschaft gezogen werde.

Der Anwalt hatte zunächst den Auftrag abgelehnt: In den Vereinigten Staaten sei das was anderes, da könnte man zum Beispiel genau festsetzen, wieviel es koste, wenn ein Lehrer einen Schüler so scheel anschaue, daß dieser im Umgang mit dem Lehrstoff einen bleibenden Schaden davontrage, das sei ein Paradies der seelischen Grausamkeiten, dort könne man davon leben. Aber bei uns, da lohne sich selbst die übelste Verleumdung nicht für den Verleumdeten, von Schadenersatz könne man erst reden, wenn es nachweisbar um Materiell-Handfestes gehe, und er hatte dem jungen Mann den Unterschied zwischen ›Schadenersatz‹ und ›Genugtuung‹ dargelegt. Aber der junge Mann war gar nicht auf Geld aus. An seinem zwanzigsten Geburtstag war ihm sein mütterliches Erbteil ausbezahlt worden, deswegen könne er sich diesen Prozeß leisten, als Schadenersatz für seinen zwanzigjährigen Aufenthalt auf dieser Erde genüge ein symbolischer Franken.

Der Anwalt hatte am Ende den Auftrag doch angenommen. Juristisch bot sich die Möglichkeit eines ›Tort‹; dem jungen Mann sei ›moralisches Unrecht‹ widerfahren. Er klagte auf ›Unzumutbarkeit‹ – eine Welt wie diese könne einem jungen anständigen Menschen nicht zugemutet werden.

Kein finanzieller Aufwand wurde für die ›Dossiers und Beweise‹ gescheut. Als Werkstudenten war uns eine solche Nebenbeschäftigung willkommen, nur schon weil es keine festen Arbeitszeiten gab; allerdings zog sich unsere Anstellung weit über die Semesterferien hinaus, und wir mußten ein Seminar ›Formale Logik‹ ausfallen lassen, weil wir voll beschäftigt waren mit der Unzumutbarkeit der Welt.

Es sollte zusammengetragen werden, was sich weltweit während einer einzigen Woche alles ereignet hatte und was als Belastungsmaterial dienen konnte. Allein schon die Beschaffung der Zeitungen war recht aufwendig. Mit der Übersetzung und der Auswertung war die Abschlußklasse einer Dolmetscherschule beauftragt worden. Anfänglich war nicht klar, ob man auch gewöhnliche Verkehrsunfälle mitberücksichtigen sollte; bei den Arbeitsunfällen ging es schon eher um ›Allgemeines‹, wie es unser junger Auftraggeber wünschte, obwohl er ein auffallendes Interesse für Verbrechen aus Leidenschaft bekundete; diskussionslos wurden Razzien, Schießen in die Menge und Terroranschläge aufgenommen, und den Kleinkriegen und Hungersnöten ein größerer Platz eingeräumt.

Der Immune hatte vorgeschlagen, sich nicht nur an Ereignisse, sondern an Zustände zu halten, obwohl darüber die Zeitungen kaum berichten, weil es sich um Verhältnisse handelt, die »nun einmal so sind«. Und der Immune war auch nicht durchgedrungen mit dem Vorschlag, unseren heimatlichen Alltag einzubeziehen, den man nur aushalte, indem man stumpfsinnig werde.

Uns war die Sparte elternlose Kinder anvertraut worden; die, welche ausgesetzt werden, bevor sie gehen können, und die, welche auf die Straße gejagt werden, sobald sie auf eigenen Beinen stehen, die, welche von zuhause wegrennen oder aus einem Heim, und die, welche eingefangen werden und ein zweites Mal durchbrennen, die sich allein herumtreiben oder sich zu einer Bande zusammentun, alle die, die auf den Abfallhalden nach Eßbarem suchen, und die, die in Abbruchhäusern übernachten, die sich zum Schlafen verkriechen oder die sich vor die nächstbeste Haustüre legen, die, welche betteln und sich erst mit Diebereien und Überfällen durchbringen und bald mit Prostitution.

Unser junger Auftraggeber hatte eine gewisse Anschaulichkeit verlangt; so schnitten wir aus den Zeitungen Fotos aus, soweit solche überhaupt zu finden waren. Ich erinnere mich an eine: ein paar Jungens, die am Auspuff eines Autos hingen und das Abgas einsogen, um sich zu berauschen. Man könne auch Spezialist für Kinderaugen werden, meinte damals der Immune, in jener Nacht, als es zwischen uns zu Ende ging, hatten wir ebenfalls von Kinderaugen gesprochen.

Unser Anwalt verlor den Prozeß. Nicht nur wegen des Gegenanwalts, der mit seinem Plädoyer weit ausholte, bis er darauf zu reden kam, daß der Vater nicht vorsätzlich gehandelt habe, obwohl man ihm nicht den Vorwurf ersparen könne, er habe bei der Kopulation die Verursachung eines Menschen in Kauf genommen; aber wenn schon müsse man auf die verstorbene Mutter zurückgreifen, die mit ihrer aufreizenden Schönheit wesentlich zur Konsumation der Ehe beigetragen habe; überhaupt seien die Mütter in einem ganz anderen Maße verantwortlich, bei ihnen könne man nicht behaupten, sie würden die Kinder nicht ohne Vorsatz austragen.

Mehr als dieses Plädoyer beeindruckte das Gutachten eines namhaften Psychiaters; so teuer seine Expertise war, so knapp war sie ausgefallen: der Vater sei im Moment der Zeugung nicht seines Verstandes mächtig gewesen, da bekanntlich Lustgefühle jede Überlegungsfähigkeit dämpfen, eine geniale List der Natur, verminderte Zurechnungsfähigkeit sei eine unabdingbare Voraussetzung für den Fortbestand der Menschheit.

Wir, die wir damals noch leidenschaftliche Kinogänger waren, hatten auf der Zuschauertribüne Platz genommen und hinterher lange über den Freispruch des Vaters diskutiert; der konnte uns schon deswegen nicht überraschen, weil alle Richter Väter waren und gar nicht den Angeklagten, sondern sich selber entlastet hatten.

Als ich den Anwalt vor kurzem wiedertraf, wie er mit seinen Turnschuhen an der Bar saß und zwischen die Füße eine Plastiktasche mit Akten klemmte, wußte ich, daß er auf den Prozeß zu sprechen kommen würde, von dem er behauptete, er habe ihn aus der Bahn geworfen. Und in der Tat, nachdem er von seinem genialen Coup erzählt hatte, von seinem großen Fall und davon, daß er in geheimer Mission tätig sei, fragte er mich: »Wissen Sie noch?« Seine Stimme klang wie die des Immunen.

Ich brauche nicht erinnert zu werden. Nur zu deutlich habe ich das Urteil im Ohr: »Es soll sich einer für die Welt nur soweit interessieren, als er auch imstande ist, sie zu ertragen.«

Damals hatte mir der Immune auf die Schulter geklopft, wie gut es sei, daß es ihn gebe. Er hat mir in der Folge noch öfters auf die Schulter geklopft, manchmal war es ein Wachklopfen, wenn ich, erschrocken ob der eigenen Neugierde, die Augen verschließen wollte, aber ebenso oft erlaubte er mir, die Augen geschlossen zu halten, weil er es sei, der sich in der Zwischenzeit umsehe.

So sehr wir uns in unserem Äußeren bis zum Verwechseln glichen, es gab ein deutliches Unterscheidungsmerkmal, seine Augenlider waren schlechter entwickelt als meine. Selbst wenn er schlief, machte er den Eindruck, er liege halbwach. Als ich ihm dies einmal sagte, antwortete er, er schlafe mit halbgeöffneten Augen, weil er nicht nach innen, sondern nach außen träume, und er behauptete auch, man habe der Schlange Klugheit angedichtet, weil sie lidlose Augen habe.

»Die Toleranz der eigenen Belastbarkeit«. Als der Immune zum ersten Mal diesen Ausdruck benutzte, war ich ganz stolz, daß er ein solches Wort mit uns in Verbindung brachte; er redete auch von der Grauzone seiner Immunität, diesen Bereich gelte es ständig auszudehnen, hier werde geprüft und ausprobiert, was gerade noch geduldet und hingenommen werden könne.

Davon, daß man all das aufgeben könne, davon hat er erst in jener Nacht gesprochen.

Schon an unserem ersten Fernsehapparat hatte der Immune eine Uhr angebracht, keine für die Uhrzeit, sondern eine, die anzeigte, um wieviel Menschen pro Minute die Erdbevölkerung zunimmt. Glücklicherweise hatte er die Uhr so weit unten eingebaut, daß man sie mit einem Aschenbecher verdecken konnte. Diese Uhr lief auch, wenn der Apparat nicht eingeschaltet war; ich könnte jetzt nachschauen, wieviel neue dazugekommen sind, während ich in diesen Papieren gelesen habe und mich wundere, daß es mich nach wie vor gibt.

Was genau der Immune mit seiner Uhr bezweckte, war mir nie klar. Wollte er ständig in Erinnerung rufen, daß, während oben auf dem Bildschirm geredet und agiert wurde, Neue auftraten, die vorerst nichts mit denen zu tun hatten, die verhandelten und Kriege führten, Staudämme einweihten und Reden hielten, Tore schossen und zum Sonntag sprachen? Oder wollte er denen, die neu dazu kamen, vorführen, was sie an Nachrichten und Wetterprognosen, Trickfilmen, Rezepten, runden Tischen, Spots und Serien, was sie an Programm alles erwartet?

Abendprogramm

Ist das nicht ein Regenwurm? Wie der glänzt. Warum hat der Wurm keinen Ton? Blöde Frage, den hast du abgeschaltet, als du vorhin mit deiner Mutter telefoniert hast. Gottlob geht es ihr mit den Beinen wieder besser. Geben wir dem Wurm Ton. Jetzt kriecht er wenigstens zu Musik durch seine Herbstblätter. »Was wir verrotten nennen, ist in Wahrheit die Arbeit unzähliger Kleinstorganismen.« Das sieht nach Fressen aus. »Schlundkopf«, was für merkwürdige Köpfe es doch gibt. Nicht uninteressant: was der Wurm nicht verdaut, wird zu Humus. Lange her, daß du einen Regenwurm gesehen hast. Das ist auch schon das Ende. Wenn das kein Timing ist. »Leben unter dem Boden.« Wie – das gibt eine Fortsetzung?

Natürlich sie. Und wie sie wieder lächelt. Wie eine Essigmutter, die einen Charmekurs besucht hat. Wo die nur ihre Sprecherinnen herholen, ob die niemanden haben, der kontrolliert, was die für ihre Auftritte anziehen. Und schon hat sie die Wimpern nach unten gerichtet und liest ab. Die ist nicht imstand, einen einzigen Satz auswendig zu lernen. Was soll denn das, ›Der Arzt gibt Auskunft.‹ Der ist doch gar nicht dran. »Die Zuschauerinnen und Zuschauer dürfen anrufen. Soll oder muß man dem Patienten die Wahrheit sagen?« Als Vater eingeliefert wurde, habt ihr euch auch überlegt, ob man es ihm sagen soll.

Aber es steht doch was anderes auf dem Programm. ›Klamottenkiste‹. Das hast du eingestellt. Eine Tortenschlacht. Oder ein Auto, das auf der Eisenbahnschiene stehen bleibt, und der Zug rast heran und im letzten Moment. Die kamen noch draus mit letzten Momenten. Und die Verfolgungsjagden. Von dir aus könnten die einen ganzen Abend verfolgen. Zum Beispiel die mit dem Feuerwehrauto und der Leiter. Und was die mit einem Gartenschlauch anstellen. Wenn deine Schwiegermutter den Garten spritzt, könnte die auch in einem Stummfilm auftreten. Stummfilm, daß du nicht lachst.

Verdammt nochmal. Du hast das Programm von morgen aufgeschlagen. ›Klamottenkiste‹ ist morgen. Da nützt es viel, daß du dir zum Geburtstag eine Programmzeitschrift schenken läßt, und dann schaust du unterm falschen Datum nach. Du hast vorher drin geblättert. Nicht mal wegen des Programms. Aber die bringen so Hintergrundgeschichten. ›Was alles nicht in die Kulissen paßte‹ und ›Wenn Mutter plötzlich aussteigt‹. Da erfährst du, was sie machen, wenn sie nicht auftreten, und die müssen in der Zwischenzeit ja auch was machen. Der mit der ›Sauerkrautpolka‹ hat sich ein Haus gebaut und im Marmorbadezimmer die dritte Ehefrau. Und der Detektiv aus ›Polizeirevier 29‹ privat. Daß man zu Hause ein Fahrrad hat, um sich gesund zu strampeln, das hast du gewußt, aber nicht, daß man auch ein Ruderboot aufstellen kann, und wie der rudert, der rudert auch nur für den Photographen; so ein Boot hätte in eurer Wohnung gar keinen Platz, was Bea für Augen machen würde, wenn du mit einem solchen Ding nach Hause kämst.

Überhaupt morgen. Da scheint was los zu sein. ›Tod in den Dünen‹. Ein japanischer Film. Sicher wieder schwarz-weiß. ›Der Sand spielt eine Hauptrolle‹, das dürfte ein billiger Film sein. Und was das wohl soll, ›Dürfen Neger schwarz sein?‹. Sicher etwas aus Südafrika. Nein, nicht Südafrika, Südstaaten, aus dem Leben einer Südstaatlerin, welche ein Vermögen machte, indem sie eine Salbe herstellte, welche das Kraushaar glättete. Und andere geben Geld aus für Dauerwellen. ›Blaustrumpf und Schlitzohr‹. Das tönt schon besser. Aber das läuft auf ›Österreich‹, das kriegst du nicht rein.

Aber am nächsten Mittwoch sind die Ausscheidungsspiele, das ist sicher. Und nachdem dein Club soweit unten steht, brauchst du dich nicht mehr aufzuregen. Obwohl, das mit dem Elfmeter war oberfaul. Da wundern die sich, wenn's hinterher zum Krawall kommt und die Bänke anzünden und sie sich mit Bierflaschen die Köpfe einschlagen. Ein Idiot von Schiedsrichter. Die Zeitlupe hat deutlich gezeigt, daß es kein Foul war. Wozu haben die die Möglichkeit der Wiederholung, wenn sie sich doch nicht danach orientieren. Das mit der Zeitlupe, das ist schon genial, wenn sie einen Torschuß noch ein zweites Mal zeigen, da sieht man, ob einer Stil hat oder ob es bloß Zufall war.

Wenn nur nicht die Schwägerin auftaucht. Wenn die auf dem Bildschirm ein Auto sieht, ruft sie »Schau ein Auto«, und wenn sie die Hand am Türgriff haben, stupft sie einen, »Jetzt steigen sie aus«, die können im Film kein Glas in die Hand nehmen, ohne daß Beas Schwester mitteilt »Jetzt trinken sie.«

Da ist gottlob Bea anders. Mit der kann man sich einigen, die hat am nächsten Mittwoch ihre Serie. Du verstehst nicht, warum auch du dir das anschauen sollst, Bea ist imstande zu behaupten, du würdest dich nicht für das interessieren, was sie interessant findet. Aber es ist dir wirklich egal, was der Narkosearzt mit der Krankenschwester hat. Wenn die sich Händchen halten, sieht das aus, als fühlten sie einander den Puls. Das mußt du Bea zeigen, die wird schön enttäuscht sein, wenn sie die Reportage liest. Sie behauptet zwar, sie schaue sich die Sache mit den Ölmilliardären nur schon wegen den Garderoben der Frauen an. Aber du weißt, sie schwärmt für den jungen Blonden, und jetzt haben sie den gefeuert. Da steht's genau: der wurde frech und verlangte die doppelte Gage, da haben sie ihm die Rolle umgeschrieben, er wurde auf eine Ölstation irgendwo im Chinesischen Meer geschickt, und dort kam's zu einer Explosion, und er verbrannte sich sein Gesicht, zwar kann man ihn retten und eine erfolgreiche Hauttransplantation durchführen, natürlich veränderte sich dabei sein Gesicht, so können sie ihn mit einem Schauspieler ersetzen, der ihm ähnlich sieht. Nein, vielleicht zeigst du Bea die Reportage erst hinterher, mal schauen, ob sie überhaupt merkt, daß der, für den sie schwärmt, zu einem neuen Gesicht gekommen ist.

»Grundsätzlich braucht der kindliche Fuß in jedem Schuh seinen Wachstums- und Bewegungsraum.« Ach ja, die sind ja noch immer beim ›Arzt gibt Auskunft‹. Das hast du auch nicht gewußt, der Fuß wächst beim Kind in sechs Monaten etwa fünf Milimeter, aber trotzdem, es gibt ja noch andere Kanäle.

Nein, nur das nicht. Dir reicht's, daß sie euch schon im Geschäft mit ihrer Umschulung plagen, obwohl es noch lustig ist, sich mit Arbeitskollegen in Schulbänken wieder zu finden. Die stellen nun einmal auf Computer um, wie harmlos sich das anhört, Textverarbeiter. Aber am Feierabend, da willst du nicht auch von gleichsinnig und gegensinnig hören, von ›in‹ und ›out‹ und die ganze Zeit ›put‹. Wenn der auf dem Bildschirm sich umdreht und mit dem Finger auf den leeren Hintergrund zeigt, erscheinen dort Zahlen: zweihundertfünfzig Leistungseinheiten.

Wichtig, daß du die richtige Taste drückst, du brauchst ja beim Fernsehen auch nicht zu wissen, was sich im Kasten alles hinter der Röhre tut, damit die Flimmerbildchen hereinkommen. Wie zum Beispiel jetzt.

Das wäre der Kater, der altbekannte. Der sucht Zuflucht hinter der Tür, aber die drückt ihn platt an die Wand, so daß er wie ein Teppich herunter und unter der Tür nach draußen rutscht, wo sich an ihm eben der Postbote die Schuhe abwischt. Doch schüttelt sich der Kater bereits, kriegt wieder Ohren und Schnauzhaare, und schon späht er durchs Schlüsselloch und entdeckt, wie sich die Maus am Käse gütlich tut. Aber ein Stück hinter ihm ist eine Bulldogge, und die beobachtet den Kater. Auch der Hund ist ahnungslos. Fröhlich pfeifend sitzt der Hundefänger am Steuer seines Kastenwagen. Daß eine Maus den Käse wegfrißt, ist in Ordnung, aber nicht, daß ein Kater eine Maus fressen will. Der Film scheint für Katzen gemacht, denen man das Mäusefangen abgewöhnen will, damit sie auf Büchsennahrung umstellen.

Und schon wieder ein runder Tisch. ›Rendez-vous um Viertel nach sechs‹. Was die Leute einander doch alles zu erzählen haben. »Gerade in Zeiten wie den unseren«, meint der Moderator. Es scheint um Abtreibung zu gehen. Du staunst, wie offen die Frau redet. Ob du den Mut hättest, so ehrlich zu sein. Aber die hat gar nicht abgetrieben, die berät. Doch die daneben. Und die dritte, die hat ihren Freund zum Teufel gejagt, die wollte ihr Kind haben. Schon tapfer, wenn die ihr Kind allein großgezogen hat. Du magst einfach diese großen Ohrringe nicht, das erinnert dich an Nasenringe. Schon tragisch, wie die mit der Türkin umgesprungen sind, und dies, nachdem diese von ihrer Familie verstoßen wurde. Es scheint gar nicht um Abtreibung zu gehen, sondern um die Probleme alleinerziehender Eltern. Oder doch nicht. Der andere redet vom Waldsterben. Oder geht's um Jugendarbeitslosigkeit? Sagt doch die alte Frau mit Brille und in Strickjacke: »Unsere Jutta war damals erst sechzehn. Und der Boß hat sogar von Erpressung gesprochen. Natürlich hätten wir uns an die Gewerkschaft wenden können. Aber was hätte es uns genutzt, wenn wir Recht gekriegt hätten. Wenn das Hunderten passiert, schreien die Leute. Aber bei einem einzelnen, da rührt sich kein Schwein.«

Ob die eigentlich Wasser trinken. Von einer Talkshow weißt du, da kriegen sie auch Wein, jedenfalls fragt der Talkmaster, was die Interviewten möchten.

Jetzt wäre ein Bier nicht schlecht. Du kannst dir ruhig eins holen, du verpaßt nicht viel. Und zwar wirst du es aus der Dose trinken. Das mag Bea nicht, sie findet das ordinär. Wenn es einer auf dem Bildschirm tut, findet sie das männlich-lässig, aber sie besteht darauf, daß eure Wohnstube kein Saloon sei. Wie die das nur mit ihren Dosenverschlüssen machen, jedesmal brichst du dir einen halben Nagel ab. Noch nie konntest du einen Deckel aufreißen, ohne daß es spritzt. Aber du warst von Anfang an gegen diesen heiklen hellen Möbelstoff.

Da bieten sie ja sogar Sport. Bis du sowas merkst. Sieht schön verregnet aus. Seit wann sponsert denn die ›Brand AG‹ Tennis. Und Zuschauer hat's auch nicht viel. Aha – »nach dem Regenschauer sind nicht mehr alle Zuschauer auf ihre Plätze zurückgekehrt.« Komisch, daß sie dennoch spielen. Damen-Einzel. Hin und her und her und hin. Jetzt Netz, und gleich nochmals Netz. Beidhändige Rückhand. Wo steht die schon wieder auf der Weltrangliste? Erstaunlich, was die beiden bieten, obwohl sie nur von der Grundlinie weg spielen. Ob das eigentlich nicht stört, wenn die in der andern Hand einen Ball halten, aber es war schon eine gute Erfindung, daß die Bälle jetzt gelb sind, da sieht man wirklich, wo sie hinfliegen. Die eine, die keucht bei jedem Schlag, und was die für einen Arsch hat, der ist schon eine Großaufnahme wert, und zwischen den braunen Schenkeln das weiße Spitzchen.

Wie du Bea kennst, wird die bestimmt noch anrufen. Du hast angeboten, ihr zu helfen, aber sie wollte die Formulare selber ausfüllen, nun ist sie ja fürs Wochenende mit ihrer Freundin zusammen. Ja, das war nun wirklich vorauszusehen, was für ein Regenguß. Jetzt müssen sie halt aufhören. Und da ist auch schon die Tafel mit der Mitteilung, daß das Spiel verschoben wird. Wie der Apparat knattert, das macht er in letzter Zeit öfters, und zwar immer bei Schrifttafeln.

Schön, genießen wir die Unterbrechung. Die Zeitung hast du auch noch nicht fertig gelesen. Jetzt haben sie endlich den Kerl geschnappt, der ein Schulmädchen vom Fahrrad riß und sie zu vergewaltigen suchte. Bei einer ersten Straßenkontrolle ist er der Polizei entwischt, es ist schon leichter, ein falsch geparktes Auto aufzuschreiben, das läuft nicht davon. Wer ist denn das schon wieder. Khaadam. Namen muß man sich merken, sicher können nicht alle Müller und Meier heißen, aber einfacher wär es schon. Bei den Afrikanern, da weißt du manchmal nicht einmal, wo der Vorname aufhört und der Nachname beginnt. Gespräche in Athen und Gespräche in Panama. Sie reden überall, immerhin, sie reden noch. Jetzt müssen sie bereits die Autobahnbrücken reparieren, die gleichen Firmen, die sie bauten, ja, es muß etwas nur so lange halten, bis die Garantiefrist abgelaufen ist. So von Tag zu Tag: Zuchthaus für Heroinhändler und Höchststrafen für einen ›Eierwerfer gegen die Queen‹.

Es wäre eigentlich Zeit für die ersten Nachrichten. Sie sind schon bei der Kinderstunde. Was du an Kinderstunden mitkriegst, nur weil die vor den Nachrichten kommen. Überraschende Kombinationen haben die. Warum die nicht die Lottozahlen und das ›Wort zum Sonntag‹ hintereinander bringen? Das letzte Mal hattest du eine Zahl richtig und alle andern fünf nur um eine einzige Stelle verschoben. Wenn man nichts im Lotto gewinnt, könnte man nachher das ›Wort zum Sonntag‹ anhören. Du schaust es dir ja noch manchmal an, nicht wegen dem, was sie sagen. Aber einer, der brachte einmal Würfel mit, und es sah aus, als ob er mit seinem Big Boß pokere, und ein anderer führte einen Esel ins Studio, die Show-Boys Gottes werden immer telegener, die trauen dem Wort auch nicht mehr ganz. Diesmal basteln in der Kinderstunde zwei Zwerge mit irgendeinem Plastikmaterial, und jedesmal wenn sie etwas fertig haben, wird etwas anderes draus. Da gab's doch vor kurzem eine Sendung über Zwergewerfen, so ähnlich wie Kugelstoßen. In Texas, oder war es in Australien? Nein, in Australien war das mit dem Känguruh-Reiten. Jedenfalls hatten die, welche die Zwerge stemmten, alle breite Hüte auf.

Du könntest inzwischen die Abfallsäcke zubinden, sonst fangen die an zu stinken. Du brauchst nur den Ton anzudrehen, und dann hörst du in der Küche, wenn es soweit ist. Was für ein mieses Material die für ihre Kehrichtsäcke verwenden, kaum stopfst du ein bißchen, reißt das Zeug schon ein. »So was hättet ihr sicher nicht gemacht.« Was die Zwerge wohl gemacht haben, das die Kinder nicht machen oder machen sollten? Aber du kannst nicht den Wasserhahn laufen lassen und meinen, du kriegst alles mit, was sich auf dem Bildschirm tut. Keine schlechte Idee von Bea, eine Gemüsesuppe bereitzustellen, aber da wird doch wohl was ... doch ja, es hat Fleisch drin.

Die Zwerge sind im Pilzhaus verschwunden, und der Sprecher wünscht den Kindern eine gute Nacht. Mit dem Signet ist auch schon die Großmutter da, die nicht mehr selber einmacht, weil das eine Firma ebenso gut besorgt; die stellen auch Marmelade für Diabetiker her, zuckersüß lächeln die beim Schlecken. Und ein Tiger, wohin der wohl läuft, ach der läuft, weil er mit einer Batterie geladen ist, dreimal um den Urwald herum, du solltest schon längst einmal die alten Batterien zurückbringen. In acht Sekunden von null auf hundert, das ist schon eine Affenbeschleunigung, aber wann willst du das ausprobieren? Um aus einem Parkplatz herauszukommen? Aerodynamik. Und der Innenausbau, schön, so sehen heute die Autos innen aus, und das Armaturenbrett, ein richtiges Cockpit. Aber preiswert ist der Wagen schon, sofern er hält, was die versprechen. Erich hat sich einen neuen Wagen gekauft, nachdem er geschieden ist, den hättest du eigentlich anrufen können, der sitzt jetzt bestimmt allein zu Hause vor seinem Kasten. Für diesmal hört's mit der Zahnpasta auf. Nein, da kommen noch die Bonbons. Mit Ananas und Kokos drin, und die bringen einen zum Schweben, und die Kinder sitzen auf der Palme. Bequem dürfte das auch nicht gerade sein, jedenfalls nicht so bequem, wie wenn du dir jetzt noch ein Kissen angelst und den Hocker ranziehst, um die Füße draufzulegen, die Schuhe läßt du zunächst dort liegen, wo sie hingeplumpst sind. Von dir aus könnten die jetzt endlich bieten, was heute passiert ist.

Wie? Eine Programmänderung? Die werden doch nicht den Krimi... nein. »Die Sendung ›Im Dienste Gottes sind wir alle gleich‹ entfällt.« Ach, das war das Kleingedruckte. Statt dessen als Gedenksendung ›Jenseits des Kanals‹. Nie gehört. Aber der Schauspieler scheint berühmt gewesen zu sein. An Krebs. Und was ist jetzt das schon wieder? Klar. Die bringen vor den Nachrichten jeweils eine Vorschau. Der junge Schweizer Film. Da werden sie wieder ausführlich und einsam durch die Gegend und die Straßen gehen. »Zwei junge Menschen auf dem Weg zur Selbstfindung.« Da ist er schon, der junge Mann, am Bahnschalter. Lange schaut er seine Freundin an, man spürt, auch in ihr tut sich etwas, das formuliert werden möchte, und dann hält er ihr das Bahnbillett hin und sagt endlich: »Auch diese Erfahrung mußt du machen.«

»Guten Abend.« Guten Abend. Der Liebling der Nation. Immer ein Smile auf den Lippen. Der lächelt, als müsse er sich dafür entschuldigen, daß er üble Nachrichten verlesen muß. Als er das letzte Mal von einem Großbrand berichtete, tat er es richtig distanziert, damit ja niemand auf den Gedanken käme, er selber könne der Brandstifter sein.

Steuerharmonisierung. Das findest du auch. »Die Steuern hängen nicht nur vom Einkommen, sondern auch vom Wohnort ab.« Die Arbeitslosenquote bleibt stabil. Die Zahlen auf den Tabellen sind einfach unscharf, die flimmern. Das Asylantenproblem noch nicht gelöst. Die, die bei uns unterkommen wollen, werden immer schwärzer. Die Italienerin in der Spedition kriegt schon wieder ein Kind, aber die Italienerinnen arbeiten bis zu den Wehen. Eine Fähre untergegangen. Mehr als hundert Tote. So was käme bei uns kaum vor, aber in Indien oder Hinterindien!

Und der Papst geht wieder auf eine Reise, was das kostet. Ein Autobomben-Attentat. Wahnsinnig, diese Selbstmordkommandos – parken einen Wagen und jagen sich mit ihm in die Luft. Und das alles wegen Allah. Nun ja, wenn du an Irland denkst, und die mit dem Turban und den langen Haaren, da ist es auch nicht besser. Der Abschuß – was, schon wieder verschoben? Die haben auch immer mehr Probleme mit ihren Raketen. »Wir melden uns wieder mit den Hauptnachrichten ...«

Das wäre der Moment, um auszutreten. Ein Aufruf. Du mußt halt ein paar Schritte zurückmachen, wenn du wissen willst, wen sie suchen. Den mit dem Schulmädchen haben sie doch geschnappt. Der Aufruf ist gar nicht von der Polizei. Sie sammeln für eine alte Burg. Sollen sie sie renovieren, aber wenn die anfangen, alle Ruinen wieder herzurichten. Du hast jetzt deinen Drang. Was ist das für eine Plastikschachtel neben dem Toilettenpapier? Feuchte Tüchlein, für hinterher. Jetzt hat Bea das doch gekauft, das hat sie im Fernsehen gesehen.

Die beste Alpenmilch in der besten ... deswegen wäschst du dir trotzdem noch die Hände. Fanfaren, zu was für einem Produkt die wohl ertönen. Und ein einziges Gekicher. So, da wärst du wieder. Gerade rechtzeitig fürs Hundefutter. So sehen Hundezüchter eben aus. Und der Geruch, der erst gar nicht entsteht. Und jetzt die feuchten Tüchlein – nicht weiterreden, schon überzeugt. Diese Spezialeffekte. Wenn du zum Film gegangen wärst, das hätte dich interessiert. Eigentlich mehr das, was sie in den Science-fiction so alles fertig bringen. Die haben einmal im Fernsehen gezeigt, wie sie das machen, aber ausgerechnet die Sendung hast du verpaßt, sie setzen das Interessanteste immer an, wenn du keine Zeit hast. Aber die Folge mit den Stuntmen war auch nicht schlecht. Und nicht nur der, der mit seinem Motorrad über fünfundzwanzig Wagen sprang. Wenn du ein Held wärst, würdest du dir auch einen Stuntman zutun oder selber ins Feuer springen?

Diesen alten Stoß Zeitungen, den könntest du auch einmal rausbringen und wegwerfen. Bea hat sicher herausgerissen, was sie braucht, und beiseite gelegt. Du kannst die Dose gleich mitnehmen und einen Schwamm mitbringen, sonst gibt das Ringe. Und den Aschenbecher könntest du auch leeren, der wird schon nochmals voll heut abend.

»... und unter den Weichtieren haben die Kopffüßer das höchste Entwicklungsniveau erreicht, auch wenn sie das Meer, das sie als frei bewegliche Schwimmer bewohnen...«

Hier spielen sie noch immer Tennis. Was heißt noch immer, schon wieder. Diese Tschechin muß Unsummen verdienen mit ihrem Racket, aber die hatte doch so Geschichten...

Und hier verabschiedet sich gerade einer. Der hat nicht nur im Haar Pomade. »Alles Gute – Ihnen hier im Saal und auch Ihnen zu Hause am Bildschirm«, der meint auch dich. »Passen Sie gut auf sich auf. Es sind nicht alle Menschen so nett wie wir.« Und er setzt nochmals zum Singen an. Was für ein Glück, daß man so ein Gesicht mit einem Druck auf die Taste verschwinden lassen kann, schwuppdiwupp, und schon ist ein Nautilus da.

›Nautilus‹, das ist gar kein Unterseeboot. »Der letzte Nachfahre eines großen Geschlechtes.« Bei dieser Tabelle über die Stammesentwicklung müßte man halt drauskommen. Der Tintenfisch, der ist jedenfalls weit oben. Ammoniten, das habt ihr doch einmal auf einer Schulreise gesammelt, und du hast einen deinem Schulschatz geschenkt.

Wenn dir schon einer was vorführen soll, dann lieber der Koch. Das ist genau das, was du Bea immer sagst, sie solle es kaufen. Springform heißt das. Für diese Blätterteigpastete. Man muß ja den Teig gar nicht mehr selber machen. Eben – der tut auch Knoblauch hinein. Aber wenn die im Fernsehen etwas aus dem Ofen nehmen, ist es nie verbrannt und geht immer auf.

Die Tennisspielerin hat jetzt drei Satzbälle. Netz. Erster Aufschlag... Und der Koch hat bereits die geriebenen Mandeln in der Schüssel. Er schlägt das Eiweiß zu Schnee. Wieviel Schwingbesen der an der Wand hat, ob man wirklich zum Kochen all diese verschiedenen Größen von Schwingbesen braucht?

Der Quizmaster fragt eben nach dem Unterschied zwischen ›Graphologie‹ und ›Graffiti‹. »Graphologie ist, wenn man...«, bis jetzt stimmt es, und auch der Quizmaster ist einverstanden.

Aber ›Graffiti‹? Der Kandidat sagt, er habe es auf der Zunge. Aber klar – die Scheinwerfer, die Kameras, da wird jeder nervös. Und der Gong ertönt. Der Gegenkandidat weiß: Graffiti ist das, was die Jungen auf die Hauswände malen oder sprayen.« Damit hat er den Punkt. Und schon fragt der Quizmaster weiter. »Bitte, ein bißchen näher zum Mikrophon. Und ins Publikum schauen. Ein Projekt, über das Frankreich und England seit hundert Jahren verhandeln?« Der Gefragte überlegt und sagt »Kanal«, und der Quizmaster hätte noch gerne etwas dazu gewußt. »Sie wollen einen Kanal bauen.« Den haben sie doch schon. Und der Quizmaster sagt: »Sie meinen sicher einen Tunnel.« Da kann jeder Trottel gewinnen. Was das für Typen sind, die sich da melden. Der Quizmaster wendet sich ans Publikum: Ob sie die Antwort gelten lassen wollen? Und alle applaudieren. Der Gefragte wird zum zweiten Sieger erklärt. Der erste Sieger darf am Glücksrad drehen, und es reicht für einen Baukasten, nicht für sich, für seinen Enkel, tobender Applaus, alle sind begeistert, er ist ein Großvater.

Das ist schon eine geniale Einrichtung, ein Pub. ›Dartboard‹, das hättest du auch nicht gewußt. Aber wann brauchst du im Gespräch mit euren ausländischen Kunden das Wort ›Zielscheiben‹. ›A pint of bitter‹, das kennst du. Obwohl, inzwischen brauchst du viel mehr amerikanisch als englisch. Aber Stil hatten die Briten ja schon. Direkt in die Mitte – das ist der Champion beim Pfeilwerfen. Und einer aus dem Team sieht aus wie ein Sherlock Holmes. So lernt man schon besser, gleichsam nebenbei. ›To knock over‹, ›umwerfen‹, ›umstoßen‹, zum Beispiel ein Glas. Vielleicht müßtest du einmal das Buch zu diesem Telekolleg kaufen!

Die sind jetzt fertig mit den Fossilien und den Versteinerungen und sind bei den ›Kleinen Meldungen‹ angelangt. Die älteste Bewohnerin … Wenn du einmal hundertundfünf bist, müssen sie dich auch stützen, und dann kriegst du vielleicht auch so einen Sessel. Bis sie die Frau drin hatten, auch der Gemeindepräsident, der den Sessel schenkte, mußte schieben. Und wie sie jetzt da sitzt und der Reporter fragt, ob sie ihr Rezept verraten könne, wie man so alt wird, hält die Frau die Hand vors Gesicht und sagt: »Es blendet.«

Und auch der Koch ist fertig, und jetzt läuft dort ein Trickfilm. Ein gezeichnetes Autorennen, das ist neu. Aber da stimmt irgend etwas nicht. Denn der mit seinem spitzen Kinn, das ist ganz bestimmt ein Bösewicht, aber er hat nicht damit gerechnet, daß der andere mit seinem Rennwagen nicht über das Öl schlittert, das der Bösewicht ausgegossen hat, aber der andere hat ein Auto, dessen Kotflügel zu richtigen Flügeln werden...

Der Unterschied zwischen ›rather‹, ›fairly‹ und ›quite‹. Das sind eben die Nuancen. Es kommt schon darauf an, ob einem etwas ›gefällt‹ oder ob es ›nicht angenehm‹ ist, ob ›gut‹ oder ›nett‹ gemeint ist.

Da wäre jetzt doch der Moment für die News auf Kanal vier. Die sind gerade mit den Spots durch: Eine funktionstüchtige Küche, aber individuell eingerichtet. Dir tut einfach die große Zehe weh. Die Pedicure von Bea ist auch nicht alles. Am besten du holst mal eine Schere, besser wäre natürlich, den Fuß richtig zu baden, um den eingewachsenen Nagel weich zu kriegen. Das ist jetzt zu kompliziert, doch mit einer Hautcreme... die kannst du einreiben, während die Nachrichten laufen.

Die haben für die News viel mehr Bildmaterial. Nun sind es ja auch Hauptnachrichten. Was du für Verrenkungen ausführen mußt, um an die Hornhaut deiner Fußballen zu kommen. Seit wann zeigen die in den Nachrichten Spielfilme? Das ist doch ein Spielfilm. Klar ist das ein Spielfilm: Da schleppt sich einer zu einem Kanal, und ein anderer hält noch das zerbrochene Ruder in die Höhe, mit dem er zugeschlagen hat. Ach so: ein Ausschnitt aus ›Jenseits des Kanals‹. Der Schauspieler ist gar nicht an Krebs gestorben. »Die Polizei schließt die Möglichkeit eines Freitods nicht aus.« Die haben auch für das Fährenunglück einen Filmbericht. So breit scheint der Fluß gar nicht zu sein. Aber mit der Kamera, da kann man sich leicht täuschen, die verändert die Perspektive. Die meisten konnten einfach nicht schwimmen und wurden auf dem Schiff zu Tode getrampelt. Wie das wohl kommt, daß immer eine Fernsehequipe zur Stelle ist, wenn etwas passiert? Beim Krieg, da leuchtet es dir ein, die nehmen jeweils Leute mit zum Filmen, sicher die Amerikaner. Aber bei Unglücksfällen? Ist die Rakete jetzt doch hochgegangen? Jedenfalls steigt eine und – Knall. Explosion. Ach, das war ein Archivfilm. Du siehst direkt in die Wohnungen mit allen Möbeln drin, nachdem die eine Hauswand weggerissen wurde. Und die Kerle mit den Gewehren, das sind doch halbe Kinder. Das Bild hat einfach einen Rotstich. Das hätte dir auch schon früher auffallen können. Da hat doch wieder jemand am Knopf gedreht. Sicher Bea beim Abstauben. Ein bißchen kannst du schon regulieren; aber zum definitiv Einstellen, brauchst du das Testbild.

Das Rot und das Weiß auf der Bahre sind schon viel sauberer. Aber jetzt ist die Bahre weg, und du mußt dich fürs Regulieren an die Tupfen auf der Krawatte des Nachrichtensprechers halten. Das Papstauto. Kugelsicher. Wie geht doch schon wieder der Witz mit dem Papst. Mit dem Unterschied zwischen Papst und Liebem Gott. Der Papst ... nein, der Liebe Gott ist überall, und der Papst ist überall gewesen. Ein Angriff auf eine Cooperativa. Daß sie diese Nicaraguaner nicht in Ruh lassen können. Und wie die den zugerichtet haben. Dieser Kopf, jeder Stich und jeder Schlag zu sehen. Das wäre der Moment, da Bea die Augen schließen würde. »Die Zahl der ermittelten Tatverdächtigen hat sich um drei Prozent vermehrt.« Die Opposition sagt, die Regierung sei schuld, daß die Jugendkriminalität steigt. Und die Regierung sagt, sie habe diese Zahlen von der Opposition geerbt, als diese noch an der Macht war. Und wieder ein Protestmarsch wegen eines Atomkraftwerkes. Einige natürlich, die mit Steinen und Molotowcocktails anfangen, und die Polizei, die auch die prügelt, die nichts geworfen haben. Und ein Streik ...

Läuft jetzt nicht auch ›Land und Leute‹? Wasser, das fast über den Kai steigt. »Seit dreißig Jahren ist das Wasser im Bodensee nicht so früh im Jahr so hoch gestiegen. Wenn es weiter regnet, können die Schiffe bald nicht mehr unter den Rheinbrücken durch.« Du hast Bea versprochen, ihre Kräuter auf dem Balkon zu gießen, aber das ergibt sich von selbst. Und wie anständig der aussieht und muß Stellung beziehen zum Finanzskandal. Wenn das stimmt, daß die Geld aus der Gemeindekasse nahmen für eine Vergnügungsreise ins Ausland. Und eine stillgelegte Fabrik. Die haben früher gar nicht so schlecht gebaut. Kulturzentrum, aber die haben eine Summe für den Abbruch bewilligt, das gibt interimistische Parkplätze. Interimistische, wenn das nicht dauert. So – das gibt es auch.

Am nächsten Sonntag nationaler Velotag; schon überall putzen sie die Fahrräder. Und du wolltest doch mit Mutter ausfahren ...

Läuft jetzt nicht auch die Westernserie, die du nicht magst. Vielleicht ist ihnen für diesmal was eingefallen. Da reitet gerade ein bärtiger Alter durch die Landschaft und mit ihm eine junge Frau. Schon toll, diese Wüstenlandschaft. Mit den Kakteen und diesen Bergen, wegen der Er... wegen der Erosion. Fritz war doch letztes Jahr in den USA in den Ferien. Auch in Arizona. Er will wieder hin, das leuchtet dir ein. Er hat nur gesagt, er wolle das nächste Mal vorher eine Vollkasko abschließen. Jetzt steigen die beiden vom Pferd und ducken sich, so groß ist das Felsloch auch nicht, und er zeigt ihr, wie es in dieser Höhle glitzert. »Katzengold«, sagt sie, »du hast Katzengold gefunden.« Den Ausdruck kennst du auch nicht. Auf jeden Fall ist etwas gemeint, das nichts wert ist. Und schon sitzen wieder ein paar am Familientisch – ja, in dieser Serie sitzen sie immer am Familientisch.

Aber ›Aus aller Welt‹ ist auch nicht schlecht. Da hast du letzthin diesen Bericht über Japan gesehen. Und daß die dort Firmen haben, welche eigene Friedhöfe besitzen. Wenn du auf einem Friedhof begraben würdest, der deinem Boß gehört! Aber vielleicht bieten die mit ihren Nachrichten doch noch etwas Neues. Ein »Heiterer Schlußpunkt«. Was die wohl heiter nennen? Männermode. Bitte, das geht dich auch an. Jacken, die allzu groß sind. »Teure Schluddrigkeit«. Tatsächlich, die Hosen schlottern, und die gehen über den Laufsteg, als hätten sie die Hosen vollgemacht. Beschissen sind die Zeiten schon. »Und die holde Weiblichkeit?«

Ja, das fragst du dich auch. Die sollen doch einmal eine Mode erfinden, bei der einem alles zu eng ist. Dann könntest du die

Kleider wieder tragen, die im Kasten hängen und die dir nicht mehr passen. Aber nächste Woche machst du ernst mit der Diät. Bea macht mit. Und zu zweit geht's leichter. Der Kerl, welcher das Katzengold gefunden hat, hat die Höhle gar nicht selber entdeckt, sondern er hat einen erschlagen, und jetzt führt ihn der Sheriff ab. Und da wieder eine Umfrage. Da halten sie einem das Mikrophon vor die Nase und fragen: »Was halten Sie davon?« Dich hat noch nie einer gefragt, was du davon hältst. Was sollst du davon schon halten.

Du könntest eigentlich die Suppe aufsetzen, dann ist sie fertig, wenn es soweit ist. Du mußt das Fleisch klein schneiden, damit du es mit dem Löffel essen kannst. »Löffelgerecht« – das Wort hast du auch aus dem Fernsehen. Wenn du so ein Wort brauchst, fällt's dir nicht auf. Aber wenn Bea »flauschig« sagt, lachst du. Aber jetzt tut sich was auf dem Bildschirm. Nimm das Messer halt mit, wenn du das nicht verpassen willst. Huronengebrüll und Apachengeschrei. Jetzt sind die Indianer an der Reihe und schießen brennende Pfeile ab. Aber einer nach dem andern fällt vom Pferd, und die andern hauen ab. Das Fort ist gerettet. Du kannst ruhig weiter Fleisch schneiden. Es hat dich immer gewundert, wie die das mit den Pferden machen. Einem Schauspieler kannst du beibringen, wie er stürzen muß, aber einem Pferd? Du hast noch nie davon gehört, daß so ein Pferd einen Filmer niedergetrampelt hat. Nur Photographen, die werden bei ihrer Arbeit erschossen. Du hast sogar einmal gewußt, wieviele Photographen in Vietnam erschossen wurden. Die Suppe riecht gut. Von Suppen versteht Bea etwas. Gottlob teilt sie deine Abneigung gegen alles, was aus dem Beutel kommt, da können die am Fernsehen schmatzen, solange sie wollen.

Die sind schon ein bißchen wild mit dem, was sie bieten. Drauskommen ist da nicht einfach. Video-Kunst. Vor zehn Jahren, da haben sie noch alle geschimpft, der Fernsehkasten verblöde, und jetzt machen sie Kunst für den gleichen Kasten. Ein bißchen abstrakt. Aber so ist die Kunst auch sonst. Wenn du an den Brunnen denkst, den sie vor euren Neubau hingestellt haben. Wenn da nicht Wasser rauskäme, wüßte man gar nicht, daß es ein Brunnen ist. Auf den ersten Blick eher etwas für die Alteisenabfuhr. Ein bißchen viel Nacktes kommt in diesen Videos schon vor. Aber verfremdet. Vielleicht ist Kunst eben, daß man nicht auf andere Gedanken kommt, wenn man Nacktes sieht. Und jetzt spricht der Künstler selber. Früher hättest du gesagt, der sieht wie ein richtiger Künstler aus. Aber jetzt laufen sie bald alle so herum, als ob sie richtige Künstler wären ...

Und hier. Ach nein. Nicht schon wieder ein Tierfilm. Die Kamera schwenkt vom Kopf des Lamas auf die Herde. Das hast du lange nicht gewußt, daß diese Lamas Kamele sind. Ohne Höcker. Ob es auch Elefanten ohne Rüssel gibt? Und wie diese Lamas gerade den steilsten Hang hinaufgehen. Und hinter ihnen die Indios. Dieser endlose Altiplano. Die Hütten, in denen die wohnen, kannst du fast nicht erkennen. Die sind aus Erde und sehen aus wie der Boden selber. Eigentlich nur Schlupflöcher. Und kochen tun sie draußen. Du solltest die Suppe kleiner stellen, damit auch das Fleisch warm wird.

Inzwischen dürften die auf Kanal vier auch mit den Hauptnachrichten soweit sein. Vielleicht bieten Sie was Zusätzliches. Man weiß ja nie. Steuerharmonisierung. Schon wieder, aber doch anders. »Dazu einen Bericht aus Bern.« Der Sprecher schaut nach unten. Klar, der hat einen Monitor. Und jetzt schaut er dich an, als ob du weiter wüßtest. Und jetzt blickt er nach oben. Auch im Fernsehen kommt die Hilfe von oben. »Regie«, ruft er. Und ein Gemurmel aus weiter Ferne. Der hat doch genug Blätter in der Hand. Soll er erst einmal die durchgeben. »Bern ist noch nicht so weit.« Bis die so weit sind, kannst du lange warten. Also schön weiter. Jetzt haben sie den Caesiumgehalt im Gemüse international festgelegt. Bea und ihr Spinat. Auch wieder so ein Wort. Caesium. Bea hat schon recht. Man müßte ein kleines Lexikon neben dem Apparat haben. Wichtiger wäre noch ein Atlas. Dann könnte man nachschauen, wenn sie in Afrika wieder putschen. Man möchte doch gerne wissen, wo das liegt, wo was passiert. Und die Arbeitslosenquote ... das hast du schon gehört. Du kannst deine Suppe holen.

Inzwischen sind sie beim ›Sportereignis des Tages‹. Was für

Pullover die Sportsprecher anhaben, flauschig, flauschig. Irgendein Weltrekord in Leichtathletik. Du hast nie ganz begriffen, weshalb es jemanden locken kann, weiter zu springen als andere. Aber das ist eben auch ein Rekord. Hingegen die mit ihren langen Beinen über den Hürden. Als ihr in der Schule noch euren Hochsprung hinlegtet, lag hinter der Latte Sand und nicht Kissen. »Von Hoch zu Hoch.« Was soll das jetzt wieder. Der Sprecher lächelt. Das war ein Scherz, und der Sprecher selber findet ihn gut. Ein Hoch über den Azoren. Diese Azoren kommen in den Nachrichten nur vor, wenn sie ein Hoch haben. Man kann doch vom Wetter allein nicht leben. Du solltest ein Küchentüchlein nehmen, sonst vertropfst du dir deine Hosen und den Sessel. Man könnte meinen, du würdest zum ersten Mal etwas löffeln, während du auf den Bildschirm und nicht in den Teller schaust.

Diese Oldtimer. Und diese Wagenkolonne. Aber das sind nicht Sammler, diesen Hippies bleibt gar nichts anderes übrig als solche alten Modelle. Und prompt setzt auch so ein Schlitten aus. Und die ganze Kolonne muß anhalten, und die flicken mitten auf der Landstraße. Bauern mit Traktoren und Heugabel am Straßenrand. Die wollen nicht, daß diese Typen auf ihrem Land campieren. Und jetzt läßt einer den Motor an, und schon reitet der bärtige Alte durch die Gegend. Den hast du doch zuletzt im Gefängnis gesehen, wie der durchs Gitter auf den Platz nach draußen sah, wo sie für ihn den Galgen aufstellten. Wieso reitet der jetzt durch die Gegend? Ach, der tut's nur, weil du aus Versehen an die Taste auf der Fernbedienung gekommen bist. Oder sollte die Fernbedienung spinnen? Du mußt einmal checken:

Da die Unfallverhütungs-Sendung, stimmt. Und da die Hippies wieder, stimmt auch. Und da die Indios, stimmt ebenfalls. Trostlos so eine Minenstadt auf viertausend Metern. Solche Ponchos verkauft Beas Freundin in der Boutique; aber sie wurden kein Hit. Du würdest ja so was auch nicht tragen. Zweiunddreißig Jahre ist die Lebenserwartung dieser Minenarbeiter. Da wärst du schon tot. Gottlob muß man sich nicht an die Statistik halten. Die Aussteiger treffen sich zwischen diesen alten Steinen. Stonehenge. Daran haben die über dreihundert Jahre gebaut.

Und man weiß immer noch nicht, was es soll. Ein Kalender. Jedenfalls ist das Format nichts für die Tasche.

Dein Krimi fängt erst in fünfzehn Minuten an. Jetzt beginnt auf sechs ein anderer Film. Ein Problemfilm, wie die Sprecherin sagt: ›Blondes Wochenende‹. Eine Frau um die Vierzig. Eben Problemfilm. Spielt an der Riviera. Im Parfum-Milieu. Bis dann die Wahrheit an den Tag kommt. Aber die kommt sicher nicht in den fünfzehn Minuten an den Tag, die du Zeit hast, um in den Film reinzuschauen. Da wäre zwar auch noch ein Bericht aus dem Fichtelgebirge. Und da ein Film von einem Rentnerpaar, das den wer-weiß-wievielten Frühling spürt; die fahren nach Grönland, das ist ein bißchen weit, aber die beiden haben gespart. Die Parfum-Dame hat sich nicht schlecht eingerichtet in ihrem Hotel. Was es wohl aus dem Fichtelgebirge zu berichten gibt? Wälder haben die da. Und überhaupt kein Waldsterben. Wo leben denn die? Und das soll ein Gebirge sein, die sollen einmal in die Schweiz kommen. Das Rentnerpaar geht eben aufs Schiff, und da gibt es ein Wirrwarr mit dem Gepäck. Aber der Kapitän ist ein Jugendfreund, der zufällig auf diesem Schiff Dienst tut. Senioren-Eifersucht. Und die Parfum-Dame trifft den Mann, mit dem sie die Nacht verbringen wird, bis die Wahrheit an den Tag kommt, und er redet von ihrem blonden Haar. Klar, darum heißt es auch ›Blondes Wochenende‹. Wegen der hättest du fast deinen Krimi verpaßt.

Was für ein merkwürdiger Anfang. Daß es Polizei in einem Kriminalfilm braucht, ist klar. Aber gleich eine Polizei-Musikkapelle, die durch ein beflaggtes Städtchen zieht? Tschättertätä. Und jetzt fängt auch noch eine zu singen an. Heimatliche Klänge. Ein Mord im Trachten-Milieu? Das ist neu. Zum Teufel nochmals. Das ist ja das Fichtelgebirge. Du mußt einen Kanal weiter hüpfen. Da. Jetzt bist du richtig.

Eine nasse Straße, und der Asphalt glänzt im Schein der Straßenlaterne. Der Wind schlägt an ein Gartentor, und das geht auf. Es quietscht. Das müßte man einmal ölen. Aber in einem Kriminalfilm sind ungeölte Gartentore besser. Und jetzt Schritte. Nichts als Schritte. Jetzt bleibt er stehen. Ob es überhaupt ein

Mann ist. Den Schuhen nach schon. Oder ob eine Frau Männerschuhe angezogen hat? Die Kamera fährt an den Hosenbeinen hoch. Es ist doch ein Mann, aber sein Gesicht ist nicht zu erkennen. Er trägt einen langen Mantel. Und oben im Haus ein einziges Fenster hell. Und man sieht im erleuchteten Fenster einen Schatten hin und her gehen. Jetzt bleibt der Schatten stehen. Ein gutes Ziel. Aber nichts. Nun wieder Schritte. Hat's Klick gemacht? Jetzt hast du den Aschenbecher draußen gelassen. Nu ja, der leere Suppenteller tut's auch. Und jetzt im Haus drin. Ein teures Arbeitszimmer. Ein graumelierter Herr vor dem Porträt einer Frau. Er geht zum Schreibtisch, liest, was er hingekritzelt hat, zerknüllt es, wirft es in den Papierkorb, holt es wieder heraus und geht damit zum Kamin und zündet es an.

Ganz groß die Asche im Bild. Draußen auf der feuchten Straße ein Auto. Es hält kurz an und fährt gleich weiter. Der im langen Mantel hat sich umgedreht und macht zwei Schritte näher ans Haus. Noch einen Schritt. Jetzt eine Disco. Ein paar junge Leute an der Bar. Der Barkeeper gibt irgend jemandem im Hintergrund ein Zeichen. Der geht ans Telefon. Und jetzt der Mann in seinem eleganten Arbeitszimmer. Er nimmt den Hörer ab und wird bleich. Es ist sicher gar nicht leicht für einen Schauspieler bleich zu werden, wenn er geschminkt ist. Er legt den Hörer auf den Tisch und greift nach einem Revolver in der Schublade. Draußen winselt ein Hund. Der Mann im langen Mantel prüft, ob man am Spalier hochklettern kann. Und noch immer läutet das Telefon. Und in der Disco schauen die Jungen an der Bar einer Tänzerin zu, die einen jugendfreien Striptease hinlegt. Und noch immer läutet das Telefon. Das ist ja gar nicht das Telefon auf dem Bildschirm, das ist dein eigener Apparat.

Bea ist dran. Sie sagt, sie würde an eine Fondue-Party gehen, es sei richtiges Wetter dafür, furchtbar kalt. Was für ein Streit, das könnte in der Disco sein, der Musik nach jedenfalls. Ob du einen Willem kennst, möchte Bea wissen. Sicher, Willem ist ein Blödian, wie sie auf den komme? Im Zug getroffen. Wieso quatscht der dich an? Ein Schuß. Jetzt ist es passiert. Und Bea fragt, ob sie beide Zahlen übertragen müsse, auf die nächste Seite. Ob der geschossen hat, welcher den Revolver aus der Schublade nahm, oder der im langen Mantel. Es ist doch klar, die beiden Zahlen müssen am Schluß das gleiche Ergebnis haben. Jetzt heulen die Polizeisirenen. Bea sagt, sie wolle ihre Freundin rufen, die habe einen Katalog. Das könne man doch nächste Woche ... Nein, die sei gleich da. Wenn du rasch auf den Bildschirm schaust, weißt du wenigstens, wie weit die sind. Dort liegt einer in einem Zimmer vor lauter Postern auf dem Bett und raucht. Natürlich bin ich am Apparat. Der Katalog? Ach ja. Das ist sehr nett. Prozente kriegt sie. Das ist nicht schlecht. Du hast schon verschiedene Modelle angeschaut. Mehr um dich einmal zu informieren, was es an Videogeräten gibt. Natürlich interessiert dich das. Schön, wir gehen zusammen hin. Klar, daß sie in ihrem Namen bestellen muß. Was für ein Stimmengewirr. Du sollst warten. Bea komme noch einmal. Natürlich hast du die Suppe gefunden. Käse? Es hätte Käse gehabt. In eine richtige Minestrone gehöre Käse. Nun hast du die Minestrone ohne Käse gegessen. Klar, sehr gut sogar. Wie? – Das ist nicht nötig, aha, ihr kommt mit einem Wagen zurück? Also mußt du Bea nicht abholen. Was du machst? Fernschauen. »Ist der Film gut?« – »Ja, bis jetzt schon.«

Jetzt sitzen zwei Stromer beim Kommissar. Der eine hat ein Paket gefunden. Aber was drin war, hat der Kommissar anscheinend gerade vorher ausgepackt. Und jetzt kommt der herein, der elegante Graumelierte, der in seinem Arbeitszimmer hin und her ging. Also der wurde nicht erschossen. Ob der jemanden erschossen hat? Auf alle Fälle gehört ihm das Auto. Das wird eben mit einem Kran aus einer Kiesgrube gehievt. Und am Steuer die Tänzerin aus der Discobar. Ist das jetzt die zweite Tote oder schon die dritte? Und wer ist überhaupt der erste Tote?

In diese Sendung kannst du dich einschalten, wann du willst. Europäischer Wettstreit. Eben fahren zwei auf einem Trottinett und haben eine Sonnenblume in der Hand. Die müssen sie aus einem Garten im Hintergrund holen. Pro Mal nur eine Sonnenblume. Und die stecken sie vorn auf einen grünen Gartenzaun, und wenn die Sonnenblumen fest sitzen, leuchtet über ihnen eine Sonne, und jede Sonne gibt zwei Punkte. Luxemburg ist eindeutig besser im Sonnenblumenstecken als Italien. Die Luxemburgerin gibt als Hobby Stricken an und hat ihren Mann beim Skifahren kennengelernt. Als Beruf nennt sie »nur Hausfrau«. »Nur«, ruft der Showmaster, »das sind vierzehn Berufe in einem.« Und er hält inne. Klar, der hat auch bei den Proben hier eine Pause gemacht. Und schon kommt ihm ein Riesenapplaus entgegen. Alle klatschen. Wieviel Hausmänner wohl mitapplaudieren? Und jetzt tritt Deutschland gegen Dänemark an. Der Deutsche ist ein Oberlehrer und darf seiner Klasse winken. Sicher, er darf seine Schüler nicht enttäuschen. Was sollen die von einem Lehrer halten, der nicht Sonnenblumen stecken kann. Was wohl der mit dem langen Mantel macht? Der Kommissar klingelt an einer Wohnungstür. Aber der, den sie suchen, ist nicht zu Hause. Aha – der Blick des Kommissars sagt alles. Aber er möchte einmal das Zimmer sehen. Das ist doch das Zimmer von vorhin, wo einer auf dem Bett lag und rauchte. Der Adlatus wühlt in der Schublade und findet nichts; aber der Kommissar hat ein Photo entdeckt. Ist das nicht die Frau auf dem Porträt in dem Zimmer, wo einer aus der Schublade einen Revolver nahm. Beim Europastreit bieten sie eine musikalische Einlage. Die, die singt, diese Französin, die soll Großmutter sein. So was weiß Bea. Und jetzt großformatige Photos von Kathedralen. Die eine, das ist bestimmt Notre-Dame. Und das – du hättest auch Köln gesagt, aber es ist der Stephansdom in Wien, so kann man sich täuschen. Ob das ›Blonde Wochenende‹ schon fertig ist. Die Parfum-Dame verabschiedet sich von einem Kind. Das Kind von dem Mann, mit dem sie eine Nacht verbrachte. Sollte das Kind die Wahrheit sein, die an den Tag gekommen ist!

Nach den Spätnachrichten würde ›Jenseits des Kanals‹ beginnen. Warum nicht. Du kannst ja mal den Anfang schauen. Und dann ein Opernausschnitt. Von Zeit zu Zeit hast du das ganz gern. Zu Hause jedenfalls. Da mußt du dich nicht extra umziehen, und zwischendurch kann man sich strecken, das kannst du ja in diesen Opernhäusern nicht. ›Der unheimliche Besucher um Mitternacht‹. Aber genau das kriegst du nicht rein, und die ›Grüße aus Budapest‹ auch nicht. Es ist schon gut, daß Beas

Freundin Beziehungen zu einem Radio- und Fernsehgeschäft hat. Und wenn's nur zwanzig Prozent sind. Wenn ihr ein Video habt, dann könnt ihr die Sendungen aufnehmen und sie anschauen, wann ihr wollt. Zum Beispiel die Seidenstraße. Das hätte dich interessiert. Ein Kollege hat dir im Büro gesagt, nach den Japanern kämen jetzt die Chinesen. Schon auf diesen Frühling haben sie eine Gemeinschaftsantenne versprochen. Dann kriegst du viel mehr Kanäle herein. Und erst, wenn sie ernst machen mit dem Kabelanschluß. Es ist an der Zeit, daß etwas passiert, damit du endlich Auswahl hast.

WELCHES NEBENEINANDER UND HINTEREINANDER von Papieren, Kopien, herausgerissenen Zeitungsseiten, Folien eines angefangenen Kartenwerks und Notizzetteln... Alles Getippte ist auf meiner Schreibmaschine geschrieben worden. Im Zweifingersystem, das mir der Immune abgeguckt hat, im gleichen nervösen Tempo, mit dem ich auf die Tasten haue, was zuweilen merkwürdige Kombinationen von Buchstaben ergibt.

Und fast unleserlich, was er von Hand notierte. Das kenne ich von meinen eigenen Notizen, so rasch hingekritzelt, daß ich sie nachher nicht mehr entziffern kann. Als zähle nicht, was man niederschreibt, als komme es nur darauf an, daß eine Hand Schreibbewegungen ausführt, als sei die Motorik des Schreibens schon eine Garantie dafür, daß es etwas gibt, das sich festhalten läßt.

Festhalten – der Immune hat Dinge festgehalten, um sich selber festzuhalten. Das kenne ich von mir.

Einzelne Zettel sind glatt gestrichen, weil sie zerknüllt worden waren. Sie scheinen schon einmal aus einem Papierkorb hervorgeholt worden zu sein. Abfall, der für die Wiederverwertung geprüft wurde. Auf jeden Fall nimmt manches Bezug auf die Geschichten, die der Immune ausgearbeitet hat. Da lese ich, der Anwalt, der die Klage wegen Unzumutbarkeit dieser Welt vertreten hat, sei doch zu seinem großen Fall gekommen. Der junge Mann, der jenen Prozeß gegen seinen Vater angestrengt und verloren hatte, habe seinen Vater umgebracht, aber er habe sich vorher mit dem Verteidiger abgesprochen: wenn sich der Vater bei der Zeugung auf einen Sinnesrausch als mildernden Umstand berufen könne, könne er sich bei der Erschlagung seines Vaters auf den Alkoholrausch berufen, sofern er sich vor der Tat volllaufen lasse.

Unter den Notizen auch Fragen zu Fragen, die der Immune mir gestellt hat wie die, weshalb den Toten der Mund offensteht:

»Sollte dem Menschen in dem Moment die Stimme brechen, in dem er sein Geheimnis preisgeben will? Oder ist der offene Mund das Eingeständnis, daß es kein solches Geheimnis gibt? Wäre es demnach nicht so, daß ein Toter nichts sagt, weil ihm die

Stimme brach, sondern, daß er sich selber die Stimme bricht, weil er nichts zu sagen hat? Oder nichts mehr sagen mag.«

Aber nicht nur darüber, weshalb den Toten der Mund, sondern auch die Augen offen stehen, machte der Immune sich Gedanken:

»Sollten die Toten die Augenlider nicht mehr benutzen, weil sie endlich den Mut haben, all dem ins Gesicht zu schauen, was um sie geschieht? Ist der Tod gar nicht der große Schlaf, sondern das große Wachsein? Ein Wachen, das die Lebenden nicht ertragen, so daß sie den Toten die Augen schließen, weil sie es nicht aushalten, daß ihnen diese mit ihren leeren Augen beim Leben zuschauen?«

In dem Zusammenhang wohl hat der Immune auch letzte Worte gesammelt. Darunter das von dem Mann, der auf der Intensivstation an Schläuchen hing und als letztes sagte: »Abstellen bitte.«

Ob der Immune schon damals wußte, wie sein eigenes letztes Wort lauten würde?

Aber was soll's, daß ich auf einem Blatt meinen Namen finde und daneben die Adresse einer japanischen Krankenschwester? Ist das eine seiner vorsorglichen Maßnahmen wie das Anlegen von Notvorrat?

»Die erste Pflegerin, die nie ein Krankenbett verläßt, es sei denn, sie werde von fremder Hand verschoben. Die bei keiner Nachtwache einschläft, es sei denn, der Strom würde ausfallen und der Notgenerator versagen. Sie mißt dem Kranken die Temperatur, fühlt ihm den Puls, führt die Fieberkurve nach, kontrolliert den Blutdruck. Eine innere Uhr klingelt, wenn die Medikamente verabreicht werden müssen. Aus dem Schaltwerk ihrer Brust ertönt Musik, so daß der Patient nicht nur dank Schlaftabletten, sondern auch mit einer leisen Melodie einschlummert. In der Krankenschwester ist eine Membran angebracht; übersteigt das Stöhnen des Patienten eine bestimmte Phonzahl, wird in der Zentrale Alarm ausgelöst.«

Der Immune muß zur Adresse dieser Krankenschwester gekommen sein, als er sich mit der Absicht trug, mechanische

Menschen zu exportieren. Er war ja unermüdlich im Ersinnen von Existenzmöglichkeiten.

Als wir seinerzeit von einem Besamungs-Institut nach Haus bummelten, dachte der Immune an die Insektenvernichtung. Nach deren Vorbild wollte er eine subversive Geheimwaffe entwickeln, einen Duftstoff, der zum Einsatz kommen sollte, bevor der Befehl zum Angriff erteilt wird. Versprühte man diesen Duftstoff, würden alle Soldaten zum erstbesten Weibchen oder zum erstbesten Freundchen laufen und ihre Waffen wegwerfen, um ihre Hände für den Hosenladen freizukriegen. Das ergäbe eine neue Statistik für Entscheidungsschlachten. Man müßte sich in Schulen nicht mehr die Zahl derer merken, die auf einem Schlachtfeld liegen bleiben, sondern die Anzahl derer, die nach neun Monaten in die Windeln machen. Aber ihm war von vornherein klar, wie leicht sich in die Gasmasken ein entsprechender Filter einbauen ließe.

Wievieles in diesen Notizen erinnert mich an unsere Gespräche, an Dinge, die er beiläufig erwähnt hat. An Gespräche, von denen ich weiß, daß sie nie mehr stattfinden werden.

Verschiedentlich hatte er von einer Wallfahrt ins Heilige Land gesprochen. Mich wundert, weshalb er nie hingegangen ist. Oder war er dort? Jedenfalls spricht er von einer Stadt im Heiligen Land, obwohl nicht klar wird, welche er meint. Es könnte Jerusalem sein, allerdings ein Jerusalem, in dem nicht nur drei Weltreligionen ihre heiligen Stätten haben, sondern fünf. So findet man in seinem Jerusalem das reichste und vielseitigste Angebot an frommen Utensilien: Siebenarmige Leuchter und Dornenkronen, Kerzen und Räucherstäbchen, Fatimahände, Rosenkränze und Gebetsriemen, Jasmingirlanden, Kreuze und Goldplättchen.

Er hatte mir einmal den Unterschied zwischen Natur- und Weltreligionen dargelegt. Alle hätten ihre Riten, Zeremonien und Festtage, aber nur Weltreligionen brächten es zu Verkaufsständen vor den heiligen Stätten. Der Immune fand es tröstlich, daß alle im Namen ihres Gottes Handel treiben, das erlaube den Schluß, daß sie doch alle Brüder und Schwestern seien. »Im Bewußtsein, daß kein Volk einem andern etwas vormachen kann ...« Das liest sich wie die Präambel zu einer Charta. Sonst nichts auf diesem Blatt. Und auf einem andern »Unser letztes Jahrzehnt«, das ist alles, kein Datum.

Es finden sich Entwürfe wie ›Das Pfand‹. Die Geschichte einer alten Schauspielerin, die durch die Lande tingelte. Ihre Truppe kam in ein Provinznest und spielte in einem Saal, der zu einem Gasthaus gehört. Hätte sich das Servierpersonal nicht an die Tische gesetzt, sie hätten vor leeren Stühlen gespielt. So war der Direktor der Truppe nicht in der Lage, die Rechnungen zu begleichen, er brach am andern Tag in aller Frühe auf und ließ die alte Schauspielerin als Pfand zurück. Diese wollte nachreisen und wurde gestellt, als sie gerade den Zug besteigen wollte, und ins Gasthaus zurückgebracht. Damit begann ihre Karriere als Pfand. Ihr Ausgangswert betrug eine Saalmiete, dreizehn Nachtessen plus Getränke, dreizehn Übernachtungen und einige Brandlöcher in einem Leintuch. Dieser Wert wuchs jeden Tag um den Preis einer Vollpension und einiger Extras. Als sie hüstelte, holte der Gastwirt gleich den Arzt; der Doktor war der erste, der eine Rechnung anstehen ließ. Ihm folgten bald die Ladenbesitzer, bei denen sich die Schauspielerin mit dem Notwendigsten und bald auch mit anderem eindeckte; da wollte sie ihren Schmuck versetzen, aber der Juwelier zeigte ihr die schönsten Stücke, sie war ja ein kostbares Pfand, und so verließ sie den Laden mit einem neuen Ring und einem zweiten Armband. Aber nicht nur bei den Geschäftsleuten stand sie in der Kreide, sondern auch bei Privaten, und es gab kaum mehr jemanden von Einfluß, dem nicht ein Stück von ihr gehört hätte. Um niemanden kümmerte man sich im Städtchen so sehr wie um das Pfand, und wenn sie vorbeiging, flüsterten die anderen hinter ihrem Rücken bald nicht mehr nur vier-, sondern fünfstellige Zahlen. Zudem wurde sie populär, da sie bei Taufen und Hochzeiten Monologe vortrug. Anfänglich hatte sie stets einen Bogen um den Bahnhof gemacht, aber inzwischen probierte sie die Szene mit dem Theaterdirektor: wie der zurückkehrt und zusammenbricht, wenn er erfährt, wieviel sie wert ist.

Eine »volkswirtschaftliche Geschichte« nennt sie der Immune. Was unsere eigenen Schulden betraf, brachten wir es nie so weit, daß wir davon hätten leben können.

Einen andern Entwurf nennt er eine »politische Geschichte«. Ein Mann, der sich mit seinen Ansichten isoliert, den aber die andern nach geraumer Zeit aufsuchen, weil er recht behalten hat. Der aber inzwischen weiter gedacht hat und nicht mehr die Meinung vertritt, die er einst gehabt hat, und die sich die andern zu eigen gemacht haben. So steht er von neuem allein da. Als er später merkt, wie die andern erneut im Begriff sind, seine Meinung zu adaptieren, fleht er sie an, so zu handeln, daß er nicht recht bekommt, weil er nicht mehr im falschen Moment recht bekommen möchte.

Aber mehr als diese Entwürfe interessiert mich, was der Immune unter dem Titel ›Die Einwilligung‹ schreibt.

Da sitzt ein junger Mann an einem Küchentisch, durchnäßt und schwitzend, ein Frottiertuch in der Hand, das er kaum benutzt. Draußen fällt Regen, und der Wind rüttelt an den Fenstern. Seine Stirn ist feucht, und er fröstelt. Der Arzt hat ihm offenbart, daß sein Körper keine Abwehrstoffe mehr produziere und daß die kleinste Infektion, die geringste Erkältung, tödlich verlaufen könne. Und der junge Mann war zunächst erschrocken und irrte herum an Orten, die zu seinem kurzen Leben gehört hatten, und er wußte nicht, ob er sich verkriechen solle oder die erstbesten küssen und die andern auch, um alle mitzunehmen. Aber dann faßte er das Todesurteil als eine Chance zur Befreiung auf, er fing an zu jubilieren. Aus eigener Kraft hätte er nie den Mut zum Freitod gehabt, aber jetzt, da der Körper nicht mehr mitmachte, fühlte er sich erlöst. Er würde nicht an seiner Liebe, sondern an einer Lungenentzündung sterben. Und er hatte diesen Körper durch eine kalte, stürmische Herbstnacht geführt, nur mit Hemd und Hose bekleidet, und er hatte sich dem Regen und dem Wind ausgesetzt, und nun sitzt er zuhause, durchnäßt und schlotternd, und er spürt, wie sich in ihm eine wohlige Wärme auszubreiten beginnt.

Daß den Immunen die Immunschwäche faszinieren mußte,

liegt auf der Hand. Aber was für eine Entdeckung, daß die Immunschwäche eine Chance sein könnte.

Was wohl die dazu sagen würden, die sich in letzter Zeit nach dem Immunen erkundigt haben, auch die, denen er lange Zeit gleichgültig war, aber die nun plötzlich wissen möchten, wie man davonkommt, wenn die wüßten, daß der Immune sich ständig von neuem immunisieren mußte, dies allerdings mit Erfolg, sofern man die Dauer eines menschlichen Lebens bereits als Erfolg buchen will.

Und wie würden die erst staunen, wenn ich ihnen mitteilte, was passiert ist. Sollte ich etwa denen, die nach dem Immunen fragen, diese Papiere vorlegen? Und was würden sie mit einem Blatt wie diesem anfangen, ›Ein Vater erklärt seinem Sohn ihre Schatten‹?

»Die Sonne im Rücken, betrachten ein Vater und sein kleiner Sohn ihre Schatten, wie die sich an einer Hausmauer knicken, der eine Schatten ist groß und der andere klein. Da geht der Vater in die Knie, sein Schatten wird so klein wie der seines Sohnes, und er erklärt ihm: ›Eines Tages wirst du einen großen Schatten haben, und neben dir wird einer mit einem kleinen Schatten stehen, und es werden wieder zwei Schatten sein, auch wenn ich selber dann keinen Schatten mehr werfe.‹«

Und was sollen sie mit einer Aufstellung anfangen, bei der einzelne Gedanken radioaktiven Elementen gleichgesetzt werden, solchen, die in Sekunden zerfallen, und solchen, die Millionen von Jahren strahlen.

Ich lese das selber wie ein Bekenntnis, wenn der Immune von Nukliden oder Isotopen schreibt, die ihren labilen Zustand nicht ertrügen, weshalb sie der Talsohle der Stabilität zustrebten und dabei zerfallen.

»Tal der Stabilität/Gleichgewicht der Protonen und Neutronen, dem Atomgewicht des Elements entsprechend (z. B. Hg 80P/120N), wenn das Verhältnis nicht stimmt, zerfällt das Atom und setzt radioaktive Energie frei.«

Zwischen dem Immunen und mir hat doch das Verhältnis oft nicht gestimmt. Wieviel Energie haben wir aus unserem gestörten Gleichgewicht gewonnen – was aber in jener Nacht zerfiel, wirkte tödlich.

Und dann nichts als eine Zahl, dahinter ein Gekritzel, wohl die Quellenangabe. 99,5 Prozent. Und der Nachsatz: »Von den zwei Milliarden Arten von Lebewesen, die seit der Entstehung des Lebens aufgetreten sind, sind 0,5 Prozent übriggeblieben.«

Da sitze ich an diesem Tisch und komme mir vor wie ein Übriggebliebener, als hätten wir nicht schon als Übriggebliebene begonnen.

Wie bekannt sind mir diese Skizzen. Aus der Zeit, als der Immune Prospekte für Außenbordmotore kommen ließ und sein zeitweiliges Verschwinden damit begründete, daß er Werften aufsuche. Es ärgerte mich, als er erklärte, er baue eine Arche; denn was er entwarf, war viel zu klein, als daß darin alle Lebewesen, und sei es auch nur paarweise, Platz gefunden hätten. Bis er dann gestand, er baue für die Arche das Rettungsboot.

Was für ein Neben- und Hintereinander und was für eine Gleichzeitigkeit. Das erinnert an die täglichen Nachrichten. Wenn der Sprecher keine Pause machen würde, wüßte man jeweils nicht, ob er noch immer von der Revolution oder schon vom Milchpreis redet.

So sehr Grenzen porös wurden und Ränder aufhörten Ränder zu sein, gleichzeitig rückten die entlegensten Dinge nebeneinander, übergangslos und ohne Zusammenhang. Wie übergangslos wir lebten, hat mir der Immune mehr als einmal demonstriert.

Er war wieder einmal durch den Bildschirm verschwunden und zehn Minuten lang in Afrika gewesen. Er erzählte, wie dort der Boden ausgeglüht war und nur aus Rissen und Sprüngen bestand, den Wegen entlang gebleichte Tierknochen, er habe auf dem Gesicht einer Frau Fliegen gesehen, aber sie habe nicht die Kraft gehabt, ihre Hand zu heben, um die Tiere zu verscheuchen.

Ich war eben dabei, das Abendessen herzurichten. Der Immune winkte ab, er möge nichts. Ich dachte, ihm habe auf den Magen geschlagen, was er gesehen habe. Er aber begehrte auf: Ob wir je aufgehört hätten zu essen nach irgend einer Hungernachricht? Natürlich seien wir erschüttert gewesen und wir hätten auch gespendet, aber wir hätten uns noch nach jeder Erschütterung wieder an den Tisch gesetzt. Mit einem Blick auf das Nudelpaket, teilte er mit, er esse nicht hier, weil er eingeladen sei, zu einem Leichenmahl ›très chic‹. Wir hätten uns doch niemals ungern an den Tisch der Mächtigen und Wohlhabenden gesetzt und dort auch nie schlecht gegessen.

Ich hörte, wie er sich am Schrank zu schaffen machte und fluchte, weil er seine Schnupftabakdose nicht fand. Er murmelte vor sich hin, ob man nach der Revolution noch Perücken trage. Er zeigte sich zum Abschied in der Küche; er hatte sich Backenbartstreifen angeklebt, »favoris«, wie er sagte, und er fragte mich, ob ihm der Name ›Baron Hugues‹ stehe. Er war in Eile, weil er die Post nach Straßburg nicht verpassen wollte, wo er die Expreßkutsche nach Paris nahm.

Das Leichenmahl

Als Baron Hugues die schwarzen Draperien über dem Portal erblickte, sah er nach dem Trauerflor an seinem rechten Arm; die Schleife war verrutscht, er rückte sie zurecht und band sie fester. Dann gab er dem Kutscher zu verstehen, er brauche ihn nicht mehr. Er tat dies mit so lauter Stimme, daß es auch der Diener hören mußte, der vor der Türe stand.

Nun hätte der Mann auf dem Bock gar keinen Anlaß gehabt zu warten. Seine Droschke war ein Mietwagen. Der Gast hatte im voraus bezahlt und ihn gefragt, ob er mitspiele, es handle sich um eine Wette, er erlaube sich, ihn am Ende der Fahrt als seinen persönlichen Kutscher zu behandeln. Für das Trinkgeld hätte dieser sich sogar beschimpfen lassen. Als Baron Hugues, die Hand noch am Wagenschlag, rief, er werde nach dem Diner heimkehren, lüftete der Kutscher den Zylinder und knallte mit der Peitsche.

Baron Hugues setzte auf der Freitreppe seine Schritte Stufe für Stufe. Man sollte an seiner entschlossenen Gemächlichkeit erkennen, daß er einen schweren Gang antrat, aber daß er diesen nicht scheute. Im Vorbeigehen hielt er dem Diener flüchtig den schwarzumrandeten Umschlag hin. Drinnen in der Halle nannte er seinen vollen Namen: Baron Hugues de Quatre Lacs. Der Lakai merkte nicht, daß der Name nicht identisch war mit dem auf der Einladung. Baron Hugues zeigte auch dem Diener, der ihm den Mantel abnahm, ein ernstes Gesicht, aber fragte sich gleich, wozu. Er wollte die Betroffenheit für die Witwe aufsparen.

Die Marquise erwartete ihre Gäste im Kleinen Salon. Was Baron Hugues zuerst auffiel, war ihr schwarzes Kleid: Taft. Als er sich für den Handkuß verneigte, kam er nahe an den Ausschnitt; hinter dem Spitzenbesatz schimmerte die Haut. Die Taille war eng geschnürt; die Brüste wehrten sich gegen den Zwang des Korsetts; für einen Moment erwachte in Baron Hugues ein Retterinstinkt. Doch umfing ihn ein betörender Geruch; er war noch verwirrt, als er aufsah: Herb der Duft, aber hoffnungerweckend, einladend, wenn auch aufschiebend – was für ein Witwen-Parfum! »Ich liebe Muguettes«, gestand die Marquise, »die süße Schwere der Maiglöckchen und die geheimnisvolle Mischung. Auch mein Mann mochte diesen Odeur.« Sanft drückte Baron Hugues ihr die Hand: »Mein Beileid, mein aufrichtiges Beileid.« Die Marquise beteuerte noch einmal, wie sehr es sie rühre, daß er den weiten Weg nach Paris nicht gescheut habe. Baron Hugues überbrachte die Kondolenzen seiner Familie: Die Einladung habe zwar dem Onkel gegolten, aber er habe nach einem erfüllten Uhrmacherleben das Zeitliche gesegnet, Gott habe ihn selig. »Ach, jetzt verstehe ich«, gestand die Marquise, »mich hat Ihr Alter, pardon, Ihre Jugend verwundert.« – »Was für eine Ehre, einem Mann wie dem Marquis die letzte Referenz erweisen zu dürfen, an einem Leichenmahl wie diesem«, bedankte sich der Baron, er sei glücklich, so gut aufgenommen zu werden, er habe die Absicht, noch geraume Zeit in Paris zu bleiben. »Oh«, seufzte die Marquise, »es hat sich vieles verändert. Auch in diesem Haus. Vous permettez.« Sie band ihm den Trauerflor fest, der wieder verrutscht war. Ihr Blick blieb im Leeren hängen. Baron Hugues folgte ihren Augen, die sich der Seidentapete zuwandten und an den Lilien emporwanderten, bis zur Decke, wo Putten einander Girlanden reichten. Er verharrte bei dem Gobelin an der Wand, und während er für sich aufzählte, was für Gemüse und Früchte auf diesem Stilleben dargestellt waren, Melonen, Trauben, Gurken, Auberginen, hörte er: »Als ob es nicht schönere Gelegenheiten gäbe, sich kennen zu lernen.« Er sah der Marquise ins Gesicht: »Dazu ist es nie zu spät«, er habe viel von ihrem Manne gehört: »Aber auch von Ihnen.«

Die Marquise führte den Gast in die Ecke des Salons. Dort saß Madame de Montanton und ließ eben das goldene Schloß ihres Pompadours zuschnappen. Den rechten Daumen zwischen zwei Knöpfe der Soutane gesteckt und die andere Hand auf dem Rükken, lehnte der Abbé an eine Konsole. Auf der Marmorplatte des Konsoltisches stand neben einer Pendule ein schwarz lackierter Ständer, darauf ein ziselierter Silberrahmen, in dem das

Porträt eines Mannes steckte; auf dem Kopf eine Art Kochmütze und in der Hand eine Kelle. »Wer hätte das gedacht«, sagte Baron Hugues, als er die Miniatur des Verstorbenen sah, und alle nickten: »So unerwartet, so plötzlich.« Baron Hugues überschlug den Altersunterschied zwischen dem Verstorbenen und der Witwe und nickte mit den andern, als Madame de Montanton sagte: »C'est la vie.«

Nachdem die Marquise wieder ihren Platz bezogen hatte, um auf Gäste zu warten, erkundigte sich die Montanton noch einmal nach dem Namen des Dazugekommenen. Baron Hugues brauchte nicht beizufügen, er sei Schweizer. Kaum hatte er »de Quatre Lacs« gesagt, schwärmte sie in verhaltenem Entzücken: »Die vier Seen.« Sie kenne die Landschaft. Sie habe sich einmal auf die Rigi tragen lassen. Wie strapaziös! Aber der Sonnenaufgang habe für alles entschädigt. In solchen Momenten müßte man zum Pinsel greifen. Wenn nur nicht die zerlumpten Bergkinder wären, die man zum Betteln abrichte. Hinter jedem Felsen kämen sie hervor und würden ihre kaum artikulierten Lieder singen. Nie in ihrem Leben habe sie soviele Kröpfe gesehen. Ob das tatsächlich vom Jodmangel herrühre. Aber sonst, wie einfach die Hütten und wie ursprünglich die Ziegen. Sie sei in der Schweiz im Exil gewesen, sie hätte nicht gewußt, wohin sie sonst mit ihrer Familie vor der Revolution hätte fliehen sollen. Sie habe an einem andern See gewohnt. »Mein Bankier ist Genfer. Protestant natürlich.« Der Abbé nahm ihr Lächeln auf: »Solange die Kirche Ihre Seele besitzt, stimmt die Bilanz.«

Gerade als Baron Hugues sich genauer nach den Umständen des Todes erkundigen wollte, wurde die gleiche Frage an ihn gerichtet: ein Mann wie er, den man bisher auf keiner Gesellschaft getroffen habe, nehme wohl nicht zufällig an diesem Leichenmahl teil. Da wunderte er sich, er habe wohl guten Grund anzunehmen, daß man in Paris besser orientiert sei über das Ableben des Marquis. Madame de Montanton bekam ob all der Unklarheiten einen zierlichen Krampf in den Fingerspitzen. »Keine Beerdigung. Das hat es noch nie gegeben. Das ist ein Affront, nicht nur gegenüber den Freunden, sondern auch wider den guten Geschmack. Kein Leichenzug, und dies bei der sprichwörtlichen Eitelkeit des Marquis.« Baron Hugues bestätigte, daß er keine Todesanzeige, sondern nur eine Einladung zum Leichenmahl erhalten habe. Der Abbé ergänzte: »Keine Totenmesse. Diese Extravaganz ist nicht mehr zu verzeihen.« – »Oder sollte die Kirche ein Begräbnis verweigert haben?« bedrängte Madame de Montanton den Abbé. Dieser wehrte ab. Baron Hugues wurde neugierig: Ob die Möglichkeit bestehe, daß sich der Marquis ein Leid angetan habe? Jedenfalls wisse man nichts von einer Leiche, gab die Montanton zu verstehen, und wann gebe es keine Leichen? Dann zum Beispiel, wenn einer ins Wasser gehe. Vielleicht feiere man die Beerdigung hinterher, dann, wenn man die Leiche findet. »Ja«, sagte der Abbé, »es gibt Dinge, von denen man keine Ahnung hat«, und Madame de Montanton replizierte: »Dinge, von denen man keine Ahnung hat, aber von denen man weiß.«

Sie schob den Schildpattkamm in ihre Frisur und wies mit dem Fächer auf die Marquise: »Sie weiß sicher mehr. Obgleich auch sie nicht immer alles wußte. Aber daß ihr Mann gestorben ist, dürfte ihr schwerlich entgangen sein. Sie trägt es gut.« Baron Hugues fand dies ebenfalls, er bewundere die Garderobe der Dame und sog gleichsam zur Erinnerung tief Luft ein. Sie kenne die Schneiderin, sie habe der Marquise schon oft geraten, sie solle sie wechseln, aber sie meine nicht das Kleid, die Marquise trage ihr Witwentum gut, sagte die Montanton. Das fand auch der Baron: »Der Verlust scheint sie tief getroffen zu haben, aber welch bewundernswerte Haltung.« Dafür, daß sie zum ersten Mal die Witwe spiele, mache sie es hervorragend, fuhr Madame de Montanton fort, es sei ja nicht ihr Fach gewesen. Baron Hugues war überrascht, er hatte nicht gewußt, daß die Marquise früher Schauspielerin gewesen war. Sie soll keine schlechte Tragödin gewesen sein, erzählte die Montanton, obwohl sie als Elfe begonnen hatte. Aber in diesem Beruf müsse man sich für alles bereit halten, selbst wenn der Direktor ein schmieriger Italiener sei. Aber wer, wer wisse da schon Genaues. Wer gehe schon in diese Vorstadttheater. Immerhin, ›einen succès de scandale‹ habe sie gehabt. Als Judith. Da sei das Haus zum Bersten voll gewesen, jedenfalls im dritten Akt, als sie sich Holofernes hingab. Da habe das Parterre geschrien »noch nicht, noch nicht«, als sie sich daran gemacht habe, den Feldherrn zu enthaupten: »Nicht wahr, mein lieber Abbé?« Dieser, aus seinen Gedanken aufgescheucht, war mehr entrüstet als belustigt: Er habe die Marquise erst nach ihrer Heirat kennengelernt. »Dann haben Sie als Beichtvater die beste Zeit verpaßt«, meinte Madame de Montanton; sie habe volles Verständnis dafür, daß jemand aus diesem Milieu herauswolle. Und gar, wenn ein vermögender Mann wie der Marquis auftauche, da nehme eine Frau auch einen Defekt in Kauf, und für ihn hätte es das Ende seiner Einsamkeit bedeuten können, zu Hause sitzen, Rezepte ausprobieren und darüber schreiben; aber es sei doch auffallend, daß er sich auch nach seiner Verheiratung in diesem Viertel herumgetrieben habe. »Er besaß dort Immobilien«, verteidigte ihn der Abbé. »Diese Immobilien haben bestimmte Namen«, gab die Montanton zurück. Wo sich diese Quartiere befänden, fragte Baron Hugues. Der Abbé erinnerte daran, wie oft er dem Marquis zugeredet habe; aber man kenne seinen Charakter, aufbrausend und tranchant sei er gewesen, ein Wunder, daß es die Köche so lange bei ihm aushielten, immerhin sei es ihm gelungen, den Marquis zu einer gewissen Diskretion zu bewegen. »Hoffentlich«, ergänzte Madame de Montanton, »sonst könnten wir es uns gar nicht erlauben, hier zu sein.« Sein Lebenswandel sei im Grunde empörend gewesen. Er sei bestimmt in einem seiner Etablissements gestorben. Sein Tod sei eine Affäre. Da werde etwas vertuscht. Dieser Hang zum Demi-Monde, und dann tout-Paris zum Essen einladen. Ob denn tout-Paris komme, fragte Baron Hugues. »Die Küche war superbe«, antwortete der Abbé, »sein Hackbraten«. »Hackbraten«, wiederholte Baron Hugues; er erinnerte sich, daß man dieses Gericht bei ihm zu Hause aus Resten herstellte. Der Abbé zeichnete eine Bratenform vor sich hin: »Die feuchte Luftigkeit seines Hackbratens. Eine andere Luftigkeit als die der Fisch-Soufflés«, und nach einer Überlegungspause: »Auch wenn das Rezept nicht von ihm selber stammte, nirgendwo hat man eine exquisitere Fasten-Omelette serviert als in diesem Haus. Gott sei ihm gnädig.«

Die Marquise begrüßte einen neuen Gast. »Der hat bestimmt seine Leibwächter draußen postiert«, meinte Madame de Montanton, »eine seltsame Freizeitbeschäftigung, sich verfolgt zu fühlen.« – »Es wurde immerhin ein Anschlag auf ihn verübt«, warf der Abbé ein. »Was für ein Glück, er konnte daraus Politik machen und einige Gegner hinter Schloß und Riegel bringen. Dabei haben ihn nur Angehörige von Opfern verprügelt.« Er kenne diesen Herrn nicht, sagte Baron Hugues, und er erfuhr: Der Präsident des Obersten Gerichtshofes, ein Royalist, farbenblind, Vater von sieben Töchtern, von denen erst eine verheiratet sei, er halte sich zwei Mätressen und habe in Paris für die Ausfahrten am Vormittag das Cabriolet eingeführt.

Nachdem der Gerichtspräsident sich zur Gruppe gesellt hatte, blieb er vor Baron Hugues stehen: »Kennen wir uns nicht?« Dieser bedauerte, er habe nie die Ehre gehabt. »Der Präsident meint, er habe alle schon einmal getroffen, natürlich vor Gericht«, Madame de Montanton lachte: »Seien Sie vorsichtig, wenn er sich mit ›auf bald‹ verabschiedet.« – »Nein, ernsthaft«, insistierte der Richter. »Verkehren Sie im Café David?« Der Baron schüttelte den Kopf. »Dann war's am Opernball. Auch nicht? Ich liebe den Opernball. Das ist wie Ferien von der Gerechtigkeit, eine Demaskierung, bei der keine Strafen ausgesprochen werden, sondern Preise verteilt.«

Sie habe gehofft, was heißt gehofft, sie habe fest damit gerechnet, ihn bei diesem Leichenmahl zu treffen, sagte Madame de Montanton, jetzt müßten die Freunde des Marquis zusammenhalten angesichts all der Médisance, da komme einem intimen Freund wie ihm eine wichtige Aufgabe zu. Er sei aus allen Wolken gefallen, als er die Einladung erhalten habe, gestand der Gerichtspräsident, er habe sogleich zurückgefragt; er sei auch zur Redaktion des ›Gastrosophe‹ gegangen, die hätten den Marquis seit drei Wochen nicht mehr gesehen, und daß er einen versprochenen Artikel nicht abgeliefert habe, sei als ernstes Zeichen zu werten. »Man darf sich nicht wundern, wenn Gerüchte entstehen«, bemerkte Madame de Montanton. »Madame de Montanton meint«, begann der Abbé. »Was heißt, meint, ich sage nur, was ich gehört habe«, unterbrach ihn die Montanton. »Wir haben gehört«, fuhr der Abbé fort, »der Marquis habe sich abgesetzt, er habe seine jetzige Existenz aufgegeben und werde eines Tages unter einem andern Namen auftauchen.« – »Warum sollte er?« fragte der Gerichtspräsident. »Daß ausgerechnet Sie das fragen«, wunderte sich Madame de Montanton; ob es denn nicht zum Prozeß komme, in den auch dieser entflohene Bagnosträfling verwickelt sei, der sich in Paris als falscher Baron herumtreibe. Baron Hugues runzelte die Stirn. »Lächerlich«, rief der Gerichtspräsident, wenn einer in dieser Sache informiert sei, dann er, er kenne die Akten; wenn schon, hätte der gute Marquis aus andern Gründen untertauchen müssen; wenn er zum Beispiel an die Geschäfte, oder sagen wir, an die Spekulation mit den verstaatlichten Gütern denke. »Die Kirchengüter«, präzisierte der Abbé. »Ja, damals hatten wir Glück«, führte der Gerichtspräsident aus, »daß sich die Untersuchungen hinzogen und Zeugen darüber wegstarben.« Nein, nein, man müsse diesen haltlosen Gerüchten entgegenwirken. Er dürfe mit einiger Zuverlässigkeit annehmen, daß der Marquis auf einem seiner Güter bestattet worden sei, er erinnere sich, wie der Verstorbene ihm einmal gestanden habe, in Paris könne man leben, aber nicht tot sein, er halte unsere Gesellschaft zwar ein Leben, aber nicht eine Ewigkeit lang aus.

Der Gerichtspräsident ging zur Konsole und umfaßte mit beiden Händen die Pendule: »Ein Meisterwerk. Dieses weiße Marmorgehäuse, feuervergoldete Bronze, und erst das Emaille-Zifferblatt.« – »Die Signatur dürfte auf der Pantine sein«, bemerkte Baron Hugues. Alle schauten ihn verwundert an: er sei zum ersten Mal hier und kenne diese Uhr. Baron Hugues lächelte, seine Familie habe mit Uhren zu tun gehabt. Der Richter erinnerte sich: »Was sind wir vor dieser Pendule gestanden, haben ihrem Halbstundenschlag gelauscht und über die Vergänglichkeit der Zeit nachgedacht.« Bei einer solchen Gelegenheit habe ihm der Marquis auch in Aussicht gestellt, er werde ihm nach seinem Ableben diese Uhr vermachen, ohne Zweifel eine Laune, »aber Sie wissen, wie gern man dazu neigt, solche Zufälligkeiten ernst zu nehmen«, und irgendein Andenken an den Verstorbenen, wer möchte das nicht aufbewahren, gar ein solches Unikat. »Die Pendule stammte von besagtem Uhrmacher«, sagte Madame de Montanton, mehr feststellend als fragend. Baron Hugues horchte auf, und der Gerichtspräsident nickte: »Meine liebe Montanton, das Problem ist nicht der Tod. Das Problem ist das Testament.« – »Wie aufregend«, sagte die Montanton. Baron Hugues wollte wissen, ob denn nicht seine Frau, die Marquise, das alles erbe. »Daß es ein Testament gibt, weiß ich«, teilte der Gerichtspräsident mit. Das könne er bestätigen, sagte der Abbé, der Marquis habe ihn seinerzeit wegen der Renovation des Kirchenschiffes auf ein Legat vertröstet, und er habe dafür gebetet, daß man sich auf das Gedächtnis des Marquis verlassen könne. »Wer weiß«, sagte der Gerichtspräsident, »vielleicht klärt sich alles auf heute abend.« Die Marquise habe ihm eine Überraschung in Aussicht gestellt, und was könne damit schon gemeint sein, wenn nicht das Testament; er frage sich nur, ob dieses vor dem Essen oder danach verlesen werde – wenn er an den Coq au vin denke, den es hier gegeben habe, hoffentlich sei das heutige Diner jenen ebenbürtig, die sie zu Lebzeiten des Marquis hätten genießen dürfen. »Der Marquis ist gestorben, nicht der Koch«, bemerkte Madame de Montanton. »Aber Sie dürften wissen, meine Liebe«, der Gerichtspräsident hob die Stimme, »ein Koch ist so gut wie der, für den er kocht.« Baron Hugues beschloß, sich diesen Satz für eine spätere Verwendung zu merken.

Fast gleichzeitig waren zwei neue Gäste eingetreten. Zuerst ein rundlicher Mann mit geschäftigen Gesten; er trug ein abgeschabtes Köfferchen, das er dem Diener nicht überlassen wollte, er stellte es direkt neben die Türe, damit es jederzeit griffbereit sei. Er komme von einer Geburt, ein Junge, sieben Pfund, so sei es, das Leben gehe weiter; ob die Marquise seinen Kondolenzbrief erhalten habe, sie fänden ja sicher noch Zeit, sich gemeinsamen Erinnerungen zu widmen. Darauf überließ er seinen Platz einem hochgewachsenen, breitschultrigen Mann, der drängte nach und drückte die Marquise an seine Brust, so daß ihre Coiffure zwischen den Pelzbesätzen seines Mantels verschwand: »Trost«, rief er, »ich bringe Trost.«

»Fürst Theatrow«, schrie Madame de Montanton, sie genierte sich wegen der eignen Stimmengewalt und fuhr halblaut fort, »der russische Gesandte! Wie die slawischen Backenknochen seinem Gesicht Charakter verleihen!« Sie möge sein Benehmen, es sei so befreiend ordinär, so östlich ordinär, man spüre die Steppe. Der Abbé wandte ein, es gebe unter den Russisch-Orthodoxen hochgebildete Männer, und vor allem sei ihr Gesang nicht umsonst berühmt. »Die Russen sind auch durch die Schweiz gezogen; über einen Paß.« Man könne noch immer das Restaurant besichtigen, wo Suworow, der General, gegessen habe... Aber niemand schien sich für diese Beiläufigkeit des Barons zu interessieren. Der Gerichtspräsident biß sich auf die Lippen: »Der russische Gesandte muß reich sein, richissime.« – »Oh«, dazu konnte Madame de Montanton Authentisches beitragen: beim letzten Empfang auf der Nuntiatur, da sei der Gesandte rundum betrunken gewesen, er habe die Vorhänge heruntergerissen, weil er mit der Kordel habe zeigen wollen, wie man auf der Wolga die Kähne schleppt; würde er, wie er behauptete, jeden Leibeigenen eigenhändig auspeitschen, wäre er zwei Jahre vollauf beschäftigt.

»Doktor Godet«, indem sie ihn begrüßte, stellte Madame de Montanton den neuen Gast den übrigen vor. Er habe schon befürchtet, er komme zu spät, entschuldigte sich der Arzt. »Die Geburt, wir haben es gehört«, winkte die Montanton ab, »das läßt sich nun einmal nicht planen.« – »Ehrlich gesagt«, die Stimme von Doktor Godet wurde leiser; wegen der Geburt hätte er schon lange hier sein können. Den wahren Grund, den habe er der Marquise nicht sagen mögen. Er sei noch in den Morgues gewesen. Ob er denn als Arzt nicht genügend Leichen habe, fragte der Gerichtspräsident, wenn er eine brauche, habe er es doch in der Hand. Doch Doktor Godet ging nicht darauf ein: Er habe sich im Leichenschauhaus genau erkundigt, was für Tote eingeliefert und auch welche abgeholt worden seien; eine Leiche, die sei in der Nacht von einer Frau abgeholt worden, die habe ihr

Gesicht nicht gezeigt, es müsse eine vermögende Dame gewesen sein, sie habe die Leichenwärter bestochen, das einzige, das er mit Gewißheit wisse: die Dame habe etwa die Größe, er sah sich um, ja, sie habe etwa die Statur der Marquise gehabt. »Ach«, entfuhr es allen. »Damit ist nichts bewiesen«, sagte der Gerichtspräsident. Es sei gar nicht seine Absicht, etwas beweisen zu wollen, sagte Doktor Godet, er teile nur mit, was er herausgefunden habe. Die Morgues seien auch nur eine Station gewesen, er habe sich danach in der Irrenanstalt umgesehen; er sei dabei, eine neue Behandlungsmethode mit Wasserstrahlen zu entwickeln, so habe er weiter keine Erklärungen abgeben müssen; er sei auf einen interessanten Fall gestoßen, aber er habe nicht gefunden, was er gesucht habe; er gebe nicht auf, bis er den Totenschein des Marquis gesehen habe. Ob man ihn nicht beigezogen und ans Sterbebett gerufen habe, erkundigte sich Baron Hugues. Gekränkt sei er schon ein bißchen, gestand der Arzt, sonst habe man ihn wegen jeder Bagatelle aufgeboten; ein Hüstchen in der Nacht, und schon sei er geweckt worden, Rücksicht habe der Marquis nie gekannt; er habe ihm dringend geraten, sein Herz zu schonen, und er habe eines gehabt, trotz gegenteiliger Behauptungen; aber der Marquis habe es sich nie nehmen lassen, mit den Gerichtsvollziehern zu verhandeln, dabei habe er sich in jedem Fall aufgeregt, sicher einmal, wenn die Schuldner nicht bezahlen konnten, aber auch wenn es ihnen möglich war, als würde ihm durch die Begleichung der Schulden etwas entgehen. »Aber eines haben wir – wir haben bei ihm immer gut gegessen.« Und Doktor Godet fügte hinzu: »Unvergeßlich seine Cassoulet-Variationen.« Das habe er am Marquis geschätzt, daß er als Philosoph der Küche ein Volksgericht wie den Bohneneintopf geschätzt habe. »Sie wollen aber aus ihm nicht einen Republikaner machen«, gab der Gerichtspräsident zu bedenken, »man kann ihm vieles nachsagen, nur keine republikanische Gesinnung.« – »Sicher nicht«, antwortete Doktor Godet: »Ich bewunderte in ihm den Cartesianer, dem es gelang, mit einem Minimum ein Maximum an Genuß zu erreichen.« – »Wenn Descartes sich mit der Küche statt mit der Philosophie befaßt hätte, wäre er nicht auf den Index gekommen«, bemerkte der Abbé. »Das ist gar nicht so sicher«, entgegnete Doktor Godet, »wenn der Einfluß der Orthodoxen zunimmt, werden bald auch Kochbücher verboten.«

»Extraordinaire«, die Stimme der Marquise bebte, als sie den russischen Gesandten vorstellte. Dieser begrüßte Baron Hugues mit einem Schlag auf die Schulter: »Bei Ihnen ist alles hoch und bei uns alles flach.« Er machte mit der Hand vor, wie hoch alles in der Schweiz sei und wie flach alles in Rußland. Dann wandte er sich an Madame Montanton: Was für ein reizendes Moiré sie trage, überhaupt, er sei begeistert von der neuen Mode, endlich kehre die Taille von ihrem Empiresockel an ihre natürliche Stelle zurück. Er flüsterte dem Gerichtspräsidenten ins Ohr: »So kann man wieder zweifach zupacken, mit der einen Hand an der Taille und mit der andern an den Brüsten.« Die Marquise zog ihn vom Gerichtspräsidenten weg und ließ nicht locker: »Sie müssen den anderen erzählen, was Sie mir eben erzählt haben.« Der Gesandte strich sich über den Schnurrbart: er möge nicht dem Arzt Konkurrenz machen. Da wurde Doktor Godet erst recht neugierig. Fürst Theatrow begann: »Mich interessiert, woran die Menschen sterben«, und schon hielt er inne, mit hochgezogenen Brauen und einem Achselzucken entschuldigte er sich bei der Marquise, das sei kein Thema für ein Trauerhaus; aber es werde nun einmal allenthalben gestorben. Der Abbé nickte bedächtig: Unerforschlich seien die Wege des Herrn. Da Baron Hugues nur das Wort ›Weg‹ gehört hatte, meinte er, die Postkutschen seien auch nicht mehr wie früher, die Reise von Straßburg nach Paris sei entsetzlich gewesen. Die Marquise aber meinte, es gehe jetzt nicht um Postkutschen, sondern um die Theorie des Fürsten Theatrow. Dieser begann von neuem: er habe sich an eine Studie gemacht, er sei ja ein leidenschaftlicher Leser, er untersuche den Einfluß der Schwindsucht auf die Literatur, »und die Schwindsucht, mon cher docteur, ist die Krankheit der Zukunft, wenn sie an die Viertel denken, die jetzt in den Städten entstehen!« Im Vergleich zu diesen Leuten gehe es seinen Leibeigenen gut, die seien täglich an der frischen Luft; er habe eine sensationelle Erkenntnis gewonnen, das Endstadium der Schwindsucht begünstige die Lyrik mehr als die Prosa. Madame de Montanton schwärmte: »Russisch müßte man können.«

»Wir sind fast komplett«, stellte die Marquise fest. »Die Gerechtigkeit jedenfalls ist da«, der Präsident des Obersten Gerichtshofes salutierte. »Ebenfalls die Wissenschaft, und zwar die heilende«, schloß sich Doktor Godet an und bezog den Abbé ein: »Auch die Kirche, jedenfalls die triumphierende.« – »Auch die Schönheit ist präsent«, ergänzte Baron Hugues. Madame de Montanton lächelte, hörte aber gleich damit auf, als sie bemerkte, daß sich die Montanton für das Kompliment bedankte. Die Montanton sagte spitz: Sie habe gar nicht gewußt, daß auch Schweizer galant sein wollten. Die Marquise nahm Baron Hugues in Schutz: »Notre petit Suisse, wir müssen Nachsicht üben, er ist schon fast Auslandschweizer.«

Wer denn noch nicht erschienen sei, fragte der Gerichtspräsident, als handle es sich um einen Termin und nicht um eine Einladung. Die Marquise suchte nach dem Namen: »Ein gewisser Accöms oder Accums oder wie immer man das ausspricht.« Keiner kannte den Namen. Ihr Mann habe darauf bestanden, sein letzter Wille, sie sei nicht überrascht, daß dieser Unbekannte noch nicht erschienen sei, sie habe die Einladung an verschiedene Adressen schicken müssen, er lebe irgendwo im Exil. »Aber der Name hört sich englisch an«, sagte Madame de Montanton, seit wann es englische Emigranten gebe. Er sei ursprünglich Deutscher, soviel sie wisse, erklärte die Marquise. »Ein Deutscher? Ein Romantiker?« fragte die Montanton. »Nein«, erwiderte die Marquise, »ein Chemiker.« – »Diese Deutschen«, sinnierte die Montanton, »wozu die nicht alles fähig sind.« Und was man heutzutage nicht alles werden könne, ihre Tochter kenne einen Ingenieur, der kleine Dampfmaschinen für den Haushalt baue. Wenn das so weiter gehe, müsse man die Domestiken in eine Mechanikerlehre schicken. »Das wenigstens ist meinem Mann erspart geblieben; er hat nicht an die Revolution geglaubt, auch nicht an die in der Küche.« Er habe stets darauf bestanden, daß die Diener die Livrée von früher trugen.

Die Marquise gab den Bediensteten ein Zeichen. Der eine trug das Tablett mit den Gläsern, der zweite schenkte ein. Baron Hugues sah nach der Etikette der Flasche, die Marquise klärte ihn auf: »Vor 89er, aus dem ancien régime, die letzten Flaschen aus der guten alten Zeit.« Lächelnd stand sie vor dem Baron. Sie bewunderte sein entzückendes Hemd. Was an diesem Hemd so besonders sei, flüsterte die Montanton im Vorbeigehen. Die Marquise lächelte: »Sie hat es nicht leicht, die gute Montanton. Seit dem Unfall ihres Mannes.« – »Jagd?« erkundigte sich der Baron. »Oh nein, viel tragischer. Er stolperte zuhause über die Katze. Seither ist er gelähmt. Wenn man bedenkt, daß die Montantons einst drei Wagen besaßen, und heute muß sie auf dem Deichselpferd ausreiten. Ich hatte seinerzeit meinem Mann noch zugeredet, ihr ein Darlehen zu gewähren. Aber mein Mann, der verstorbene, hatte Prinzipien. Darlehen unter Freunden brächten Freunde auseinander, das sei mit Bestechungen anders, die kitten.«

Nachdem alle ihr Glas gefüllt hatten, bat der Gerichtspräsident um Aufmerksamkeit: Nur kurz, man möge den Toast, wie man jetzt zu sagen pflege, als kleine Grabrede auffassen. Die große habe ja niemand von ihnen gehört, und wenn keine gehalten worden sein sollte, wäre das unbegreiflich, denn wenn einer einen langen Abschied verdient habe, sei es unser Marquis, unser Albert, ein Mann, der auch unter ihnen weile, selbst wenn ihn das Schicksal dort hinabberufen habe, wohin sie ihm alle eines Tages folgen würden: er möchte des Marquis' gedenken. »Und seiner Seele«, fügte der Abbé hinzu, bevor er sein Glas an die Lippen hob.

»Damit könnten wir zum Diner übergehen«, sagte die Marquise; es sei bezeichnend, daß ihr Mann nicht von einem Leichenmahl gesprochen habe, sondern von einem Leichenschmaus, er selber habe das Menu zusammengestellt. Ein erwartungsvolles »Hmm« ging durch die Runde. »Ein toter, der einem nicht die Augen leert, sondern den Magen füllt«, sagte Baron Hugues. Madame de Montanton war nicht sicher, ob die Bemerkung genial oder geschmacklos war, und erkundigte sich, ob er schreibe. Der Baron nickte. »Ein genialer Abschied, als letzter

Wille ein Menu zusammenzustellen«, bemerkte Doktor Godet. Es sei ja sicher nicht sein einziger Wille, fügte der Gerichtspräsident bei. »Ja«, kommentierte der Abbé, »wie schön, wenn einer den Trauernden auf diese Weise noch einmal nahe sein kann, bevor er dem Ruf Gottes gehorcht.«

Es bildeten sich Gruppen. Die Montanton hielt dem russischen Gesandten ihren Arm hin, doch die Marquise hatte bei ihm längst untergefaßt. Baron Hugues nahm sich des Armes an, der in der Luft hängengeblieben war, und die Montanton lobte eine Jugend, die noch wisse, was ein Kavalier sei; er habe so entzükkende ›taches de rousseur‹. Baron Hugues überlegte, was das wohl sei; da sie seine Unsicherheit spürte, deutete sie ihm ins Gesicht. »Ach Sommersprossen«, rief er aus, »ja, das ist in meiner Heimat verbreitet.«

Die Marquise winkte zwei Bediensteten. Sie öffneten die Türflügel zum Speisezimmer. Es lag im Dunkeln. Nur aus dem Kleinen Salon fiel etwas Licht hinein, und es zeichneten sich vorerst Stühle ab. Dann trugen die beiden Diener Leuchter ins Speisezimmer. Im Kerzenschein sah man den Tisch, auf dem weißen Damast das blau geränderte Porzellan, und hinter dem Tisch tauchte eine Gestalt auf. Die Diener stellten die Leuchter auf den Kaminsims und die Anrichte. Dann trugen sie noch einmal zwei Leuchter hinein; sie drehte die Augenschirme beiseite, so daß das nackte Licht auf ein Männergesicht fiel: hinter dem Tisch saß der verstorbene Marquis.

»Um Gottes Willen«, entfuhr es Madame Montanton, sie drängte sich an den Arm des Barons, hielt sich den Pompadour vor die Augen und fragte den Baron, ob er das auch gesehen habe. Dieser nickte. »Ist es der Verstorbene?« – »Er gleicht dem Porträt auf der Konsole.« – »Oder ein Gespenst?« – »Dann wäre es eines, das lacht.« – »Oder ein Schauspieler? Er hat doch in diesen Kreisen verkehrt.« – »Er trägt auf dem Kopf etwas, das wie eine Schlafmütze aussieht, oder eher noch wie eine Kochmütze.« – »Ist er wohl ausgestopft, oder nein, wie sagt man, einbalsamiert?« – »Jetzt streckt er die behandschuhten Finger aus, er hält ein Messer in der Hand.« – »Kommt er auf uns zu?« – »Er hat das

Besteck wieder hingelegt; er scheint sich erheben zu wollen; es gelingt ihm, er steht fest auf den Füßen.« – »Was, wenn er es ist...« – »Dann«, sagte der Baron, und sah zur Marquise, die mit geschlossenen Augen lächelte, »dann ist seine Frau keine Witwe.«

Hochwürden hatte beim Anblick des Marquis die Hand erhoben, er ließ es jedoch dabei bewenden, sich diskret hinter der vorgehaltenen Handfläche ein kleines Kreuz auf die Stirn zu zeichnen. Doktor Godet, der dies beobachtet hatte, meinte: »In Ihrer Sparte ist es doch nichts Ungewöhnliches, wenn einer von den Toten aufersteht – es gibt jetzt völlig neue Erkenntnisse über Halluzinationen. Alles ist Elektrizität. In der Hinsicht verdankt man den zuckenden Froschschenkeln des Herrn Galvanus sehr viel.«

»Jobtwojumat«, stieß Fürst Theatrow mit vollem Baß hervor und ließ den Arm der Marquise los. Diese wollte wissen, was er gesagt habe, und der Fürst übersetzte: »Wenn der Teufel mit der Großmutter tanzt, werden die Wölfe zahm und sauer die Milch.« Die Marquise wunderte sich, daß ein einziges Wort soviel bedeute. Der Fürst belehrte sie. Auf russisch fluche man kurz, doch meine man damit viel; das mache die Diplomatie so schwierig: »Sie haben keine Ahnung, wie verschieden man ›Njet‹ übersetzen kann.«

Der Marquis war um den Tisch herumgegangen und streckte seine behandschuhten Hände entgegen: »Willkommen, meine verehrten Trauergäste.« Alle blieben stumm, nur die Montanton wagte eine Bewegung, sie sah hinter ihrem Beutel hervor. Der Marquis fuhr fort: »Sie scheinen enttäuscht zu sein, daß ich noch lebe. Machen Sie es wie ich: finden Sie sich damit ab. Es leuchtet mir ein, daß am Leben zu sein noch kein Grund zum Lachen ist. Aber wie wär's, wenn wir dennoch lachten.« Alle waren froh, daß man ihnen sagte, was sie tun sollten und brachen in ein Gelächter aus. Nur der Gerichtspräsident versuchte, ernst zu bleiben: »Sie wissen anscheinend nicht, was auf Irreführung steht.« – »Ach«, beschwichtigte ihn der Marquis, »wir ziehen die Sache vor den Obersten Gerichtshof, und dort haben wir es in der Hand.« Es sei schon fraglich, ob man den Himmel auf diese Weise versuchen dürfe, mahnte der Abbé. Doch der Marquis beruhigte ihn. Da der Tod etwas Ernstes sei, müsse man ihn üben. Die Montanton stöhnte: »Das hat mir auf den Magen geschlagen.« – »Wie bedauerlich«, entschuldigte sich der Marquis. »Wenn Ihr Magen sieht, was ihn erwartet, wird er sich rasch erholen.«

Der Marquis bat die Gäste zum Buffet. Auf einem Biscuitboden war aus dunkler Schokolade ein Sarkophag aufgebaut; auf dem Deckel, in Zuckerguß, sein Name und die Lebensdaten, vom Todesjahr fehlten die beiden letzten Ziffern. Neben den karamelisierten Stufen lagen Kränze aus farbigen Zuckerrosen. Der Marquis sprach den Abbé direkt an, indem er auf die Religieuses wies: »Ihre Nönnchen.« Ein Weg, ausgelegt mit silbernen und goldenen Dragées und markiert von Belegkirschen, führte im Hintergrund zu einer Ruinenlandschaft aus Croquant, besteckt mit Mandelsplittern und Pistazienkernen und bestreut mit geriebenen Haselnüssen, dazwischen gebackene Tulpen, mit Kastaniencreme gefüllt, und Blumen aus Orangeat und Zitronat geschnitten; ein kleines Mausoleum aus braunem Schokoladen-Fondant; auf der einen Seite ein Marzipan-Genius, der eine Fackel hielt, in ihr steckte eine brennende Kerze; der Genius auf der andern Seite hatte die Fackel gesenkt, ihr Docht war nur angebrannt.

»Und wenn Sie erst die Füllung kennen«, sagte der Marquis. »Was für ein Meisterwerk von einer ›pièce montée‹. Der Entwurf stammt von Carême.« – »Der hat auch für den Zaren gekocht«, bemerkte Fürst Theatrow und prüfte, ob die Kränze auf dem Biscuitboden festklebten. Der Marquis ging nicht weiter auf die Bemerkung ein: »Schon vor langer Zeit hatte ich Carême um diesen Entwurf gebeten; leider konnte er den Dessert-Aufbau nicht mehr selber besorgen. Ich glaube ihm bei seinem Tod einen meiner besten Aufsätze gewidmet zu haben; dieser Mann, der aus der Gosse kam und den Mächtigsten dienen durfte, der sich für seine Buffets in Bibliotheken und Kupferstichkabinetten inspirierte. Er hat aus der Patisserie Architektur gemacht, eine ehrliche Architektur, die weiß, daß sie vergänglich ist, und die man zudem noch verdauen kann. Bis in den Tod war unser Carême begnadet. Ein Schicksalsgefährte von Molière, der mitten auf der Bühne zusammenbrechen durfte. Unser Carême hat noch mit dem letzten Atemzug einem Kollegen die Bedeutung der Casserolle erklärt. So stelle ich mir mein Sterbelager vor: nicht in meinem Bett, der Doktor möge mir verzeihen, sondern am Tisch in meinem Kabinett, vor mir die Speise, die ich eben prüfte, und in der Hand die Feder, mit der ich darüber schreibe. Aber vorgängig, meine lieben Trauergäste, wollen wir mein Leichenmahl feiern.«

Als Tischnachbarn hatte die Marquise Fürst Theatrow erwählt; der Marquis bat Madame de Montanton um die Ehre, zu ihrer Linken sitzen zu dürfen. Bevor er sich aber selber setzte, hielt er kurz Baron Hugues zurück. Dieser antwortete, ehe ihm eine Frage gestellt wurde, sein Onkel sei vor fünf Jahren gestorben, er wundere sich selber, wie die Einladung zu ihm gelangt sei, er gehöre zu einem andern Zweig der Familie. »Auch Horlogerie?« erkundigte sich der Marquis. »Unsere Spezialität sind mechanische Bilder, eine Uhr zum Beispiel mit einem Zauberer, der zwölf philosophische Fragen beantwortet«, erklärte Baron Hugues. Ob er ihm auch eine solche Uhr verfertigen könne, vielleicht mit dreizehn Fragen, wollte der Marquis wissen. Doch Baron Hugues lächelte: »Er tanze aus der Reihe, er schreibe, aber er habe die Uhr im Familienwappen behalten. »Wenn Sie eines haben, ändern Sie es nicht. Das war der Irrtum von Racine. Der hat in seinem Wappen die Ratten gestrichen, aber seine besten Alexandriner sind die, bei denen man mithört, wie die Ratten nagen.« Dann erhob der Marquis die Stimme, daß ihn auch die andern hören konnten: »Unser Baron schreibt. Wußten Sie, daß er schreibt?« Der Gerichtspräsident meinte: »Sicher Romane, das ist die literarische Gattung der Sansculottes. Dafür braucht's keine Disziplin mehr.« Der Marquis wies dem Baron seinen Platz an: »Als Schriftsteller sind die doppelt willkommen. Sie sollten zuerst Kochrezepte verfassen; da lernt man, nichts Wichtiges zu vergessen, und nichts Überflüssiges zu notieren; so zu schreiben, daß man nichts kürzen kann, oder können Sie sich vorstellen, daß man bei einem Rezept die letzte Zeile streicht?«

Der Platz gegenüber Baron Hugues blieb leer. Er bedaure, gestand der Marquis, daß dieser Accums nicht gekommen sei, er hätte gerne seine Bekanntschaft gemacht. Er ergriff ein Buch, das neben seinem Teller lag, und las mit einer unverständlichen Aussprache. Madame de Montanton neigte sich ihm zu und sah aufs Buch: »Ach englisch, wir haben im Internat Italienisch gelernt, wegen der musica und der opera«, sie summte ›la primavera dei sentimenti‹ und wandte sich an Baron Hugues: »Von wem ist das schon wieder?« Dieser überlegte kurz: »Das könnte von vielen sein.« – »Wie recht Sie haben.« Die Montanton nahm das Buch aus der Hand des Marquis und reichte es Baron Hugues: »Als Schweizer reden Sie bestimmt englisch, dazu sind Sie schon wegen Ihrer Berge verpflichtet, in denen so viele Engländer klettern.« Baron Hugues las: »A Treatise on Adulterations of Food and Culinary Poisons«, nannte noch einmal den Namen des Autors und das Erscheinungsjahr und übersetzte: »Abhandlung über die Fälschung von Nahrungsmitteln und über Gift in der Küche.« – »Jetzt ist mir klar, weshalb der Mann ins Exil mußte«, rief Madame de Montanton aus, »er war ein Giftmischer.« – »Nein«, korrigierte der Marquis, »er mußte fliehen, weil er diese Praktiken enthüllte.«

Der Marquis blätterte in Notizen: Er habe sich einige Passagen daraus übersetzen lassen, zum Beispiel hier, der Gebrauch von Blausäure. Da könne er auch einen Beitrag leisten, meldete sich der Gerichtspräsident, als junger Assessor habe er an einem Prozeß teilgenommen, in dem es um eine Ehefrau gegangen sei, die ihren Mann mit Blausäure vergiftet habe. Ob man davon blau werde, erkundigte sich die Marquise, und Fürst Theatrow lachte. »Sie kennen das Gift vielleicht unter dem Namen Cyankali, es ist farblos, und viele merken seinen Geschmack gar nicht«, explizierte Doktor Godet. »Das stimmt nicht ganz«, wandte der Marquis ein, »sofern ich meine Lektüre verstanden habe. Blausäure hat den Geschmack von Bittermandeln, deswegen geben sie sie Tischweinen bei, um ihnen einen Nußgeschmack zu verleihen.«

»Wer wünscht denn beim Wein Nußgeschmack«, staunte Madame de Montanton. »Wundert Sie das in England«, warf der Gerichtspräsident ein. »Seien Sie nicht ungerecht mit England, wir verdanken ihm Wellington«, gab der Marquis zu bedenken. »Den Sieger von Waterloo?« fragte Doktor Godet fast finster. »Wir verdanken Wellington das Filet Wellington«, antwortete der Marquis, »und was brauchte er dazu? Französische Gänseleber. Das ist doch schon fast eine Rache der Besiegten. Aber um bei Accums zu bleiben, wissen Sie, wie man aus jungem Portwein alten macht?« – Wie man aus etwas Jungem etwas Altes mache, das wisse er genau, replizierte Fürst Theatrow, ihn würde vielmehr interessieren, wie man aus etwas Altem etwas Junges mache. Der Marquis ließ sich nicht ablenken: »Man gibt in den Portwein Kaliu...«, er sah im Papier nach, »Ka-li-um-su-per-tar-trat. Und im Brot fand unser Gewährsmann Alaun. Und wissen Sie, woher die orange Farbe des Gloucester-Käse kommt? Vom Mennige!« – »Die Engländer mögen ja etwas von der Seefahrt und dem Schiffsbau verstehen, aber woher nehmen sie den Ehrgeiz, auch Käse herstellen zu wollen«, sagte Doktor Godet. »Da sehen Sie, mein lieber Doktor, wohin ein Königreich mit einem Parlament führt«, sagte der Gerichtspräsident. Doktor Godet lachte auf: »Sie meinen, es sei ein Vorrecht des Adels, sich gegenseitig vergiften zu dürfen.« – »Wenn dem so ist«, meinte Madame de Montanton, »muß man in Zukunft in der Küche statt einem Gewürzschränkchen eine Apotheke aufstellen.« – »Und man braucht wieder Vorkoster«, sagte Baron Hugues. Die Marquise fragte, wie das die machten, die sich keine Domestiken leisten können. Und Baron Hugues antwortete: »Diese Vorkoster hießen in England Beefeater.« Wenn es in Frankreich diesen Beruf auch geben sollte, wäre er gerne bereit, im Hause des Marquis Beefeater zu werden.

Der Marquis setzte von neuem ein: »Dieser deutsch-englische Chemiker, der ins Exil mußte, erlebte in Amerika einen großen Erfolg.« Ein Exemplar seines Buches sei in die Neuenglandstaaten gelangt, dort soll es inzwischen unzählige Raubdrucke geben. Das Buch habe Fabrikanten darauf gebracht, Bonbons mit

Bleisalz zu behandeln, so daß sie aufregende Regenbogenfarben erhielten, und die Farmer hätten daraus gelernt, ihren sauren Gurken mit Kupfersalz zu einem appetitlichen Grün zu verhelfen.

Bei den letzten Worten überschlug sich die Stimme des Marquis. Ein Husten schüttelte ihn, daß Baron Hugues schon aufstehen wollte, um ihm auf den Rücken zu klopfen. Die Marquise winkte einem Diener, der die Wasserkaraffe brachte. »Im Speise-Salon hat mein Mann die Fensterläden polstern lassen, damit während des Essens kein Lärm eindringt, aber in seinem Kabinett läßt er die ganze Zeit die Fenster offen«, sagte die Marquise. Nachdem der Marquis einen Schluck Wasser getrunken hatte, entschuldigte er sich: Seine Frau habe recht, seine belegte Stimme komme tatsächlich vom Durchzug und nicht, wie man bei einem Auferstandenen meinen könnte, von der Grabeskälte einer Gruft; er beklage sich nicht, seine Stimme gefalle ihm, sie sei ein wenig faisandé, sie habe jenen Hautgout angenommen, den man beim Wildbret so sehr schätze; »Weshalb sollte die Stimme eines Mannes, der an seinem eigenen Leichenmahl teilnimmt, nicht einen Stich haben.«

Er lehnte sich zurück und sah in die Tischrunde: »Ansonsten sind wir vollzählig. Sie werden fragen, weshalb ausgerechnet Sie eingeladen worden sind. Ich muß Ihnen gestehen, es ist reiner Zufall. Die Zettel habe ich selbst geschrieben, aber es war der Koch, der die Lose zog. Da ich Sie hier am Tisch sehe, weiß ich, wie gut er Schicksal spielte. Sieben Gäste hätten es sein sollen, mich nicht mitgerechnet, nun sind es sieben mit mir, man muß ja auch beim Cassoulet die Schicht aus Semmelbröseln und gehackter Petersilie siebenmal einstechen, damit sich beim Köcheln siebenmal eine Kruste bildet.«

Er erteilte dem Diener die Order, Wein einzuschenken. Als Fürst Theatrow den Wein im Glas sah, hielt er es gegen die Kerze und sagte zu Doktor Godet: »Dieses Gelb dürfte Ihnen nicht unbekannt sein.« Der Marquis lächelte: »Ein so gelber Wein stammt aus der Franche-Comté, einer Gegend, die unsrem Baron Hugues nicht unbekannt sein dürfte.« Er selbst habe dort als Kind eine gewisse Zeit verbracht. Der Marquis streckte die behandschuhte Rechte aus: Das erste, was seine Finger einst angefaßt hätten, seien die roten Eichenholzfässer gewesen, in denen man diesen Wein lagere und denen er seine Farbe verdanke; es sei auch dieser gelbe Wein gewesen, der ihm als jungem Mann zum ersten Mal den Kopf verwirrt habe, damals habe er einen Uhrmacher gebraucht, in den jurassischen Bergen, deshalb möge dieser gelbe Wein das Leichenmahl eröffnen.

Alle hoben ihr Glas. Der Gerichtspräsident biß in den Wein und kaute. Der Fürst leerte das Glas in einem Zug und stieß durch den halbgeöffneten Mund ein »Ahh«. Der Baron und die Montanton nickten einander zu, der Abbé drehte den Stiel des Kristallkelchs in seiner Hand, und Doktor Godet hielt den Wein gegen das Licht, um seine Farbe aufleuchten zu lassen. Dann wandten sich alle wieder dem Marquis zu.

Er schätze zwar die ›grande cuisine‹, aber nicht die große Tafel. Noch nie habe er an einer dieser Großveranstaltungen, die sich Einladungen nennen, erlebt, daß jedem Gast das Gericht in der bekömmlichen Temperatur serviert worden sei; aber es gebe für jede Speise, was Konsistenz und Geschmack betreffe, nur einen einzigen entscheidenden Moment, und diesen Gnadenaugenblick dürfe man nicht verpassen. »Sie müssen wissen«, sagte die Marquise zum Fürsten Theatrow, »mein Mann hat sich von seinem Kabinett aus ein Sprechrohr zur Küche bauen lassen.« – »Phantastisch«, der russische Gesandte schlug sich auf die Brust: »Wenn ich rufe, hört das nicht nur die Küche, sondern das ganze Haus.« Er habe auch nie, fuhr der Marquis fort, das Essen zu zweit gemocht. Er möge nicht das Tête-à-tête, ein einziges Gegenüber bei Tisch lenke von dem ab, was auf dem Teller liegt. Baron Hugues erwähnte, in seiner Heimat sage man, die Liebe gehe durch den Magen. Der Marquis brach in Entsetzen aus: »Quelle horreur«, als ob die Küche im Dienste des Bettes stände, was für eine Barbarei, uns Männern den Magen zu füllen, damit wir zu träge sind, um davonzulaufen, die Kochkelle als Retterin der Ehe, nein, die

Liebe, die durch den Magen führt, die führe zu einer Liebe, die sich als Akt der Verdauung auffaßt. »Ich habe immer versucht, meine Frau mit nüchternem Magen zu lieben.«

Alle prosteten der Marquise zu, und die Montanton lachte auf, weil der Fürst sein Glas nach unten hielt, nachdem er es leergetrunken hatte. Doch wurden alle ernster, als der Marquis sie wiederum als »Trauergäste« anredete: »Ich habe Sie im Kleinen Salon warten lassen, das geschah nicht aus Nachlässigkeit, sondern aus Rücksicht. Zu einem Leichenmahl gehört nun einmal die Gelegenheit, über den Toten reden zu können; bei der Bestattung selber müßten ja die Teilnehmer schweigen, außer – er zeigte auf den Abbé; erst beim Leichenmahl hätten die Hinterbliebenen, die Freunde, Verwandten und Bekannten Gelegenheit, über den Verstorbenen zu reden; aber da er zu einem Leichenmahl einlade, an dem er, der Verstorbene, selber teilnehme, habe er den Trauernden nicht davorstehen mögen, sich über ihn unterhalten zu können, und er hoffe, Sie hätten die Zeit im Kleinen Salon genutzt. »Wie präzis unsere Sprache ist, sie spricht angesichts der Verwesung von ›décomposition‹. In der Tat, ein Toter wird entkomponiert und auseinandergenommen, zuerst von den Trauernden, und diese leisten damit die Vorarbeit für die zweite Dekomposition, die durch die Würmer.«

Durch die offene Türe hörte man die Uhr im Kleinen Salon schlagen, und Fürst Theatrow zählte mit. Nach dem letzten Schlag griff der Marquis in das Bündel Papiere neben seinem Teller und hielt eine Zeitung hoch: »›Le Gastrosophe‹, an dem ich während Jahren mitgearbeitet habe. Mein Nachruf auf der ersten Seite.« Daran sei er nicht ganz unschuldig, bekannte der Gerichtspräsident. Oh, er beklage sich nicht, im Gegenteil, sagte der Marquis: »Wer kommt sonst schon in die Lage, den eignen Nachruf lesen zu können. Aber wissen Sie, was hier drin steht? Daß das Geburtsjahr falsch ist, ist mir egal, bei unserer limitierten Lebenszeit kommt es auf ein Jahr mehr oder weniger nicht an. In der vierten Zeile lese ich, daß ich mich um das Kaninchenragout verdient gemacht habe, aber statt daß ich mich über dieses Lob freuen kann, lese ich, ich hätte das Fleisch vor dem Schmoren flambiert, dabei habe ich immer erst am Ende flambiert, damit sich der Geschmack des Cognacs nicht verflüchtigt. Wie wehrlos ein Toter ist! Ich verstehe, warum man soviel Erde über ihn schüttet. Wenn man schon von den Bewunderern um seine Verdienste gebracht wird! Da hat man ein Leben lang für den richtigen Flambiermoment bei der Gibelotte gekämpft und am Ende wird man für den falschen Zeitpunkt gelobt. Sie verstehen, weshalb ich meine Leichenrede selber halten möchte. Vorgängig aber wünsche ich Ihnen ›Bon appétit‹.«

Zwei Diener trugen ein Kohlenbecken herein und stellten sich zwischen den Marquis und Madame de Montanton. Ein dritter schob die Glut beiseite; auf dem Rost wurden eigroße Päckchen sichtbar, in Weinblätter gehüllt, die angesengt waren. Der Diener schob die Blätter auseinander und entfernte auch die Speckscheiben. »Der Speck wird nur zum Bardieren verwendet«, erklärte der Marquis. »Des truffes«, rief die Montanton, »véritable Trüffel.« – »Ja«, bestätigte der Marquis, »und zwar nicht in irgend einer Sauce, sondern Trüffel um der Trüffel willen.« Der Abbé reckte die Nase, weil man ja auch mit der Nase esse.

Noch während alle aßen, erkundigte sich die Montanton nach dem Rezept und wie das Gericht heiße. »Das ist es eben«, klagte der Marquis, »Truffes sous la cendre«, man lege die Trüffel, eingewickelt, wie demonstriert, auf heiße Asche und decke sie mit etwas Glut zu; er habe daran gedacht, das Gericht ›Trüffel nach Fegefeuer-Art‹ zu nennen. »Mit solchen Trüffeln wäre das Fegefeuer auszuhalten«, warf der Abbé ein, und Doktor Godet meinte: »Was für ein Pech, Hochwürden, daß Sie gleich in den Himmel kommen.« – Er habe auch daran gedacht, sagte der Marquis, das Gericht ›truffes en deuil‹ zu nennen, aber das erinnere zu sehr an die ›Poularde en demi-deuil‹, jene Poularde de Bresse, die man mit Trüffeln spickt; was heiße im übrigen schon ›demideuil‹, Halb-Trauer. Nein, er habe an etwas anderes gedacht, und zwar im Gedenken an die Trüffelschweine, die mit ihrem Spürsinn diese Kostbarkeiten ausfindig machten, aber wenn sie darauf stießen, stets einen Schlag auf den Rüssel bekämen, mit dem sie noch im Boden wühlen. Der Abbé behaupte zwar, wer suche, der finde, – »Nur eben, es fressen nicht immer die, die etwas zum Fressen gefunden haben.«

Es gebe das gleiche Phänomen auch in der Wissenschaft, nahm Doktor Godet das Thema auf: da könnte er mit geradezu unglaublichen Geschichten aufwarten, was seine Erfahrungen mit den Akademien betreffe, die gleichen, die eine Abhandlung ablehnten, veröffentlichten hinterher ihr Traktat mit Erkenntnissen, die sie daraus übernommen hätten. »Ihre Worte klingen sehr enttäuscht«, bemerkte der Marquis, »Sie sollten sie wie das Gemüse blanchieren; bevor Sie sie auftragen, rasch in siedendes Wasser werfen, dabei verlieren sie ihre Bitterstoffe und behalten ihre natürliche Farbe.«

»A propos Trüffelschweine«, erklärte der Gerichtspräsident, »es gibt auch glückliche Trüffelschweine. Wie unrecht hat der Volksmund einmal mehr, der behauptet, jeder müsse die Suppe auslöffeln, die er sich eingebrockt hat, die Kunst der Juristerei bestehe nicht zuletzt darin, die Suppe, die einer eingebrockt hat, andern auszuteilen.«

Der Marquis blieb nachdenklich: »Ich hatte einen Neffen, der kämpfte in der Napoleonischen Armee. Er war bei der Avantgarde. Sie wissen, wie man damals die Avantgarde nannte? Les enfants perdus.« – »Gérard ist in Rußland gefallen«, sagte die Marquise; der russische Gesandte legte ihr die Hand auf den Arm, es tue ihm leid. »Es sind in der Tat verlorene Kinder«, der Marquis fuhr mit einer Fingerspitze das Rund seines Kelches ab, »sie ermöglichen den Durchbruch, aber brechen selber nicht durch, zu nahe beim Feind, und zu weit weg von der Rückendekkung durch die eigenen Truppen. In Erinnerung an diese verlorenen Kinder möchte ich den Trüffeln ihren Namen geben: ›Truffes à la mode des enfants perdus‹.«

Die Teller wurden abgetragen. Als Baron Hugues dem Dienerarm auswich, stieß er an den Ärmel von Madame de Montanton und entschuldigte sich. Diese lud ihn ein, den Ärmel anzufassen, er tat es und spürte unter dem Stoff etwas Metallenes. »Stahlfedern«, erklärte die Montanton, »das spannt die Ärmel, und diese betonen und verbreitern die Schultern« – ob er das auch schon gehört habe, ihr Kutscher, der frühere, sie habe ihn entlassen müssen, überhaupt, sie hätten die Domestiken reduziert, was ihr das an Ärger erspare, aber dieser Kutscher habe ihr einmal auf dem Weg in den Bois de Boulogne berichtet, die Leute besäßen jetzt zwei Arten von Kleidern, Werktagskleider und Sonntagskleider, ob man in der Schweiz Ähnliches kenne.

Fürst Theatrow schwärmte von den herrlich dicken Suppen, die man in Rußland löffle. Die Marquise erkundigte sich, ob es sich mehr um Bouillon oder um Potage handle. Der Fürst runzelte die Stirn: Es seien Suppen mit etwas drin; da lasse man den Speck nicht auf dem Teller liegen; das polstere für die langen Winternächte und gebe Boden für den Wodka; es komme Rindfleisch hinein und Kohl und Karotten und vor allem rote Rüben, viele rote Rüben, die verliehen der Suppe ihre Farbe, und der saure Rahm, der mache, daß die Suppe nicht zu sehr an Blut erinnere. Und als er »Borschtsch« sagte, forderte er die Marquise auf, das Wort zu wiederholen, und prüfte ihre Aussprache, dann aber sah er ihr ins Gesicht: »Am andern Tag«, er hob den Finger und flüsterte der Marquise ins Ohr. Diese sah weg, winkte mit ihrem Taschentuch ab, als müßte sie sich einer Zumutung erwehren.

Madame de Montanton bat Baron Hugues, er möge von seinem Tischnachbar, dem Gerichtspräsidenten, in Erfahrung bringen, was der Fürst der Marquise zugeflüstert habe, sie liebe Suppe leidenschaftlich, vor allem fremdländische. Sie selber wandte sich an den Marquis: »Exzellent Ihre ›truffes à la mode des enfants perdus‹.«

Hochwürden werde ihm zustimmen, wie entscheidend die Taufe sei, der Marquis sah den Abbé fragend an. Dieser zuckte die Achseln: Ihn persönlich habe die letzte Ölung immer mehr beschäftigt, nicht nur weil die letzten Minuten dramatischer seien; er hätte jedenfalls tausend Taufen dafür gegeben, wenn er Voltaire hätte das Sterbesakrament erteilen dürfen. »In der Küche fallen Taufe und Letzte Ölung zusammen, auf alle Fälle findet auch hier die große Umwandlung statt«, der Marquis nickte sich selber zu: damit meine er nicht jene Köche, welche einen Hecht so zubereiteten, daß er wie ein Hase aussehe und wie Hühnerfleisch schmecke, oder die ein Lamm so lange behandelten, bis es nicht mehr nach Schaf rieche; er meine die Umwandlung durch das Wort. Es gehe den Speisen wie dem Menschen, der sei auch nichts, solange er keinen Namen habe. »Denken Sie nur an die Forelle, die es nicht weiterbringt als bis zum traurigen Schicksal, eines natürlichen Todes zu sterben. Wie kläglich, verglichen mit jener Forelle, die anbeißt und deren Karriere an einer Angel beginnt, die man aber erst tötet, bevor man sie in den Topf tut, wo sie noch einmal, aber diesmal im Salzwasser, zu hüpfen beginnt, und bei der man acht geben muß, daß man nicht jenen Schleim zerstört, dem sie jene blaue Farbe verdankt, mit der sie auf den Teller kommt: diese Forelle wird zu einer ›danseuse de la rivière‹. Stellen Sie sich vor, es würde statt ›Fluß-Tänzerin‹ heißen, die ›Forelle starb im Dienste eines Feinschmeckers‹. Das macht die Friedhöfe so langweilig. Dort ruhen lauter Ehefrauen, die treu waren, Mütter, die sich aufopferten, Diener, die ergeben waren, Männer, die ihre Pflicht erfüllten – die andern sterben anscheinend nicht. Wäre es nicht reizvoller, wenn man auf dem Grabstein einer Frau zum Beispiel läse: sie war eine Fluß-Tänzerin, und wenn, auf den Überraschungseffekt eines köstlichen Todes anspielend, an einem Friedhofsportal die Worte eingemeißelt wären: ›La mort suprême en surprise‹.«

Madame de Montanton sah zu Doktor Godet, der blätterte im ›Gastrosophe‹; dann blickte sie zum Abbé, der tupfte mit dem Zeigfinger Krümel seines Brötchens vom Tischtuch. Da stieß der Gerichtspräsident Baron Hugues leicht an: »Roter Urin.« Der Baron sah ihn mit verwunderten Augen an und blickte verlegen in die Runde. Er habe sich auf seinen Wunsch hin erkundigt, was es mit der russischen Suppe auf sich habe: »Die Nachwirkung am andern Tag.« Der Baron tippte sich an die Stirn, neigte sich über die Puffärmel zu seiner Linken und bat Madame de Montanton, ihm ihr Ohr zu leihen: Es sei ein bißchen delikat.

Der Marquis klatschte in die Hände, das Klatschen tönte wegen seiner Handschuhe dumpf: Er werde jetzt den Würger von Rouen vorstellen. Der Abbé krauste die Stirn: »Rouen?« Doktor Godet klopfte ihm auf die Schulter: Hochwürden befürchte wohl, es werde ein Kirchenfürst auftreten, aber die Jungfrau von Orléans sei in Rouen nicht erwürgt, sondern verbrannt worden. »Und heilig gesprochen«, replizierte der Abbé. Der Gerichtspräsident mischte sich ein: »Unser guter Doktor hat noch immer nicht begriffen, weshalb es in den Kirchen Seitenaltäre gibt.« Neidvoll nehme er zur Kenntnis, antwortete Doktor Godet, daß man Justizirrtümer berichtigen könne. Wie schön, wenn auch er als Arzt seinen Kunstfehler kanonisieren könnte, den, den er irrtümlicherweise auf Herzkrankheiten behandelt habe und der an der Behandlung gestorben sei, wie schön, wenn er diesen wieder zum Leben erwecken könnte, indem er ihn im Pantheon der Leberkranken aufstellte.

Ein Bauernjunge trat auf. Er trug unter seinem bunten Wams, das fast bis zu den Knien reichte, ein braunes grobes Hemd. Mit dem linken Arm umklammerte er eine Ente, die er gegen seinen Oberkörper drückte und die sich erfolglos wehrte. Mit der rechten Hand hielt der Junge dem Tier den Schnabel zu. Der Marquis wies mit der behandschuhten Hand auf ihn: »Der Sieger im Wettstreit der Enten-Würger.«

Der Junge verneigte sich mit einem herzlich-offenen Lächeln. Er ließ den Schnabel los, so daß die Ente zu schnattern begann; verzweifelt stieß sie mit dem Kopf in die Luft und an die Achsel des Jungen. Dieser lachte und redete ihr zu, »Sei schön brav«, dann hielt er seine Rechte in die Höhe, spreizte die Finger, zeigte Innenfläche und Rücken der Hand nach der Art der Magier, die vor dem Zauberkunststück demonstrieren, daß sie nichts zwischen den Fingern verborgen halten. Darauf legte er seine Hand an den Hals der Ente: er überließ das Tier einen Moment seinem Zittern, packte fester zu, die Ente warf ihren Kopf in alle Richtungen, mit einem Schnattern, das erstickte, der Junge machte seine Klammer enger, die Ente streckte ihren Kopf in einer letzten Zuckung. Als der Junge den Hals losließ, fiel dieser kraftlos herunter und baumelte ihm über den Arm. Die Gäste applaudierten.

Nun erhob sich der Marquis. Auch er streckte seine Rechte in die Höhe und zeigte, wie makellos weiß die Fingerspitzen seines

Handschuhs waren. Dann legte er die Hand auf die Stelle, an welcher der Junge gewürgt hatte, der Marquis streichelte über den Flaum und drückte die Finger ins Gefieder. Er hob wieder seine Hand, und er zeigte der Tafelrunde, wie sein Handschuh nach wie vor blütenweiß war. »Saubere Arbeit.«

Der Junge, vom Marquis aufgefordert, führte aus, wie man jetzt fachgerecht vorgehen müsse: Sofort rupfen, die Enten aufschneiden und die Leber an einem heißen Spieß braten, dann das Fleisch rösten und das Brustfleisch in lange Filets schneiden, diese auf eine kochend heiße Platte legen. Und dann das Gerippe zerstoßen, dazu nehme man am besten zwei Teller und zerdrücke das Knochengehäuse dazwischen, man müsse soviel Blut und Saft wie nur möglich herausholen, dann komme das zerstoßene Gerippe mit der gehackten Leber in eine Casserolle. »In eine möglichst tiefe«, präzisierte der Marquis. Der Junge lächelte: Ja, und dann komme Apfelwein dazu, in dem Dorf, aus dem er stamme, gebe es den besten Apfelwein der Normandie, und natürlich, man dürfe nicht den Calvados vergessen. Der Junge sah den Marquis an, und der nickte anerkennend.

»Wenn man das richtig macht, dann«, der Marquis zeigte auf die leblose Ente im Arm des Jungen, »wird daraus ein Gericht wie das, das ich Ihnen jetzt auftragen lasse – und Sie werden staunen, wie rosig das Entenfleisch ist, das ist nur möglich, weil beim Töten kein Blut vergossen wird, dank der Kunst des Erwürgens.«

Die Diener hatten den irdenen Topf zuerst um den Tisch getragen und jedem Gast Einblick gewährt, bevor sie zu schöpfen begannen. Der Marquis hatte sich wieder gesetzt und entschuldigte sich. Er habe Hunger. Baron Hugues sagte, in seiner Heimat heiße es, Hunger sei der beste Koch. Aber der Marquis schüttelte den Kopf: »Was für eine Lüge.« Er habe als Kind die Hungermärsche der Bauern gesehen, diese Bauern hätten sich auf jede Wurzel gestürzt, und er erinnere sich noch, wie sich hinter einem Schlachthaus eine ganze Familie mit den Vögeln und Hunden um Gedärme gestritten habe. Wenn man bedenke, was sich sonst aus Innereien zubereiten lasse, zum Beispiel aus Kutteln. Und auf seinen, – er senkte leicht die Stimme und sah zu seiner Frau –, auf seinen nächtlichen Streifzügen durch Viertel, die auch zu Paris gehörten, sei er immer wieder auf Hungrige gestoßen, die hätten den Abfall durchwühlt, an irgend einem Hühnermagen gelutscht, in dem nichts als Sand war, und sie hätten Kartoffelschalen gekaut. Nein, der Hunger sei kein guter Koch, im Grunde dürfe man nur für satte Menschen kochen.

Der Marquis legte Gabel und Messer beiseite, und doch – er spüre richtig Appetit. Das hänge wohl damit zusammen, daß er in den letzten zwei Wochen nicht ins Freie gekommen sei, aber Tot-sein schränke die Bewegungsfreiheit ein. »Wie schrecklich«, bedauerte Madame de Montanton, und der Gerichtspräsident meinte, er habe kein Mitleid, das habe der Marquis freiwillig auf sich genommen. Dieser wandte sich an den Abbé: »Hat nicht Pascal gesagt, das Unglück des Menschen rühre daher, daß er sich nicht damit zufrieden gebe, in seinen vier Wänden zu bleiben? Was für schlechte Erfahrungen mußte Pascal mit Restaurants gemacht haben, für das Glück im eigenen Zimmer braucht es einen hervorragenden Leibkoch.« Nein, er habe aus anderen Gründen in den vergangenen drei Wochen einen unstillbaren Hunger entwickelt, er möchte geradezu sagen, einen weltumspannenden Appetit. Daran sei seine Lektüre schuld. Als Toter habe er endlich Zeit für Dinge gefunden, die er zu Lebzeiten vernachlässigt habe, so habe er Gazetten gelesen, in denen nicht Rezepte stünden, sondern Neuigkeiten, und gepackt hätten ihn die Bekenntnisse eines Piraten, der aus dem Seeräuberstaat Algerien stamme, in seinen Gefängnismemoiren schildere er Hungersnöte im afrikanischen Hinterland, wo die, welche die Toten zählten, beim Zählen verhungerten, und er habe Berichte aus fernen Ländern wie Irland gelesen, was es dort für Hungerzüge gebe, und in der Schilderung einer Reise durch den geheimnisvollen Balkan habe er ähnliche Darstellungen gefunden. Fürst Theatrow stimmte dem bei: Er habe nicht umsonst in seiner Kutsche Vorhänge anbringen lassen. Auf seinen Fahrten von St. Petersburg nach Paris, was man da unterwegs an Hungerleidern antreffe, direkt neben den Hauptwegen, das sei geradezu beleidigend.

Der Abbé erinnerte daran, daß es zur alten Weisheit der Kirche gehöre, dem Fasten Bedeutung beizumessen, das kläre den Kopf und töte die Fleischeslust. Dem widersprach Doktor Godet, der noch daran war, die Entenknochen vom Fleisch zu säubern. Es gebe Untersuchungen, die bewiesen, daß sich gerade bei Ausgehungerten die Sinneslust steigere, wenn schon der Bauch nichts kriege, soll dafür der Unterleib umso mehr erhalten, als wollten die, die nichts zu essen haben, lauter Esser zeugen. Madame de Montanton, die ihre Lippen tupfte, wußte von einem englischen Diplomaten, daß es in Indien Hungerkünstler gebe, die Monate, ja jahrelang nichts zu sich nähmen außer Wasser. Und Baron Hugues meinte dazu: »Wenn Hunger, dann als Kunst.«

Der Marquis hob sein Glas: »A la vôtre«, und alle wünschten sich gegenseitig Gesundheit und Wohlergehen. Der Gastgeber aber hielt sein Glas noch erhoben, nachdem die andern das ihre längst abgestellt hatten: »Heißt es nicht von einigen, die mehr trinken, als ihnen bekommt, sie hätten ein ›trauriges Glas‹, weil ihnen beim Trinken die Augen überlaufen und sie der Schmerz packt: ›le verre triste‹. Merkwürdig, wir kennen ›le verre triste‹, aber nicht ›le plat triste‹, das ›traurige Glas‹, aber nicht den ›traurigen Teller‹.« Er aber, er kenne den traurigen Teller, den man vor lauter Trauer leer esse und den man vor lauter Melancholie wieder nachfülle und von neuem leere, und wie es beim traurigen Glas nichts nützt, dagegen anzutrinken, so sei es auch beim traurigen Teller, je mehr man dagegen anißt, um so größer die Trauer.

Baron Hugues meinte, es könnte vielleicht interessieren, daß man im deutschsprachigen Teil seiner Heimat den Ausdruck ›Kummerspeck‹ kenne. Der Marquis horchte auf: »Dann hätten die Deutschen den Franzosen etwas voraus.« Er sah zur Wand, und alle folgten seinem Blick und betrachteten mit ihm den Stich; ein Koch, der auf dem Kopf eine Platte mit einem Spanferkel trug und eine langstielige Pfanne schulterte, in seinem Gurt steckte der Bratspieß wie eine Waffe, und am Lederriemen baumelten Salzfaß, Kelle und Schwenkkessel; an einer Hand eine Kanne, am

Knie ein Saimlöffel, und am Hals eine Kette von Würsten. »Blut-, Leber- und Knackwürste«, zählte der Marquis auf, »ein deutscher Koch.« Aber er schüttelte den Kopf: Er meine nicht einen Schmerz, der Speck ansetze, ansonsten wären die Schweine mit ihrem fröhlichen Quietschen die traurigsten Tiere, nein, er denke nicht an eine Melancholie, die verfette, er meine nicht Herz mit Schmalz, er stelle sich einen ›plat triste‹ vor, der zum Lob des Genießens führe, zum Lob ›du plaisir‹.

Der Marquis stand auf, die Runde nahm es, wenn auch mit Verwunderung, als Zeichen, daß die Tafel aufgehoben sei. Baron Hugues war ebenfalls aufgestanden und hatte bereits die Hand an der Stuhllehne seiner Tischdame. Da bat ihn der Marquis, sich wieder zu setzen, er wolle jetzt seine Leichenrede halten, und diese gelte dem Lob des ›plaisir‹; er möchte damit seines zweiten Vaters gedenken, eines Uhrmachers, der sich mit der ›horlogerie humaine‹ befaßt habe, mit der Kunst der menschlichen Mechanik.

Der Marquis knöpfte an seiner Linken den Handschuh auf und rollte ihn nach vorn auf, so daß metallene Stäbchen sichtbar wurden. »Sie wissen, wie sehr ich meine Mutter enttäuschte, denn ich kam ohne Hände auf die Welt. Ich bat sie zum ersten Mal um Verzeihung, als ich nicht mit Händchen an ihre Brüste faßte, sondern mit Stummeln danach tappte. Mein Vater gestand mir, er habe, als er mich in der Wiege sah, beschlossen, kein Kind mehr zu zeugen, so blieb ich der älteste und der jüngste und der einzige; aber mein Vater war willens, das Kind, das er gezeugt hatte, zu vervollständigen. So brachte man mich zu den berühmtesten und teuersten Uhrmachern in die jurassischen Berge, in die Franche-Comté, die haben mir Finger angepaßt.« Der Marquis schob seinen Ärmel etwas zurück und zeigte die Lederriemen, mit denen seine Finger befestigt waren: »Und einer der ersten Gegenstände, die diese Finger anfaßten, war eines jener roten Eichenfässer, hinter denen ich mich versteckt hatte und in denen jener gelbe Wein gelagert wird, der Ihnen serviert worden ist. Dank diesen Fingern war ich nicht mehr einer, der herumkroch. Es war meiner Mutter lieb gewesen, daß ich als Kleinkind nicht im Salon herumsaß, sondern mich in der Küche aufhielt, und da ich keine Hände hatte, um nach etwas zu greifen, spürte ich die Dinge mit der Nase auf, und dank meines Spürsinns kannte ich wie kein zweiter die Mauselöcher im Keller, und da ich nicht über Finger verfügte, um einen Gegenstand abtasten zu können, nahm ich alles in den Mund, und dafür war die Küche eine hervorragende Schule, ich lehrte meine Zunge, Unterschiede zu machen und zu dosieren. Mit meinen mechanischen Fingern aber war ich einer, der nicht mehr länger herumkriechen mochte. Seltsam, ich bin dank meiner Finger auch zu zwei Beinen gekommen. Ich durfte meinen Vater auf seinen Reisen begleiten. Und auf einer dieser Fahrten kamen wir auch nach Rouen. Es war nicht nur die Stadt, in der ich zum ersten Mal einen Hafen erlebte. Es wurde uns die Ente nach Art von Rouen aufgetragen, und ein Bauernjunge führte vor, wie man Enten erwürgt. Da flehte ich meinen Vater an: Kauf mir auch eine Ente. Und er tat es, und ich legte meine Finger an ihren Hals, und ich jubelte, ich hatte Finger wie die andern und konnte wie die andern einen Entenhals zudrücken; und der Junge, der mir zusah, meinte, ich sei mit meinen Handschuhen zu fein zum Leben, man müsse das Zittern der Enten direkt an den Fingerkuppen spüren. Und so zog ich auch einmal die Handschuhe aus. Wir waren in jenem Frankreich, das so sanft sein kann, in der ›douce France‹, und dort servierten sie uns ›truffes sous la cendre‹. Ich war neugierig, wie das schmeckt. In einem unbewachten Moment langte ein ausgemergelter Bengel zu und wollte eine Trüffel stehlen, aber er schrie auf, denn die Trüffel war heiß, so ließ er sie fallen. Ich aber bückte mich, zog meinen Handschuh aus und reichte ihm die heiße Trüffel: Ich hatte Finger, die ich mir nicht verbrennen konnte.«

Der Marquis zog den Handschuh ganz aus und ließ ihn auf den Tisch fallen. Er zeigte ein Gebilde aus Stäbchen und Schrauben, er machte vor, wie diese mechanischen Finger sich als Glieder bewegten: »Pures Gold, wer möchte schon Finger, die rosten.« Dann griff er mit seinen Fingern nach der Gabel: »Schauen Sie, diese Finger können nicht nur eine Gabel halten, sondern auch ein Messer und einen Löffel und eine Kochkelle. Allerdings«, er sah zur Marquise, »haben sie nie gespürt, wie sich die nackte Haut einer Frau anfühlt«, und er neigte sich zu Baron Hugues: »Eines jedoch können die Finger, sie können eine Feder führen.«

Er protzte mit seinen diners, jedenfalls mir gegenüber. Es gab eine Zeit, da führte er Einladungen als Beweis dafür an, daß wir es zu etwas gebracht hätten. Aber es kam auch der Moment, da er es als Auszeichnung ansah, nicht oder nicht mehr eingeladen zu werden.

Wir waren von unserem sozialen Unten nach oben geklettert. Deswegen fand es der Immune wichtig, daß wir die feine Gesellschaft so rasch als möglich kennenlernten, und wo konnte das besser und angenehmer geschehen, als wenn sie sich nach des Tages Müh am Tisch zu Bilanz und Genuß zusammenfand. Nur im direkten Umgang mit der feinen Gesellschaft könne man sich so infizieren, daß man ein für allemal Antikörper ausbilde, um nicht mehr nur von ihr zu träumen.

Ja, er hatte seine eignen Impfmethoden entwickelt, aber über das Serum, auf das es angekommen wäre, darüber verfügte er im entscheidenden Moment auch nicht.

Er hätte von einem ganz anderen Pariser Essen berichten können; aber dazu brachte er höchst selten sein »Weißt du noch« vor. Ich aber weiß noch genau, wie wir, kaum zwanzigjährig, in Paris angekommen waren. Es fing schon damit an, daß wir nicht telefonieren konnten. Wir wollten von der Gare de l'Est einen Freund anrufen. Wir hatten zwar rasch herausgekriegt, daß man fürs Telefonieren einen Jeton und nicht wie zuhause Münzen verwendete, aber wir kapierten nicht, daß man einen Knopf drücken mußte, sobald der Angerufene antwortete. Und wir ließen nicht locker, bis wir ein Hotel fanden, von dessen Fenstern aus man auf die Seine und die Notre-Dame sah. Und der Immune war entschlossen, gleich auf den Eiffelturm zu steigen, um von oben einen ersten Eindruck von der Stadt zu gewinnen, in der wir uns für ein halbes Jahr einrichten wollten. Und ich weiß nicht warum, vielleicht in Erinnerung an die heimatlichen Berge, nahmen wir nicht den Lift, sondern wir kletterten die Wendeltreppe hoch. Und als wir auf der ersten Etage waren, waren wir so erschöpft, daß wir Lust auf einen Kaffee verspürten, und wir übten ein akzentfreies »café crème«. Aber in dem Restaurant, in dem wir einen Kaffee bestellen wollten, empfingen uns Kellner, die uns an einen gedeckten Tisch führten und die Serviette ausbreiteten und uns eine Menukarte hinhielten, und es war wieder ein anderer Kellner, der die Bestellung für den Wein entgegennahm, und wir ließen alles mit stummer Selbstverständlichkeit über uns ergehen und legten am Ende ein Fünftel von dem hin, was einen ganzen Monat hätte reichen sollen.

Es war der Einzug von zwei Provinzlern in die Metropole. Ich war recht ungehalten und warf dem Immunen vor, er hätte sich besser umsehen können, aber er hatte bereits eine Erklärung parat: Am ersten Tag sei das so, und wir würden es in Zukunft auch so halten, wenn wir irgendwo an einem fremden Ort ankämen, müßten wir es hinnehmen, zuerst einmal von den Taxichauffeuren betrogen zu werden oder uns zu verausgaben, da wir die Geldscheine nicht kennten und noch nicht richtig umrechnen könnten und mit den ortsüblichen Preisen nicht vertraut seien – am ersten Tag, da opfere man den Lokalgöttern.

Er war nie verlegen, wenn es darum ging, eine Situation zu retten. Er mit seinen Rettungsabsichten – einmal fand ich ihn an einem Seeufer, wo er sich überlegte, ob er eine Welle vor dem Ertrinken retten solle.

Manchmal, wenn er zum Reden ansetzte, formten sich seine Lippen zu einem Rund, das wie ein Rettungsring aussah, aber ich habe erlebt, wie diese Lippen zu etwas anderem ansetzten, zu einem Schrei.

Nein, auf unsere Tournedos Rossini in der Tour d'Eiffel kam er selten zu sprechen, wenn er von Einladungen redete, rühmte er sich anderer Anlässe.

Er behauptete, er habe in Athen an einem Gastmahl teilgenommen, von dem nicht zufällig ein Philosoph und nicht ein Koch berichtet habe, denn angesichts dessen, was auf irdischen Tellern lag, sei einem gar nichts anderes übrig geblieben, als von überirdischen Dingen zu reden, und als eine Frau von der himmlischen Liebe zu reden begonnen habe, sei er eingeschlafen und erst wieder erwacht, als ihm sein Tischnachbar, ein tattriger Grieche, unterm Chiton herumgefummelt habe.

Und der Immune behauptete auch, er sei unter den Gästen von

Trimalchio gewesen, allerdings habe der sein großes Haus nicht in Rom geführt, sondern in ... und da zögerte der Immune bereits, einmal sagte er in Texas und einmal in Kalifornien, einmal hatte sein Neureicher das Geld mit Ölfeldern gemacht und einmal mit Eisenbahnen und Elektronik. »Texas, du weißt, wie die dort fahren, einmal hupen, zweimal schießen«, da habe der Koch nicht nur ein Messer in der Hand gehabt, sondern auch ein Lasso, und jeder Gast habe sich seinen eigenen Ochsen aussuchen dürfen und angeben, welche Fleischpartie er auf dem Teller wünsche, und bis es soweit war, hätten sie auf dem Privatflugplatz zuschauen dürfen, wie sieben Senfarten ausgeladen wurden, die aus Dijon eingeflogen worden seien.

Unbestritten, wir waren Parvenüs, wir waren auch die Menukarte hochgeklettert bis zu den Schneckeneiern, und wie alle Emporkömmlinge mußten wir für das richtige Handhaben von Messer, Gabel und Löffel dazulernen.

»Weißt du noch«, pflegte der Immune zu sagen, »als unsere Mutter vier Bananen an Weihnachten nachhause brachte und unter den Christbaum legte.« Der Immune fragte mich dies, als Bananen billiger geworden waren als einheimische Äpfel, und als wir Bananen nicht auf dem Markt, sondern an einem Solidaritätsstand kauften.

Ja, das war damals, als nicht nur die Bananen, sondern auch die Ananas politisch wurden und das Zuckerrohr militant. Damals, als man beim Kochen nach wie vor eine Küchenwaage benutzte, aber hinterher fürs Gewicht auch eine Personenwaage. Damals, als es zu den ersten Orgien mit Weizenkeimen, Tofu und Karottensaft kam.

Damals nahmen wir an einem Essen teil, zu dem ein prominenter Gewerkschaftsführer eingeladen hatte; er war berühmt für seine Kochkünste, da er die Volksnahrung verfeinerte. Er kochte selber einen schlichten Risotto, den richtete er in einer großen flachen Schüssel an, stellte in die Mitte eine Flasche Champagner, warf einen Zucker in den Flaschenhals, der Dom Pérignon schäumte und lief über und überzog prickelnd den gelben Risotto.

Wenn unsere eigene Menukarte immer monotoner wurde, hatte das nur bedingt mit unserer wirtschaftlichen Lage zu tun. »Ach«, konnte der Immune sagen, »wir haben doch schon alles einmal gehabt.« Das traf erst recht für Eier zu, auch wenn wir manchmal taten, als könnten wir unendliche Variationen von Omeletten und Rühreiern erfinden. Ob ›Spiegeleier‹ oder ›Stierenaugen‹ oder ›die Sonnenseite nach oben‹, es waren immer die gleichen gebratenen Eier, aber der Immune sagte, man müsse mit Phantasie essen. Und er hatte dafür seine eigene Tischlein-deck-dich-Methode. Während ich vor meiner Eiervariation saß, konnte er von Rezepten reden oder las aus einem Kochbuch vor, und auf diese Weise hat er unsere Menu-Karte überraschend bereichert. Er meinte auch, ich solle die Augen schließen, so komme ich noch mehr in den Genuß von all dem, was er vortrage. Aber es war nicht leicht mit geschlossenen Augen zu essen, wenn er mir gebratene Täubchen auftischte oder Fisch.

Daß er seine Tischlein-deck-dich-Methode auch auf andere Situationen übertrug, erfuhr ich durch puren Zufall, als er eines Morgens erst zum Frühstück nachhause kam, ein paar frische Eier mitbrachte und Hühnerflaum im Haar hatte. Er gestand, er habe sich in eine Legebatterie eingeschlichen und habe Hühnern, die noch nie das Tageslicht gesehen hätten, eine Nacht lang vom Märchen ›Es war einmal ein Regenwurm‹ erzählt.

Er protzte eigentlich erst in jüngster Zeit mit seinen Einladungen, im grunde erst nachdem er nicht mehr so oft eingeladen wurde, worüber er sich nicht hätte so wundern dürfen, wie er es tat. Konnte er doch bei einem Essen seiner Tischdame das Fleisch reichen oder auf ihr Filet im Teller hinweisen und sie fragen, ob sie schon mal in einem Schlachthaus gewesen sei. Er eben auch nicht, er kenne die Schlachthäuser nicht, wo man in die Tiere einen Bolzen jage, um sie zu betäuben, und wo es darauf ankomme, fachgerecht zuzustechen, denn rasches Ausbluten sei unerläßlich für die Lagerung; er selber kenne nur ein Schlachten im Freien, da würden die Tiere in eine Art Verschlag getrieben, und einer haue mit einem Hammer den Meißel in den Schädel und ein zweiter versuche mit einem Messer am Hals die Hauptschlagader zu treffen, und es herrsche ein entsetzlicher Gestank, nicht nur weil das Vieh in seiner Angst sich entleere, sondern weil zur Schlachterei eine Knochensiederei gehöre, wo hauptsächlich Kinder die ausgekochten Knochen sauberschabten, und was für ein Gekläff und Gekreisch, weil sich Geier und Hunde um Berge von Därmen stritten – ›Bonappétit‹ und ›Mahlzeit‹.

Nein, die Leute waren nicht erpicht, von ihm zu hören, die wahre Tafelmusik sei das Brüllen der Tiere, welche Blut röchen, und das Quieken von Säuen und das Gackern der Hühner, die noch lebend mit dem Kopf nach unten an einem Fließband aufgehängt würden für ihre letzte Fahrt zum Elektroschock und zur Schlitzmaschine und die keine Ahnung hätten, ob sie in einen Suppentopf oder in eine Bratpfanne kommen oder als Hunde- und Katzenfutter verwertet würden ...

Daß er in eine Legebatterie eingeschlichen war, hatte wenigstens keine Folgen. Das war anders, als ihn eine Garderobenfrau in der Zentralbibliothek erwischte, wie er gerade aus einem Buch eine Seite herausriß und diese in den Mund stopfte. Mich erinnert die Szene an die Filme, in denen ein Gefangener einen Kassiber oder ein Agent eine Chiffrenachricht hinunterschluckte. Der Immune aber sagte aus, er habe den Tip vom Verfasser der ›Apokalypse‹, der habe ein Buch mit sieben Siegeln gegessen, er selber versuche es vorerst mit einem ohne Siegel, weil er fürchtete, die könnten einem aufliegen, und da es ein Buch ohne Siegel war, war auch die Entschädigung nicht so hoch.

Er nahm die Peinlichkeit des Vorfalls ohne weiteres hin, ihn beschäftigte es lediglich, daß die Seite nach nichts geschmeckt hatte, so daß er sich überlegte, ob man die Bücher, die man verschlingt, vorher salzen und pfeffern müsse, ob dies nur für das Buch gilt, an das er sich herangemacht hatte oder auch für die andern, ob man das Papier besser vorher dämpft und das Pergament mariniert. Wenn uns fürs Davonkommen einmal nichts als das Rennen übrigbleibe, könnten wir doch keine Bücherkiste mitnehmen, aber wir hätten all die Bücher mit uns, deren Seiten wir verschlungen hätten. Wenn wir in die Nähe einer Bibliothek kamen, leckte er mit der Zunge über die Lippen. Glücklicherweise hatten sie ihm wenigstens die Benützerkarte für unsere Zentralbibliothek entzogen, und glücklicherweise wurde er nicht bei allem ertappt.

Natürlich war mir die Schlagzeile auf dem Aushang des Boulevardblattes aufgefallen, ›Der Kakteen-Killer geht um‹. Ein Tatsachenbericht darüber, daß schon zum dritten mal auf dem Gelände des Botanischen Gartens ein Unbekannter ins Gewächshaus der Sukkulentensammlung eingebrochen war und dort kostbare Kakteen verstümmelt hatte.

Aber dann sah ich, daß der Immune ständig mit einer Pinzette herumlief und sich mit ihr an seinen Fingern zu schaffen machte, und er gestand mir, daß er der Kakteen-Killer sei. Er habe in unserer Sukkulentensammlung Überleben geübt, für den Fall, daß wir einmal in einer Wüste ausgesetzt wären und wir kein Wasser fänden. Es sei nicht leicht gewesen, die harte, dornenbesetzte Haut durchzuschneiden, an seinem Soldatenmesser sei beinahe die Klinge abgebrochen, man müsse zuerst die Spitze abtrennen und dann das Fruchtfleisch im Innern zerstampfen, bis man eine milchige Flüssigkeit habe. Im übrigen müsse man sich vor Pflanzen hüten, die einen farbigen Saft abgeben, aber der Milchsaft des Trommelkaktus sei nicht giftig, auch nicht sehr schmackhaft, aber er wisse jetzt, solange wir in der Wüste einen Trommelkaktus fänden, würden wir nicht verdursten.

Damals übte er auf unserer Terrasse nicht nur Signale, sondern legte auch Schlingen und Fallen, mit und ohne Köder, und als er gerade einen einfachen Totschläger konstruierte und dafür einen großen Stein herbeischleppte, fielen lauter Tauben vom Himmel. Aber sie waren nicht das Opfer seiner Schlingen und Fallen, sondern der städtische Taubenvernichter war in unserem Viertel an der Arbeit.

Der Immune war verdutzt und auch verlegen; denn kurz zuvor hatte er bereits den zweiten Krug zerschlagen. Er übte, aus einem Krug Wasser in Tassen und Gläser abzufüllen, und schaute jedesmal fragend in den Krug, wenn der leer war; er zerschlug ihn aus Enttäuschung, weil er keinen doppelten Boden hatte. Er telefonierte wild in der Gegend herum, er suchte die Adresse eines

Magiers, der einen Krug besaß, aus dem er mehr Wasser gießen konnte, als dem Kubikinhalt nach hineinzugehen schien, und der sein Publikum damit verblüffte, indem er pausenlos Gläser mit Wasser füllte, ohne daß der Krug leer geworden wäre.

Der Immune interessierte sich für diese Art Krug, weil er einen entsprechenden Suppentopf kreieren wollte. Er war darauf gekommen, weil er kurz zuvor an der Speisung der Fünftausend teilgenommen hatte. Ich glaube, Georg hatte ihn dazu eingeladen, und er war hinterher ganz begeistert. Obgleich er fand, Brot könne man schon auf fünftausend verteilen, aber Fisch, das sei recht kompliziert, eine zeitgemäßere Art der wunderbaren Speisung wäre eine Suppe, die ließe sich leichter schöpfen – ein Suppentopf, in dem noch immer Suppe ist, nachdem man pausenlos die Teller und Näpfe gefüllt habe, die hingehalten wurden.

Der Immune hatte ja auch eine Zeitlang die Gewohnheit gehabt, einen dritten Teller aufzutischen, wenn wir uns zu zweit zum Essen hinsetzten. Auf meine Frage, wie er darauf gekommen sei, hatte er wie so oft nicht nur eine, sondern mindestens zwei Antworten bereit; das habe er im Norden von Spanien gesehen, das heiße, er habe es in Südostasien auch gesehen – jedenfalls an einem Ort, wo Pilger vorbeizögen oder Bettelmönche oder überhaupt bloß Bettler oder Wanderer, man müsse für einen, den man nicht erwarte, mitdecken.

Unser dritter Teller blieb immer leer. Doch um einen leeren Teller zu haben, brauche ich jetzt nicht mehr einen dritten hinzustellen, schon der zweite wird leer bleiben, der des Immunen. Aber ich frage mich, ob es noch eine Veranlassung gibt, überhaupt einen Tisch zu decken, und sei es auch nur mit einem einzigen Teller.

Die Bekanntschaft

Sie hatten nach der Polizeistunde vor dem Lokal herumgescherzt und überlegt, wohin man noch gehen könnte, ob man einen Club aufsuchen solle und was für einen; aber sie kannten sich in solchen Dingen nicht aus. So hatten sie lange hin und her überlegt, bis sich einer nach dem andern verabschiedet hatte, und nur noch sie beide zurückgeblieben waren. Überall gehe er hin, nur nicht nachhause, hatte er ins Leere hinaus gesagt; er lehnte an der Hausmauer, hatte ein Bein angezogen und die Arme verschränkt, mit denen er seine Lederjacke gegen den Bauch drückte.

Nun stand sie in der Küche und bereitete für ihn das Frühstück. Obwohl sie wußte, daß im Brotkorb kaum Brot sein konnte, sah sie nach. Um diese Zeit war die Bäckerei an der Marktgasse bereits offen. Sie verspürte Lust auf frisches Brot – nur schon den Laib anschneiden, der unter dem Druck des Messers nachgibt, und wenn die Kruste splittert, und danach das Weiche abklauben. Aber sie wollte in der Wohnung sein, wenn er erwachte und falls er sie rief.

Sie waren zum Fluß hinuntergebummelt. Als sie in den Quai einbogen, hatte er kurz gezögert, er wies mit dem Daumen straßeabwärts und aufwärts, als frage er sich selber, in welcher Richtung es gehe. Als sie sagte, ihr Weg führe über die nächste Brücke, hatte er gefragt, ob er sie begleiten dürfe, noch ein Stück weit. Sie waren am Fluß stehengeblieben und hatten ins Wasser geschaut. Vom andern Ufer her waren irgendwelche Vogelstimmen zu hören, und ein Schwan plusterte sich im Dunkel, und er redete auf das Tier ein, es solle nicht die andern wecken. Sie hatten sich aufs Geländer gestützt, und bei jedem Taxi, das vorbeifuhr, zuckte er die Achseln: »Das wär wieder eines gewesen.«

Sie riß eine Packung Toast auf. Dann holte sie die Cornflakes, wie sie es jeden Morgen machte. Bevor sie die Schachtel auf den Tisch stellte, räumte sie ein Schulbuch weg und legte es zusammen mit dem Etui und dem Lineal in eine Schublade des Küchenschranks; sie mußte lächeln, hätte sie ihre Tochter dabei überrascht, sie hätte sie gescholten. Aber sie wollte nicht, daß Schulsachen herumlagen, wenn er zu Tisch kam.

Als sie ihn gefragt hatte, ob er bei ihr etwas trinken möchte, vielleicht einen Kaffee, da hatte er heftig genickt: Irgendetwas. Und auf dem Heimweg erzählte er ihr, daß er Motorrad fahre, aber die Maschine stehe jetzt in einer Garage und werde zurechtgebogen, dann zog er mit einem Finger den einen Mundwinkel herunter: Das rühre von einem Unfall her, und er lachte auf, es sehe immer schlimmer aus, als es sei. Als sie vor der Haustür standen, hatte er sie gefragt, ob sie allein wohne; und sie hatte gelächelt: Nicht ganz.

Kaum hatte sie ihn ins Wohnzimmer gebeten, entdeckte er die helle Fläche an der Wand, wo früher ein Bild gehangen hatte. Und er sagte, da gehöre eine Photographie hin, er photographiere, er hätte eine, die hierher passen würde. Baumwurzeln. Er habe eine ganze Serie davon. Die schönste, die habe er gerahmt, die würde sich hier gutmachen. Dann schaute er sich um, wo er seine Jacke hinlegen könnte; er wies auf den abgerissenen Anhänger, das sei halt so bei einem Einmann-Haushalt. Sie nahm ihm die Jacke ab, ging ins Badezimmer, hängte sie über einen Bügel, dann raffte sie die Strumpfhosen vom Wäscheständer, stopfte sie, feucht wie sie waren, in den Korb zur Schmutzwäsche, klappte den Ständer zusammen und stellte ihn weg. Als sie wieder ins Wohnzimmer kam, stand er neben der Kommode und blätterte in einem bunten Heftchen. Sie sah ihm über die Schultern und erklärte, Comics seien nicht ihre Lektüre sondern die ihrer Tochter. Er hatte ihr Donald Duck so nahe ans Gesicht gehalten, daß er dabei mit seinem Ellbogen ihre Brust berührte.

Zu ihrer Verwunderung war sie nicht gleich zurückgewichen, er mußte ihr Zittern gespürt haben. Sie machte sich an der Stehlampe zu schaffen, die gebe besseres Licht. Er zündete mit dem Feuerzeug eine Kerze an. Ob er Kerzenlicht möge, das werfe so eigenartige Schatten, sie könne dazu gut spintisieren. Er aber meinte nur, wenn schon eine Kerze da sei, aber das mache er auch ohne Kerzen, spintisieren, wenn er abends allein zuhause sitze. Darauf ließ er sich in den Fauteuil fallen, dabei stieß er ans Tischchen. Er sah verlegen auf, man müsse wohl leise sein, und er erhob sich gleich wieder. Aber ihre Tochter war für ein paar Tage bei der Großmutter. Als er ganz nahe vor ihr stand, hatte er gefragt, woher sie das Foulard habe, er möge Gladiolen, aber sie belehrte ihn lächelnd, das seien Schwertlilien, sie knüpfte das Foulard auf und zeigte das Blumenmuster, aber sie spürte, daß er auf den Ausschnitt ihrer Bluse sah.

Sie nahm aus dem Eisschrank den Schinken, wickelte ihn aus dem Fettpapier, legte die Tranchen, eine neben die andere, auf einen Holzteller und garnierte sie mit ein paar Essiggurken. Sie sah nach, was sie an Käse anzubieten hatte; aber als sie die Aluminiumfolie aufwickelte, waren nur Reste drin, Rinde mit noch etwas dran. Doch sie hatte stets einen Schachtelkäse vorrätig, und sie legte zwei Portionen-Dreiecke in die Mitte des Holztellers. Da der Deckel des Honigglases klebte, hielt sie ihn kurz unter warmes Wasser, und sie suchte den geschnitzten Honiglöffel; den hatte ihr Mann auf ihrer ersten gemeinsamen Reise in Südfrankreich gekauft, und damals hatte er auch seine Vorliebe für Lavendelhonig entdeckt. Neben das Honigglas stellte sie einen Topf mit Aprikosenkonfitüre. Ihre Mutter kochte noch jeden Sommer ein, obwohl sie gar nicht mehr Süßes essen durfte, weil sie Zucker hatte; so schenkte sie alles Eingemachte weg. Falls er Aprikosen nicht mochte, hatte sie noch Erdbeermarmelade.

Sie war seit Wochen nicht mehr am Abend ausgegangen und das letzte Mal auch nur zu einem Firmenessen. Eine Freundin, auswärts verheiratet, war wegen ein paar Einkäufen in die Stadt gekommen und hatte sie im Büro angerufen. Sie hatten beschlossen zusammen auszugehen. Sie hatte zum ersten Mal die Bluse angezogen, die sie sich eigentlich gar nicht hätte leisten können, die sie aber im Sonderverkauf erstanden hatte, vor dem Spiegel fand sie den Ausschnitt etwas gewagt; sie schlug ein Foulard um den Hals.

Beinahe hätte sie die Freundin nicht wiedererkannt, sie hatte sie noch nie mit hochgesteckten Haaren gesehen. Die Freundin vertraute ihr an, sie sei wieder schwanger, und da sie das letzte Mal das Kind verloren habe, müsse sie in nächster Zeit viel liegen, vor allem im dritten und im fünften Monat, umso mehr genieße sie diesen Abend zu zweit. Die beiden erzählten sich, was sie von den Kolleginnen wußten, mit denen sie die Schule des Kaufmännischen Vereins absolviert hatten; die meisten hatten sie aus den Augen verloren; nur von einer hatten sie gehört, das war die tüchtigste gewesen und hatte sich immer geweigert, Hosen zu tragen, die war an Krebs gestorben, mit dreiundzwanzig Jahren.

Sie hatten nach dem Essen einen Schaufensterbummel gemacht. Als sie sich von ihrer Freundin verabschieden wollte und diese nervös in der Handtasche nach dem Autoschlüssel suchte, war ein gemeinsamer Bekannter zu ihnen gestoßen. Der hatte die beiden Frauen eingeladen, in ein Weinlokal auf der andern Seite der Limmat. Früher war sie oft mit ihrem Mann dort gewesen, sie zögerte zunächst, aber dann war sie erst recht entschlossen mitzugehen. Der Kellner begrüßte sie, als wäre sie erst gestern dagewesen. Sie kannte niemanden von der Runde, zu der sie sich setzten. Eben hatte ein junger Mann eine Geschichte zu Ende erzählt und legte seine Hände offen auf den Tisch, um irgend etwas zu demonstrieren. Ihr waren die schmalen kräftigen Finger aufgefallen. Der junge Mann hatte bemerkt, wie sie den Blick nicht mehr von den Fingern hob.

Für sich pflegte sie zum Frühstück einen Pulverkaffee anzurühren. Ihre Tochter war alt genug, um sich selber zu versorgen; trotzdem stellte sie ihr, bevor sie ins Büro ging, die Tasse und die Cornflakes hin. Nur am Sonntag frühstückten sie ausgiebig, damit sie das Mittagessen auslassen konnten. Das hatten sie schon so gehalten, als sie noch verheiratet war. Ihr Mann hatte darauf beharrt, und sie hatte die Gewohnheit beibehalten, weil sie den Sonntagnachmittag gerne für die Hausarbeiten verwendete, die während der Woche liegengeblieben waren, obwohl sie angefangen hatte, wenigstens die Bettwäsche außer Haus zu geben.

Sie strich über die Vorhänge, die waren noch fast steif von der Appretur. Sie hatte vor kurzem die Küche weißeln lassen. Das hatte früher ihr Mann besorgt. Er hatte noch die Sitzecke umgebaut. Es war ein Do-it-yourself-Wochenende gewesen, ihre Tochter hatte sich gefreut, weil man im Wohnzimmer essen mußte, und sie hatte einen Picknickkorb gepackt und darauf bestanden, daß sie sich nicht in die Sessel, sondern auf den Boden setzten, als seien sie irgendwo im Freien. Ihr Mann hatte das Holzgestell aus der Wand gerissen, dabei hatte sich gezeigt, wie bröcklig die Wand war, man hatte einen Maurer kommen lassen müssen, aber wenn das schon notwendig war, konnte man auch gleich die Leitungen unter Verputz legen. Die neuen Kunststofftablare waren viel leichter sauber zu halten, zudem konnte man eine Schublade auf Rollen einbauen, und sie hatten Platz gewonnen für einen größeren Eisschrank, aus dem die Frau nun die Milch nahm.

Damals hatten sie auch das zweite Schlafzimmer gekauft. Sie waren nicht wie beim ersten an allen freien Samstagen von Möbelgeschäft zu Möbelgeschäft gegangen, diesmal hatte der Faltprospekt einer Wurfsendung genügt, und ihr Mann war nicht mehr auf den Matratzen rumgehopst, um auszuprobieren, ob sie nicht zu hart oder zu weich seien. Und sie hatte für die Kommode keinen geschliffenen Kristallspiegel mehr gewünscht und auch keinen Frisierhocker mit Volants. Der Schlafzimmerkauf war wie eine Bestätigung dafür, daß ihre Schwierigkeiten aus dem Weg geräumt waren. Aber dann war doch wieder seine Versetzung aktuell geworden, und es war nicht nur um seine neue Stelle in Basel gegangen; sie hatte schon gar nicht mehr fragen mögen, ob er wegen der Einrichtung der Filiale auch übers Wochenende wegbleiben müsse. Die Lieferung des Schlafzimmers hatte sich verzögert, doch waren die Konditionen günstig gewesen, weil er dank irgendwelcher Beziehungen Prozente erhalten hatte. Sie hatte schon daran gedacht, den Kauf rückgängig zu machen, aber dann hätten sie die Anzahlung verloren. Als das Schlafzimmer geliefert wurde, war bereits der Termin für die Sühneverhandlung beim Friedensrichter festgesetzt. Ihr Mann verpflichtete sich, die Raten zu übernehmen. Im Scheidungsvertrag war ihr mit der Wohnung das gesamte Mobiliar zugesprochen worden, somit das Schlafzimmer und auch das Bett, in dem der Mann schlief, den sie am Abend zuvor kennengelernt hatte.

Sie ging zum Schlafzimmer und stieß sachte die Tür auf, er lag auf dem Bauch, den Kopf ins Kissen vergraben, so daß sein Gesicht kaum zu sehen war, am Oberarm hatte er eine Impfnarbe. Sein Halskettchen war verrutscht, und das Medaillon lag ihm auf dem Rücken. Als er erschöpft über ihr zusammengesunken war, hatte sie diese Wirbel gestreichelt, und während sie die kurzen heißen Stöße seines Atems am Hals spürte, waren ihre Finger über die Stelle geglitten, wo sich die beiden Backen trennten, die Haut kaum berührend und jedes Härchen unter den Fingerkuppen spürend.

Er trug das Haar im Nacken lang. Sie hatten im Lokal von Frisuren gesprochen, weil ein Punkmädchen unter der Tür aufgetaucht war. Alle Coiffeure jammerten, weil er ihnen so viel Arbeit mache, und er hatte seinen Haarschopf herumgezeigt, damit sich die andern überzeugen konnten, wie dicht ihm das Haar wuchs. Ihr hatte er den Kopf zweimal hingehalten, weil sie so schön in den Locken kraule, dabei hatte sie kaum hineingefaßt.

Die Decke, die er mit angezogenem Knie zwischen die Schenkel geklemmt hatte, hing bis zum Boden. Auf dem Teppich stand der Aschenbecher. Als er plötzlich aus dem Bett gestiegen war, hatte sie ihm nachrufen wollen, welches die Badezimmertüre sei; wo die Toilette war, wußte er ja, er hatte sie noch aufgesucht, bevor er zu ihr ins Bett geklettert war, und sie hatte das Plätschern gehört, er hatte die Türe offen gelassen, und das war ihr intimer vorgekommen als der Moment, da er aus den Hosen gestiegen war und sie gesehen hatte, wie sein blauer Slip sich spannte. Aber er hatte im Wohnzimmer herumgekramt, und sie überlegte sich, ob er wohl seine Kleider suche, aber sein Slip lag hier auf dem Boden, und sie hatte schon daran gedacht, den Morgenrock überzuwerfen, als er mit dem Aschenbecher und den Zigaretten zurückkam. Er brauche das hinterher. Während er lange Rauchfahnen zur Decke stieß, hatte er ihr den Arm um ihre Schultern gelegt, und sie kuschelte sich an ihn und drückte ihre linke Brust gegen die seine. Zuerst hatte er die Stirn krausgezogen, aber dann den Druck erwidert, als sie ihm sagte, so würde ein Herz das andere besser schlagen hören.

Neben dem Aschenbecher lag sein Feuerzeug. Die Initialen drauf konnten nicht die seinen sein. An der Wandleiste lag die Armbanduhr mit dem metallenen Gliederband. Als er sich mit gespreizten Beinen über ihr hingekniet hatte, reckte er sich, als wolle er seinen Körper als Ganzes zeigen, bevor er ihn einsetzte, und jeder Muskel an Schultern und Oberarmen hatte sich gespannt. Sie hatte ihn mit den Händen an den Lenden gefaßt und leicht ihren Kopf gehoben und sein Glied geküßt. Er hatte den Unterleib ihr entgegen gesperrt und den Kopf in den Nacken geworfen, aufstöhnend hatte er noch die Uhr abgestreift ehe er, sich auf die Ellbogen stützend, mit seinem Gesicht so nahe kam, daß ihre Augen nur noch die seinen gesehen hatten.

Wenn das Frühstück fertig war, würde sie sich aufs Bett setzen und ihn einen Moment betrachten und seinem Atmen zuhören, und dann würde sie ihren Kopf auf seine Brust legen, eine Knabenbrust, wenn sie mit ihrem Mann verglich, und dann würde sie ihn küssen, vielleicht zuerst auf die Stirn, so, daß er sanft erwachte, und wenn er seine Augen aufmachte und vielleicht über die ungewohnte Umgebung staunte, würde er als erstes ihr Gesicht erblicken.

Sie ging ins Bad. Sie tupfte sich auf die Nasenspitze und auf die Wangen Creme und massierte sie sich in die Haut. Als sie den Mund berührte, spürte sie wieder den Schmerz. Sie hielt das Gesicht nahe an den Spiegel, befeuchtete einen Finger mit Speichel und strich die Brauen glatt. Der linke Mundwinkel war geschwollen, hier hatte er sie in die Lippen gebissen; sie hatte sich noch wehren wollen, aber er hatte ihr mit der Zunge den Mund verstopft. Sie streckte das Kreuz und rollte die Schultern, sie war lange wach gelegen. Wie gut, daß er hier bleiben könne, hatte er gemurmelt, bevor ihn der Schlaf übermannte, er hielt von hinten beide Arme fest um sie geschlungen, sie hatte noch versucht, sich etwas bequemer zu betten, wollte aber keinesfalls, daß er seine Umklammerung aufgab, und sie hatte ihre Hand auf seine Finger gepreßt, die auf ihrem Bauch verschränkt waren.

Sie spürte hinter der Stirn einen Druck. Sie hatten schon zum Nachtessen Wein getrunken, und hinterher im Lokal, da hatte man einfach ein Glas vor sie hingestellt und nachgegossen, und dann zuhause der Likör. Sie öffnete das Apothekerschränkchen neben dem Spiegel. Zuhinterst lag noch immer der Lederbeutel mit dem Rasierzeug ihres Mannes, das er versprochen hatte, einmal mitzunehmen, wenn er die Tochter besuche. Aber er war bisher nie mehr in die Wohnung gekommen, er klingelte unten oder verabredete sich mit ihr irgendwo in der Stadt. Als sie die Schachtel mit den Kopfwehtabletten zurücklegte, bemerkte sie die Packung ›Feminal‹, sie nahm noch immer regelmäßig die Pille, obwohl sie dazu seit Monaten keinen Grund gehabt hatte.

Sie beugte sich nach vorn, bürstete ihr Haar, das ihr lang übers Gesicht fiel. Als sie das Badezimmer verließ, bürstete sie immer noch, eine Haarnadel zwischen die Zähne geklemmt. Im Wohnzimmer blieb sie einen Moment stehen. Der Geruch von kaltem Rauch, das war ungewohnt. Sie selber rauchte nicht, und wenn ihr Mann geraucht hatte, hatte er vor dem Zubettgehen stets gelüftet. Sie sog die schwere Luft ein, und diese reizte sie zum Hüsteln. Dann öffnete sie das Fenster. Als sie sich hinausbeugte, hörte sie den Wagen der Müllabfuhr. Sie hatte vergessen, die Abfallsäcke hinunterzustellen. Aber sie schloß das Fenster gleich wieder; sie wollte nicht, daß das Scheppern der Müllabfuhr den Mann aus dem Schlaf holte, den sie mit einem Kuß wecken wollte.

Auf dem Tischchen standen noch die Gläser, unter dem ihren waren Ringe auf der Platte. Eigentlich mochte sie Likör gar nicht, sie hatte die Flasche zu Weihnachten im Büro erhalten.

Er selber hatte ein Bier gewünscht, aber genau das kaufte sie nicht mehr ein. Sie konnte einen Cognac anbieten, und er fand es lustig, daß sie die Flasche aus dem Schrank zwischen Tischtüchern und Nähzeug hervorholte. Zuerst aber war er noch in die Küche gegangen, hatte sich an den Hahnen gehängt und geschlürft; als er sich aufrichtete, tropfte es ihm vom Kinn, das Wasser rieselte aufs T-Shirt; er schüttelte den Kopf, daß es spritzte und auch sie einen Spritzer abbekam, seine Lippen glänzten feucht.

Da realisierte sie, daß das Radio noch lief; sie drehte es ab. Er hatte sich nach ihren Platten erkundigt und irgendeine holländische und englische Band erwähnt, und sie hatte zugeben müssen, daß sie nicht mehr auf dem laufenden sei, eigentlich sei sie es nie gewesen, sie habe Musik gerne, und was ihr gefalle, gefalle ihr. Ihr Mann hatte die Schallplattensammlung mitgenommen, er hatte sie auch aufgebaut, er hatte einmal in einer Band gespielt und oft geprahlt, daß er ebenso gut hätte Musiker werden können wie Kaufmann. Ihre Tochter, die besaß bereits eine ganze Reihe von Kassetten, aber ins Kinderzimmer mochte sie ihn nicht führen. Nun war das auch nicht nötig gewesen, weil er bereits die Skala nach dem Lokalsender absuchte, der um diese Zeit lässige Musik biete ohne Zwischengequassel. Die Cognacflasche in der einen Hand und das Glas in der andern, machte er ein paar Tanzschritte. Und während er sich im Takt wiegte, goß er sich ein, und als einiges daneben ging, verrieb er den Fleck mit dem Schuh und sah sie fragend an. Sie holte in der Küche einen Lappen, als sie den Flecken aufwischte, hatte er sich neben sie gekniet, und plötzlich mußten sie lachen, wie sie auf allen vieren herumkrochen, und sie lachte erst recht, als er nach ihrer Hand griff, aber statt dieser den Lappen erwischte, und er sich mit seinen feuchten Fingern durchs Haar fuhr.

Als sie ins Wohnzimmer zurückkehrte, lag er mehr im Sessel als daß er darin saß. Er blies den Atem tief aus der Lunge, dann ließ er den Kopf hängen, stöhnte kurz und machte große Augen, aber ihr schien, er habe sie gar nicht bemerkt. Er schüttelte den Kopf, als befreie er sich von etwas; er lachte vor sich hin und starrte an die Decke. Plötzlich, als ob er eben erwache, fuhr er auf, sah sie an und flüsterte: »Entschuldigung«, und als sie wissen wollte wofür denn, meinte er: »Ach – überhaupt«. Dann erhob er sich, sah auf die Uhr und zeigte ihr, wie spät es ist; sie aber legte die Finger auf die Uhr, da beugte er sich vor und küßte ihr die Hand, die noch immer die Uhr zudeckte.

Sie hatten sich wieder hingesetzt; er deutete aufs Radio, und summte die Melodie mit. Sie löste die Riemen ihrer Schuhe und stellte diese neben den Sessel – mit diesen Schuhen könne sie auf dem Teppich nicht tanzen. Während sie sich die Fußspitzen rieb, versuchte er mit dem einen Schuh den andern abzustreifen, als der Schuh zu Boden plumpste, sah er sie fragend an: Das sei doch recht so, und sie nickte nur, warum auch nicht. Er streckte sein Bein nach ihr aus und forderte sie auf, mit ihren Zehen zu antworten, sein Hosenbein war hochgerutscht, die behaarte Wade bloß. Sie wisse gar nicht, wer er sei, entfuhr es ihr, aber es war nicht als Frage gedacht. Da ließ er sich nach hinten in den Fauteuil fallen und beide Arme über die Lehne baumeln und streckte die Beine von sich: Wenn er das nur selber wüßte. Er stamme aus Luzern, kinderreiche Familie, nicht eigentlich aus der Stadt, er sei einmal ein angefressener Trommler gewesen, aber heute stinke ihm sogar die Fasnacht. Er habe die Lehre hier in Zürich gemacht, jeden Tag hin und her, aber jetzt wohne er hier, das heißt, draußen wohne er, er arbeite noch immer im gleichen Labor, aber er habe keine Lust, sein ganzes Leben lang zu entwickeln, was andere photographieren, er wolle selber etwas in Kästchen tun, in den nächsten Ferien, da lege er sich ins Zeug mit seiner Kamera, nur, er habe keine Ahnung wohin und mit wem, und das wär's auch schon gewesen, aber wer weiß – er richtete sich auf, vielleicht könne er schon bald mehr berichten. Er hatte sein Glas erhoben, und nachdem er getrunken hatte, leckte er sich den Mund und ließ die Zungenspitze zwischen den Lippen und sah sie wortlos an.

Sie hob seine Hose auf und versuchte sie in Falten zu legen, aber das war bei diesen Bluejeans gar nicht möglich. Sie sah den Briefumschlag auf dem Teppich, gefaltet und zerknittert, ein eingeschriebener Brief, der nicht geöffnet war; sie steckte ihn in die Hintertasche der Bluejeans. Dann nahm sie vom Zeitungsstapel den Büstenhalter, stopfte ihn in die Tasche des Morgenrocks, und während sie in die Küche zurückging, säuberte sie die Bürste vom ausgekämmten Haar.

Sie schloß die Türe hinter sich und sah nach, was auf dem Tisch noch fehlte. Sie holte aus dem Kühlschrank die Butter und strich die Anschnittfläche glatt; ihre Tochter stach jeweils mit dem Messer hinein, wie es ihr gerade paßte. Sie nahm auch zwei Yoghurt heraus, Diätyoghurt, möglich, daß er so etwas nicht mochte. Aber sicher Orangensaft; sie wunderte sich, weshalb sie so sicher war, daß er Orangensaft trank. Sie ließ aus dem Boiler Wasser in den Krug laufen, um ihn vorzuwärmen.

Sie überlegte noch, ob sie das Glas, das auf dem Fensterbrett stand, auf den Tisch stellen sollte, sie hatte den Zweig der Zimmerlinde, den sie beim Staubwischen abgebrochen hatte, eingestellt, in der Hoffnung, er würde Wurzeln schlagen.

Ja, soweit waren die Vorbereitungen getroffen. Die Eier würde sie kochen, wenn er am Tisch war, je nachdem, wie er sie mochte. Sicher, man saß hier in der Küche eng, aber sie waren gewohnt, zu dritt hier zu essen; sie würde ihm den Platz beim Fenster überlassen, wo sie gewöhnlich saß.

Eigentlich war es jetzt so weit, daß sie den Mann mit einem Kuß fürs Frühstück wecken konnte.

Keinen Aufwand hatte die Frau für dieses Frühstück gescheut. Aber welcher Aufwand war zuvor schon nötig gewesen, damit ihr Aufwand überhaupt getrieben werden konnte.

Die Geschichte dieses Frühstücks hätte auf einer amerikanischen Maisfarm oder in einer spanischen Orangenplantage beginnen können, auf einem Getreidefeld oder einem Zuckerrübenacker. Oder sie hätte damit anfangen können, wie Bienen Blütensaft in einer Wabe sammeln, oder Kühe auf die Weide getrieben werden oder Schweine in einer Mästerei gehalten.

Damit diese Küche Schauplatz dieses Frühstücks werden konnte, waren andere Schauplätze unerläßlich gewesen, nicht nur eine Molkerei und eine Mühle und ein Schlachthof, ganz abgesehen von dem Supermarkt und dem kleinen Laden, in dem die Frau einkaufte, wenn sie rechtzeitig aus dem Büro kam und gleich den Bus erwischte.

Um die Gläser zu spülen, benutzte sie einen Ausguß, der mit einem Siphon versehen war; das Abflußrohr führte zu einem Abwasserkanal und dieser über Siebe und Rechen zu einem Sammelbecken und Schlammfang. Damit sie den Kessel mit Wasser füllen konnte, war Rohwasser aufbereitet worden, und damit das Wasser in diesem Stockwerk genügend Druck hatte, setzten sich Pumpen und Motoren in Bewegung.

Als sie die Kaffeemaschine anknipste, leuchtete ein rotes Lämpchen auf und begann ein Zähler zu laufen; damit sich die Platte der Kaffeemaschine aufheizen konnte, arbeiteten Generatoren, und elektrischer Strom war umgespannt worden. Und als sie am Herd den Hahn aufdrehte, strömte aus dem Brenner Erdgas, für dessen Speicherung stählerne Tanks gebaut worden waren.

Versorgungssysteme mit Röhren, Leitungen und Kabeln mußten funktionieren, damit die Handgriffe dieser Frau sinnvoll werden konnten, öffentliche Einrichtungen waren erforderlich: ein Kraftwerk, eine Kläranlage, eine Filterstation, komplizierte Netze mit Verteilern und Kontrollstellen.

Und die Voraussetzungen, nur schon dieser Handgriffe, waren unüberblickbar – wie uferlos werden erst die Vorgeschichten all der Gegenstände, welche die Frau benutzte, um dieses Frühstück zuzubereiten.

Für die Filtertüte war Holz gefällt worden, allein dafür waren Baumstämme stromabwärts getrieben bis zu einer Sägerei, und das Holz war in eine Zellulosefabrik gekommen; aber nicht nur die Tüte und deren Verpackung waren aus Papier, sondern auch die Haushaltstücherrolle, von der sie ein Stück abriß, um nochmals den Mundwinkel abzutupfen. Der Durchtropftrichter, in den die Frau die Tüte steckte, war wie die Kaffeemaschine selber aus Kunststoff, die Plastikmasse wurde aus Erdölderivaten hergestellt, und diese waren in einer Petrochemischen Fabrik produziert worden, und das war wiederum nur möglich gewesen, weil anderswo nach Erdöl gebohrt worden war.

Bauxit hatte abgebaut werden müssen, damit die Frau vom Yoghurtbecher einen Aluminiumdeckel abreißen konnte, von dem sie mit dem Finger abstrich, was an Yoghurt daran klebte. Und Erz war zur Verhüttung verladen worden, damit Stahl gegossen werden konnte, dazu war Koks benötigt worden, und das Chromerz machte einen ähnlichen Weg durch, bis am Ende die

Löffel, Gabel und Messer aus Chromstahl, mit dem Stempel ›Rostfrei‹ versehen, fabriziert werden konnten, die die Frau mit einem Tuch abrieb, bevor sie sie neben die Tassen und Teller legte. Feldspat, Quarz und Ton waren gemischt worden für das Steingutgeschirr, das die Frau benutzte, die Teller und Tassen hatten ihre Formen auf einer Drehscheibe erhalten, und die bunten Farben der Unterglasur auf dem Krug waren beim Endbrand entstanden.

Als die Frau sich bückte, um im Eisschrank nachzusehen, was sie noch hätte auftischen können, löste sich der Gürtel an ihrem Morgenrock, so daß dieser ihre Brüste freigab. Es war ein Baumwollmorgenrock mit großen Tupfen, dieses Muster hatte entworfen werden müssen und war im Versandkatalog eines Warenhauses abgebildet worden, zuvor waren Baumwollkapseln entkernt und aus den Fasern Stoff gewoben worden, die Stoffballen waren verladen worden, und, wie auf einer Etikette zu lesen, war der Morgenrock in Hongkong zugeschnitten und genäht worden.

Und auf der Kaffeepackung stand Costa Rica. Dort waren die Kaffeekirschen gepflückt worden, die Bohnen herausgeschält, getrocknet und gewaschen. Und diese Bohnen waren an einer Börse gehandelt und sackweise verschifft worden und später in Rösttrommeln gekommen, und als die Frau mit einer Messerspitze in die Vakuum-Packung stach, sog diese geräuschvoll Luft auf.

Aber die Frau überlegte sich auch, ob der Mann, für den sie das Frühstück herrichtete, vielleicht gar nicht Kaffee, sondern Tee trinke. Und dieser Tee, den sie aus der Schublade nahm, kam aus Ceylon; dort waren die Blätter gepflückt und gerollt worden, dort waren sie fermentiert, sortiert und abgefüllt worden, damit der Tee auch in der Küche verwendet werden konnte, in der eine Frau daran dachte, den Mann wachzuküssen, mit dem sie eine Nacht verbracht hatte.

Als die Frau den Refrain eines Lieds summte, schwangen in diesen Tönen auch all die Lieder mit, die Pflückerinnen, Trägerinnen und Näherinnen gesungen haben mochten, und all das klang auf, was Packerinnen und Verkäuferinnen bei ihrer Arbeit oder in ihren Pausen miteinander geschwätzt, vor sich hingemurmelt und sich gegenseitig erzählt hatten.

Damit dieser Tisch so gedeckt werden konnte, wie die Frau es sich wünschte, waren Container gestapelt und Kisten verladen worden, Kräne und Roboter waren zum Einsatz gekommen, Schaltanlagen und Computer, Schienenwege wurden benutzt und Förderbänder laufen gelassen. Hochöfen mußten gebaut werden und Leitungsmaste aufgerichtet. Es war geerntet und gefüttert worden, geschmolzen und sortiert, investiert, in Labors getestet worden. Im skandinavischen Norden waren Wälder abgeholzt und im Nahen Osten Öltanker vollgepumpt und in Übersee Plantagen angelegt worden, durch halb Europa eine Leitung geführt und in den Bergen ein See gestaut worden ...

Eine ganze Welt war nötig. Und diese ganze Welt bot die Frau auf, die das Frühstück bereitete für den Mann, den sie liebte.

Als sie den Kessel vom Herd nahm und den Tee aufgoß und zusah, wie das Kraut quoll, ging die Tür auf, und er stand auf der Schwelle. Sein Haaransatz war naß, er bemühte sich noch in einen Schuh zu schlüpfen und zog den Reißverschluß an seiner Hose hoch. Er lachte, er habe Mühe gehabt seine Hose zu finden. Er hatte die Jacke über die Schulter gehängt und hielt in der gleichen Hand das Päckchen Zigaretten. Er sah auf den Tisch und sagte: »Oh. Ich darf doch?« Er goß sich ein Glas Orangensaft ein und stürzte es hinunter: »Der Nachdurst«. Es liefen ihm zwei Bächlein von den Mundwinkeln zum Kinn, er leckte den Saft ab und wischte sich mit dem Handrücken über den Mund, ging auf die Frau zu und gab ihr einen Kuß. Dann deutete er auf die Uhr hin: »Ich bin schon wieder zu spät. Das geht schon die ganze Woche so.« Sie folgte ihm zur Wohnungstür, er fingerte am Schlüssel, und sie half ihm die Türe aufzuschließen. Auf dem Treppenabsatz drehte er sich noch einmal um: »Ich rufe dich an.« Er trat einen Schritt zurück, bückte sich und las den Namen über der Wohnungsklingel: »Du stehst doch im Telefonbuch?«

Er konnte von der Liebe reden, als habe er von einem Gerücht gehört, an dessen Verbreitung alle mitwirkten.

An seinen Papieren fällt mir zunehmend auf, was sich in ihnen alles nicht findet, wenn ich an die Geschichten denke, die er sich zu diesem Thema gemerkt hat. Wie etwa die von Manuel.

Dieser Manuel hatte geheiratet, nachdem er sich im Technikum eingeschrieben hatte; seine Frau übte den damals modernen Beruf einer Physiotherapeutin aus. Nach anderthalb Jahren wollte sich Manuel scheiden lassen. Er sagte vor Gericht aus, er liebe seine Frau, aber er spüre, wenn er mit ihr verheiratet bleibe, gehe seine Liebe zu Ende, man möge die Ehe so rasch wie möglich scheiden. Er machte die Aussage, obwohl wir vorher mit ihm zusammengesessen und auf Anraten seines Anwaltes alles durchgenommen hatten, was als Beweis für die Zerrüttung seiner Ehe angeführt werden konnte: daß er nicht mehr mit seiner Frau schlafe – aber das tat er; daß er nicht mehr mit ihr rede – aber er unterhielt sich mit ihr vorzüglich; daß er seine Frau schlage, und diese war bereit, das zu bezeugen, obwohl es nicht zutraf. Alles war genauestens abgesprochen, aber vor Gericht wiederholte er nur, er liebe seine Frau. Doch die Rettung einer Liebe war kein Scheidungsgrund. Als die Ehe später dennoch geschieden wurde, stand dem juristisch nichts mehr im Weg. Seine Frau war die Mätresse seines Anwaltes geworden, und als wir Manuel fragten, wie es dazu gekommen sei, erzählte er, daß er nach der ersten Gerichtsverhandlung mit seinem Anwalt seine Frau aufgesucht habe, die von ihm getrennt lebte, und er sei eben ein bißchen früher aus der Wohnung gegangen als sein Anwalt.

Der Immune hatte sich diese Geschichte gemerkt, weil sie ein Beispiel dafür abgebe, wie man eine Liebe retten könne, indem man sich trennt. Als er sich von mir loslöste, hat er nicht nur nichts retten wollen, sondern das Retten selber aufgegeben.

Manchmal habe ich den Verdacht, daß es ihm bei den Schicksalen gar nicht um die Menschen ging, sondern darum, wie weit sie Beispiele gaben. Aber wofür wäre ich dann ein Beispiel gewesen?

Nun – an Beispielen fehlte es ihm nicht. Eines war Richard.

Seine erste Frau war hübsch und lebhaft, wie man das nannte. Er hätte sich mit ihr am liebsten zuhause eingeschlossen, aber sie wollte ausgehen, und während er schon Mühe hatte mit einer normalen Gangart, wollte sie tanzen. Erst seine Eifersucht hatte sie darauf gebracht, ihn zu betrügen; jeder ihrer Seitensprünge band ihn stärker an seine Frau, aber dann ging sie ein festes Verhältnis ein, erst da fühlte er sich hintergangen. Seine zweite Frau war knapp zwanzigjährig. Als er sich mit ihr zum ersten Mal in der Öffentlichkeit zeigte, meinten alle, er habe sie in einem frommen Zirkel kennengelernt und führe sie aus Gefälligkeit aus. Er zwang sie, dekolletierte Kleider zu tragen, aber niemand schaute ihr in den Ausschnitt, er schickte sie zum teuersten Friseur, aber es erkundigten sich lediglich Frauen nach der Adresse dieses Coiffeurs, er ließ wöchentlich zweimal den Masseur kommen, aber niemand drehte sich nach ihrer Figur um. Damals hatte er auch den Immunen eingeladen, und er war vor ihm auf den Knien herumgerutscht, hatte die Türe zum Schlafzimmer geöffnet und das Bett aufgeschlagen, aber der Immune hatte abgewehrt, man müsse die heilige Institution der Ehe respektieren. Es gab Leute, die behaupteten, er habe Richard in den Tod getrieben. Denn dieser starb bald darauf, sein Herz war an einer Eifersuchts-Atrophie gebrochen. Am Grab aber, da blühte die Frau auf; alle männlichen Trauergäste sahen ihr in den Ausschnitt, bewunderten ihr Haar und ihre Figur. Sie war eine begehrenswerte, aber nicht willfährige Witwe geworden.

Ja, das war damals, als die Kinder zu Partnern der Eltern wurden.

Der Immune und seine Beispiele.

»Da. Wieder ein Beispiel«, konnte er sagen und zeigte auf ein Liebespärchen. Wenn zwei junge Leute eng umschlungen an uns vorbeigingen oder sich mitten in Rummel und Verkehr umarmten und sich nicht mehr voneinander lösen mochten, oder wenn ein Mädchen auf einer Bank saß, den Kopf ihres Freundes im Schoß, oder wenn ein Junge seinem Mädchen auf den Roller half und ihr seinen Rücken als Schutz anbot – das konnten Situationen sein, in denen der Immune einen Moment lang unansprechbar war.

Jedenfalls, wenn er nach Hause kam und mitteilte, er habe ein Beispiel gesehen, wußte ich, wovon er redete, und wenn es nach ihm ging, hatte er überall und jederzeit Beispiele gesehen.

Beispielshalber pflegte er auch Umgang mit einem alten Ehepaar, auch wenn sich dieser Umgang oft nur auf ein Kopfnicken beschränkte oder auf ein »Wie geht es?« Er hatte das Paar zufällig in unserer Gasse kennengelernt. Sie trippelte neben ihm, und er schob die Füße mehr über das Pflaster, als daß er sie hob; sie hielten sich aneinander und klammerten sich beide an eine Markttasche. Als der alte Mann starb und als ihm seine Frau bald folgte, sah sich der Immune nach einem anderen Paar um, und wieder trippelte sie und schlurfte er, aber diese beiden gingen gebückter, und ihnen folgte ein Hund, der sich kaum auf seinen vier Beinen halten konnte.

Bei einem seiner Simulatoren-Gespräche hatte er einmal von der »Treue auf den ersten Blick« gesprochen. Und er selber? Als er sich umsah und einen ersten Blick in diese Welt warf, hat er auf diesen hin sich nicht zur Treue entschieden?

Wenn er von seinen Beispielen erzählte, setzte er manchmal zu einem seiner »Weißt du noch« an. Weißt du noch, wie einst einer seinen Freund ausschickte, um die Braut zu holen, und wie sich dieser in sie verliebte? Und wie einer vom Hof verbannt wurde, weil er einen jungen Krieger liebte? Und wie zwei in den Tod gingen, um ihre Liebe zu retten? Und wie ein Bruder seine Schwester ins Bett brachte? Und wie eine einen Frosch küßte? Und wie einer die Frau entführte, die er liebte? Und wie eine Frau durch alle Länder irrte und nur den Namen des Geliebten kannte?

Und einmal, da hat er ganz direkt gefragt, was das sei, die Zärtlichkeit. Das war damals, als im Vokabular des Alleinseins das Wort ›single‹ aufkam.

Die Frage hatte mich verlegen gemacht. Ich öffnete meine Hände und sah auf meine Finger, als könnte ich die Frage an sie weitergeben, und sie ließen mich nicht im Stich:

Sie seien aus Verlegenheit zärtlich, aus Furcht, das was sie fassen möchten, könnte im Moment des Kontakts verschwinden. Deswegen würden sie sich vorsichtig der Lippe oder den Brauen nähern und die Schultern und Haare sachte berühren und sich erregen, wenn sie spürten, daß das, was sie anfassen möchten, sich nicht verflüchtigte und auflöste, sondern mit Lust und Freude Widerstand biete und sich dem Streicheln hingebe und wie zur Bestätigung der Liebkosung ein Glied oder Brustwarzen hart würden.

Ich weiß nicht, ob diese Finger sich noch immer erinnerten, würde ich ihnen jetzt die Frage nach der Zärtlichkeit stellen.

Der Immune hat meine Nächte respektiert. Aber ich habe auch nie nach den seinen gefragt, und doch weiß ich, daß er nächtelang unterwegs war.

Er hat sich auch nie mehr nach Anne erkundigt, obwohl er dabei war, als ich sie kennenlernte, und hörte, wie ich sie anrief, und mir half, sie an der Zimmervermieterin vorbeizuschmuggeln, und er hat mich auch begleitet, als ich wegen der Abtreibung einen Psychiater aufsuchen mußte.

Sie war nach dem Eingriff zu einer Freundin gezogen; die hatte ihr am Boden auf einer Matratze ein Bett hergerichtet. Ich hatte mich neben dem Stuhl, der als Nachttisch diente und auf dem die Teetasse stand, niedergekauert und hatte ihr ins bleiche Gesicht geschaut. »Alles ist vorüber«, und ich hielt ihre Hand. Mir war, als wüchse das, was man ihr herausgeschabt hatte, in meinem Bauch als Knoten.

Ihr Gesicht taucht wohl auf, weil ich sie vor kurzem wieder getroffen habe, zufällig, auf der Straße, nach soviel Jahren. Und wir lachten, kaum hatten wir uns entdeckt: Wie schade, daß wir keine Zeit für einen Kaffee hatten. Sie trug eine Zeichnungsmappe unterm Arm, sie wohne jetzt in einem Dorf, sie habe eine Scheune zum Atelier umgebaut, ich müsse einmal kommen. Ich hielt ein Kind an der Hand, wir waren auf dem Weg ins Warenhaus. Belustigt sah sie das Mädchen an und fragte, ob das meine Tochter sei, dann blickte sie mir in die Augen: »Die andere, die ist gestorben.«

Sie erwähnte nicht, oder fand es nicht erwähnenswert, daß sie gelegentlich noch mit dem Immunen telefonierte, und auch er hat mir dies erst hinterher so nebenbei gestanden.

Ich werde den Verdacht nicht los, daß es noch irgendwo ein weiteres Bündel Papiere gibt, ein drittes. Ich kann mir nicht vorstellen, daß der Immune sich so vieles notierte und ausführte und von dem nichts schrieb, von dem ich doch weiß, daß es ihn beschäftigt hat, und sei es auch nur beispielshalber.

Oder sollte es so sein, daß ich ihm nicht genügend Anschauungsmaterial geliefert habe? So wichtig ich als Informationsträger war, es gab viele andere, auf die er sich stützen konnte. Zum Beispiel Arthur.

Dieser Arthur hatte mit seiner ersten Erzählung einen sensationellen Erfolg erlebt; es war ein schmales Bändchen, und auch die, welche es kauften und nicht lasen, kannten den ersten Satz: »Ich bin nicht umsonst achtzehn geworden«, und die letzte Bemerkung: »Ihr könnt mir erzählen, was ihr wollt, ich setze alles daran, neunzehn zu werden.«

Arthur war zum Sprecher einer Jugend geworden, die verkündete, sie sehe sich selber um, und die die Hauswände und Mauern der öffentlichen Gebäude zunächst einmal von Spraysprüchen säuberte, um Platz für eigene zu gewinnen. Und den Immunen mußte beeindrucken, wenn Arthur propagierte: »Wenn ihr uns fertig machen wollt, reden wir mit, wenn es so weit ist.«

Dieser Arthur hatte sich daran gemacht, den deutschen Ausdruck »Ich liebe dich« ins Deutsche zu übertragen. Ich weiß nicht mehr, wieviele Versionen er fand. Wie hätte ich mir dies auch merken sollen, da es am Immunen war, solches zu speichern. Ich weiß nur, daß Arthur zu keinem Ende kam.

Ich selber hatte ihn erlebt, wie er versuchte, den Ausdruck »Ich liebe dich« nicht in andere Worte, sondern in Töne zu übersetzen. So trug er an einer Mammutshow, einer Performance, einen Abend lang nur »Ich liebe dich« vor, indem er mit heiterer Stimme und fast tonlos sprach, jubilierend und von Tränen erstickt, stammelnd und stotternd, registrierend und bettelnd, und einzig fürs Aufjauchzen bot er siebenunddreißig Varianten.

Aber Arthur wandte sich dann doch wieder der Übersetzung von »Ich liebe dich« zu. Und in eingeweihten Kreisen, an Premieren und Vernissagen, flüsterte man sich zu, was Arthurs letzte Übertragung sei – er sei jetzt bei »Ich brauche dich«, ach was, das hat er längst verworfen, »ich liebe dich« heiße »Ich schaffe mir Boden unter den Füßen«, das heißt, es könnte natürlich auch bedeuten: »Ich will, daß es dich gibt.«

Das Werk erschien nie, obwohl es mit Aufmunterungsprämien und Stipendien gefördert wurde. Die Erwartungen waren jedoch so groß, daß Arthur nicht mehr publizieren konnte. Er hatte sich in jungen Jahren schon zu einer postumen Existenz verurteilt. Wenn der Immune von ihm sprach, kam er beispielsweise darauf zu reden, woher es wohl komme, daß jeder meine, er sei der erste, der liebe. Ob die Liebe denn etwas sei, das jedesmal von neuem erfunden werden müsse. Aber da es ja nicht besonders originell sei zu lieben, bliebe den Leuten wohl nichts übrig, als bei ihrer Liebe so zu tun, als hätte bis zu dem Punkt, da sie selber liebten, noch niemand geliebt und als würde ihnen auch niemand nachfolgen, der so liebe wie sie. Vielleicht suchten Liebespaare deswegen die Einsamkeit auf, um dort ungestört zusammen noch einmal die Liebe zu erfinden.

Aber davon und von so viel anderem nichts in diesen Papieren.

Auch nichts von Jakob und der Sizilianerin. Diese war ohne Arbeitserlaubnis eingereist und war erwischt worden, wie sie schwarz in einer Restaurantsküche arbeitete. Als sie auf der Straße stand, hatte Jakob sie aufgenommen. Sie besorgte ihm den Haushalt, und er gab ihr etwas Geld. Wenn sie beide ausgingen, fiel allen auf, wie sich jeder der beiden um den andern kümmerte. Bis sie aufgegriffen wurde und an die Grenze gestellt. Damals war Jakob ganz hilflos: er wisse nicht, von wem er sich verabschiedet habe, dem Alter nach hätte sie seine Tochter sein können, sie sei wie seine Schwester zu ihm gewesen, natürlich sei man sich mit einem Badezimmer, das man teilte, näher gekommen, aber vielleicht sei es einfach jemand gewesen, den man ihm anvertraut habe.

Wir aber wollten es genau wissen: er könne es uns doch sagen, uns brauche er nichts vorzumachen. Er aber wiederholte nur, es sei zwischen ihm und ihr nichts gewesen, und alle fanden ihn spießig oder dumm oder hielten ihn für einen Lügner. Hätte er erzählt, sie habe aus dem Fenster springen wollen und er habe ihretwegen Abende lang herumgesoffen, einmal habe sie ihre Sachen gepackt und sei durch die Straßen geirrt, und er habe sie wieder aufgelesen und nach hause mitgenommen, sie habe irgendwelche Italiener in ihr Zimmer geschleppt und er sei daran gewesen, sie bei der Fremdenpolizei zu denunzieren, und sie habe ihm vorgeworfen, er nutze ihre Notlage aus – all das hätte uns eingeleuchtet. Aber daß zwei zusammengelebt hatten und glücklich gewesen waren und von einander nichts haben wollten – das schien unwahrscheinlich.

Damals sagte mir der Immune, man lerne eine Gesellschaft am besten aus den Geschichten kennen, die ihr unglaubwürdig vorkämen. Und wir – haben wir etwas Unglaubwürdiges gelebt oder einfach etwas, das unmöglich ist?

Die große Tat

Zuerst hatte er daran gedacht, in der Nähe ein Hotel zu beziehen, aber er konnte die Vorbereitungen irgendwo treffen; was hinterher geschah, hing nicht davon ab, ob sein Hotel in Geh- oder Laufdistanz zum Tatort lag. Er fuhr vom Flughafen direkt ins Zentrum bis Piccadilly Circus; von dort aus wollte er in aller Ruhe weitersehen.

Er hatte kaum Gepäck. Nur das Notwendigste hatte er mitgenommen. Das heißt, was für sein Unternehmen unerläßlich war, hatte er nicht eingepackt, wie hätte er bei einer Zollkontrolle dem Beamten plausibel machen wollen, weshalb ein Bohrer oder eine kleine Handsäge zwischen der Wäsche lag. Lediglich auf das Soldatenmesser verzichtete er nicht. Es war mit einem Schraubenzieher und einer Ahle ausgerüstet, mit einem Büchsenöffner, einem Korkenzieher und auch einer Schere. Er legte das Taschenmesser ins Reisenecessaire; bei einer Überprüfung hätte er behauptet, er benutze es als Brieföffner. In den gleichen Beutel legte er auch eine Spraydose; der Autolack stammte noch aus der Zeit, als er bei Blitzaktionen mitgeholfen hatte, in seiner Heimatstadt die Billettautomaten der Öffentlichen Verkehrsbetriebe funktionsuntüchtig zu machen.

Was er an Kleidung einpackte, hätte in einer Reisetasche Platz gefunden. Aber er entschloß sich schon deswegen für einen Koffer, weil dieser ein Nummernschloß hatte; mit diesem schwarzen Gepäckstück wirkte er als Tourist glaubwürdig.

Als er bei Piccadilly Circus um die Ecke bog, las er auf einer pompösen Fassade ›Palace Hotel‹. Den Hoteleingang versperrte eine Gruppe, die auf einen Bus wartete, der nicht zu kommen schien. Rechts vom Eingang ein Uhrengeschäft und gegenüber ein Zeitungskiosk. Er bahnte sich einen Weg zwischen Koffern hindurch, über die Kinder kletterten, und wich zu einem Schalter aus, hinter dem ein Mann Zeitung las und darauf wartete, bis Kunden Farbfilme zum Entwickeln brachten. Ein Gewühl von

Wartenden vor den beiden Lifts, die von keinem Boy bedient wurden, auch sah er sonst nirgends jemanden in Livree. Dann entdeckte er eine weitere Treppe, die nach oben führte. Am Ende der Halle zwei Ausgänge, neben dem einen ein Ticket-office mit Theaterplakaten, neben der Türe, die zu Garderoben und irgendwelchen Suiten hinunterführte, ein dickliches Mädchen auf einem Barhocker, davor der Künstler, der nach Natur und Photo porträtierte. Ein Blumenschalter und ein Souvenirladen mit Bobby-Helmen und Bierkrügen und einem Drehständer für Ansichtskarten und Dias. Auf einer Tafel die Namen der Firmen, die irgendwo im Hotelkomplex ihre Büros hatten, darunter auch eine Konzertagentur. Hinter einer Scheibe Plastikfische, die für ein Spezialmenu Reklame machten – ein Hotel, wie er es nicht ausstehen konnte, das aber genau dem entsprach, was er suchte.

Er stellte sich an. Vor ihm Geschäftsleute, die ihre Attaché-Koffer fest im Griff hatten, und amerikanische Witwen, alle die gleiche Violett-Tönung im Haar und alle mit dem gleichen Hütchen und alle den gleichen Samsonite-Koffer neben sich herziehend. Er nahm es als ein gutes Omen, daß der Computer anzeigte, es sei noch ein einziges Einzelzimmer frei. Bevor er das Formular ausfüllte (»in Blockschrift bitte«) hielt er dem Fräulein seinen Paß hin und betrachtete anerkennend die rote Nelke in der schwarzen Jacke ihres Firmen-Deux-pièces. Sie gab ihm den Paß zurück, ohne hinein geschaut zu haben. Da setzte er einen Namen auf den Anmeldeschein (»mit genauer Adresse bitte«), er blätterte im Paß, als verifiziere er die Nummer, trug aber eine ein, die er im Schreiben erfand, und als er signierte, tat er es schwungvoll, als hätte er schon immer mit I. Koni Klast unterzeichnet.

Leicht unruhig wurde er, als er die Rechnung für die erste Übernachtung gleich bezahlen mußte, so kreditunwürdig konnte er doch nicht aussehen; er nahm zur Kenntnis, daß dies Usanze des Hauses war. Peinlicher wurde es, als ihm das Fräulein eine Tüte hinhielt: »Ihr Schlüssel«. Trotz Abtasten und Abklopfen fand er keinen Schlüssel. Da schüttelte das Fräulein aus dem Kartonetui eine Plastikkarte: als Zimmerschlüssel zu gebrauchen und als Kreditkarte für den Coffeeshop, das Restaurant, eine Bar und das, was ein Night-Club zu sein schien. Kein Name und keine Nummer drauf, nur gestanzte Löcher, anonymer hätte er es nicht wünschen können. Als er in der ersten Etage in den Gängen herumirrte, stieß er auf eine Frau, die das Suchen aufgegeben hatte; auf ihrem Koffer sitzend, rief sie nach dem Etagenmädchen. Ein ideales Hotel, um jemanden aufs Zimmer zu lotsen, aber ihm stand der Sinn nicht nach kleinen Abenteuern, er war nicht auf privater Mission.

Fasziniert beobachtete er, wie ein roter Punkt aufleuchtete, als er die Karte in den Schlitz des Gehäuses steckte, das unterm Knauf angebracht war, und wie die Türe nachgab. Derlei hatte er bisher im Film gesehen, und es waren gewöhnlich Geheimnisträger, denen Plastikkarten die verschlossensten Türen öffneten. Er packte nur das Waschzeug aus und strich fast zärtlich über Messer und Spraydose. Neben dem Waschbecken hing ein einziges Handtuch. Er würde sich ein zweites kaufen müssen, denn hinterher würde er mehr als schmutzig sein, und das Handtuch konnte er leicht verschwinden lassen. Vielleicht da unten, überlegte er, als er am Fenster stand, an den Simsen und Ablaufrohren konnte man mit etwas Geschick klettern, falls notwendig. Vor einem Geschäft, das ein Lebensmittelladen zu sein schien, stapelten sich Pappschachteln, daneben auf dem Asphalt lag ein Mann, das Gesicht mit einer Hand verdeckend, die zerschlissene Hose vorne offen, so nahe am Abfall, als wolle er damit abtransportiert werden.

Als er auf dem Toilettentisch das Telefonbuch zur Seite schob, fand er ein Exemplar von ›What's on and where to go‹, das Bulletin der vergangenen Woche. Er blätterte darin und hielt bei der ›Vorschau‹ inne: die hatten keine Ahnung davon, was sich in ihrer Stadt tun würde. Er sah unter ›Öffentliche Sammlungen und nicht-kommerzielle Galerien‹ nach, aber das schien die falsche Rubrik zu sein. Bei den ›Touristischen Attraktionen‹ war Madame Tussauds Wachsfigurenkabinett aufgeführt, doch war er fast gekränkt, als er las »Weitere Hinweise siehe London für Kinder«. Die würden sich noch wundern, wie gut die Großen der Weltgeschichte sich als Attraktion für Erwachsene eignen.

Doch für den Moment beschäftigte ihn das nicht weiter. Was vom Nachmittag noch blieb, darüber wollte er nach Laune verfügen. Es waren vielleicht die letzten Stunden, über die er nach Gutdünken bestimmen konnte, obwohl er alles dransetzen würde, nicht erwischt zu werden.

Vom Piccadilly Circus aus schlenderte er zum Haymarket. Als er um die Ecke bog, zuckte er zusammen. Gebannt lauschte er dem Heulen der Sirene und nahm es als Willkommensgruß. Das Feuerwehrauto brauste an den Wagen und Taxis vorbei. Das Blaulicht blitzte, und hinter den Scheiben waren gelbe Helme sichtbar. Er fragte sich, wie hoch sich die Drehleiter auf dem Dach ausziehen lasse, und ein Lächeln stand noch auf seinem Gesicht, als das Feuerwehrauto längst verschwunden war und das Sirenengeheul sich verloren hatte.

Von weitem erblickte er auf der Säule Nelson; der Admiral wandte ihm den Rücken zu und schaute über das Südafrikahaus an Marble Arch und den Stallungen vorbei wohl in Richtung Meer. Aber der Sieger von Trafalgar könnte sich noch rasch umdrehen, wenn er erführe, daß seine Leute schon übermorgen die Schlacht verlieren würden, nicht gegen die Spanier, gegen die sie einst angetreten waren, sondern gegen einen Einzelnen, der eben jetzt, die Hände in den Hosentaschen, zum Trafalgar Square bummelte. Sicher, der Admiral war aus Bronze, und aus Bronze waren auch tiefer unten die beiden Generäle auf ihren Sockeln; der eine hatte sich bei der Befriedung von Indien hervorgetan, wie auf einer Plakette zu lesen war, und von dem andern hieß es, daß die Soldaten, die unter ihm dienten, für das Denkmal gesammelt hätten. Gegen Bronze war nur mit einer Bombe etwas auszurichten, aber es gab ja nicht nur Bronze.

Auf dem Brunnenrand war kaum Platz frei. Einige badeten ihre Füße im Becken, und im Wasser planschten Kinder. Ein Twen sonnte seinen nackten Oberkörper. Der jüngste der Punks winkte der Touristin, die die Gruppe von weitem photographierte; gelb und steiflackiert standen buntgefärbte Kämme von den glattrasierten Köpfen ab, und der, der winkte, hatte sich durchs Ohrläppchen eine Sicherheitsnadel gestoßen, und aus seiner genieteten Lederweste sahen tätowierte Arme hervor. Ein Betrunkener stolperte über seine Beine; als er hinplumpste, schlug er dumpf auf, aus seiner Aktentasche floß Bierschaum. Trotz der Absperrung hatten sich einige auf das Podest der Nelson-Säule gesetzt, und andere kletterten an den Mähnen der Löwen empor. Um den Stand mit dem Taubenfutter drängten sich Mütter und Väter, ein Kleiner kauerte am Boden und versuchte die Tiere anzulocken, damit sie ihm die Körner aus der Hand pickten. Wenn all die, die hier in der Sonne saßen und plauderten, die mit ihren Aktentaschen und Rucksäcken herumstanden oder Kinderwagen schoben, wenn all die, die photographierten und Zeitungen lasen, die Eiscreme lutschten, Ballons in Form silberner Herzen steigen ließen, wenn all die eine Ahnung hätten, wer in diesem Augenblick unter ihnen umherging, als sei er einer von ihnen.

Als er zum Leicester Square gelangte, erinnerte er sich, daß sich vor zwei Jahren auf diesem Platz mehrschichtig Abfallsäcke gestapelt hatten, da damals die Müllabfuhr streikte.

Er erblickte die Fahnen am Schweizerhaus und dachte an das Wappen auf seinem Messer. Er bummelte zum Chinesenviertel und las von Restaurant zu Restaurant die ausgehängten Menu-Karten, er wollte sich ein reichliches Abendessen spendieren, als Vorausbelohnung gleichsam, aber zum Essen war es noch zu früh. Er verließ Wonton-Suppe und Peking-Ente und schlenderte zu einem Pornokino. Er kam zu den großen Theater und zum Hit der Saison. Dann blieb er vor einer Buchhandlung stehen, die Fernöstliches und Lebenshilfe anbot. An einer Haustür las er einen handgeschriebenen Zettel ›Junge Modelle erste Etage‹ und im Hausgang ein anderes Stück Papier ›Blonde Modelle‹; zu ihnen wies ein Pfeil nach unten. An der Ecke eine Peepshow, für fünfzig Pennies konnte man durch eine Luke schauen, hinter der eine Frau die Beine spreizte. Vor dem Etablissement Gemüse- und Fruchtstände, ein Quartiermarkt, und zwischen den Hausfrauen Mädchen, die in den Striptease-Lokalen auftraten. Ein Verkäufer türmte Melonen auf und rief Kirschen aus. Er zögerte noch, ob er einen Apfel kaufen solle, aber dann war er schon vorbei und fand sich plötzlich vor einem Werkzeugladen: Ein Set Brecheisen, selbst das kleinste war noch zu groß, auch eine Lötlampe, ein Gegenstand, der ihm nützlich sein könnte. Doch wollte er sich nicht in einem solchen Geschäft eindecken, sondern in der Do-it-yourself-Abteilung eines Warenhauses.

Er ließ das Hotel links liegen und entdeckte eine Tafel ›Museum der Menschheit‹, er hatte noch nie davon gehört. Aber ein solches Museum mußte einen interessieren, der daran war, einen Beitrag zur Geschichte eben dieser Menschheit zu leisten.

Er erkundigte sich bei einem Polizisten. Der zog einen Stadtplan hervor, und während er ihn entfaltete, klirrten die Handschellen, die er auf der rechten Seite am Gürtel trug, sie blinkten und waren sicher rostfrei. Das Museum lag jenseits der Regent Street. Ein repräsentativer Bau aus dem letzten Jahrhundert, in irgend einer Neomanier; an der Fassade standen in Nischen Geistesheroen wie Leibniz oder Locke; man hätte ihnen nicht auf den ersten Blick angesehen, daß sie sich einmal philosophisch damit abgequält hatten, wie das Böse in die Welt gekommen war oder mit welcher Vernunft regiert werden soll. Das Erdgeschoß war mit Brettern umkleidet, man nahm Erneuerungsarbeiten vor: er selber aber, er hatte Grundsätzlicheres im Sinn als Renovation.

Kaum war er die Freitreppe hochgestiegen, fragte er sich bereits, warum überhaupt, aber da er schon da war, wollte er mindestens durchs Untergeschoß gehen: ›Verborgene Völker am Amazonas‹. Die gingen mit einem Blasrohr auf die Jagd, lockten Fische mit Pfeiftönen an die Oberfläche oder schossen sie mit Pfeil und Bogen. Auf die Kalebassen malten sie Ornamente mit Affen und Jaguaren, und die Frauen woben diese Zeichnungen in ihren Cache-Sex ein. Federn als Zeichen der Würde und als Schmuck, durch die Lippen gestoßen, in die Nase gebohrt oder auf den Kopf gesteckt. Kleider aus Pflanzenfasern für die rituellen Tänze. Rasseln für Musik, aber auch Keulen und Schilde.

Das war ein Anfang, wenn auch vielleicht nur einer unter anderen, aber warum sollte es nicht an einem der Nebenflüsse noch einmal beginnen, mit denen, die Stämme zu einem Einbaum aushöhlen und einen Stab so rasch und so lange zwischen den Händen reiben, bis dieser ein Holz zum Brennen bringt – sofern es überhaupt tunlich war, noch einmal anzufangen.

Mit Verwunderung nahm er zur Kenntnis, daß sie seit allen Zeiten Wachs kannten. Damit beschichteten sie die Köcher, in die sie ihre vergifteten Pfeile steckten. Mit Wachs klebten sie Vogelknochen so zusammen, daß ein Mann durch den Röhrenknochen einem zweiten das Drogenpulver in die Nasenlöcher blasen konnte. Und dann hatten sie mindestens früher die Köpfe der Gegner getrocknet, sie einschrumpfen lassen und die Augen mit Wachs bestrichen. Ob sie aus Wachs Figuren formten, darüber war nichts zu erfahren.

Nach dem Museumsbesuch schlenderte er durch eine Galerie; ihm war, als gehe er nicht durch eine gedeckte Ladenstraße, deren Gaslaternen mit elektrischem Strom betrieben wurden, sondern als wandle er durch weitere Ausstellungsräume. Er hatte den Amazonas mit der Themse vertauscht. Aus einer Ladentüre hörte er schreiende Musik, die ebensogut aus dem Urwald wie aus einer Metropole hätte stammen können.

Er ging an Exponaten vorbei, die weder Nummern noch Legende, sondern Preisschildchen kennzeichneten: Lambswool und Pfefferminz-Sauce; viel Kariertes aus Schottland, von dort auch Lammkoteletts und Whiskies und darunter die aus purem Malz; Kristall aus Cambridge wurde angeboten, und Wedgwood offerierte ein Gedeck im Astronauten-Stil; Cashmere-Pullover und Tabakpfeifen; bittere Orangen-Marmelade und Tee, ›early morning‹ und ›five o'clock‹, inmitten von Mahagony-Möbeln Golfsäcke und Regenschirme, Schiffskommoden für die Club-Einrichtung – ›Buy British‹.

Vor dem Schaufenster mit den Trenchcoats blieb er stehen, das waren die Mäntel, deren Kragen man hochschlug, wie er es aus Kriminalfilmen kannte. Ihm fiel ein, daß, wenn in dieser Stadt ein Verbrechen geschah, gewöhnlich Nebel aus der Themse hochstieg. Im Moment aber schien die Sonne, schräg fielen die Strahlen in die Galerie, und das altenglische Silber blitzte auf. Als er die Ladenstraße verließ, da sah er ein paar junge Engländer im City-Look vor einem Pub, die Krawatten gelockert, lehnten sie an der Hausmauer, Biergläser in der Hand, standen sie da als lässige Werbung für Guinness und genossen die Abendsonne. Was er vorhatte, war nicht ein Verbrechen, sondern eine lodernde Tat, über der es nur recht war, daß die Sonne aufging, auch wenn er selber im Dunkeln arbeiten würde.

Er wunderte sich, daß er den Wunsch verspürte, ins Hotel zurückzukehren, er verzichtete auf das Abendessen, das er sich großzügig hatte spendieren wollen; das konnte er am andern Tag noch nachholen, obwohl ihm klar war, daß er, wenn es soweit war, einen nüchternen Magen haben mußte. Er ließ sich von einem Pakistani eine Portion Döner Kebab abschneiden und aß das Fleisch zwischen den Salatblättern heraus. Er deckte sich mit Zeitungen ein. Dann erstand er in einer Stationery zwei Memoblöcke; der Verkäufer sah ihm mißtrauisch zu, wie er ausprobierte, ob die Blöcke in die Hintertasche seiner Hose paßten. Im Hotelzimmer zurück, drehte er den Fernsehapparat gegen das Bett; er sah der Übertragung eines Cricketspiels zu, begriff Ausdrücke wie ›not out‹, ›over‹, ›extras‹ und ›runs‹ nicht, und über dem Versuch, die Spielregeln zu verstehen, schlief er ein.

Als er sich am andern Morgen rasierte, überraschte er sich dabei, wie er den Apparat sorgfältig führte, als müsse er noch auf einen Schnurrbart achtgeben; aber den hatte er ja schon vor zwei Wochen abrasiert, was im Geschäft einige Hallo-Kommentare ausgelöst hatte. Er hatte sich auch den Bart abgeschnitten, den er sich seinerzeit aus Solidarität hatte wachsen lassen, so daß einige ihn mit seinem Anarchistenbart hänselten; aber als er noch auf dem Land in einer Wohngemeinschaft gelebt hatte, war der Bart eher als Bekenntnis zur Alp verstanden worden. Wie wohl Beatrice reagieren würde, wenn sie sein neues Gesicht sah.

Er strich sich über sein glattrasiertes Kinn; nun sah er dem Photo ähnlich, das in seinem Paß klebte, und wenn, würde er mit diesem glattrasierten Gesicht in die Zeitung kommen.

Beim Frühstück prüfte er die andern Hotelgäste darauf hin, wer schon von Kleidung und Gebaren her verdächtig wirkte.

Etwa der im T-Shirt, welcher am Buffet zögerte, zwei Spiegeleier zu nehmen, und der sich auch bei den Würstchen vorsichtig umsah und gerade damit die Aufmerksamkeit auf sich lenkte. Und wie verhielt es sich mit dem, der tüchtig vom kalten Fisch schöpfte? Sicher ein Brite oder Ire, jedenfalls einer, der Cold-Fish zum Frühstück mochte; er trug einen Pullover mit blauen und gelben Streifen; vielleicht war es keine schlechte Methode, sich hinter Auffälligem zu verstecken. Aber anderseits: das Sicherste war noch immer, seine Untaten unter dem diskreten Grau eines Nadelstreifenanzugs zu verbergen und eine Weste über sie zu ziehen, deren untersten Knopf man offen ließ. Da kommt man nicht gleich drauf, daß einer, während er mit der Telefonschnur spielt, einem andern die Schlinge um den Hals zieht. Für das, was er vorhatte, war er hingegen mit seinem kragenlosen Hemd und den Bluejeans durchaus richtig gekleidet.

Ihm fiel auf, daß es unter dem Personal keinen einzigen Weißen gab. Es war die Mittelklasse, die sich von Schwarzen und Indern bedienen ließ, nicht in den Kolonien, sondern zuhause, und der Kellner, der ihm ›you don't mind‹ den Kaffee brachte, war ein Jamaikaner ›made in Britain‹.

Obwohl es früh war, nahm er die Untergrundbahn; er konnte noch immer in der näheren Umgebung einen Tee trinken und Zeitungen lesen, und er vergewisserte sich, daß er den Memoblock und einen Kugelschreiber eingesteckt hatte. Als er in der Station Baker Street die Treppe hochstieg, las er in großen Lettern ›Che Guevara‹, eine Boutique, vor der eine junge Verkäuferin im ledernen Mini lederne Miniröcke an eine Stange hängte. Er war überrascht, wie viele Touristen, vor allem Familien, nach links abbogen, wohin auch er wollte. Als er sich Madame Tussauds Museum näherte, erschrak er. Mehr als eine halbe Stunde vor der Öffnungszeit hatte sich bereits eine Schlange gebildet, die sich der ganzen Museumsfront entlangzog. Das konnte sein Unternehmen auf unerwartete Weise komplizieren.

Er mußte bei seiner Auskundschafterei anders vorgehen; er beschloß, zunächst einmal die Lage zu rekognoszieren. Er ging dem Planetarium entlang zu einer Umfassungsmauer aus rotem

Backstein – die wäre leicht zu überklettern. Das Tor zum Innenhof stand offen, von ihm führten Diensteingänge ins Gebäude; die Fenster des Erdgeschosses waren weder vergittert noch mit irgendeinem Laden geschützt. Die Straße, mit Prellbock und Schlagbaum, in die er einbog, mußte eine Privatstraße sein. Die Wohnbauten waren so hoch, daß man dahinter nie ein Museum vermutet hätte; sicherlich war eine Brandmauer dazwischen. Er ging bis zur Querstraße und von dort zurück in die Marylebone High Street. Auch seitlich war ein Wohnhaus ans Museum angebaut. Als er bei diesem anlangte, sah er oben das Medaillon mit dem Halbprofil von Madame Tussaud, und unten, an einer Eingangstür, die geschlossen war, die Tafel: Sprinkler Stop Valve Inside, der erste Vorposten der Feuerwehr; da drinnen waren also Löschvorrichtung und ein Wasseranschluß.

Die Wartenden drängten sich zu viert und fünft nebeneinander, und ein Aufseher bat sie, nach vorn aufzuschließen. Einige lehnten sich auf die Absperrvorrichtungen und schienen amüsiert, als er sich näherte. Da vernahm er ebenfalls das schleifende Geräusch und drehte sich um; ein paar der Wartenden stießen einander an und zeigten auf ihn. Er sah zu Boden. Er war auf ein Klebeband getreten, wie man es für größere Pakete verwendet, und er zog dieses Band hinter sich her. Er versuchte es mit dem andern Schuh abzustreifen, aber nun klebte es am zweiten Schuh; einige Zuschauer lachten. Er bückte sich und riß das Band ab, darauf achtend, daß es ihm nicht an den Fingern haften blieb. Auch der Museumswächter hatte dem Vorgang belustigt zugeschaut – er war schon aufgefallen, bevor er überhaupt begonnen hatte.

Für den Moment verspürte er keine Lust, sich anzustellen, er tat, als interessiere ihn dieses Museum nicht. Er schlenderte zur U-Bahn-Station zurück und bog von dort in die Bakerstreet ein. Noch während er überlegte, wie weit er hinunterbummeln sollte, las er voll Überraschung über einem Eingang auf einer Hauswand: Sherlock Holmes. Richtig, das war seine Adresse; neuerdings befand sich da ein Hotel. Der Watson-Room war geschlossen, der Doktor-Freund schien nicht zu empfangen. Als er zur Rezeption ging, bemerkte er links die Sherlock-Holmes-Bar. Den Wänden entlang war die Bibliothek des Detektivs nachgebaut, unter den Büchern die ›History of our Times‹ und die mehrbändige Enzyklopädie ›The Book of Knowledge‹. Von irgendwoher mußte Holmes sein Wissen gehabt haben. In einer Vitrine die Violine, auf der er spielte, wenn er kombinierte, und ferner seine Spürhund-Utensilien, eine Kamera, ein Fernrohr und eine Apothekerwaage und Glasdosen mit 01.Sinapis und Spt. Mayaea. In der Bar wurde um diese Zeit noch nicht bedient; hier hätte er gerne etwas getrunken, seinen Plan noch einmal überdenkend unter den Augen eines Detektivs, der, auf einem Stich an der Wand, von einem Felsen in die Tiefe stürzte.

Er durfte annehmen, daß die Wartenden inzwischen Einlaß gefunden hatten; so ging er zielsicher zum Museum zurück. Doch die Schlange hatte sich nicht verkürzt, sondern verlängert und krümmte sich um eine Ecke bis hinter einen Würstchen- und Eiscremestand. Erst als er näher kam, sah er, wie die, die sich hier drängten, einander Schritt für Schritt zu Eingang und Kasse schoben. Ihm blieb wohl nichts anderes übrig, als sich hinten anzustellen. Gerade als er sich einreihte, sah er über dem Eingang zum Planetarium das Schild mit der Uhr, welche die nächste Vorstellung anzeigte. Er beschloß, trotz allem zuerst einmal das Planetarium aufzusuchen. Unter Umständen mußte er es in seinen Plan einbeziehen, so daß es keine Zeitverschwendung war, sich dort genauer umzusehen.

Als er den Vorraum betrat, bedeutete ihm eine Aufseherin, es sei verboten zu rauchen, aber eine Kollegin korrigierte sie: nur drinnen gelte das Rauchverbot. Die, die ihn zurechtgewiesen hatte, ärgerte sich, weil sie selber belehrt worden war, und verfolgte ihn mit einem stechenden Blick. Er stand vor dem Tischchen, hinter dem eine Frau Karten für das Laserium verkaufte: Musik, die in Laserstrahlen umgewandelt wurde. Er erkundigte sich nach dem Preis eines Buches über die Fabrikation von Wachsfiguren, dabei interessierte ihn nicht, wie man Wachsfiguren herstellt, sondern wie man sie zerstört.

Als er die Halle verlassen wollte, öffneten sich die Flügel eines

Portals. Die Besucher der ersten Vorstellung drängten heraus, und ein Türsteher informierte die Hinausgehenden, sie bräuchten sich für die Besichtigung der Wachsfiguren nicht anzustellen, sondern könnten mit ihrem Ticket den Eingang weiter vorn benutzen, über dem ›Für Gruppen‹ steht. Da sah er die schwarze Rillentafel mit den weißen Einsteckbuchstaben hinter der Kasse: ›Combination-Tickets‹. Er kaufte eines und folgte denen, die nach dem Planetarium nun das Tussaud-Museum aufsuchten; er beschleunigte das Tempo, als könnte er zu spät kommen; nicht ohne höhnisches Lächeln ging er an der Schlange vorbei, aber dann verlangsamte er seine Schritte und ließ denen, die nach ihm kamen, den Vortritt. Er wollte schauen, ob sie ungehindert hineinkamen, die Frauen, welche große Handtaschen trugen, und die Jugendlichen mit ihren Rucksäcken. Die Wärterin, die draußen auf der Straße stand, kontrollierte lediglich die Tickets. Ein Hauptproblem war gelöst: durch diesen Eingang würde er seine Tasche mit dem Werkzeug und dem Kanister hineinbringen.

Die Treppe war so schmal, daß einer hinter dem andern gehen mußte, und da er der letzte war, konnte er stehen bleiben, ohne für jemanden ein Hindernis zu sein. Beim ersten Absatz erblickte er hinter einem Gitter die Haupteingangshalle mit Kasse und Garderobe, wo einige Besucher Mäntel und Taschen deponierten, und auf diesem Absatz entdeckte er auch den ersten Feuerlöscher. Er prüfte die Schläuche, ob sie aus Gummi oder Kunststoff waren, auf jeden Fall würde so ein Schlauch leicht zu durchstechen sein, und zwar mußte das an der Stelle geschehen, wo dieser aus dem Schraubenring herauskam.

Die Treppe führte in einen Vorraum. Da ging auch ein Lift, zwei Lifts sogar, und neben der Lifttür hing ein Wandtelephon. Hier müßte man die Leitung unterbrechen, das heißt die Telephonschnur kappen; das war ein Kinderspiel, nur mußte es vor der eigentlichen Aktion passieren, und damit dieser Eingriff nicht auffiel, war es wohl tunlich, die gekappte Schnur mit einem Klebeband am Apparat festzumachen. Er kaufte einen Katalog und sah auf der Umschlag-Innenseite den Grundriß des Museums. Er befand sich bereits in der zweiten Etage, darunter lag die ›Große Halle‹, sein eigentliches Ziel, und im Erdgeschoß waren neben der Trafalgar-Schlacht der Coffeeshop und die Souvenirläden untergebracht, die Toiletten für Damen, Herren und Behinderte. Im Kellergeschoß war die Horror-Abteilung. Der Zufall hatte ihn richtig geführt; er würde hier oben beginnen und sich Stockwerk für Stockwerk nach unten durcharbeiten. Zunächst begab er sich zu dem Podest, auf dem ein Himmelbett aufgebaut war. Besucher schauten einander über die Schultern und beugten sich über Dornröschen, um genau zu sehen, wie die Brust der Prinzessin sich während ihres hundertjährigen Schlafes, dank eines Apparätchens, hob und senkte. Er aber tastete über die Bettdecke nach unten und prüfte, ob unter dem Bettgestell Platz sei. Denn in diesem Raum würde er sich verstecken, wenn die Glocke das Ende der Besuchszeit ankündigte. Die Frage war nur, ob er sich hinter den Figuren verkriechen sollte, die zusahen, wie ein Knabe ausgefragt wurde, wann er seinen Vater zum letzten Mal gesehen habe, und den die Verhörer zu einem Verräter machen wollten; hinter dem Protokollführer jedenfalls wäre Raum genug gewesen. Oder sollte er sich hinter den Vorhang stellen, im Zimmer des Schriftstellers, der Tagebuch führte und der in Erwartung eines Einfalls auf und ab ging?

Während er sich nach geeigneten Verstecken umsah, stieß er auf einen Mann, der am Boden kniete und eine Lunte anzustekken schien. Mit traurig-wütendem Blick sah er unter einem breitrandigen Hut hervor. Dieser Guy Fawkes, so las er, wollte einst das Parlament in die Luft sprengen; hinter ihm stapelten sich die Fässer mit Sprengstoff. Eine Frau erklärte einer ausländischen Besucherin, Fawkes sei Schmiere gestanden, während die andern einen Gang bis unters Parlament gruben, aber er habe darauf bestanden, den entscheidenden Funken zu legen. Den Tag seiner Hinrichtung feiere man in England noch immer mit Feuerwerken. Diesem Guy Fawkes versprach er ein Feuerwerk besonderer Art; das war ein Kollege; wenn einer in diesem Raum für ihn Verständnis aufbrachte, war es dieser Mann, den sie einst erwischt hatten. Er streichelte ihm die Hand, die eine Pulverpfanne hielt, aber er streichelte ihm nicht zuletzt deshalb die Finger, weil er spüren wollte, wie sich Wachs anfühlt und wie hart Wachs ist.

Er nahm sich vor, systematisch vorzugehen. Am liebsten hätte er in seinem Memoblock einen Plan skizziert, aber das wäre aufgefallen. Er mußte sich die Verhältnisse genau einprägen, um hinterher aus dem Gedächtnis alles festzuhalten, anderseits, so überlegte er, konnte es kaum suspekt wirken, wenn er etwas direkt im Katalog notierte. Er stand vor einem Notausgang, dessen Lage er gerade eintrug, als eine Angestellte mit Akten unterm Arm daherkam, er öffnete ihr dienstbeflissen die Tür, sie bedankte sich; er benutzte die Gelegenheit, ihr in den Gang zu folgen und nochmals eine Türe aufzumachen, diesmal eine zu einem Arbeitszimmer; hier lagen Büros neben einer Treppe, die hinaufging, es mußte also noch ein oberes Stockwerk geben. Er begab sich in den Ausstellungsraum zurück und interessierte sich für ein Mädchen, das, aus dem Schlaf geschreckt, erfährt, daß es Königin geworden ist, und noch im Nachthemd die erste Huldigung entgegennimmt. Im Auge aber hatte er nicht den Handkuß, sondern den zweiten Notausgang. Er lehnte sich an die Tür, als wolle er jenem ausweichen, der eben mit einem Blitzlicht die zwei Prinzen photographierte, die, im Tower gefangen, keine Lust verspürten, das Bilderbuch anzuschauen, das sie auf den Knien hielten, wohl weil sie es schon mehr als einmal bis zur letzten Seite durchgeblättert hatten. Wie zufällig drückte er an die Klinke, die Türe öffnete sich, und ein Lichtstrahl fiel in den dunklen Raum, so daß er die Tür gleich wieder zuzog. Soviel hatte er gesehen: wieder eine Treppe, und er notierte sich ›Taschenlampe‹. Das Haus war verwinkelt gebaut; das konnte sein Glück sein aber auch zur Falle werden.

Er hatte sich von der Musik verleiten lassen und befand sich bereits im Wintergarten inmitten von Palmen. Einer der Beatles stand vor dem Klavier, ein Knie leicht gebeugt, mit den Fingerspitzen fast die Tasten berührend, aber das Klavier spielte von allein, und die schwarzen und weißen Tasten hüpften automatisch; einer der vier hatte sich aufs Geländer gesetzt und hielt sich an einer der dünnen Säulen; obwohl alle vier unter ihren Pilzkopf-Frisuren lächelten und der eigenen Musik zuhörten, als komme diese aus einem Niemandsland, schien es ihnen klar zu sein, daß kein gelbes Unterseeboot für ihre Rettung auftauchen würde. Er selber ertappte sich dabei, daß er in den Wintergarten gegangen war, ohne darauf zu achten, ob eine Türe und was für eine die beiden Räume trennte. So ging er zum Eingang zurück; zwei Flügel einer Gittertüre aus dicken Eisenstäben, offenstehend; es war kein Schloß ausfindig zu machen, möglich, daß sie mit einer Kette und einem Vorhängeschloß zusperrten, aber damit war fertig zu werden.

Ein völlig anderes Problem stellte sich, weil der Wintergarten einen Steinboden hatte, da konnten sich die Flammen nur schwer ausbreiten. Zudem standen Schauspieler und Sportler weit auseinander, als habe Hamlet dem Baseballspieler nichts zu sagen. Zwar hatte es um diese lockere Ansammlung eine hölzerne Balustrade, aber es war fraglich, ob das weißlackierte Holzgeländer mehr als nur schwelen würde. Der Twi-Twi einer Dame konnte kläffen, soviel er wollte, dem würde das Bellen vergehen. Alfred Hitchcock überblickte die Party, als sei sie ein Fall, und Agatha Christie erholte sich in einem Korbsessel vom Mischen ihres letzten Gifttranks, die beiden hatten lange genug Menschen nur geschaffen, um sie zu überführen. Diesmal brauchten sie sich für ihre Bücher und Filme keine Täter auszudenken, der stellte sich von selber ein. Auf solch einfache Weise waren sie noch nie Zeugen geworden, aber Zeugen, die keine Fragen beantworten und niemanden belasten würden.

Trotz allem ließ sich der Wintergarten leicht einbeziehen. Der Arbeitsweg, der auch Fluchtweg war, war vorgegeben. Er führte in die verdunkelten Räume der Super-Stars, über denen sich ein Himmel voll Gestänge und Apparaturen auftat. Sie lebten ihrer Generation und ihrem Publikum gemäß in Neon und Glasfiber, und ihr Innenleben spielte sich auf Projektionsflächen in Dia-Sequenzen ab. Michael Jackson schleuderte aus dem weißen Handschuh seiner Rechten Stroboskop-Blitze. Nun platzen ja bei einer bestimmten Temperatur die Glühbirnen, das würde sich von allein erledigen. Und wenn es soweit war, wird zwar das rosa Herz mit Maschen hinter Dolly Parton ›I will always love you‹ sich noch einmal öffnen, aber die beiden Hälften würden sich nicht mehr für den nächsten Auftritt und den nächsten Song zu einem Ganzen fügen. Nach der Besuchszeit wurde den Sängern sicher die Stimme abgestellt, aber wer weiß, vielleicht würden denen, die hier sonst in der Nacht nicht sangen, unter der Einwirkung der Hitze noch einmal die Tonbänder losgehen für einen gemeinsamen Gesang im Feuerofen.

Die nächste Türe hatte ein konventionelles Schloß mit Riegel. Neben dem Treppenabsatz sah er den ersten klassischen Feuerwehrschlauch, am Strahlrohr den Hydrantenschlüssel, der ließ sich ohne weiteres entfernen.

Aber da stand er bereits vor Marie Antoinette und ihrem Gatten, dem Hobby-Schmied, ihre Köpfe wirkten wohl so echt, weil sie nach der Hinrichtung vom Scharfrichter selber heimlich zum Abguß gebracht worden waren. Die Familie, mit Dauphin und Prinzessin, saß im Boudoir und war ahnungslos wie schon einmal.

Und dann endlich ›The Grand Hall‹. In der Tür ein Zylinderschloß mit dem üblichen Arretierstift für einen Flachschlüssel; das würde er präventiv mit Spray unbrauchbar machen.

In der ›Großen Halle‹ war der Königs-Clan aufgestellt für ein Gruppenbild, der Photograph im Pullover selber Mitglied der Familie, nicht durch Blut, sondern dank Heiratsvertrag geadelt; einige lächelten, als würgten sie an den Hofnachrichten, die sie heruntergeschluckt hatten, damit von ihnen nichts aufs Bild komme. Gegenüber ein anderes Gruppenbild; ein König mit seinen acht Gattinnen, die er hatte köpfen und von denen er sich hatte scheiden lassen, und auch die, die ihm wegstarb, und die, die ihn überlebte. Und dann die Königin, die ihren Namen einer Epoche gab, mit Perlen im Haar und einem Straußenfächer in der Hand und anstelle des Halses ein Mühlsteinkragen. Der König, der auf dem Sterbelager die Religion wechselte, nachdem er ein Leben lang die Mätressen gewechselt hatte, und ein anderer König, der als Verräter, Mörder und Staatsfeind hingerichtet wurde.

Und ein Protektor, der Rebellionen niederschlug und bekannte, er sei ein Meister im Sündigen gewesen und der sich mit Genuß auf alles Puritanische stürzte.

Hier aber waren auch die versammelt, die sich nicht auf Gottes Gnaden beriefen, sondern auf Volk oder Parteibeschluß. Solche, die eigene, und solche, die fremde Länder regierten, Wüsten, Ölfelder und Stämme, solche, die ein für allemal an die Macht gekommen waren, und andere, die man abwählen konnte. Als er sich zwischen Staatschefs, Ministerpräsidenten und Regierungsmitgliedern bewegte, stieß er, als er sich brüsk umdrehte, an jemanden; er entschuldigte sich. Mao lächelte nur und fuhr fort, mit ausgestreckten Armen in den Raum hinauszuklatschen.

Er machte sich Gedanken über die Auswahl. Einen Schweizer traf er nicht, als hätte sein Land nichts Zerstörungswürdiges hervorgebracht. Die Aktualität schien zu bestimmen, wessen Ebenbild da stand. Bei den Amerikanern hatte Abraham Lincoln in seinem Sessel einen festen Platz, und bei den Russen gegenüber stand Lenin auf sicheren Füßen, nur die beiden neben ihm, die waren erst vor kurzem dazu gekommen. Was aber geschah mit denen, die vor dem letzten Machtwechsel hier die Macht vertreten hatten? Hatte ein amerikanischer Präsident sein Wachs an das Sexbiest aus Dallas weitergegeben, und war Helmut Schmidt in Helmut Kohl umgegossen worden? Oder wurden die Entthronten in einem Depot abgestellt, wo auch ein Stalin auf den Moment wartete, da er wieder in den Kreis der Erlauchten würde zurückkehren können.

Ein solches Depot mußte sich wohl im obersten Stockwerk befinden bei den Ateliers, wo die Maße für die Hände am lebenden Vorbild genommen und wo die Anzüge aufgebügelt wurden, die einer bei der Inauguration oder am Gewerkschaftskongreß getragen hatte, und wo man die Köpfe anwärmte, bis sie so weich wurden, das man jedes Haar einzeln einziehen konnte.

Als er in die Ecke kam, wo an einem runden Tisch Charles Dickens und Hans Christian Andersen saßen und hinter ihnen Shakespeare stand, wurde er verlegen; es war unvermeidlich, daß auch diese drei dran glauben mußten wie Picasso daneben, der verkehrt auf einem Stuhl saß und die Unterarme auf die Rückenlehne gelegt hatte. Er spürte, wie gefährlich es ist, seine Opfer genau anzusehen, und er begriff die Henker, die Sympathie für die Verurteilten beschlich. Es war nun einmal nicht möglich, das Feuer so zu legen, daß einige ausgespart blieben, und schließlich waren noch bei jedem historischen Ereignis Unschuldige drangekommen. Er riß sich von den Schriftstellern und Malern los und begab sich zum Empiretischchen mit Napoleon und Wellington, dem ›Empereur‹ und dem ›Duke‹. So nah gegenüber hatten sich die beiden Strategen in keinem Krieg gestanden, für ihre Schlachten hatten sie zwischen die Feldherrenhügel Soldaten geschoben, nun aber trennten sie keine Armee mehr und keine patriotischen Leichen.

Nur eine Figur hätte er gerne geweckt, eine Besucherin, die auf einem Sofa eingeschlafen war mit zurückgelehntem Kopf, eine Frau, die im Schlaf ihre Handtasche umklammerte, die vor ihrem Besuch bei den Großen zum Coiffeur gegangen war und die eine ihrer schöneren Blusen angezogen hatte. Angesichts der Mächtigen hatte die Müdigkeit sie überwältigt, eine Hausfrau und Mutter, aus dem gleichen Wachs verfertigt wie die Großen.

Die Könige und Ministerpräsidenten, die Souveräne und Strategen, die Erzbischöfe und Kardinäle, sie alle hatten ihre Augen offen, von unbestechlicher Glasigkeit war ihr Blick. Fraglich, ob solche Augen brechen können, aber angeschwärzt würden sie sicher, vielleicht sogar geblendet. Ihre Haut wies Muttermale, Leberflecken und Narben auf, jede Runzel war nachgezogen, jedes Fältchen und Grübchen, und doch, trotz Make-up und Wasserfarben, war ihr Teint ungesund gelb, als sei ihnen die Weltgeschichte nicht bekommen.

Wie Flammen flackern und Zündungen losgehen, wie sich Glut mit Pulverdampf vermischt und was für Schatten Feuer wirft und wie in diesem Funkenflug und Aufblitzen Figuren sich wehren, das wurde auf dem Podest vorgeführt, von dem aus Besucher einen Blick ins Geschützdeck der ›Victory‹ werfen konnten. Für die Aufnahme waren die Dreitonner im Hafen, wo sie sich von der Geschichte ausruhten, noch einmal abgefeuert worden, aber für die Wiedergabe wurde die Lautstärke zurückgenommen, denn in der Schlacht waren die Detonationen so stark gewesen, daß manche Soldaten das Gehör verloren und nicht mehr mit eigenem Ohr vernahmen, daß sie gesiegt hatten. Auch bei diesem Nachbau war der Boden der beiden Decks rot gestrichen, damit das Blut der Verwundeten nicht die abschreckte, die weiterkämpften; aber das nächste Mal würde auf diesem roten Boden nicht Blut, sondern etwas anderes fließen.

Das Feuer, das von den Kanonenrohren durch die Luke eindrang, wirkte wie eine Hauptprobe für das, was er vorhatte, aber gerade das mochte er sich nicht vorführen lassen, ihm war, als bringe ihn dieses Schlachtarrangement um etwas. So blieb er nicht lange hier, es genügte ihm die Feststellung, daß Schiffswände, Planken und Balken aus Holz waren, aus bestem brennbarem Material, nur daß das nächste Mal die Gefahr nicht von außen, von feindlichen Schiffen kam, sondern vom Rücken her, von der Besuchertribüne, die er eben verließ.

Er beschloß, im Erdgeschoß einen Halt einzulegen, um die Notizen aus dem Katalog in den Memoblock zu übertragen und Planskizzen der Säle anzufertigen. Statt in den Coffeeshop gelangte er zu einem Restaurant hinauf. Nachdem er aus dem Gewirr von Sitzecken und Nebenräumen herausgefunden hatte, kam er wieder zur Trafalgar-Schlacht. Er mußte achtgeben, daß er im entscheidenden Moment nicht die falsche Treppe benutzte. Aber dank seines Irrtums fand er sich vor den Schaukästen, in denen anhand von Photos erklärt wurde, wie aus einem Gipsmodell ein Wachskopf herausgeschält wurde. Nachdenklich nahm er zur Kenntnis, daß für die Körper eine Tonmasse verwendet und diese um ein Eisengestänge herum modelliert wurde. Solche Skelette würden also übrigbleiben, vielleicht von der Hitze verbogen, Knochengerüste, die rosten konnten.

Mit einem Kontrollblick vergewisserte er sich, daß die Tür mit einem Vorhängeschloß abgesperrt wurde; es hing lose an seinem Bügel. Vielleicht konnte man das verschwinden lassen, ansonsten würde er die Feile benutzen oder, besser und rascher noch, die Türe aus den Angeln brechen.

Als er zur Horrorabteilung ins Kellergeschoß hinunterstieg, sah er sich plötzlich Hitler gegenüber, es war unmöglich, auch nur kurz zu verweilen, einige Jugendliche pufften sich ins Schreckenskabinett durch. Er erinnerte sich, daß in einem der oberen Stockwerke auch Voltaire allein in einer Gangnische untergebracht war, und es war nicht klar gewesen, ob er gelächelt hatte, weil er eben einen Satz über Toleranz verfaßt oder weil er nachgerechnet hatte, was ihm seine Beteiligung am Sklavenhandel einbrachte. Der Philosoph und der Diktator standen jeder für sich, abgeschirmt durch eine Glasscheibe. Schützte diese die Vernunft und ihre Perversion vor den Besuchern oder bot sie den Betrachtern Schutz vor Hitler und Voltaire? Er klopfte an die Scheibe, als könnte er im Vorübergehen prüfen, ob es sich um Panzerglas handelte. Wenn die Scheibe einmal zertrümmert war, ließ sich die Vernunft dank ihrer Allongeperücke leicht anzünden; für die braune Uniform mußte er wohl Benzin aufsparen.

Ihn empfing ein Glockenschlag, der ihn wie die andern zusammenfahren ließ; die Glocke war jeweils ertönt, wenn einer aus dem Gefängnis zur Richtstätte geführt worden war. Er hatte Mühe, sich in dem Raum zu bewegen, so drängten sich die Besucher, und er begriff die Warnung vor Taschendieben am Eingang. Als erstes erblickte er über den Köpfen den Original-Galgen; der, welchem sie die Schlinge um den Hals legten, war schwerlich ein Taschendieb. Hier unten wurde vorgeführt, mit welchen Methoden die Gerechtigkeit die Verurteilten der Todesstrafe überantwortete, vom bloßen Handwerk des Köpfens bis zur maschinellen Bewältigung. Am Fallbeil der Guillotine klebte Blut, so präpariert, daß es die feuchte Frische bewahrte. Allerdings war nirgends das Erschießen berücksichtigt, weder das Zu-Tode-bringen durch die Injektionsnadel noch das mit dem Giftbecher. Aber am Beispiel des elektrischen Stuhles wurde ein Vorher und Nachher illustriert: vorher der Kopf noch gerade auf dem Hals, gegen eine Stütze gedrückt, die Arme an die Lehne und der Unterleib an die Sitzfläche gebunden, und jedes Mal, wenn der Strom eingeschaltet wurde, ging die Beleuchtung aus, ein Blitzen und Knattern, und wenn das Licht wieder anging, hing der Kopf mit aufgerissenen Augen und offenem Mund hintüber. Sieben Tage in der Woche wurde der zum Tode Verurteilte während der Besuchszeit von morgens zehn bis abends halb sechs alle zehn Minuten von neuem hingerichtet. Ihm würde er zu einem endgültigen Tod verhelfen.

In der Slumgasse sah er hinter den Glasscheiben einer Spelunke Schatten huschen, Gelächter, Gemurmel und Geklimper drangen gedämpft durch die Türen. Es hätte ihn nicht überrascht, wenn in dieser düsteren Beleuchtung plötzlich ein neues Opfer von Jack the Ripper aufgeschrien hätte, sein letztes lag, den Bauch aufgeschlitzt, in einem Hauseingang, und die Polizei hatte die Verfolgung noch nicht aufgenommen. Er prüfte die modrigen Wände, sie waren eindeutig aus Pappmaché. Hier würde sich das Feuer ohne weiteres durchfressen, man mußte vielleicht für Luftzug sorgen, aber die Flammen würden durchkommen bis zum Badewannen-Mörder und dem Mann, der zusammen mit seiner Geliebten die Ehefrau umgebracht hatte und der erwischt worden war, weil eine Depesche schneller war als das Schiff, mit dem er nach Kanada hatte fliehen wollen. Hier hantierte in einer Küche auch ein Mörder, der sieben Frauen getötet hatte, er hatte sie nicht wie Heinrich VIII. einem Gericht zur Ermordung überlassen können, er verfügte auch nicht über einen Thron, sondern nur über einen Geschirrschrank, in dem er Teile der zerstückelten Leichen versteckte.

Fraglich war nur, was das Feuer ausrichten würde in dem Raum, in welchem Lebenslängliche vor ihren Zellentüren standen, Mörder, Erpresser und Kidnapper, darunter ein Brüderpaar. Er kannte eine andere Art von Gefängnisbesuchen, wenn er an Beatrice mit ihrem Sondervollzug dachte, der er nicht einmal persönlich ein Paket überreichen durfte. Hier stellen sie einem keinen Erlaubnisschein aus; es genügte ein Eintrittsticket.

Er war mit diesem Augenschein vorläufig so zufrieden, daß er der Manson-family kaum Aufmerksamkeit schenkte, sie kauerte am Boden wie zu der Zeit, als sie Ritualmorde begingen und sich noch nicht im Gefängnis bekehrt hatten. Er spürte ein Verlangen, nach oben zu kommen, und folgte der ›out‹-Signalisierung.

Als er durch den Hauptausgang ins Freie gelangte, fand er es geradezu sträflich, daß hier keine Eisengitter und auch sonst keine Schutzvorkehrungen angebracht waren.

Er ging zu Fuß zurück, weil er gerne ein paar Schritte an der frischen Luft machen und die nähere Umgebung kennenlernen wollte. Er holte lässig aus und stellte bald fest, wie rasch man sich in dieser Stadt mit Distanzen verrechnete. Jedenfalls war das eine ruhige Wohnstraße, in der Nacht noch ruhiger, aber hier dürfte man auch schwerlich ein Taxi finden. Von weitem waren ihm die Reportagewagen aufgefallen, einer neben dem andern parkiert; er realisierte, daß er am Gebäude der BBC entlang ging. Hierher würde er seine ›Message‹ schicken; was für ein riesiger Radio- und Fernsehkomplex; es war nur zu hoffen, daß seine Botschaft auch in die richtigen Hände gelangte und zur rechten Zeit; wenn er an etwas nicht scheitern mochte, dann an dem, der die Post verteilt.

In der Oxford Street sah er sich nach einem Warenhaus mit einer Do-it-yourself-Abteilung um. Zuerst suchte er die Ecke des ›Heimwerkers‹ auf. Wie gut, daß einen niemand bediente, so konnte er in Ruhe die Werkzeuge begutachten, ganz abgesehen davon, daß er gar nicht gewußt hätte, was ›Brecheisen‹ auf englisch heißt. Das Stechbeitel-Sortiment drängte sich geradezu auf. Als er die Blechschere ausprobierte, sagte ihm ein Verkäufer, die Geflügelscheren seien im oberen Stock zu finden. Er prüfte eine kleine Bügelsäge und tat Sägeblätter für Holz und Stahl in den Einkaufskorb, dazu eine Zange und Feilen, eine dreikantige und eine mit einer groben Schraffur. Danach begab er sich in die Abteilung Wäsche und Textilien, wo er zwei billige Handtücher kaufte. Er fragte sich zur Kücheneinrichtung durch. Doch die Plastikbehälter waren alle zu groß oder hatten keinen Deckel. Die Verkäuferin wies ihn in die Abteilung ›Camping‹. Dort fand er Plastikflaschen mit Drehverschluß. Als er acht Stück in den Korb legte, meinte die junge Verkäuferin, das gebe aber ein großes Picknick. Ihr Haarschopf erinnerte ihn an Beatrice. Neben dem Fuß der Rolltreppe hingen an Ständern Reisetaschen; er wählte ein teureres Fabrikat, denn aushalten mußte sie etwas.

Noch an der Kasse packte er das Gekaufte hinein, das Segeltuch mit der Aufschrift ›Grüße aus London‹ spannte sich. So schwer war die Tasche gar nicht, er konnte sie beim Gehen schwingen lassen.

Im Hotelzimmer riß er die Werkzeuge aus den Packungen, legte sie aufs Bett neben Messer und Spraydose. Er ging in seinem Memoblock die Liste durch, und nachdem er die einzelnen Posten abgestrichen hatte, stand noch immer ›Taschenlampe‹ da. Die konnte er notfalls noch am anderen Morgen besorgen; er notierte sich noch ›Trichter‹, ›Leim‹ und ›Klebeband‹. Dann tat er alles in den Koffer, drehte am Nummernschloß und verließ das Hotel mit der leeren Reisetasche.

Am besten würde er wohl in einen Außenbezirk fahren, zum Beispiel East-End. Er wollte eine Tankstelle suchen, wo man sich nicht jeden Kunden merkte, einen Passantenbetrieb, wenn möglich eine Garage mit Ladenabteil, wo man Benzin in Reservekanistern vom Gestell kauft. Gleich in der Nähe von der Stepney Station fand er das gesuchte. Der volle Kanister wog schwerer, als er gedacht hatte, so nahm er nicht die Untergrundbahn zurück, sondern ein Taxi.

Noch bevor er im Hotelzimmer den Kanister auspackte, öffnete er die Fenster und zog die Vorhänge. Als er die Plastikflasche ins Waschbecken stellte, merkte er, daß er vergessen hatte, den Trichter zu kaufen. Mit etwas Vorsicht konnte er sich ans Umgießen machen; nachdem er die Plastikflaschen abgefüllt hatte, schüttete er den Rest in den Abguß. Er hatte sich dabei so tief über das Waschbecken gebeugt, daß er die Dämpfe in die Nase bekam; es roch so penetrant, daß er hinterm Vorhang nach frischer Luft schnappte. Er langte nach dem After-Shave und spritze es im Zimmer herum, der Geruch des Benzins mischte sich mit dem Duft von ›Woods of Windsor‹.

Den leeren Kanister tat er zusammen mit den abgefüllten Plastikflaschen in den Koffer, dann begab er sich in die Hotelhalle zum Kiosk. Er kaufte Zeitungen, die ersten, nach denen er griff, waren solche mit Schlagzeilen. Wieder im Zimmer zurück, machte er den Toilettentisch frei, klappte am Soldatenmesser die

Scherenklinge auf. Er schnitt aus Schlagzeilen und Titeln Buchstaben heraus, nur große, das erste Wort, wofür er Lettern brauchte, lautete ›Protest‹. Das ›P‹ schnipselte er aus einem Bericht über Irland, auf dem dazugehörigen Photo lagen in dem Supermarkt, in dem die Bombe losgegangen war, die Leichen neben einem halbgefüllten Einkaufswagen. Das ›R‹ holte er aus einem Interview mit Bergarbeiterfrauen, die an die Solidarität appellierten. Das ›O‹ lieferte Südafrika: Polizisten, die zusammengerottete Schwarze beschossen, und indische Geschäftsleute standen vor ihren geplünderten Läden. Den nächsten Buchstaben wählte er zwischen arbeitslosen Jugendlichen und einem Flugzeugunglück. Die ›Ts‹ fand er bei der Stationierung von Raketen in Holland und in Aufzeichnungen eines ukrainischen Schriftstellers, der in eine psychiatrische Klinik eingesperrt worden war. Das ›S‹ holte er aus einer Libanon-Reportage: zwei Männer, Gewehre in der Hand, trugen einen, dessen Kopf zerschossen war. Danach schnipselte er an einer Ehescheidung herum, bei der es um eine Abfindung in Millionenhöhe ging, und an der Einweihung eines Katzenheims.

Als er das Buchstabenhäufchen vor sich sah, stellte er vorerst einmal ein Wort zusammen, die Buchstaben waren verschieden groß und von unterschiedlichen Schrifttypen. Er überlegte den Text, den er kleben wollte. Während er noch einzelne Worte gegen andere abwog, merkte er plötzlich, daß er kein Papier hatte; er mochte nicht von den Hotelbogen den Briefkopf abschneiden. Um die Zeit war sicher noch der Drugstore am Piccadilly Circus offen. Er stopfte den leeren Benzinkanister in die Reisetasche und darüber die Werkzeugverpackungen.

Am liebsten hätte er umweltfreundliches Papier gehabt, aber in diesem Drugstore verkauften sie nur teure Briefbogen, Bütten und in jeder Farbe, nur kein weißes, und solches mit Vignetten darauf und Zierrändern; aber dann fand er doch einen Block Schreibmaschinenpapier, wenn auch viel zu dick für seinen Zweck. Was er nicht fand, waren Briefumschläge, es gab keine im Geschäftsformat, dafür lagen direkt vor seiner Nase Rubber-Cement und Klebeband. Als er den Laden verlassen wollte, stellte ihn der Aufseher. Bevor er den Reißverschluß öffnete, hielt er dem Kontrolleur den Kassenbon hin. Der Angestellte war verlegen, als er in der Tasche leeres Verpackungsmaterial von einem Warenhaus fand.

Gerade davon aber wollte er sich befreien. Er begab sich in die Querstraße, auf die er von seinem Hotelzimmer hinuntersah. Kein Mensch war auszumachen, und vor dem geschlossenen Geschäft türmte sich ein Haufen gebrauchter Schachteln und Kisten; er schichtete einige Schachteln um und tat in eine der untersten den Kanister. Da entdeckte er den Mann. Er saß am Boden, an die Hauswand gelehnt, zwischen den ausgestreckten Beinen eine leere Blechdose; der gleiche Mann, den er am ersten Tag neben dem Abfall hatte liegen sehen und der nun die Hand hinhielt. Es blieb nichts anderes übrig, als ihm etwas zu geben, zuviel durfte es nicht sein, sonst sah es nach Schweigegeld aus, aber auch nicht zuwenig, er wollte ihn nicht verärgern. Als er dem Mann die Münzen in die Hand drückte, schaute der nicht einmal hin, sondern steckte es in die Brusttasche seines Hemdes und spielte weiter mit seiner Blechdose. Er entfernte sich, aber bevor er um die Ecke bog, warf er einen kurzen Blick zurück; der Mann hatte im Haufen gewühlt, er hielt den leeren Kanister in der Hand und roch daran.

Als er im Pub »Whisky« sagte, fiel ihm ein, daß man hier nicht ein Getränk, sondern eine Marke verlangte. An der Theke drängten sich die Gäste, und in einer Ecke ließen sie einen hochleben, »a jolly good fellow«. Alle Tische waren besetzt. Da gab ihm einer ein Zeichen, eine Einladung, so gleichgültig vorgebracht, daß es nicht darauf ankam, ob man ihr Folge leistete, ein junger Mann, in seinem Alter etwa; den feuchten Ringen auf dem Tisch nach zu schließen, trank er nicht das erste Bier.

Als er sich hinsetzte und die Tasche unter den Tisch schob, rief der andere: »Do-it-yourself«. Da zuckte er zusammen, sollte ihn dieser bei seinen Einkäufen beobachtet haben? Aber da flüsterte der andere bereits: »Do-it-yourself-Politik«. Sein Whiskyglas noch in der Hand, stellte er dem andern eine Frage, die er sogleich blöd fand: ob er aus London sei. Der lachte nur auf, indem er auf die Tasche ›Greetings from London‹ zeigte: »Hotel? Tourist?« Aber er verspürte keine Lust zu sagen, in welchem Hotel er wohnte; doch der andere erwartete keine Antwort, auf den Tisch gelehnt, die Ellbogen aufgestützt und hinterm Bierglas hervorschauend, zeigte er in die Luft. »Islington.« Der Name sagte ihm nichts, und der andere verzog den Mund, als zolle er sich selber Anerkennung: Er habe das ›Islington Squatter's Book‹ mitverfaßt, ein Handbuch für Hausbesetzer, man müsse alles besetzen, jedes Haus, das leer stehe, auch das Parlament und während der Zwischensaison alle Theater, die Besetzung sei nicht strafbar, nur, wenn dabei etwas beschädigt werde, einzig dafür könne das Gericht einen belangen. Er erhob sich, um ein weiteres Glas Bier zu holen; da stand auch er auf und bestellte nochmals einen Whisky, aber diesmal einen doppelten. Da legte der andere ihm den Arm um die Schulter: er verrate ihm eine Adresse, die beste Agentur für temporäre Arbeit, ›Gentle Ghost‹, und er ließ offen, ob das Stellenbüro hilfreiche Geister oder hilflose Gespenster vermittelte.

Der andere klaubte eine Zigarette hervor, steckte sie in den Mund und klopfte sich die Taschen ab. Da wollte er ihm Feuer geben, aber er merkte, daß er das Feuerzeug im Hotel hatte liegen lassen, und bevor der andere nach Streichhölzern rufen konnte, rief er selber »Streichhölzer«. Die mußte er sich noch besorgen, daß er bis jetzt noch nicht daran gedacht hatte, durchfuhr es ihn, genügend Streichhölzer, nicht nur, weil das Feuerzeug ausfallen konnte, am besten Streichhölzer, wie man sie für den Kamin und das Flambieren benutzt.

Abrupt stand er auf und verabschiedete sich. Als er zur Hinterfront des Hotels kam, warf er einen Blick in die schlecht beleuchtete Querstraße, von deren Hintergrund sich der Abfallhaufen dunkel abhob.

Er spürte den Whisky, was ihn leicht bekümmerte. Er wollte, wenn auch nur zur Probe, das erste Wort seiner Botschaft kleben. Als er den trockenen Gummifilm wegrieb, verschmierte er die Druckerschwärze der Buchstaben und riß das Papier durch. Er machte sich erneut ans Ausschneiden von Lettern und legte einen kleinen Vorrat an, den er in Häufchen aufteilte. Aus dem Nebenzimmer drang irgend ein Bildschirmstreit zu ihm herüber; er schaltete seinen Apparat ein und drehte den Ton zurück. Vom Bett aus sah er sich die Folge einer Serie aus San Francisco an. Ein Callgirl war im Auftrag eines Senators ermordet worden, und zwei Detektive gingen ihr Adreßbuch durch.

Am nächsten Samstag würde er Beatrice besuchen, aber er würde ihr von all dem nichts erzählen können, weil eine Aufseherin mithörte. Er würde wieder einmal das Glas küssen, das sie trennte, an der Stelle, an die sie von der andern Seite ihre Lippen preßte. Er hatte die Hände zwischen den Schenkeln und schlief ein.

Als er erwachte, sprang er gleich aus dem Bett; es war erst vier Uhr. Er langte nach der Brille, ein Glas war zersprungen, mitten durch; das mußte passiert sein, als er das Licht ausgemacht hatte; da war die Nachttischlampe beinahe herunter gefallen, er war dabei an den schweren Aschenbecher gestoßen und hatte den gerade noch aufgefangen und mit festem Griff aufs Tischchen abgestellt. Er besah sich vor dem Spiegel. Mit einer solchen Brille konnte er unmöglich ins Museum hinein, das sah aus, als habe er eine Schlägerei gehabt, als könne er sich eine Reparatur nicht leisten. Im Museum konnte er zwar damit arbeiten, sofern das Glas in der Fassung hielt, was er mit einem leichten Druck kontrollierte. Er tat Wasser in den Kessel, mit einem Beutel und einem Portionenzucker machte er sich einen Tee und nahm sich vor, noch einmal zu schlafen, um gut ausgeruht zu sein.

Ein Motorengeräusch schreckte ihn auf; er hörte Scheppern und er begab sich zum Fenster. Unten stand ein Abfallwagen, und er wartete, bis die letzte Schachtel verladen war. Er legte sich wieder hin. Streichhölzer mußte er noch kaufen. Und den Briefumschlag. Und dann die Taschenlampe, mit Batterien, vielleicht Ersatzbatterien. Zuerst aber Rasierwasser, noch immer hing Benzingeruch in der Luft. Er würde das Täfelchen ›Nicht stören‹ vors Zimmer hängen. Nach dem Frühstück vorerst einmal die Einkäufe und hinterher die Botschaft fertig kleben; wenn er sie am Nachmittag einwarf, würde sie bestimmt nicht vor morgen ausgetragen. Er hatte es unterlassen, sich zu vergewissern, ob die Nebeneingänge nachts offen waren, er würde sich jedenfalls nicht direkt vors Hotel fahren lassen, falls er hinterher ein Taxi erwischte, nur in die Nähe, und von dort zu Fuß zurückkehren. Die Tasche würde er zurücklassen müssen, das Werkzeug sowieso, er hoffte nur, daß ihn das Feuer nicht einholte, und kaltes Blut würde er bewahren müssen, wenn der Alarm losging.

Nachdem er die Einkäufe getätigt, die Botschaft geklebt und sie in das braune Couvert gesteckt und nachdem er das Zimmer ein zweites Mal mit Rasierwasser besprengt hatte, ging er ans Packen. Er richtete auch den Koffer soweit her, daß er nur noch das Toilettenzeug hineinzutun brauchte. Die Hotel-Rechnung für die zwei verbleibenden Nächte würde er auf alle Fälle noch heute bezahlen. Er staunte, daß die Plastikflaschen in der Tasche Platz fanden, nur eine mehr wäre schon zuviel gewesen; um die Werkzeuge wickelte er Papier, damit man nichts hörte, wenn sie aneinanderschlugen, zuoberst, griffbereit, legte er das Soldatenmesser mit der aufgeklappten Ahle und deckte es mit Papiertaschentüchern zu. Für den Moment brauchte er nur noch zu warten.

Als er sich dem Museum näherte, warteten vor dem Eingang nur ein paar Leute. Das würde sich nach der Essenszeit wohl ändern, dann würde sicher wieder eine Schlange anstehen. Es war überhaupt noch zu früh, um ins Museum zu gehen. Er löste ein Kombinationsticket und erkundigte sich, wie lange die Vorstellung im Planetarium dauerte; danach würde es genau richtig sein, zur Tat zu schreiten.

Er wartete im Ausstellungsaal auf den Beginn der Show. Er hielt die Brille in der Hand und benutzte sie wie ein Lorgnon. Oben auf einer durchsichtigen Kunststoffscheibe saß Einstein und ließ die Beine ins All baumeln, der Gelehrte blickte nach unten am Lieben Gott vorbei, von ihm war nur der Finger zu sehen, den der Allmächtige ausstreckte, um das Sonnensystem zu schaffen, das als Modell aufgebaut worden war. Hinter den Planeten, die um die Sonne kreisten, betätigte einer, in ägyptischer Kleidung, ein Räderwerk. Für eine Verschnaufpause stellte er die Tasche ab und las, die Augen nahe am Text, die Legende zu einer Sternkarte. Mit einem Urknall hatte es begonnen. Es würde auch mit einem Knall enden, selbst wenn die Explosion, die er auslösen wird, nicht so laut sein wird. Da kündigte ein Gong die Show an. Er ging die geschwungene Rampe hinauf, wartete mit den andern vor der Türe, sah zu den Zirkeln und Fernrohren hinunter, nun befand er sich hoch über Einstein und über dem Lieben Gott.

Er kuschelte sich in einen Sessel; die hohen Lehnen waren gepolstert, damit man den Kopf zurücklehnen konnte, denn die Vorführung spielte sich unter einem Kupferdom ab. Hier war einst ein Kino gestanden; es war von deutschen Bomben zerstört worden, und eine deutsche Firma hatte den tonnenschweren Projektor geliefert, der mitten im Raum stand. Die Besiegten halfen den Siegern beim Blick ins Weltall. Das Universum öffnete sich über ihm; als das Licht ausging, schimmerten nur noch die roten Notausgänge.

Dank Tausendwattlampen leuchteten Sterne auf, zuerst die der ersten Größe. Illuminatoren ermöglichten ihnen ihr weißes und blaues Licht. In seinen Sessel zurückgelehnt, erlebte er, wie im Streulicht Dämmerung entstand, und Blinker über den Linsen funktionierten wie Augenlider und verhalfen den Sternen zu ihrem allmählichen Verblassen. Lautlos arbeiteten die drei Motoren für den jährlichen Umlauf der Erde und die beiden für die Umdrehung eines Tages. Gradweise rückte die Sonne vor; sie wanderte vom Winterpunkt zum Sommerpunkt und führte Jahreszeiten vor, und sie verfinsterte sich, und der Mond bot das gleiche Schauspiel, als auf ihn kein Licht mehr fiel. Frei von jeder Verschmutzung war die Luft, eine klare Nacht, durch nichts getrübt. So reichte sein Blick bis zu den fernsten im Weltall noch erkennbaren Objekten, den Quasaren. Als die Schnelläufer auftauchten, vermochte er ihnen kaum zu folgen, so rasch fuhren sie über den Himmel. Er war auch dankbar, daß die Meteoren ihren Eintritt aus dem Weltraum in die Atmosphäre wiederholten und noch einmal als Sternschnuppe vorbeihuschten, und er versuchte zu verstehen, von welchen außerirdischen Ereignissen die Feuerkugeln berichteten. Zwischen Fixsternen wurden Linien gezogen, und er erkannte am Firmament eine Waage und einen Skorpion, der mit seinen Scheren Sternhaufen zu knacken schien, dann sah er einen Schützen, der in die Knie ging, und darauf sein eigenes Sternzeichen. Er sah gebannt in die schwarzen Löcher, um die sich junge Galaxien formierten. Was aufleuchtete, konnte aus Staub, Eisen und Eis bestehen, war einmal nur ein Reiben an der Luftschicht oder ein Verdampfen einzelner Teile. Die Kometen zogen als Schweif eine Gaswolke hinter sich her und verkündeten nicht einmal Unheil. Für die Bahnen, die gezogen wurden, gab es Fluchtgeschwindigkeiten. Er rechnete in Mondphasen und Sternentagen. Die Distanzen wurden nicht in Kilometern, sondern in Lichtjahren gemessen. In den Nebeln zeichneten sich dunkle Flecken ab, und was er als Punkt zur Kenntnis nahm, waren Eruptionen und Explosionen. Er merkte sich, daß die Lebenserwartung von Sternen nicht über hundert Millionen Jahre hinausging. Als er einen Satelliten sah, der am Himmel seine Bahn zog, schloß er die Augen, als könne er auf diese Weise deutlicher empfangen, was der Kunststern an Information über das zurücksandte, was er auf seinem Weg ins Verglühen notierte.

Als das Licht anging, blieb er erst eine Weile benommen sitzen, bis er erschrocken nach seiner Brille griff. Er packte seine Tasche und bewegte sich gemächlich nach draußen. Einige Besucher deckten sich am Stand mit Würstchen und Eis ein. Er schlenderte hinter ihnen her; er wollte der letzte sein. Wie erwartet, hatte sich wieder eine Schlange gebildet. Beim Eingang ›Für Gruppen‹ hielt er sein Ticket hin, die Tasche fest in der Hand. Er schritt über die Schwelle. Als er beim Treppenabsatz den ersten Feuerlöscher sah, öffnete er die Tasche und holte das Soldatenmesser unter den Papiertaschentüchern hervor. Er hatte einen Blick ins Weltall getan, nun ging er daran, die Weltgeschichte einzuschmelzen.

Der König und der Diktator, der Henker und der Lakai, sie alle würden ihren Kopf verlieren. Ihre Gesichter würden ihnen an der Gurgel kleben und von dort weiter hinab bis zu den Füßen rutschen, und Staatsmänner würden zerfließen, als seien sie aus jenen Tränen gemacht, die sie ihren Völkern zu verheißen pflegten, und aus jenen Träumen, die sie ihnen vormachten. Vielleicht würde der Star noch singen, auch wenn seine Lippen sich längst verformt hätten, und Dornröschen noch atmen, obwohl ihm die Brust weggeflossen ist und sich mit den Händen der Dienerin verbindet, die am Vertropfen wäre. Alle Finger, die Urteile unterschrieben, die sich an etwas klammerten und Federkiele hielten, sie alle würden zu Stummeln werden und Adern bilden, die sich selber auflösen. Das Wachsfleisch des Kardinals würde am Boden kriechen und zusammen mit dem des Baseballspielers die Treppe suchen und keinen Ausgang finden, und man würde zwischen Richter, Henker und Verurteilten nicht mehr unterscheiden können. Ob sie im Parlament oder auf dem Bildschirm auftraten, ob sie im Kabinett, im Boudoir oder auf der Straße spielten, sie alle würden in die Knie gehen, und die Knie würden ihnen weich werden. Und einige würden brennen. Und menschlich würde es riechen, nach verbranntem Haar. Und bei dem, was da ineinander floß, wäre nicht mehr auszumachen, ob die breiige Masse einst ein Diadem oder einen Stetson trug, ob Helm oder Zylinder. Der Tapferkeitsorden fände zum Pinsel, und die Halsschraube würde am Hirtenstab kleben – und übrig bleiben wird ein riesiger unansehnlicher Klumpen.

Sollten die beiden Detektive, die meine Wohnung durchsuchten, wiederkommen und diese Geschichte entdecken – etwas Willkommneres kann ihnen nicht in die Hände fallen. Und gar, wenn sie herausfinden, daß ich mich zur fraglichen Zeit in London aufgehalten habe.

Wäre es nicht klüger, ich würde die Papiere verschwinden lassen? Oder mindestens einen Teil davon. Das Ganze zu vernichten, ist zu riskant. Wer weiß, vielleicht wissen die beiden von der Existenz dieser Papiere und haben sie nicht an sich genommen, um mir eine Falle zu stellen.

Ich frage mich bloß, was ich vermeiden will und ob es überhaupt etwas zu vermeiden gibt.

Zudem – es sind die Papiere des Immunen. Weshalb soll ich mir Sorgen machen, was mit ihnen geschieht und wofür sie benutzt werden? Warum sollte man mich für etwas belangen, das ich nicht getan habe? Daß ich wegen des Verschwindens des Immunen mich verdächtig machte, genügt mir. Anderseits ist es doch so, daß nicht alle für das belangt werden, was sie getan haben. Aber jede Gesellschaft ist nun einmal auf ein gewisses Quantum Gerechtigkeit angewiesen, und so sind es nicht immer die Schuldigen, die dieses Soll erfüllen.

Dem Immunen zuzuschieben, was ohnehin ihm gehört, dürfte nicht schwer fallen, wenn ich an all die Gerüchte denke, die stets über ihn kursieren. Warum sollte ich nicht einmal von dem profitieren, was mir oft genug peinlich war, wenn nicht gar Schwierigkeiten bereitet hat.

Nur schon unsere unstete Lebensweise hat Anlaß zu allerlei Gerede gegeben. Es war unvermeidlich, daß die beiden Detektive sich gleich nach dem Koffer erkundigten, der neben der Wohnungstüre stand und in dem sie Rasierzeug und frische Wäsche fanden. Diese hatte der Immune erst in letzter Zeit in den griffbereiten Koffer getan, den er schon immer hatte im Flur stehen lassen, weil er fand, ein Koffer sei ein nützliches und schönes Möbelstück, er diene ebensogut als mobile Kommode, um alte Zeitungen, Pakete oder Einkaufstüten draufzulegen, wie als Serviertisch.

Der Immune mußte sich den Vorwurf der Hochstapelei gefallen lassen, wenn er zum Beispiel für zehn Minuten verschwand und nach seiner Rückkehr behauptete, er habe bei den Eskimos Schlittenhunde gefüttert. Ich nahm natürlich an, er sei durch den Bildschirm unseres TV-Apparates verschwunden. Aber merkwürdig – als ich im Programm nachsah, bot kein einziger Kanal einen Abstecher nach Grönland. Und der Immune, der mich beim Nachsehen ertappte, gestand mir: Er sei tatsächlich nicht bei den Eskimos gewesen, die kennen wir doch noch aus der Zeit, als wir Lebertran schlucken mußten, nein, er sei auf dem Dach der Welt gewesen und habe dort ein paar Ziegel erneuert.

Aber wenn er dann wieder mehr als ein halbes Jahr weg war, mußten sich die Leute fragen, was er da gemacht habe, und auch, wie er sich so etwas leisten könne.

Ich weiß noch genau, was man sich alles zuraunte, als er zu seiner ersten Reise in den Fernen Osten aufgebrochen war. Die einen behaupteten, er habe für Muslims gearbeitet, die keine Zinsen nehmen dürfen aber dennoch Banken unterhalten; allerdings sei er verjagt worden, als er die ersten Raten einziehen wollte, weil die Zahlungsunfähigen ihm vorwarfen, er habe nicht den richtigen Glauben. Andere meinten hingegen zu wissen, er habe nicht auf einer arabischen Bank gearbeitet, sondern auf einer kommunistischen in Hongkong, er habe dort kapitalistische Transaktionen vorgenommen, die seinen Arbeitgebern ideologisch nicht zugemutet werden konnten.

Aber von all dem stimmte nur, daß er sich auf dieser Reise zwischendurch auch damit durchschlug, daß er bei einem chinesischen Metzger aushalf; der verkaufte Fleisch an Buddhisten, die keine Tiere töten dürfen aber geschlachtete essen.

Und noch etwas ganz anderes wäre wahr gewesen. Aber davon konnte niemand etwas ahnen, denn es spielte sich nur zwischen uns ab, dem Immunen und mir. Das war damals, als uns zum Schutz und zum Kraulen Schamhaare gewachsen waren, und das war lange bevor es die Pille gab.

Der Immune schickte mich zum Sündigen aus, und wir verbanden damals auf Grund unserer Erziehung das Sündigen in erster Linie mit all dem, was mit unserem Unterleib zu tun hatte. Der Immune erklärte, ich könne mich getrost ans Sündigen machen, er übernehme den Part des schlechten Gewissens.

Natürlich behagte mir ein solcher Auftrag, auch wenn der Immune immer unerbittlicher wurde und verlangte, daß ich kein Alter und kein Geschlecht auslasse, wobei es viel mehr Alter als Geschlechter gab. Das wurde mir auf die Dauer zuviel. Er aber drängte darauf, es gehe gar nicht um meine private Lust, sondern ich müsse nachholen, was unsere Väter und Mütter verpaßt hätten. Ich aber mochte nicht in Stellvertretung bis zum Wundsein Lust empfinden, so daß ich auf freien Wochenenden beharrte.

Statt zu antworten, holte der Immune Watte und ein Desinfektionsmittel und jene Lanzette, vor der ich als Kind Angst gehabt hatte. Er entnahm mir Blut. Er wollte schauen, ob ich beim Sündigen irgendwelche Antikörper ausgebildet hätte. Aber er fand in meinem Blut nichts Derartiges. Seiner Meinung nach hatte ich uns um das Geschäft unseres Lebens gebracht; er hatte ein Serum gegen das schlechte Gewissen entwickeln wollen, wobei er selber noch keineswegs wußte, wie man das hätte auf den Markt bringen sollen.

Stattdessen schickte er mich an eine europäische Tagung christlicher Unternehmer. Ich sollte ihnen den Vorschlag unterbreiten, daß wir, gegen angemessene Entschädigung, bereit seien, für sie zu verachten und auszunutzen und gar zu hassen, da sie ja, gemäß ihrer Devise »Liebe Deinen Nächsten«, dies alles nicht selber tun könnten. Und ich muß fairerweise sagen, der Immune hat mich hinterher regelmäßig im Krankenhaus besucht und mir beim Humpeln geholfen, bis ich den Gips ablegen konnte.

Erst viel später hat er sich einmal fast beiläufig erkundigt, ob ich bei meiner Sünder-Tätigkeit auch geliebt hätte. Ich war geradezu indigniert, daß er dies in Frage stellte. Er meinte nur, es sei erstaunlich, ich hätte auch keine Antikörper gegen die Liebe ausgebildet.

Er hatte mich benutzt, als Spendertier, wie ich behauptete, als Wirt, wie er selber meinte.

Dabei konnte er von sich selber sagen, er komme sich vor wie ein Pferd, in das man Schlangengift gespritzt habe, wenn schon, wäre er lieber direkt gebissen worden. Aber da er allen Vergleichen mißtraute, korrigierte er auch die eigenen. Und so redete er von sich als dem Wachs, das man beim Gießen von Plastiken verwendet, er diene dazu, daß etwas zu Form und Aussehen komme, er selber aber sei aus jenem Stoff, der bei diesem Prozeß verloren gehe. Und korrigierte sich gleich ein weiteres Mal: er sei das verlorene Wachs, das sich immer wieder finde.

Aber am Ende hat uns weder die Stärke eines Pferdes noch die Weichheit von Wachs weitergeholfen.

Die Idee der Stellvertretung faszinierte den Immunen aus verschiedenen Gründen. So träumte er von der Möglichkeit, etwas in Abbreviatur zu erleben. Die meisten Menschen würden für das, was sie erlebten, viel zu viel Zeit aufwenden, ein ganzes Leben – was für eine Verschwendung. Wenn man das Ganze in einem abgekürzten Verfahren durchmachen könnte, hätten in einem einzigen Leben mehrere verschiedene Platz.

Davon hatte er zum ersten Mal gesprochen, als wir unsere Pocken durchmachten. Es hatte mit Benommenheit und Übelkeit begonnen, und dann setzten fürchterliche Kreuzschmerzen ein. Unser Körper bedeckte sich mit Blattern, nur die Leistengegend und die Achselhöhlen blieben frei; die Knötchen wuchsen zu erbsengroßen Blasen, und erschrocken sahen wir uns ins Gesicht, das von Pickeln, Eiterbeulen und Pusteln bedeckt war. Aber dann trockneten alle Blattern aus, der Schorf fiel ab, und in unserem Gesicht erinnerte nichts an das, was wir hinter uns hatten. Der Immune schlug mir lediglich auf die Finger, wenn ich wegen des unerträglichen Juckreizes am Oberarm an den Einritzstellen kratzen wollte.

»Wie das ist, Pocken, das wissen wir jetzt«, stellte der Immune fest, »jedenfalls kein Grund, um sich entstellen zu lassen oder gar daran zu sterben.« Ihn ärgerte aber, daß die Impfnarben so groß waren, da habe es ja kaum noch Platz für andere.

Es ist möglich, daß er schon damals daran dachte, selber

Impfstoffe herzustellen. Mit solchen experimentierte er aber erst später, wobei ich immer noch nicht weiß, ob sein ›Heimchemiker‹ ausreichte, um Tropoxin herzustellen. Wäre er nicht der Immune, würde ich sagen, er habe es in jenem Alter getan, da man überzeugt ist, daß alles, was man unternehme, im Dienste der Menschheit zu geschehen habe.

Jedenfalls mußte ich sein Tropoxin schlucken, als ich zum ersten Mal Ferien in den Tropen plante, es schmeckte leicht nach Ananas. Dank ihm habe ich die schönste Tropennacht meines Lebens nicht unter dem Kreuz des Südens verbracht, sondern am Tag vor meiner Abreise zuhause in einer nebeldicken Novembernacht. Während draußen ein kalter Wind an den Fenstern rüttelte, hörte ich, wie Bambusstangen aneinanderschlugen, und ich vernahm, wie Schlegel auf den Stahlfässern tanzten und Rasseln den Rhythmus angaben. Ich ließ mich an Lianen vorbei durch einen Mangrovensumpf rudern, und in den Bäumen war die vielfältige Buntheit der Vögel nicht von der der Blüten zu unterscheiden. Die Frauen trugen Jasmin im Haar und Muschelketten um den Hals, und während die Sonne jede Möglichkeit des Spektrums bei ihrem Untergang ausspielte, nippte ich an einem eisgekühlten Kokoscocktail und sah dem Mulatten zu, der sich an Lautsprechern zu schaffen machte, die in den Bananenstauden hingen.

Bevor ich in die Tropen reiste, hatte ich das Tropenfieber dank Tropoxin bereits erlebt. Als ich auf der Insel ankam, wurde ich zwar ins Hotel gefahren. Aber ich saß nicht an einem Swimmingpool, sondern an einem Strand, wo sich der Geruch der Algen mit dem der Exkremente mischte, und ich bediente mich nicht an einem Buffet, sondern stand auf einem Markt herum, wo Frauen die Fliegen von Innereien wegwedelten und nackte Kinder mit aufgetriebenen Bäuchen aus Näpfen Klumpen von Mandiokamus herausfingerten und sich einige Alte um Fischabfälle stritten.

Strahlend stand der Immune an jenem Stück Strand, wo der weiße Sand für die Gäste gesäubert wurde; er war überglücklich, mir die Ferien verdorben zu haben, ich war der erste gewesen, der sein Tropoxin genommen und der in seinem Sinne reagiert hatte.

Und er, der sich in diesen Papieren Gedanken macht, weshalb den Toten die Augen offen stehen, er hatte mir damals gesagt, man müsse den Lebenden den Blick brechen.

Ich war, das mußte ich zugeben, einen Moment lang recht schadenfreudig, als ihm die Sache mit dem Tropoxin mißlang. Er hatte die Formel gegen eine lächerliche Summe an einen Chemiekonzern verkauft. Aber das Pharmazeutikunternehmen hatte gar nicht die Absicht, Tropoxin herzustellen, sondern ließ die Formel in einem Tresor verschwinden. Der Immune behauptete auch später, er kenne den jährlichen Betrag, den Fluggesellschaften und Reisebüros an die Chemische Fabrik für den Ausfall bezahlten, der dieser wegen der Nichtproduktion von Tropoxin entstand.

In-Stellvertretung-leben, dazu gehörte ja auch seine ›Tischlein-deck-dich-Methode‹.

Das alles aber hatte auch damit zu tun, daß wir mit Ersatzteilen handelten, Restposten aufkauften und weiter vermittelten. Aber wir waren damit in Schwierigkeiten geraten. Der Immune hatte gewöhnlich mit dieser Stelle in Genf zu tun, die international kontrolliert, ob das, was auf Lieferscheinen, Frachtbriefen, Konossementen, Warenbegleitpapieren und Zollerklärungen stand, auch mit dem übereinstimmt, was verpackt ist. Mit Verwunderung hatten wir zur Kenntnis genommen, daß in den Kisten, auf denen wir als Absender figurierten, Waffen verpackt waren und nicht Handkurbeln, wie wir deklariert hatten. Der Immune hatte die größte Mühe, den Nachweis zu erbringen, daß man seinen Namen mißbraucht hatte. Und er traf auch einen Vertreter der Waffenfabrik, die die Lagerung unserer Kisten in einem Containerhafen benutzt hatte, um die Waren umpacken zu lassen, und dieser meinte in einem vertraulichen Gespräch, einem Immunen mache doch so etwas nichts aus. Damals war der Immune recht erschrocken, er hatte bis zu diesem Zeitpunkt nie daran gedacht, zu was für Anbiederungen und Verbrüderungen allein sein Name schon verführt.

Unsere Sendung war an einen Nigerianer adressiert gewesen, mit dem wir zwar nicht oft, aber doch regelmäßig Geschäfte getätigt hatten. Sein Vater hatte noch mit Palmwein gehandelt und manchem Tierfänger geholfen, Krokodile für europäische Zoos zu jagen. Er selber hatte eine der besten Missionsschulen besucht, aber für seine Ausbildung gab es noch gar keinen entsprechenden Posten. Als er in einer englischen Zeitung das Inserat eines Krankenhauses las, flog er gleich für die Blut- und Gewebebestimmung nach London, ließ sich eine seiner Nieren herausnehmen, und den Betrag, den er dafür erhielt, benutzte er als Startkapital für seine Export- und Importfirma. Aber er machte sein Geld erst, als er eine Plasmapheresestation errichtete; er beschäftigte über zwanzig Leute, welche im Achtstundentag Blut abzapften, wobei er nur mit wenigen professionellen Blutspendern arbeitete. Wir wußten davon, weil er uns geschrieben hatte, ob wir nicht günstige Zentrifugen liefern könnten, er sei darauf angewiesen, das Blut an Ort und Stelle zu fraktionieren.

Aber erstens hätten wir damals gar nicht so kostspielige und kostbare Dinge vermitteln können, und zweitens hatte der Immune zusehends das Interesse daran verloren, sich nach einem Rüttelschuh für Windmühlen umzusetzen oder nach Schwungrädern für Tretnähmaschinen, obwohl unsere Kunden meistens zufrieden waren wie die Brauereien, denen wir Malzwender verkauften, und die kleinen Fehler bei den Schweißerschutzhandschuhen hatten wir korrekt in Abzug gebracht. Das Interesse des Immunen hatte nicht einfach nachgelassen, weil wir einmal auf einem Posten Schneiderbürsten sitzen geblieben waren: die konnte er en bloc losschlagen, als eine einheimische Schneiderwerkstatt, die an Bergbäuerinnen Heimarbeit vergab, den Auftrag erhielt, für unsere Armee Frauen-Uniformen herzustellen.

Es waren andere Ersatzteile, die den Immunen zu beschäftigen begannen, wie auch aus diesen Papieren hervorgeht. Er legte eine Liste von Firmen an, die Krücken und Prothesen produzierten. Unter seinen Notizen findet sich auch die Adresse eines Instituts, das Kniescheiben aus Porzellan empfiehlt. Und ebenso die Firma, die auf Nährböden natürliche Haut züchtete, was großflächige Transplantationen bei Verbrennungen oder für kosmetische Zwecke erlaubt. Oder jene Firma, die Herzen aus Plastik und anderen Kunststoffen herstellt.

Jedenfalls war ich überrascht, als ich das Paket entgegennahm. Wir, der Immune und ich, hatten uns mit dem Postboten geeinigt, daß jeder von uns für den andern die eingeschriebenen Sendungen quittieren durfte. Diesmal aber sah mich der Postbote lauernd an, nicht nur, weil ich Strafporto zu bezahlen und gleich zweimal zu unterschreiben hatte. Aber auf der Zolldeklaration stand als Warenangabe ›1 Herz‹, und beim versicherten Betrag war ›Muster ohne Wert‹ eingetragen, und auf dem Paket klebte das Etikett ›fragil/zerbrechlich‹.

Gerne hätte ich das Paket gleich aufgemacht, aber wir respektierten gegenseitig unsere Postsendungen. Doch war ich dabei, als der Immune das Herz auspackte; er hielt es in die Höhe, betrachtete die Pumpe, sah nach, wieviel Kammern sie hatte, und sagte: »Faß mal an, das kann genauso kalt sein wie ein Originalherz.«

Er hatte dieses Herz in seine Sammlung getan, zum Beatmungs-Adam, zu seinem hohlen Heiligen und zum Wurzelpärchen. Aber dort blieb es nicht lange. Denn eines Tages brachte unsere Putzfrau ihren Jüngsten mit, und der machte sich im Zimmer des Immunen zu schaffen; er holte sich das Herz von der Kommode, blies darauf und entlockte ihm die seltsamsten Töne.

Ich hatte mich leicht beengt gefühlt, als der Immune das Herz hatte kommen lassen, aber ich war erst recht verlegen, als er unser Ersatzherz einem Kind als Spielzeug schenkte.

Er hatte mir an diesem Herzen aus Spritzguß erläutert, wo seine größten Probleme lägen. Er sei noch nicht so weit, daß er mit absoluter Sicherheit zwischen Eigenem und Fremdem unterscheiden könne. Es gebe Fremdes, das Gefahr bedeute, und gegen dieses müsse man sich wehren; aber es gebe Fremdes, das unerläßlich sei fürs Eigene, und dieses Fremde dürfe man nicht abstoßen, sondern das müsse man aufnehmen – es könnte doch der Moment kommen, da wir nur noch dank Fremdem weiterleben könnten.

Ja, wir waren in letzter Zeit immer mehr auf Fremdes angewiesen. Ich frage mich nur, was ich ohne den Immunen mit dem Eigenen anstellen soll.

Aber hatte er nicht einmal gesagt, Leute wie wir, die könnten nur an sich selber sterben? Und ich hatte danach gemeint, soetwas habe man in der Hand.

Die, die sich in letzter Zeit nach dem Immunen erkundigten, würden sich wundern, wenn sie erführen, wo er selber seine Probleme sah. Aber wenn immer mehr Leute nach ihm fragten, dann nur, weil immer mehr ihre Nase in die Luft hielten, als könne man die Katastrophe riechen. Leute, die versuchten, sich an die gute alte Zeit zu erinnern, als man die Aussätzigen auf eine Insel verbannte und als man die Türe verriegelte, wenn man die Pestrasseln hörte.

Es hatte schon immer einige gegeben, die sich an den Immunen herangemacht hatten. Sie dachten, ein Immuner sei ein nützlicher Geschäftsmann. Oder mindestens ein idealer Ratgeber. Und in der Tat, der Immune hatte ja auch eine Zeitlang als Briefkastenonkel gearbeitet. Das war kurz bevor unsere Bundesbahnen für die Protestaktionen Demonstrationsbillette ausgaben und Entlastungszüge einsetzten.

Der Okkasionist im Boutiquismus

Kennen Sie den? Nach dem Umsturz machen sich zwei Straßenkehrer an ihre Arbeit. Da sagt der eine Arbeiter zum andern: »Ich habe gemeint, nach der Revolution würden die Herren die Straße kehren.« Worauf der zweite antwortet: »Aber wir sind doch jetzt die Herren.«

Lieber Neffe, wenn wir unsere Ausführungen mit einem Witz beginnen, dann nicht nur, weil ein Witz das Terrain für einen ersten Kontakt ebnet, und auch nicht bloß, weil oft ein Witz eine Situation bestens zusammenfassen kann. Wir haben uns stets darüber gewundert, daß der Witz nicht in vermehrtem Maße an den Hochschulen gepflegt wird. Aber akademische Arbeit faßt sich nun einmal als Textanmerkung auf und hofft, selber wieder Anlaß zu einer Textanmerkung zu werden; so würde dem Witz unweigerlich die Erklärung folgen, nach dem Prinzip: kurz der Witz und lang der Kommentar.

Nein, wir haben unsere Ausführungen mit diesem Witz begonnen, weil er anschaulich illustriert, wie folgenreich die Verwendung des Wortes sein kann, und diese Erkenntnis dürfte auch für Sie ausschlaggebend sein – erstaunlich, wie man die Welt verändert, indem man die Dinge neu benennt und alles beim Alten läßt.

Soweit unsere Hinweise, lieber Neffe. Jedenfalls möchte ich Ihnen für das Vertrauen danken, das Sie unserer Zeitung entgegenbringen. Wir haben den bisherigen ›Briefkasten‹ ausgebaut. Wie sehr dies einem Bedürfnis entspricht, geht schon aus der wachsenden Zahl all derer hervor, die unsere Abteilung Lebenshilfe in Anspruch nehmen.

Nun schreiben Sie in Ihrem Brief, d. h. im Post-Scriptum, ob es in einer Zeit der Partnerschaft noch immer so etwas wie Eifersucht gebe. Dafür bin ich nicht zuständig. Ich habe ihr PS an Frau Buschi weitergeleitet, die Ihnen direkt antworten wird; sie wird in vierzehn Tagen wieder Ihre Beratertätigkeit aufnehmen: vielleicht hilft Ihnen für die Zwischenzeit ihre Broschüre ›Hundert Antworten auf Sex‹, die Sie jederzeit gegen Franken neunzehnachtzig bei unserem Kundendienst anfordern können (auch telefonisch).

Da es mir in diesem Punkt ganz einfach an Kompetenz mangelt, will ich mich umso eingehender mit dem befassen, was nach Ihren eigenen Worten Ihr ›Grundanliegen‹ ist. Dabei müssen Sie bedenken, daß ich natürlich nur generell antworten kann und es bei Hinweisen belassen muß. Unser ›Briefkasten‹ war in letzter Zeit verschiedentlich Angriffen ausgesetzt, die Konkurrenz verdaut nur schwer unsere Auflagesteigerung – aber schließlich ist etwas, das auf einer Kanzel verkündet wird, nicht deswegen schon falsch, weil der, welcher es verkündet, nicht in den Himmel kommt.

Allerdings werde ich für meine Antwort etwas ausholen müssen, denn Ihre Frage ist recht komplex – ein Wort übrigens, das Sie sich gleich merken müssen. Denn sollten sie den von Ihnen angestrebten Weg auch einschlagen wollen, wird Ihr Erfolg nicht zuletzt vom Umgang mit dem Wort ›komplex‹ abhängen. Sie müssen alles darauf anlegen, Ihre Gegner auf eine Gerade zu bringen, und dann beweisen, wie diese sich krümmt und windet; da es sich unvermeidlicherweise um Menschen handelt, wird es ein leichtes sein, Widersprüche innerhalb des Argumentierens und zwischen Argumentieren und Handeln aufzudecken. Für sich selber aber, oder für Sie persönlich oder für Ihre Gruppe, müssen Sie sich gegen die schrecklichen Vereinfacher wehren, gegen die, welche das Ganze nicht als Ganzes sehen wollen. Es wird an Ihnen sein, darzulegen, wie komplex Ihre eigene Situation ist, und daß man die momentanen Umstände mitberücksichtigen und das ganze Umfeld in seiner ganzen Komplexität miteinbeziehen müsse.

Ja, die Sache kann manchmal so komplex sein, daß man sich fragt, weshalb die Feinde sich nicht mit Vorteil zusammentun und einander beistehen, um das besser zu verstehen, dessentwegen sie sich bekämpfen.

Sie schreiben, Sie möchten gerne wissen, welche Aussichten in unserer Gesellschaft bestünden, wenn Sie sich nicht ›irgendwie im Geschäftlichen‹ einrichten, sondern ›im kulturellen Bereich, eventuell im intellektuellen oder in artverwandtem‹.

Dazu muß ich gleich bemerken, daß das Kommerzielle und Intellektuelle einander keineswegs ausschließen, sondern daß das eine mit dem andern sehr viel zu tun hat – je geistiger einer auftritt, umso dringlicher die Frage, wie er seine Miete bezahlt.

Denn was immer Sie auch produzieren, Sie werden es verkaufen müssen, und die Frage wird sich stellen, ob Sie mit dem Produkt auch sich selber verkaufen, und wenn Sie sich einmal verkauft haben sollten, dann wird es für Sie wichtig sein, darauf zu achten, daß auch die andern sich verkaufen. Dafür können Sie sich merken: wer behauptet, er sei teuer, ist immer günstig, denn er läßt sich umrechnen.

Jeder von uns muß nun einmal von etwas leben – nicht auszudenken, wie eine Gesellschaft aussähe, in der wir nicht von etwas lebten, sondern für etwas.

Nun erkundigen Sie sich, wie es mit der Arbeit in der Werbung stehe.

Blättern Sie einmal den Anzeigenteil unserer Zeitung langsam durch, betrachten Sie die Broschüren oder Faltprospekte unserer Wurfsendungen genauer, verweilen Sie einmal länger vor den Plakatwänden oder widmen Sie den TV-Spots vermehrt Zeit, und Sie werden feststellen, wieviel Phantasie in all diesen Hervorbringungen zum Ausdruck kommt.

Ein Volk glaubt an das, wofür es Phantasie aufwendet, und was den Umsatz betrifft, sind wir eines der gläubigsten Völker. Nur scheint es so zu sein, daß jedes Volk lediglich über einen bestimmten Vorrat an Phantasie verfügt, so daß sich für uns das Problem ergibt, ob für uns überhaupt noch etwas Phantasie übrigbleibt, nachdem wir sie in unsere Wirtschaft gesteckt haben.

Es wäre keinesfalls verlorene Zeit, wenn Sie in einem Werbebüro eine Schnupperlehre absolvierten. Sie könnten da die Einsicht gewinnen bzw. vertiefen, wie wenig das Wort mit dem zu tun hat, was es bezeichnet, und diese Erfahrung könnten Sie später brauchen, auch wenn Sie nicht nur für Produkte, sondern für

Ideen werben und zeitkritische und ideologische Faltprospekte entwerfen.

Nun ist es auch gar nicht möglich, daß einer an all das glaubt, was er an die Frau oder an den Mann bringen will. Einer meiner Kollegen, der jetzt wieder frei arbeitet, dachte sich zum Zeitvertreib Himmelsbelohnungen und Höllenstrafen für seine Umgebung aus; er hat die Werbetexter zu einer Hölle verurteilt, in der sie leben müssen mit all dem, von dem sie einst behaupteten, es gehöre zum Glück – eine hautfreundliche, porentiefe und kußfrische Ewigkeit lang.

Sicher, man kann aus einem Esel kein Pferd machen, indem man ihm die Ohren stutzt. Aber man kann von einem Pferd so reden, als sei es das einzige, das vier Beine und einen Schwanz habe, und die Hohe Kunst besteht darin, aus einem wiehernden Pferd ein redendes zu machen, das selber sagt, was es in der Krippe wünscht.

Sollte eine spätere Zeit einmal erfahren wollen, wie die Hoffnungen und Erwartungen unserer Jahrzehnte beschaffen waren, über unsere geheimen und offenen Wünsche wird man aus den Texten der Werbeleute mindestens soviel erfahren wie aus den Werken der Philosophen und Schriftsteller. Ist es nicht aufschlußreich, daß die Jugend, soweit sie protestiert, sich ebenfalls an Sprüche hält? Nur daß sie diese nicht im Auftrag von jemandem hervorbringt und dafür nicht die Plakatwände benutzt, für die man Miete bezahlt, sondern Betonmauern und Hauswände, für die kein Tarif feststeht.

Ja, vielleicht leben wir überhaupt in einer Zeit der Sprüche, selbst dort, wo wir verzweifelt sind.

Schon deswegen könnte eine Schnupperlehre bei der Werbung von Vorteil sein.

Auf jeden Fall würden Sie ›Instant-Denken‹ und ›Instant-Schreiben‹ lernen, so zu reden und zu formulieren, daß das Geäußerte sofort löslich ist; ein bißchen Wasser darüber, umrühren, und schon ist die Botschaft löffelgerecht und trinkfertig. Dieses Talent könnten Sie später auch in ganz anderen Bereichen zum Zug kommen lassen. Wir haben heute eine ganze Dichterschule, welche ›Instant-Lyrik‹ hervorbringt, mit etwas Wasser angerührt, lösen sich die Verse sofort auf, klumpen nicht und sind interpretationsfertig.

Man hat ausgerechnet, wie wenig Sekunden ein Leser für ein Inserat in der Zeitung aufwendet, und der Minutenpreis beim Fernsehen bringt es von vornherein mit sich, daß die Spots gewöhnlich nur zwanzig bis dreißig Sekunden dauern. Wer in so kurzer Zeit alles sagen muß, entwickelt ohne Zweifel einen Sinn für Prägnanz, aber auch für eine Wahrheit, die einen kurzen Auftritt hat und im besten Falle eine Saison lang gilt. Darüber hinaus aber auch für die Hinfälligkeit der Dinge und die Sterblichkeit der Worte. So leuchtet es ein, daß die, welche im Moment für den Moment und von Moment zu Moment arbeiten, eine geheime Sehnsucht nach Bleibendem entwickeln – wer vom Slogan lebt, träumt vom Buch.

In der Hinsicht möchte ich Sie warnen. Sollten Sie den Weg der Verkaufsförderung einschlagen, ist es besser, ein für allemal ihre Jugendträume zu begraben, und zwar so tief, daß sie nicht mehr hochkommen, außer vielleicht am Lebensabend, auf alle Fälle tief genug, daß sie sich nicht während der Arbeitszeit oder in den Kaffeepausen melden können.

Das sollte Sie weiter nicht belasten. Die meisten von uns sind in der Freizeit als Friedhofsgärtner ihrer Jugendträume tätig, wobei nicht jede Frau und jeder Mann den gleichen glücklichen grünen Daumen hat.

Nun hat mich in Ihrem Brief überrascht, wie unbekümmert, ja fast unkritisch, Sie das Wort ›intellektuell‹ benutzen. Das erinnert mich an meine Anfänge – auch ich habe einmal gemeint, ›intellektuell‹ bezeichne nicht einfach Berufsgruppen, sondern Menschen, die Kraft ihres Intellektes leben wollen und bei andern an diesen Intellekt appellieren, und das hat in der Tat nichts mit schulischer Ausbildung zu tun – einer der intellektuellsten Menschen in unserem Betrieb ist zum Beispiel der Ausläufer.

Wie dem auch sei, das Wort ›intellektuell‹ ist sehr komplex, das dürfte Ihnen klar werden, wenn Sie darauf achten, wie ein

Intellektueller von einem andern Intellektuellen spricht, und wenn diese etwas können, dann ist es, über einander reden.

Um eine gewisse Selbstbeschimpfung kommen Sie nicht herum. Dabei erweist sich das Partizipationsverfahren als vorteilhaft. Lassen Sie die andern an den Vorwürfen teilhaben, die vorzubringen sind – richten Sie die Kritik nicht einfach gegen sich selbst, sondern gegen die Intellektuellen schlechthin. In dem Maße, wie die Vorwürfe nicht Sie allein treffen, können Sie schärfer formulieren.

Diese Art Demokratisierung wird nicht nur im Umgang mit Intellektuellen dienlich sein.

Ob Sie wollen oder nicht, Sie werden sich als Intellektueller dem Verdacht aussetzen, nur Kopf zu haben. Das könnte schon Ihre Chancen als Liebhaber mindern, wobei Sie es als Mann leichter haben als eine Frau, die nach wie vor gegen die Meinung ankämpfen muß, erst eine gewisse geistige Beschränktheit des Weibes ermögliche den vollen Genuß des Beischlafs, doch darüber kann Ihnen Frau Buschi besser Auskunft geben.

Auf jeden Fall ist es nicht falsch, wenn Sie Ihrer Umgebung klarmachen, daß Sie nicht nur einen Kopf haben, sondern auch andere Organe, zum Beispiel Beine. Deswegen sollten Sie eine gewisse Sportbegeisterung an den Tag legen. Natürlich nicht Interesse für Elitesportarten wie Degenfechten oder Concours-Reiten. Der Sport sollte populär sein, zumal Sie als Intellektueller ein legitimes Bedürfnis nach der Masse verspüren dürfen.

Fußball eignet sich wohl am besten. Es ist in der Tat etwas anderes, gemeinsam mit Tausenden von den Bänken aufzuspringen, und »Tor« brüllen, als zu Hause vom Fauteuil aus Beifall zu klatschen. Die Volksverbundenheit drückt sich schon darin aus, daß einer weiß, welcher Club auf- und welcher absteigt. Wer über den Transfer eines Fußballers informiert ist, wirkt nie weltfremd.

Solche Transfers könnten Sie mit Neid erfüllen, wenn Sie an die Summen denken, die für einen Spieler bezahlt werden, solches wird beim Transfer von Medienleuten nie hingeblättert, wenn die von einer Zeitung zur andern wechseln, von einer Zeitung zum Radio oder von diesem zum Fernsehen oder umgekehrt. Wenn der Transfer dieser Medienleute zum Teil recht schludrig gehandhabt wird, hat das wohl damit zu tun, daß man die bewährte Methode aufgegeben hat, der gehandelten Ware noch vor dem Kauf in den Mund zu schauen.

Doch gibt es auch bei diesem Handel Höchstpreise, denn wer weiß, vielleicht schaffen Sie es einmal, Chefredaktor zu werden. In dem Falle können sie damit rechnen, daß Sie eines Tages unter der Morgenpost ihre Kündigung finden. Das ist nicht weiter beängstigend, wenn Sie einen langfristigen Vertrag haben, so daß Sie nach wie vor Ihr Gehalt beziehen oder eine respektable Abfindung bekommen. Für solche Geschäfte sind nur wenige auserwählt: Fürstlich für eine Arbeit bezahlt zu werden, von der die andern hoffen, daß man sie nicht mehr verrichtet.

Beifügen aber möchte ich noch, daß man Ihnen unter Umständen auch Blutleere nachsagt, als ob in denen, die schreiben und weil sie schreiben, Tinte und nicht Blut fließe, so daß Sie dann einen besonderen Sinn fürs Blut entwickeln. Nun ist es in der Tat auch schwer tragbar, die ganze Zeit am Schreibtisch die Faust zu machen, so daß man eine Faust bewundert, welche ein Nasenbein zertrümmert. Eine gewisse Begeisterung für den Boxsport ist daher verständlich, wobei es im Interesse mancher Mitbürger liegt, wenn sich Ihr Lechzen nach Blut auf Lippenplatzwunden und blutunterlaufene Augen beschränkt.

Und gleich noch eine Zwischenbemerkung sei erlaubt: Wenn sich Intellektuelle über Brachialgewalt unterhalten, fällt gewöhnlich der Begriff ›Handkantenschlag‹. Das ist der Ausdruck, der in diesen Kreisen geläufig ist. Sie könnten sich bereits dadurch von den andern absetzen, wenn Sie darüber hinaus ein paar Schläge kennen und beim Boxen zum Beispiel von Side-step sprechen oder Paraden. Nicht, daß Sie sich ausführlich mit dem Boxsport befassen müßten, aber wer einen Begriff mehr kennt, ist informierter, auch wenn manchmal ein Wort allein nicht genügt, sondern Sie schon einen Artikel mehr gelesen haben müssen, um als Experte zu gelten.

Sollte Ihnen übrigens der Boxsport zu ordinär sein, besteht

noch immer die Möglichkeit, sich für den Stierkampf zu begeistern, vor allem, wenn Sie ein eher mystisches und exotisches Flair haben – wir meinen natürlich den spanischen, den blutigeren Stierkampf, und nicht den portugiesischen. In dem Fall müssen Sie allerdings mit den Reaktionen der Tierschutzvereine rechnen, und die sind straffer organisiert als die entsprechenden ›Menschenschutzvereine‹.

Nun schreiben Sie, Sie hätten Zweifel, ob Sie die notwendigen Voraussetzungen mitbrächten für den Beruf, der Ihnen vorschwebt.

Aus Ihren biographischen Angaben geht hervor, daß Ihr Vater Maschinenschlosser war. Daraus darf man wohl schließen, daß Sie zu den Arbeiterkindern gehören, welche eine Mittelschule besuchten, und zu den wenigen, denen auch eine Hochschule offen stünde.

Nun bringt eine solche Herkunft ohne Zweifel Nachteile mit sich. Nicht nur deswegen, weil Sie wegen Ihres proletarischen Hintergrundes kaum die Revolution herbeidiskutieren, um Ihren Vater zu ärgern. Sie müssen bedenken, daß unsere Bourgeoisie geniale Mitglieder hat: nachdem die Väter wichtigste Schlüsselstellungen eingenommen haben, produzieren sie linke Töchter und Söhne, und diese bringen Posten ein, zu denen ihre Familien auf dem direkten Geschäftsweg nie gekommen wären.

Vielleicht verspüren Sie wegen Ihrer Herkunft einen gewissen Hunger nach Büchern und Wissen, den Sie befriedigen möchten, und so könnte es sein, daß Sie an das glauben, was man Bildung nennt, und deswegen vielleicht sogar ein Minderwertigkeitsgefühl pflegen. Das könnte Sie noch einmal ins Hintertreffen bringen, wenn Sie sich mit Ihren Kolleginnen und Kollegen bürgerlicher Herkunft vergleichen. Sie selber haben nie wie jene die Möglichkeit, die Bibliothek ihrer Eltern zu verbrennen. Wie sollen Sie die Bücher Ihres Vaters auf den Scheiterhaufen werfen, wenn der nur ein Familien- und Krankenkassenbüchlein besaß und beim Wort Buch in erster Linie ans Telefonbuch dachte.

Wegen mangelnder Bildung brauchen Sie sich also keine Gedanken zu machen, denn Bildung gilt sowieso als Ballast, wobei es Sie vielleicht überraschen mag, daß man auch dort von Ballast redet, wo das, was man weiß, nicht schwer wiegt. Aber die physikalischen Gesetze der Natur sind anders als die der Gesellschaft; in ihr kann einer rasant in die Höhe steigen, auch wenn es nur ein bißchen Ballast ist, was er abwirft.

Nicht unter der Last von Wissen zu leiden, ermöglicht Ihnen, was man als spontanen Zugang lobt – direkt, frisch von der Leber oder einer anderen Innerei weg an die Sache heran. Schöpferische Naivität entfaltet sich um so mehr, je weniger Sie durch Kenntnisse vorbelastet ist. Natürlich besteht das Risiko, daß Sie etwas entdecken, das schon längst entdeckt ist, deswegen ist es auch nicht so wichtig, was Sie ausfindig machen, sondern daß Sie dies auf erstmalig-originelle Weise tun.

Nun könnte es aber sein, daß Sie sich an Ihre Schulkameradinnen und Schulkameraden von einst erinnern, die längst ins Lehrlings- und Berufslebens übergetreten waren, während Sie noch immer Schulen besuchten. Es könnte sein, daß Sie oft daran denken, daß unter diesen Gefährten von früher manche wären, die auch hätten teilnehmen können an der Ausbildung, in deren Genuß Sie gekommen sind.

Sicherlich, das ist eines unserer ungelösten Probleme. Aber um hier irgendwelche Änderungen vornehmen zu können, müßte man unser Schul- und Ausbildungssystem radikal umkrempeln, und es ist fraglich, ob dies im Augenblick drin liegt, nachdem die Arbeitgeberverbände und Gewerkschaften sich dahin geeinigt haben, in erste Linie brauchbare Berufsleute auszubilden.

Für den Moment bietet sich allerdings eine andere Lösung an. Statt sich zu überlegen, wie man eine breite Schicht an Dinge heranführen könnte, die man nicht ohne Vorbildung oder Schulung genießt oder versteht, kann man das, was als anspruchsvoll gilt, als elitär verwerfen. Statt daß man die Leute zu einem höheren Anspruch führt, schraubt man den höheren Anspruch herunter.

Denken Sie nur an die brillante Karriere eines unserer prominenten Filmkritiker. Er wetterte lange Zeit gegen alles, was nach Metier aussah, er verteufelte das Können als bloße Routine, er trat für eine Jeder-kann-mitmachen-Kultur ein. Und als das Metier nicht mehr gefragt und das Können kein Ausweis mehr war, fing er an, selber Filme zu drehen.

Je tiefer Sie das Volksniveau ansetzen, umso weniger mühsam ist es, diesem zu entsprechen.

Und ganz ohne Volk wird es nicht gehen – sei es, daß das Volk aus Leserinnen und Lesern besteht, aus Wählerinnen und Wählern oder aus Käuferinnen und Käufern.

Wobei es klar ist, daß diese Demokratisierung nach unten in erster Linie für Kultur steht. Sollten Sie sich einer Blinddarmoperation unterziehen müssen, möchten Sie bestimmt nicht, daß der, welcher das Skalpell in den Händen hat, Ihnen gesteht, er habe schon immer gern einen Blinddarm operieren wollen, und lächelnd dafür dankt, daß er an Ihnen seinen Jugendtraum erfüllen kann.

Ich brauche Ihnen kaum darzulegen, was für eine ernste Sache ein entzündeter Blinddarm ist, wobei man allerdings nicht vergessen darf, daß es auch bei einer kulturellen Operation zu einem letalen Ausgang kommen kann, allerdings ist dieser Exitus kaum mit einer Todesanzeige verbunden.

Das mag Ihnen alles verwirrend erscheinen. Sollten Sie darob auch irre werden – bedenken Sie, es gibt heute kaum etwas, das sich nicht heilen ließe. Man kann ja kaum eine Straße überqueren, ohne daß sich einem vom Trottoir gegenüber eine rettende Hand entgegenstreckt.

Sind wir nicht lange genug ein Volk von Lehrern gewesen? Haben wir nicht die ›Weltgeschichte‹ mit einem ›gut‹ in Heimatkunde bestanden? Es sollte uns nicht schwerfallen, aus einem Volk von Schulpädagogen ein solches von Heilpädagogen zu werden.

Anläßlich der Revision unserer Bundesverfassung wird davon gesprochen, einen Artikel aufzunehmen, der jedem Schweizer und jeder Schweizerin das unveräußerliche Recht zugesteht, eine Mitbürgerin oder einen Mitbürger heilen zu dürfen. Aber es gibt nun einmal keine Rechte ohne Pflichten, so kämen wir auch zu einem passiven Heilrecht, nämlich der Pflicht, uns nach der Volljährigkeit mindestens einmal heilen zu lassen, es sei denn, wir gehörten zu jenen, die der bürgerlichen Rechte verlustig gingen oder bevormundet sind.

Selbstverständlich hat dieser Verfassungs-Artikel einige Diskussionen ausgelöst – nicht nur beim Unteroffiziersverein, der den Heilungsprozeß gerne mit der Rekrutenschule in Verbindung brächte, die dafür um zwei Wochen verlängert werden müßte.

Jedenfalls würde endlich verankert, was sich schon längst in der Praxis eingebürgert hat, nämlich daß wir, die wir einst davon träumten, ein Volk von Gesunden zu sein, auf dem Weg dazu sind, ein Volk von Geheilten zu werden.

Wenn Sie also ein nützliches Glied unserer kulturellen und intellektuellen Gesellschaft werden wollen, dürfte es sich empfehlen, sich in die Therapie zu begeben. Dabei könnte es von Vorteil sein, wenn Sie sich die Krankheit schon vorher aussuchen. Auf einem Beiblatt finden Sie eine Aufstellung möglicher Komplexe, die man sich zulegen kann. Wir stützen uns auf die Publikationen des ›Bundesamtes für seelischen Haushalt‹. Natürlich ist die Liste unvollständig, zumal der persönlichen Entfaltung nicht von vornherein Grenzen gesetzt werden sollen. Die Zahlen in Klammern geben Auskunft über den Beliebtheitsgrad des jeweiligen Komplexes.

Sie schreiben, daß Sie im Aufsatz immer gut waren und auch im Nacherzählen. Vielleicht könnte Ihre Therapie Ihr Gesellenstück werden. Führen Sie unter allen Umständen Protokoll, vielleicht mit Tonband. Beobachten Sie Ihren Arzt, Ihre Mitpatienten, Ihre Krankenschwestern und Pfleger, das Hilfspersonal nicht vergessen, vor allem wenn es Gastarbeiter sein sollten. Notieren Sie genau, wie Sie sich selber verhalten, was Ihnen alles einfällt, wenn Sie das Medikament nehmen oder wenn die Lichter gelöscht werden, kein Detail ist dafür zu gering.

Den Bericht über Ihre Krankheit schicken Sie einem Verleger. Die Arzt- und Spitalrechnung hingegen an die Krankenkasse, denn nach wie vor sind Krankenkassen für die Begleichung von Heilungskosten zuverlässiger als Verleger.

Nun könnte unsere Aufstellung entmutigend wirken, da wir

die Krankheiten und Therapien, welche bereits in der Literatur, auf der Bühne und im Film zur Darstellung kamen, mit einem Sternchen markierten. Aber Sie werden gleich sehen, daß noch manches frei ist. So ist zum Beispiel die ›Zwerchfellruptur‹ bis jetzt literarisch nicht erfaßt worden. Das hat vielleicht damit zu tun, daß das Zwerchfell reißt, wenn einer zu häufig lacht oder mit dem Lachen nicht mehr aufhören kann, was bei uns ja eher selten der Fall ist. Anderseits mag es doch überraschen, daß das ›Krokodilstränen-Syndrom‹ ebenfalls noch nicht in einer Erzählung aufgefangen worden ist, obgleich doch in vielen Büchern, die auf den Markt kommen, Tränen fließen, ohne daß es dem Weinenden weh tut; das läßt vermuten, daß nicht alle, die über ihr Leiden schreiben, an dem leiden, worüber sie schreiben.

Und was Therapien betrifft, möchten wir Sie darauf aufmerksam machen, daß es noch nicht einmal einen Kurzprosa-Text darüber gibt, wie sich das Bewußtsein erweitert, wenn man zum Abbau von Aggressionen Telefonbücher zerreißt – alte natürlich, die neuen werden von solchen zerrissen, die protestieren und die kaum über Mittel verfügen, sich einer eingehenden Therapie zu unterziehen.

Lassen Sie sich also nicht entmutigen. Auch nicht von denen, welche unsere Heimat darstellen und klagen, daß es bald nicht mehr genügend Seitentäler gibt. Eine ähnliche Erfahrung machen ja auch die Ethnologen, die immer mehr ins Gedränge kommen, weil mehr Ethnologen ausgebildet werden, als es Stämme gibt.

In dem Zusammenhang möchten wir es nicht unterlassen, auf ›Alles in einem‹ von Rita und Benno Zumbuch hinzuweisen. Der Roman liegt nicht umsonst schon in der zehnten Auflage vor. Während sich andere Autorinnen und Autoren jeweils auf eine Thematik oder ein Problem beschränken, ist es diesem Autorenpaar tatsächlich gelungen, ›alles‹ in ›einem‹ unterzubringen. Vierzig Bücher in einem, hieß es auf dem Waschzettel – und eine kurze Inhaltsangabe mag es Ihnen beweisen.

Die lesbische Stallmagd, Stallwärme und Minoritätenbewußtsein verbindend, liebt die Bäuerin; oft zitiert wurde die

Auseinandersetzung der beiden über Kunst- und Naturdünger. Doch das Geschehen ist tragisch überschattet, weil die Bäuerin an Krebs leidet, von dem sie auf den ersten vierzig Seiten noch keine Ahnung hat; sie sieht sich konfrontiert mit dem Schicksal ihres Jüngsten, der bei einem Besuch in der Stadt drogenabhängig geworden ist und um den sich eine Kindergärtnerin aus der nahen Wohngemeinschaft kümmert, die auf umweltfreundlichem Papier ein intimes Tagebuch führt. Die Bäuerin selbst sieht sich zu einem spanischen Gastarbeiter hingezogen; der, uneheliches Kind eines Spanienfahrers, hat gehofft, in der Schweiz seinen Vater und seine Identität zu finden. Er arbeitet am Bau der Autobahn, die auch durch ein Gelände führt, das während Jahrzehnten dem Fahrenden Volk als Lagerplatz diente. Das dramatische Geschehen erreicht einen seiner Höhepunkte in der Auseinandersetzung zwischen dem Bauern und seinem Ältesten, der, zum Ingenieur ausgebildet, ausgerechnet auf den Feldern, auf denen er als Kind Kartoffeln geerntet hat, eine Relaisstation für ein Kraftwerk errichten soll. Solche Höhepunkte sind nicht zuletzt deswegen möglich, weil die Autoren in die Nähe des Bauernhofes auch ein Bezirksgefängnis und ein Behindertenheim plazierten, so daß sich zwischen einem Strafgefangenen und einem, der an den Rollstuhl gefesselt ist, eine zarte Freundschaft anbahnt. Für all diese Beziehungen und Querverbindungen gibt es fast leitmotivisch einen Begegnungsplatz: an einem Fluß, dessen Wasser von der nahen Fabrik vergiftet ist, und im Hintergrund steht ein Wald, dessen Blätter sich im Herbst nicht mehr verfärben, weil er gar keine mehr hat.

Natürlich ruft jedes der in diesem Buch angesprochenen Probleme ernsthaft nach einer Lösung und somit zunächst auch nach minutiöser Auseinandersetzung mit der Sache. An wieviel Ecken Sie mit einer Analyse anecken könnten, würde Ihnen klar, sobald Sie darüber nicht mehr nur dichten, sondern Namen nennen würden.

Aber uns geht es ja darum, einen Weg zu finden, wie Sie sich rasch und einigermaßen erfolgssicher ›im Intellektuellen bzw. Kulturellen ev. Literarischen‹ einrichten. Auch dafür ist unser Autorenpaar ein hilfreiches Beispiel:

Als man den beiden vorwarf, die Behandlung der Probleme sei in unzähligen Punkten unzutreffend, beriefen sie sich auf die dichterische Freiheit. Als man dieses Dichterische, das Holzschnittartige, wie sie selber sagten, kritisierte, gaben die Autoren zu verstehen, daß sie lediglich Denkanstöße vermitteln wollen.

Sie können dies als Beispiel dafür nehmen, wie man mit edlen Motiven die Kluft zwischen Absicht und Gelingen überbrückt. Warum sollten nicht auch wir die Möglichkeit haben, unser Unvermögen durch Berufung auf Höheres z. B. soziale Betroffenheit wettzumachen, nachdem wir uns nicht mehr wie in früheren Zeiten auf den Lieben Gott und das Vaterland berufen können?

Diese Ausführungen erhalten aber erst ihre volle Verständlichkeit, wenn wir der Tatsache Rechnung tragen, daß Sie im Boutiquismus groß geworden sind und sich in ihm einzurichten haben.

Die meisten denken bei Boutiquismus zuerst an jene exquisiten Kleidergeschäfte, die einst an teuren Adressen zu finden waren, heute aber auch im Warenhaus ihr Abteil erhalten haben. Und der Ausbreitung der Kleidergeschäfte ist kaum Einhalt zu gebieten. Eine Gesellschaft, die zu Geld gekommen ist, möchte nun einmal vorführen, daß sie etwas besitzt, und das kann sie tun, indem sie zeigt, was sie alles anzuziehen hat.

So ist es nur logisch, daß auf Hemden, Blusen oder Krawatten, Foulards oder Badeanzügen die Namen oder Markenzeichen teurer Firmen aufgenäht oder aufgedruckt sind. Man darf sich fragen, weshalb sich die Mode nicht eingebürgert hat, die Preisetiketten an den Kleidungsstücken zu belassen und sie lässig nach außen zu tragen.

Für Ihren Jahrgang ist es längst eine Selbstverständlichkeit, daß sich die Boutiquen nicht nur auf Kleidergeschäfte oder Artverwandtes wie Leder und Kosmetik beschränken. Wir haben auch die Delikatessen-Boutique und die Büro-Boutique, die Spielzeug- und die Reise-Boutique. Unzählige Läden mußten dafür umgebaut werden, wobei ein Palmkübel, ein paar Poster oder Neonröhren schon das ihrige beitrugen, diese Läden jenen gleich zu machen, die von vornherein als Boutiquen entstanden. Nach wie vor werden in einer Schirm-Boutique Schirme verkauft, aber das klassische tragbare Regendach ist zu einem neuen Flair und zu einer Aura gekommen, seit es in einer Boutique angeboten wird.

Ja, wir, die wir uns entschlossen haben, mit vollem Einsatz in erster Linie Käufer zu sein, möchten dies auf neue Weise sein, auf besondere und ausgesuchte Art, und wir sind auch kreative Käufer geworden. Wenn aber im Boutiquismus das Wort eine wichtige Rolle spielt, müssen all die zum Zuge kommen, welche sich mit dem Wort schon von berufswegen befassen – und da liegt Ihre Chance.

Sie werden also Ihren Sinn für Aufmachung entwickeln müssen. Das wird nicht ohne gewisse Kenntnis in der Kunst der Verpackung gehen. Denn auch im kulturell-intellektuellen Bereich, auf den Sie spekulieren, gilt, daß die Präsentation so wichtig ist wie die Ware – wenn nicht wichtiger. So kann das, was im Programmheft steht, wichtiger sein, als was auf der Bühne gezeigt wird, und was im Katalog steht, wichtiger als was in der Ausstellung vorgeführt wird, und das Vorwort wichtiger als das Buch selbst. Ja es ist sogar möglich, daß die Verpakkung die Ware überhaupt ersetzt. Wobei Sie den Vorteil haben, daß Sie etwa bei den Verpackungen von Manifesten nicht gezwungen sind, ein Verfalldatum aufzustempeln wie bei den Lebensmitteln.

Ihre Bedenken, ob Sie auch Ideen oder Einfälle mitbringen, wiegen nicht so schwer. Unerläßlich ist die Frage, ob Sie fähig sind, das, was vorliegt oder vorgebracht wird, zu redigieren, umzuschreiben, einzurichten, neu zu fassen, ob Sie es in Szene setzen und ins richtige Spot- oder Rampenlicht zu rücken vermögen.

Ob neue Ideen nicht gefragt sind oder ob sich gar keine einstellen, das kann ich Ihnen hier nicht sagen, aber offensichtlich ist, daß die Kraft des Boutiquismus sich in seiner Adaptationsfähigkeit zeigt, und dafür stehen ein paar verwertbare Jahrhunderte zur Verfügung. Natürlich müssen wir das Risiko eingehen, daß wir den Nachkommen nichts hinterlassen außer, was wir adaptiert haben; aber vielleicht werden diese sich mit der Adaptation von Adaptiertem begnügen.

Zur Kunst des Verpackens kommt also die des Arrangierens hinzu, wobei sich das eine leicht aus dem andern ergibt. Sie kennen das Wort ›Arrangement‹ sicher aus der Musik, und so sind ›musikalische Vergleiche‹ nicht unpassend – arrangieren heißt etwa, vom Orchesterwerk einer Weltphilosophie einen Klavierauszug machen und ihn zweihändig vortragen oder eine Ouvertüre so für die kleine Blechmusik umschreiben, daß in ihr Ihre Gesinnungsfreunde und Bekannten mitblasen können.

Und wenn auch mit dem Arrangement der Arbeit das Arrangement des eigenen Lebens Hand in Hand geht, können Sie sich an musikalische Vorbilder halten: wenn einmal die Vorlage und der Ablauf festgelegt sind, können Sie innerhalb des abgesteckten Rahmens improvisieren und Sie selber sein.

Es dürfte einleuchten, daß, wo das Variieren Bedeutung erlangt, auch die Accessoires, das schmückende Beiwerk an Bedeutung gewinnt; und wenn der Boutiquismus etwas bietet, sind es Accessoires in Hülle und Fülle und aus jedem Material in jeder Größe. Man hat nicht umsonst vom Boutiquismus als dem Rokoko der Industriegesellschaft gesprochen.

Zu den Accessoires gehört auch all das, was man auf T-Shirts drucken kann, wobei Sie sich hüten sollten, das Aufgedruckte beim Wort zu nehmen. Nicht jeder, der einen verwegenen Spruch auf der Brust trägt, ist auch schon verwegen; bei dem Siebenjährigen mit der ›Columbia University‹ auf dem Rücken, fragt sich gewiß niemand, ob er den akademischen Kindergarten cum rite oder summa cum laude bestanden hat.

Auch Ansteckknöpfe gehören zu den Accessoires. Das soll nicht heißen, die Buttonträger täten damit nicht Gesinnung kund. Aber das Praktische an Ansteckknöpfen ist, daß man sie ablegen und auswechseln kann.

In der Hinsicht könnte es für Sie nicht uninteressant sein, aufmerksam zu verfolgen, wie die Leute ihres Jahreganges zu schreiben anfangen, in welchen Gruppierungen sie auftreten, wofür Sie eintreten und wozu sie sich bekennen.

Sie werden eines Tages, zehn oder fünfzehn Jahre später, staunen, in welchen Positionen sie den gleichen Leuten wieder begegnen werden, was die dann an Meinungen vertreten und wofür sie sich einsetzen, bei wem und für welches Gehalt sie arbeiten und in wessen Namen sie ihre kämpferische Stimme erheben.

Sollten Sie sich dann an die Anfänge erinnern, gibt Ihnen das Wissen zwar Macht; doch könnte Ihnen Ihre Erinnerungsfähigkeit als Perfidie ausgelegt werden. Sie müssen sich schon fragen, ob Sie Ihr Gedächtnis mit solchem Wissen belasten wollen. Denn die meisten, die später Schlüsselpositionen einnehmen, haben keine Anfänge, sondern sind einfach plötzlich da.

Nun mögen Sie einwenden, es wäre ja noch schöner, wenn man nicht zu besserer Einsicht gelangen dürfte, und es sei ein Zeichen von Intelligenz, seine Meinung zu ändern – das Merkwürdige ist nur, daß die, welche ihre Meinung ändern, so tun, als hätten sie vorher keine gehabt.

Vielleicht sind solche Überlegungen hinfällig, da es gar nicht so sehr darauf ankommt, was Sie sagen, Sie müssen es nur provokativ und plakativ sagen. Wenn Sie erklären, daß man vor dem drohenden Weltuntergang nur noch verstummen könne, schließt das nicht aus, daß Sie ein Buch veröffentlichen ›Warum ich schweige‹.

Falls Sie bei Ihrem ersten Sich-Umsehen in dieser Gesellschaft zu irgendwelchem Dreck am Stecken kommen, sollte Sie dies nur solange beunruhigen, als Sie allein dastehen. Aber Sie werden bald auf andere stoßen, die ebenfalls ein bißchen Dreck am Stekken haben, und wenn Sie alle diesen Dreck zusammenlegen, ergibt sich mit großer Wahrscheinlichkeit ein Humus, auf dem sich gemeinsam, von Erinnerungen unbelastet, etwas aufbauen läßt.

Nein, Sie sollten sich wegen Ihrer Anfänge keine Sorgen machen. Im Notfall haben Sie keine solchen gehabt, und anderseits kann es durchaus dienlich sein, das, was man einst Charakter nannte, durch ein dialektisches Verhältnis zur Wirklichkeit zu ersetzen.

Das ist schon deswegen dienlich, weil zum Boutiquismus ein ausgesprochenes Saisonbewußtsein gehört. Und das Modediktat gilt, obwohl es möglich ist, zu gleicher Zeit alles mögliche zu tragen; man erlaubt dieses Nebeneinander wohl nicht zuletzt deswegen, weil man sich dort, wo alles gestattet ist, gar nicht daneben benehmen kann.

Es ist offensichtlich von Vorteil, wenn alles zum Thema werden kann, es bleibt ja nicht für immer Thema; ist es einmal dran gekommen und weiß man, wie es sich mit ihm mehr oder weniger verhält, kann man zum nächsten Thema und zur nächsten Saison gehen; so etwas nennt man ›abhaken‹.

In Anbetracht dieser Umstände raten wir Ihnen, ein Okkasionist zu werden.

Ältere Leute verwenden bei uns noch oft das Wort ›Okkasion‹ und meinen damit nicht nur einen ›Gelegenheitskauf‹, sondern auch eine ›günstige Gelegenheit‹. Wir greifen in Ihrem Fall nicht aus Verlegenheit auf ein so schönes altmodisches Wort zurück. Es gilt doch als Zeichen der Jugend, die Väter beiseite zu schieben, um den Blick auf die Großväter freizumachen.

Der Okkasionist ist also einer, der die Okkasion erkennt, die günstige Gelegenheit oder auch die Gunst der Stunde – einer, der weiß, wann das männliche Buch geschrieben wird und wann das aufrichtige und ab wann man wieder Sensibilität trägt, sei's eine Handbreit überm Knie oder eine Handbreit darunter. Einer, der spürt, wann die Arbeiter ein Thema sind und ab wann das werktätige Volk ausgedient hat, wann Strukturen und Modelle Interesse finden und wann Protokolle und Erlebnisberichte, wann die weltläufige Solidarität gefordert werden muß und wann die überblickbare Region – ausschlaggebend ist nur, daß Sie es immer ein bißchen früher spüren.

Sollten Sie dennoch befürchten, daß es zu Eklats und Zusammenstößen komme, wenn Sie sich irgendwo in feste Stellung begeben – sei es bei Fernsehen oder Radio, bei einem staatlichen Kulturinstitut oder auch in der Privatwirtschaft – so können wir derlei Befürchtungen gleich zerstreuen. Sicherlich kommt es manchmal zum Krach, zur Bevormundung und zur Einschränkung, und das wird jeweils auch mit Recht in der Öffentlichkeit gebrandmarkt. Nicht weil es sich um Verbote oder Rechtsverletzungen handelt, sondern weil Radikalmaßnahmen nicht unserer Lebensphilosophie der kleinen Schritte entsprechen.

Sollten Sie in Ihrem Unternehmen oder in Ihrem Amt irgendeine ungewohnte Idee vorbringen, wird man Ihnen zunächst auf die Schulter klopfen und Sie mahnen, es vorerst mit Bescheidenerem zu versuchen, da alles Große klein angefangen habe. Und wenn Sie trotz allem auf neuen Ideen beharren, wird Sie der Vorgesetzte einmal zu einem vertraulichen Gespräch bitten, vielleicht in die Kantine, und er wird Sie zunächst einmal zu Ihrem Projekt beglückwünschen und dann darlegen, daß er es voll unterstütze, aber daß man damit oben kaum durchkomme, denn er habe ja auch einen Vorgesetzten, und so werden die ersten Striche und Abstriche gemacht, weil es um das Wesentliche und nicht ums Detail gehe. Aber es ist auch möglich, daß der Satz fällt: »Da könnte jeder kommen.« Ja, wenn jeder käme und sich mit Ideen in den Vordergrund drängen würde, »wo führt das hin«; man darf schließlich von einem, der Einfälle hat, eine gewisse Rücksicht erwarten auf die Kollegen, die keine haben. Und bei einem solchen Gespräch gesteht Ihnen der Vorgesetzte: Er sei auch einmal jung gewesen und er habe auch einmal gemeint, aber habe einsehen müssen, daß ...

Vor einem solchen kontinuierlichen Auf-die-Schulterklopfen brauchen Sie keine Angst zu haben, denn es ist schmerzlos. Wir möchten zum Vergleich nochmals an den Boxsport erinnern, von dem bei anderer Gelegenheit die Rede war. Sicherlich kann ein Boxer von seinen Kämpfen einen offensichtlichen Schaden davontragen. Bei den meisten aber, die das Boxen aufgeben, sieht man vorerst nichts, doch nach Jahren kann als Spätfolge der unzähligen Schläge präsenile Demenz eintreten. Parallel dazu gibt es eine ›dementia intellectualis‹ als Spätfolge unentwegter kleiner Schläge auf den Kopf. Aber auch von einer solchen Demenz sollten Sie sich nicht fürchten, denn sie kann zu einer ausgesprochenen Jovialität führen und sogar zu einer gewissen Luzidität, die sich darin äußert, daß Sie Ihr Schwergewicht verlieren, was das Hinaufklettern erleichtert, und Sie anfangen, über den Dingen zu schweben.

Sollten Sie sich aber noch immer gegen all das stemmen, was wir hier raten, möchten wir zu bedenken geben, daß es gar nicht so leicht ist, nicht dazu zu gehören. Aber solches können Sie kaum gemeint haben, sonst hätten Sie sich kaum an unseren Leserdienst gewandt; denn dafür, wie einer seinen Weg allein geht, ist kein Briefkastenonkel zuständig, auch nicht der unserer Konkurrenz.

Wir möchten Sie zum Schluß noch darauf aufmerksam machen: Wer unsere ›Lebenshilfe‹ in Anspruch genommen hat, bekommt fünfundzwanzig Prozent Rabatt, falls er später auch unsere ›Sterbehilfe‹ in Anspruch zu nehmen gedenkt.

Zu wissen, wie man es macht, ist das eine, darauf Lust haben, das andere.

Ich habe mich gewundert, wie lange der Immune als Briefkastenonkel tätig sein konnte. Oft habe ich gedacht, jetzt reicht es ihm. Aber es erging ihm wie vielen andern, die wegen ihrer Meinung gefeuert werden: er stolperte über einen Nebensatz – er hatte einem jungen Mann, der seinen Erzeuger anklagte, er sei ein Ausbeuter und Witwenschänder, gratuliert, es könne einem nichts Besseres passieren, als einen Vater zu haben, der nicht nachahmungswürdig sei.

Und der Immune machte danach die Erfahrung, die er mit vielen Erfolgreichen teilte. Er war in den Ruf gekommen, Berater zu sein, und es war schwierig, diesen Ruf in Frage zu stellen. Deswegen ist es ja nicht so wichtig, daß man eine Sache beherrscht, sondern daß man in den Ruf gelangt, man beherrsche sie, dieser Ruf bringt einen viel weiter als die effektive Sachkenntnis.

So wurde der Immune als Berater beigezogen, als sich herausstellte, daß die Zeit nicht nur ein schweizerischer Rohstoff war und unsere Uhrenmacher ihre erste japanische Krise erlebten. Wir fuhren damals in den Jura, in ein Seitental. Da wir zu früh waren, sahen wir uns an dem Bezirksort im Museum um, und dort waren mechanische Figuren ausgestellt, darunter ein Schreiber, den man aufziehen konnte. Der Immune schlug später in der Beraterkommission vor, aufziehbare Schreiber zu exportieren, die man so einstellen könne, daß sie schreiben, was man von ihnen erwarte. Das ›Made in Switzerland‹ erlaube eine Ausfuhr nach Ost und West und Nord und Süd; man solle die Schreiber nackt liefern, so könne man ihnen in den belieferten Ländern anziehen, was landesüblich sei, Poncho, Kimono oder Burnus, Russenstiefel oder Cowboyhut. Aber der Immune hatte die Schreiber in West und Ost und Süd und Nord unterschätzt; es gab dort überall genug, die, ohne daß man sie aufziehen mußte, bereit waren, das zu schreiben, was man von ihnen erwarte und die kratzten genau so, wenn man sie nicht ölte.

Sicher, es war dem Immunen immer etwas eingefallen, um uns durchzubringen. Auch wenn sich herausstellte, daß die Einkommensprobleme viel mehr Zeit in Anspruch nahmen, als wir je gedacht hatten. Ich verstand den Seufzer des Immunen, es wäre alles einfacher, wenn ich nicht immer Hunger hätte und nach einem Bett verlangte. Aber anderseits habe auch ich meinen Beitrag geleistet. Selbst dann, wenn es mir nicht immer zugesagt hat wie dann, als der Immune mich bat, Haus- und Bürobesuche zu machen.

Damals hatten viele Leute resigniert und erwarteten vom Leben nichts anderes als nur noch Gesundheit. So widmeten sie jede freie Minute ihrem physischen Wohlbefinden und waren überglücklich, sich mit etwas so Sinnvollem abgeben zu können.

Und es waren gerade Leute in wichtigen Positionen, entscheidungsfreudige und dynamische Manager, die Fahrräder und Ruderboote kauften und sie zuhause oder im Büro aufstellten, und wann immer ihnen ihre Geschäfts- und Familienangelegenheiten Zeit ließen, setzten sie sich aufs Rad oder ins Boot und radelten und ruderten an Ort und Stelle.

An sie vermittelte mich der Immune. Ich stellte mich neben sie, und kaum hatten sie den Fuß auf dem Pedal oder die Hand am Ruder, mußte ich ihnen erzählen, durch was für Landschaften oder auf was für Gewässern sie jetzt fahren könnten. Ich verwandelte in ihrem Büro die Ledersessel in Kühe und Schafe zurück, die auf Weiden grasten, an denen meine Kunden auf ihren Rädern vorbeifuhren, und aus Eichenmöbeln oder Teakwänden machte ich Wälder und Haine, und je nach Wunsch konnten sie durch den Urwald fahren oder zu einer einsamen Wettertanne. Es war nicht so schwierig, aus einem Duschvorhang einen Felssturz zu machen und aus der Brause einen Wasserfall, unter dem sie durchruderten, an einer Badewanne vorbei, die gefährlich sein konnte mit ihren Stromschnellen und Katarakten, und hinter den weißen Kacheln taten sich liebliche Täler auf, und manchmal half mir ein Spray, Zitronenhaine und Fichtenwälder herbeizuzaubern.

Es war nicht meine Schuld, daß ich durch einen Bildschirm ersetzt wurde. Denn die Marktlücke, die der Immune entdeckt hatte, war auch den Herstellerfirmen von Fitneß-Fahrrädern und Fitneß-Ruderbooten nicht verborgen geblieben, und so lieferten sie Videos, die zu laufen begannen, sobald einer den Fuß auf dem Pedal oder die Hand am Ruder hatte. Mit diesem Auswahlprogramm konnte ich nicht konkurrieren, sie boten allein an einsamen Feldwegen vierundzwanzig Möglichkeiten.

Der Immune machte mir keinen Vorwurf, daß ich meiner Haus- und Bürobesuche verlustig ging, er meinte sogar, ich sei für einen Moment als Opfer des Bildschirms auf der Höhe der Zeit gewesen. Aber das sagte er wohl nur, weil er sich damals selber für Bildschirme zu interessieren begann. Ihm genügte der Bildschirm unseres TV-Apparates längst nicht mehr, er hielt nach neuen Möglichkeiten Ausschau, um durch einen Bildschirm verschwinden zu können. Und so ließ er sich Prospekte von Computern kommen. Die böten völlig neue Chancen zu verschwinden, da könne man sich in fremde Systeme einschalten, es gebe Kurse dafür. Und als ich ihn fragte, was er denn da abrufen wolle, sah er mich nur mitleidig an – es gehe doch nicht um das, was man abrufe, sondern ums Abrufen selber.

Wir arbeiteten kurze Zeit für einen Computer-Spezialisten, auch wenn wir am Ende nur Wasserträger waren. Aber der Immune hatte ein besonderes Interesse für den Fachmann entwikkelt. Denn bei diesem Herrn Beerli spielte der ›worst case‹ eine wichtige Rolle, der ›schlimmste Fall‹, der eintreten konnte und den es zu vermeiden galt, selbst wenn dieser schlimmste Fall nur darin bestand, daß der Strom ausfiel oder das Stromnetz Schwankungen unterworfen war, so daß die Chips eigensinnig wurden.

»Der schlimmste Fall«, flüsterte mir der Immune zu, »wenn das kein Immunen-Thema ist.«

Wir hatten erlebt, wie Beerli einen ›worst case‹ meisterte, damals, als er heiraten wollte. Er ging vom ›schlimmsten Fall‹ aus, und der schlimmste Fall war, daß seine Braut nicht zur Hochzeit erscheinen könnte. Die Gefahr bestand schon, solange sie über einen Paß oder eine Identitätskarte verfügte. Also mußte er zunächst einmal an ihre Dokumente kommen. Nun konnte er seine

Braut zwar abholen lassen, aber nur von einem Freund oder Bekannten, der alles andere als attraktiv war, sonst hätte sie mit ihm auf dem Weg zum Standesamt durchbrennen können. Also sah er sich nach einem risikolosen Bekannten um und entschied sich für einen schwulen Coiffeur. Aber der hatte nicht frei an dem Samstag, auf den die Hochzeit festgesetzt worden war, so daß man diese zum ersten Mal verschob. Zum schlimmsten Fall aber konnte auch heißen, daß der Braut auf dem Weg zum Standesamt etwas passierte, und die Gefahr bestand, da überall umgebaut wurde und vor dem Stadthaus selber eine Baugrube klaffte, so daß man vom Parkplatz über ein paar Bretter gehen mußte. Wenn man zuwartete, bis die Bausituation sich etwas verändert hatte, war eine Gefahrenquelle mehr ausgeschaltet. Und hatte man zudem nicht gehört, daß man für den Brautkranz Nadeln verwendete? Die konnten doch ins Auge gehen, also muß man sich nach einem Brautkleid umsehen, das keine solche Gefahrenquellen einschloß, weshalb Beerli die Kataloge einiger Versandhäuser studierte...

Wir wissen nicht, wann Beerli geheiratet hat. Jedenfalls nicht, solange wir ihn kannten. Wir wissen nur, daß er später in der schweizerischen Politik Karriere machte. Und er hatte Erfolg, weil er immer vom ›worst case‹ ausging, dem schlimmsten Fall. Er wurde ein unerbittlicher Experte in Sachen Sicherheit.

Der Immune war damals recht nachdenklich gewesen: Ob man es denn nicht in der Hand habe, selber zu bestimmen, was der ›schlimmste Fall‹ sei?

Wenn ich in diesen Papieren lese, wie ein Robert in Malakka vom Tod seiner Mutter erfährt oder daß einer in Lissabon aufs Schiff will, oder wie ein anderer eine andere Antike sucht und ein weiterer eine Einladung zu einem Leichenmahl annimmt – darf ich mich da nicht fragen, wo ›mein Fall‹ ist. Ich meine damit nicht einmal meinen ›schlimmsten Fall‹.

Aber schon habe ich eines seiner ›Weißt-du-noch‹ im Ohr. Und es gab Weißt-du-nochs, die ich nicht mochte, weil der Immune einen in Dinge einbezog, mit denen man lieber nichts zu tun gehabt hätte.

Weißt du noch, wie wir uns als Beamte auf die Schenkel klopften, wir hängten den Juden miese und lächerliche Namen an, als wir sie nicht ins Taufregister, aber ins Zivilregister eintrugen, und weißt du noch, wie einer mit seinen Löckchen nickte, als wir ihm zu einem erniedrigenden Namen verhalfen.

Und weißt du noch, wie wir in einer anderen Amtsstube an einem ähnlichen Tisch saßen und den Sklaven, die frei geworden waren, Namen gaben, zunächst nichts als Namen, und wie wir vor uns den Kalender aufgeschlagen hatten, und wie sie anstanden, und wie wir einfach den Kalender Tag für Tag durchgingen und bei jedem, der an den Tisch trat, einen Tag durchstrichen, so daß einer ›Himmelsfahrt‹ und ein anderer ›Pfingsten‹ hieß?

Bei einer solchen Gelegenheit hatte mich der Immune gefragt, ob ich nationalfeierlich ›Erster August‹ heißen möchte? Oder ob ich als ›Erster Mai‹ auf einem Adelsausweis von unten beharre? Oder ob ich meinen Namenstag am ›Ersten April‹ feiern möchte, am ›Tag der Narren‹.

Mich hätte ja gar nicht nur mein schlimmster Fall interessiert, sondern mein hundsgewöhnlicher.

Aber ich kann mir ausrechnen, was der Immune geantwortet hätte. Wir lebten nun einmal in politischen Zeiten, und ich hätte auch meinen Beitrag geleistet. Ich sei doch einst im Süden Kolumbiens in einer Missionsschule hängen geblieben. In der Tat, man hatte mich dort gefragt, ob ich nicht ein Kinderlied kenne; mir war nur das von den Entlein eingefallen, die das Köpfchen ins Wasser tun und das Schwänzchen in die Höh. Das Lied wurde in eine, ich weiß nicht mehr welche, Indianersprache übersetzt, und die Kinder spielten das Lied. Und was, fragte der Immune, wenn nun später einmal einer dort vorbeikommt und das Lied hört? »Vielleicht hast du gar nicht so wirkungslos gelebt, wie du meinst.«

Ein Windstoß trieb ihm Rauchschwaden ins Gesicht, den beißenden Geruch von Gummi. Er rieb sich die Augen und erkundigte sich, wie lange die Reparatur wohl daure. Der Indio hörte auf, am Pneu zu schaben, drückte den ausgefransten Strohhut in den Nacken und meinte: »Zwei Stunden. Vielleicht morgen.«

Vor dem Schuppen brannte ein offenes Feuer, darauf ein Kessel mit köchelndem Pech. Unter einem Wellblechdach hing an einem Draht ein Stück Holz, darauf eingebrannt ›Galvanisierungen‹. Ein Stapel leerer Kanister, daneben eine Blechtonne zum Auffangen des Regenwassers. Ein Auto mit offener Haube, der Motor ausgebaut auf dem Erdboden, zwischen den Bestandteilen wühlte ein Schwein.

Er verließ den Werkstattplatz und schlenderte gegen das Dorf. Die Fensterläden der Tienda waren geschlossen, an der Tür eine Kette vorgehängt. Vom Blech der Reklametafeln splitterte die Farbe. Gegen die Straßenseite hin war die Hauswand weiß getüncht. Ansonsten Behausungen aus nackten Lehmziegeln und gestampfter Erde. Er sah einer Frau zu, wie sie in einem Mörser Maiskörner zermalmte.

Da hörte er Kinderstimmen und ging der Melodie nach. Als er um die Ecke bog, erblickte er zunächst einen Jungen, der am Boden hockte. Die Strickmütze mit den Ohrenklappen bis tief über die Augen gezogen, um den einen Fuß einen Stoffschuh gewikkelt, hieb er mit einem Stecken auf einen Wurzelstock.

Etwas weiter zurück ein Rudel Mädchen. Einige stellten sich gerade in einer Reihe auf. Ein Mädchen rief: »Noch einmal«. Ihr langer Rock wirbelte. Die andern Kinder beugten sich vornüber, ihre schwarzen Zöpfe reichten fast bis zum Boden; den Kopf nach unten und die Arme rückwärts nach hinten hochgestreckt, machten sie Watschelschritte, eines hinter dem andern.

Er summte die Melodie mit: »Alle meine Entlein schwimmen auf dem See. Köpfchen in das Wasser, Schwänzchen in die Höh.«

Da fuhr eines der Mädchen hoch und erschrak. Von seinem Hals hing eine Schnur, daran als Schmuck ein paar Sicherheitsnadeln. Das Mädchen rief etwas. Die andern liefen davon. Es selber zerrte an dem Jungen, der ließ sich über die Grasbüschel schleifen und fuhr fort, mit dem Stecken auf den Boden einzuhauen. Die beiden verkrochen sich bei den andern hinter Agaven und Bananenbüschen?

Da spürte er jemanden an seiner Seite. Eine junge Frau, ein Bündel Hefte unter den Arm geklemmt und in der Hand Bücher, die mit einem Ledergürtel zusammengebunden waren. Sie fragte ihn, wie er an einen solchen gottverlassenen Ort komme. Er sei Agronom, genauer, er arbeite an einem Entwicklungsprojekt, Verbesserung von Quinua; er habe eine Panne gehabt, das heißt, schon die zweite heute. Kein Wunder bei den Straßen, und was für ein Glück, daß die Regenzeit noch nicht eingesetzt habe. Nichts geschehe hier, lauter Versprechungen, die Hauptstadt sei weit weg. Und dann fragte die junge Frau: Wieso er indianisch spreche? Er sah sie überrascht an, und sie fuhr fort, er habe doch das Lied mitgesungen. Ach, erklärte er lachend, er kenne die Melodie aus der Schweiz. Und aus der Art, wie die Mädchen spielten, dürfe er schließen, daß es sich um den gleichen Text handle. Wie interessant, sagte die junge Frau: sie habe das Lied nicht gekannt, bis sie hierher versetzt worden sei, sie sei Lehrerin, aber in diesem Tal sei das Entenlied weit verbreitet.

Eine Woche später saß der Agronom im ›Chalet Suiza‹ in Bogotá. In der klimatisierten Luft erklang Handorgelmusik ab Tonband. An einem Tisch in der Ecke vier Gäste, die jaßten. Der Schweizer Agronom verglich mit einem Beamten des Landwirtschaftsministeriums Zahlen; sie gingen Kolonnen durch, während ihnen der Nachtisch serviert wurde. Der Gerant spendierte dazu einen Williams, einen Birnenschnaps, eben eingetroffen. Da näherte sich vom Nachbartisch ein Bekannter des Beamten, der stellte einen andern Bekannten vor. Der fügte seinem Namen gleich bei, daß er für die ›Gaceta Capital‹ schreibe, und fragte den Agronomen, wie ihm Kolumbien gefalle, und dieser wiederholte, was er in solchen Fällen zu sagen pflegte:

Er sei in diesem Land vom vertikalen Klima fasziniert. Ein paar Fahrstunden und man verlasse die gemäßigte Zone und gelange in die ›tierra caliente‹ zu den Bananen und zum Kaffee, und ein paar Stunden später schon habe man die Tropen hinter sich und sei wieder in der gemäßigten oder gar in der kalten Zone, und dies Tal um Tal und vielleicht sogar an einem Tag mehrmals. Das mache das Reisen so abwechslungsreich. Bei seiner letzten Fahrt sei er übrigens wegen einer Panne steckengeblieben, da habe er ein Lied gehört, das er seit seiner Kindheit nicht mehr vernommen habe. Der Journalist zeigte sich neugierig, und der Agronom summte das Lied von den Entlein, die auf dem See schwimmen, das Köpfchen ins Wasser tun und das Schwänzchen in die Höh. Die andern applaudierten, und die am Jaßtisch unterbrachen für einen Moment ihr Spiel. Der Journalist überreichte seine Visitenkarte: Vielleicht sehe man sich einmal in der Schweiz, es bestehe die Chance, daß er vom dortigen Verkehrsverein in die Schweiz eingeladen werde.

In der nächsten Wochenendausgabe von ›Gaceta Capital‹, im Bund ›Kultur‹, las man einen Artikel ›Schweizer findet im Caucatal Lied seiner Kindheit wieder‹. Der Journalist schilderte, wie ein junger Techniker, denen das moderne Kolumbien so viel verdankt, über Land fährt, voll Bewunderung für die Entwicklung, die sich anbahnt, und wie er in einem Dorf halt macht, um dort eine Schule zu besuchen, welche die jetzige Regierung vor kurzem eingeweiht hat, singen die Kinder zur Begrüßung ein Lied, das aus seiner Heimat stamme – ein Entenlied, das ihn an die glückliche Kindheit erinnert, die er in den helvetischen Alpen verbringen durfte, die nicht grundlos weltberühmt seien und über die es sich lohnen würde, einmal ausführlicher zu berichten.

Eine Woche darnach erschien mit einem fünfspaltigen Titel in ›Revolución Hoy‹ ein Artikel ›Infamia‹: »Sie stahlen uns das Gold und sie stahlen uns das Silber. Sie stehlen uns noch immer den Zinn, das Kupfer und das Quecksilber. Ihnen gehört unser Kaffee und unsere Baumwolle. Jetzt nehmen sie uns auch noch unsere Kinderlieder.« Und dies geschehe natürlich unter Applaus der einheimischen Oligarchie. Daß ein Camacho jubiliere, sei weiter nicht verwunderlich, der schreibe für eine Zeitung, die einem Camacho gehöre und deren Chef eine Camacho geheiratet habe. Jene besagten Camachos, die ungehindert in der Residenz des amerikanischen Botschafters ein- und ausgingen, Duzfreunde jenes berüchtigten Mister Tube, der später in Honduras eine so üble Rolle spielte, daß es selbst dem Pentagon zu bunt wurde.

»Die Infamie ist nicht auf unserer Seite«, begann der Gegenartikel in der ›Gaceta Capital‹: »Wenn Infamie vom lateinischen ›infamia‹ kommt und üble Nachrede und Miesmacherei bedeutet, muß man nicht unsere Zeitung, sondern das Machwerk ›Revolución Hoy‹ der Infamie bezichtigen.« Es sei weiter nicht überraschend, daß ein solcher Heckenschützen-Artikel anonym erscheine, der Skribent hätte wenigstens die Parteinummer unter sein Elaborat setzen können. Aber man verstehe den Ärger über die guten Beziehungen zu den USA, wenn man selber in einer so miesen Währung wie Rubel bezahlt werde. Der Artikel war mit einer Photographie illustriert: ›Die Drahtzieher‹. Eine Gruppe Guerilleros lud in einer Urwaldschneise Waffen aus, und zwar aus einem Flugzeug älterer russischer Bauart.

»Wir werden in Zukunft nicht nur unsere Gelder auf Schweizer Banken deponieren, sondern auch unsere Kinderlieder«, begann die Antwort im ›Revolución Hoy‹: »Wir werden nicht mehr nur von Fluchtgeldern, sondern auch von Fluchtliedern reden müssen. Die Zukunft, wo sonst, liegt bei unseren Kindern. Und zu den frühesten Eindrücken in unserem Leben gehören Kinderlieder.« In einem Kästchen war das Entenlied im indianischen Original zusammen mit einer spanischen Übertragung abgedruckt. In einem zweiten Kästchen standen in fast alphabetischer Reihenfolge Familien und Firmen, die Gelder in der Schweiz deponiert hatten, mit einer entprechenden Zahlenkolonne.

An diesem Morgen trafen Botschafter und Erster Sektretär lange vor dem Personal im schweizerischen Botschaftsgebäude ein. Der Chauffeur wurde ausgeschickt und mußte ins Zentrum fahren, bis er einen Kiosk fand, der ›Revolución Hoy‹ verkaufte.

Das Fräulein an der Telefonzentrale kam nicht nach mit dem Beantworten der Anrufe. Empörte Stimmen verlangten den Botschafter persönlich und erkundigten sich, wie diese Subversivlinge an die Zahlen gekommen seien, die seien sowieso falsch, aber das habe man nun von der jetzigen Regierung und ihrer Amnestie-Politik.

Die Affäre war umso willkommener, als man gerade eine schweizerisch-kolumbianische Tagung ›im Zeichen technologischer Zusammenarbeit‹ durchführte: eine neue Art von ›joint venture‹ zwischen Forschung und Industrie. ›Aktion Güderchübel‹ hieß das Unternehmen intern. Der Magdalena-Strom war einer der verschmutztesten und verseuchtesten Flüsse, und die Agglomeration Bogotá konnte nicht länger dem Problem der Abfallbeseitigung ausweichen, ein Millionenprojekt, zu dem die Schweiz mit ihrem Know-how einen wesentlichen Beitrag leisten könnte. Für die Tagung war ein Fachmann aus Baden eingetroffen; er lief nervös im Empfangsraum herum, die Sekretärin sollte mit ihm das Manuskript wegen der Aussprache des Spanischen durchgehen, aber sie war damit beschäftigt, unangemeldete Besucher zu vertrösten.

Als bei der Eröffnung der Tagung der Vertreter der städtischen Behörde die Grußadressen verlesen hatte, setzte ein erstes kurzes Johlen ein. Zwar hatte man für die Teilnahme an der Veranstaltung Karten ausgegeben, an Diplomaten- und Regierungsstellen, nur Fachleute und interessierte Wirtschaftskreise sollten begrüßt werden. Aber Studentinnen und Studenten und anderes junges Volk hatte sich schon lange vor der Türöffnung in den Gängen gedrängt, man hatte sie eingelassen, damit es nicht schon vor Beginn zu Tätlichkeiten kam. Außer einigem demonstrativem Räuspern und unmotiviertem Klatschen verlief alles normal, bis der Schweizer Referent ans Pult trat. Kaum hatte er den Titel seines Referates gelesen ›Die saubere Zukunft – una obligación común‹, sprangen in den hinteren Sitzreihen die Jungen auf, hoben die Faust und stimmten das Entenlied an.

Da gingen die Polizisten auf die Protestierenden los. Ein schweizerischer Botschaftssekretär stellte sich in den Weg. Aber die Ordnungshüter packten die Jungen, die wehrten sich, und einige schlugen zurück: »Lakaien des Imperialismus« und »subversives Pack«. Die Polizisten holten mit ihren Schlagstöcken aus. Und die, welche aus dem Saal gedrängt wurden, wurden von den Ordnungshütern empfangen, die an der Türe und bei den Ausgängen standen und auf die einschlugen, die flüchteten. Dabei wurde auch der bolivianische Botschafter getroffen, der sich verspätet hatte. Er hatte noch auf ein Telex gewartet, um zu erfahren, ob er nach dem letzten Putsch noch immer sein Land vertrete.

Der Vizerektor der autonomen nationalen Universität protestierte am andern Tag. Es erklärten sich eine Reihe von Dozenten mit ihm und den Studenten solidarisch. Einige, die zusammengeknüppelt worden waren, sprachen hinterher. Auch ›Radio Cattólica‹ widmete seine sonntägliche Sendung ›Camilo Torres aktuell‹ den Vorkommnissen – in Erinnerung an den Guerilla-Priester erließ Monsignore Anastasio einen Aufruf: er appellierte an den Franziskanischen Geist und erinnerte an den Mann, der den Vögeln gepredigt und dem auch Enten zugehört hatten.

Von der Protestaktion distanzierte sich der ›Grupo Tirana‹. Es sei ein typisch kleinbürgerliches Abenteuer, bloßer Spontaneismus und unreflektiert, nicht im Sinne der Marxistisch-Leninistischen Strategie. Letzten Endes nur der Erhaltung des Establishments dienend, einmal mehr ein Beweis für das Zusammengehen von Washington- und Moskau-Imperialismus. Ein reines Ablenkungsmanöver. Auf dem Handzettel war auch zu lesen: »Bezeichnend das Lied von den Enten, die ihren Kopf ins Wasser stecken.« Das entspreche durchaus einer Politik, der jeder Bezug zur Basis fehle. Alle redeten vom Kinderlied und niemand von der Kindersterblichkeit. »Es lebe Albanien!«

Auf der schweizerischen Botschaft hatte eine Zeitlang Aufregung geherrscht, weil man nicht gleich das Reglement für die Bildung eines Krisenstabs gefunden hatte. Zudem hatte man den Agronomen gesucht, der an allem schuld war, der aber irgendwo unterwegs war, ohne eine genaue Adresse hinterlassen zu haben.

Einige Damen der Schweizerkolonie sammelten indessen

Geld, unterstützt von bundesdeutschen und österreichischen Freundinnen und Bekannten. Sie wollten als Geste der Versöhnung die Kinder, welche das Entenlied im Caucatal gesungen hatten, nach Bogotá einladen. Man hatte zuerst daran gedacht, sie im ›Colegio Helvético‹ auftreten zu lassen, aber es war vielleicht doch besser, nicht auch noch die Schweizer Schule in diese Affäre zu verwickeln. Zwar konnte man in der Turnhalle ein Matratzenlager errichten. Aber die Vorstellung selber sollte im Planetario stattfinden. Das lag zwar im alten Teil von Bogotá, und immer mehr Leute weigerten sich wegen der zunehmenden Kriminalität abends das Zentrum aufzusuchen. Aber als Adresse war das Planetario doch repräsentativ – zudem wurde keine Saalmiete erhoben. Die Frauen buken Kuchen; mit einem Teil des gesammelten Geldes wurden für die Kinder neue Kleider angeschafft. Die indianischen Mädchen trugen zum ersten Mal die typische Indio-Kleidung. Als die Wohltäterinnen ihnen ihre alten Röcke, zerschlissenen Hemden und geflickten Blusen wegnehmen wollten, wehrten sie sich; sie wollten die Kleidungsstücke wieder mitnehmen für ihre jüngeren Geschwister.

Als die Kinder auf der Bühne standen und ihre Lehrerin das Einsatzzeichen gab, blieben sie stumm, fingerten an den gestärkten Maschen ihrer Zöpfe herum und rieben sich die Augen. Da munterte sie das Publikum auf, so daß sie plötzlich zu singen begannen. Ohne die Musik abzuwarten, steckten sie das Köpfchen ins Wasser und taten das Schwänzchen in die Höh. Beifallssturm, ›Da capo‹!

Da ging das Licht aus. Man vermutete einen Terroranschlag; aber es war eine der üblichen Pannen wegen Überlastung des Stromnetzes. Als die Lampen wieder aufflackerten, setzte man den Folklore-Abend fort: ›Canción noble‹. Von der atlantischen Küste traten Schwarze auf, die auf der Marimba spielten, während Schwarze von der Pazifikküste auf die Cununus trommelten. Nach den Instrumenten der einstigen Sklaven kamen solche aus den Anden, der Capador und andere Arten der Pan-Flöte, und diese wiederum wurden mit von den Spaniern importierten Musikinstrumenten kombiniert. Alle denkbaren Verbindungen wurden geboten bis zur orchestrierten Nationalhymne. Dann trat noch einmal der Kinderchor auf.

So versöhnlich der Abend gewirkt hatte, es war ein Disput ausgelöst worden, der nicht zum Verstummen kam. Die Frage nach dem Ursprung des Entenliedes wurde am Familientisch und an der Cocktailparty, an offiziellen Empfängen, an Versammlungen und in Seminarien diskutiert.

Professor Rodríguez y Silva, ein hervorragender Kenner präkolumbischer Kunst, hatte vor allem über die Musikkultur publiziert. Für den Moment waren allerdings die Feldforschungen eingestellt, da die Kredite aufgebraucht waren. In kleinem aber interessiertem Kreis dozierte er: die Vogel-Amulette hätten zu den beliebtesten der altindianischen Gesellschaften gehört. Vogeldarstellungen fänden sich auf Mühlsteinen und auf Zeremonienstäben der Kaziken, und enorm sei die Anzahl der Schalen und Gefäße in Entenform, auch wenn man zwischen Enten und anderen Wasservögeln nicht immer eindeutig unterscheiden könne.

Zu einem Publikumserfolg wurde aber der Vortrag eines andern Gelehrten, zu dem sich Vertreter verschiedener, vor allem lateinamerikanischer Botschaften einstellten. Doktor Alfonso María Carreiro Pérez sprach im Alpen-Club, einem anerkannten Forum. Der Gelehrte arbeitete seit Jahrzehnten im Auftrag wechselnder Regierungen an der faunistischen Erfassung der Nordküste, so konnte er auch mit Dias aufwarten. Er begann damit, wie eindrücklich die Morgenstunden an der Golfküste seien, wenn vom Wasser her das Schnattern der Enten zu hören sei und ihm vom Ufer und den landeinwärts gelegenen Wäldern die Affen antworteten. Die Enten gehörten unabdingbar zu diesem Kontinent, der von der letzten Eiszeit verschont geblieben sei. So seien zwischen dem Rio Grande und Feuerland Entenarten anzutreffen, die man nirgendwo sonst auf der Welt finde. Carreiro Pérez erwähnte in einem Passus die Dampfschiffenten, die so hießen, weil ihren ersten Betrachtern aufgefallen sei, wie sich die Flügel zurückentwickelt hätten und daß sich die Tiere wie ein Dampfschiff bewegten, ein eindrückliches Beispiel für die Artenvielfalt seien diese Chile-Enten. Als der Vortragende den Ausdruck ›Chile-Enten‹ verwendete, räusperte sich der Sekretär der argentinischen Botschaft. In den ersten Reihen, die dem diplomatischen Corps vorbehalten waren, zeigte man sich mit Höflichkeit unruhig. Es war offensichtlich, daß der Argentinier mit seinem Räuspern eine diplomatische Note vorbrachte: Sein Land stellte in der Region der Magellanstraße territoriale Ansprüche. Doch der Referent, in sein Manuskript vertieft, fuhr fort, von Chile-Enten zu sprechen. Da erhob sich der argentinische Diplomat, brüsk rückte er seinen Stuhl zurecht und verließ betont diskret den Saal. Dem Vortragenden applaudierte der chilenische Militärattaché, der ad interim sein Land auch als Kulturattaché vertrat.

Der Ornithologe geriet zusätzlich in Schwierigkeiten wegen der Publikation seines Vortrages. Der Verantwortliche der Esso-Stiftung, die bereit war, einen Druckkostenzuschuß zu gewähren, führte bei einem Gespräch in der Halle des Hotels Tequendama aus, es gebe in dem Referat eine Stelle, die man falsch auffassen könnte, nämlich den Passus über die Kuckucksenten, die ihre Eier in fremde Nester legten und den andern die Arbeit, d. h. das Brüten überließen. Der Wissenschaftler erkundigte sich, ob er auch die Ausführungen über die Zugenten streichen solle, die sich ebenso in Nord- wie in Südamerika zuhause fühlten. Aber dieser Passus war nicht beanstandet worden.

Streiche man die Ausführungen über die Kuckucksenten, gewinne man Platz für den Pantanal, diese großartige Sumpfwildnis in Amazonien mit ihrem unerforschten Spektrum von Entenarten – wie den Baumenten etwa, die die heiße Mittagszeit auf Bäumen verbringen.

Die Streitfrage über den Ursprung des Entenliedes blieb im Gespräch, und es bildeten sich zwei Gruppen:

Die einen warnten vor nationalen Sentimentalitäten, schließlich sei Lateinamerika nicht nur in seiner Sprache von Europa geprägt, weshalb sollte es nicht auch dazu stehen, daß ein Lied eingewandert sei, entscheidend sei seine Adaptionsfähigkeit, wer zweifle schon an der mestizischen Kraft Lateinamerikas.

Die andere Gruppe warnte vor einer solchen Verdrehung der Tatsachen. War Lateinamerika nicht ein Kontinent, der wie kein anderer mit seiner Musik einen Beitrag zur Weltkultur leistete: man denke nur an den Tango aus den Einwandererviertelн in Buenos Aires oder an die Samba aus den brasilianischen Elendsvierteln. Und dann natürlich die Karibik, die ja auch ein kolumbianisches Meer sei, die Rumba und heute der Reggae. Angesichts einer solchen musikalischen Potenz sei es geradezu grotesk, am autochthonen Charakter des Entenliedes zu zweifeln.

Das sei ein Moment für einen ›nationalen Konsens‹, schrieb Augusto Granada y Negrone in seiner Kolumne ›Flanieren in Medellín‹. Er hielt sich in der Hauptstadt auf für eine Signierstunde seiner jüngsten Publikation, eines Sonetten-Kranzes, ›El ala del cóndor quebrada‹ (Der gebrochene Flügel des Kondors). Das Problem laute nicht, wie kommt ein Lied aus den Alpen in die Anden. Oder wie kommt das Lied aus den Anden in die schweizerische Alpenwelt. Auffallend sei, daß man bei zwei so verschiedenen Bergvölkern das gleiche Entenlied antreffe. Wenn es zwei solche Fundorte gebe, müsse man nach einem dritten Ausschau halten, nach einem Tertium. Und wo könne dieses liegen, wenn nicht in Asien, in Zentralasien, der Wiege der Menschheit? Von dort seien die Völker in vorgeschichtlicher und auch später noch in geschichtlicher Zeit aufgebrochen. Die einen westwärts, durch die russische Steppe und durch die ungarische Puszta, Turk-Völker wie die berühmten Hunnen, die ja auch bis in die Schweiz vorgedrungen seien. So rauh deren Sitte, rohes Fleisch unterm Sattel mürbe zu reiten, sein mochte, selbst dieses Volk habe Lieder gekannt, gesungen am Lagerfeuer. Und anderseits sei das Entenlied ostwärts gewandert. Als zwischen Asien und Amerika noch eine Landbrücke bestand, seien sie über die Bering-Straße gekommen und vom heutigen Alaska südwärts vorgedrungen bis zum Isthmus und von dort weiter in die Kordilleren. So sei es zu erklären, daß das gleiche Lied in den lieblichen Tälern der Schweizer Alpen gesungen werde wie in den geheimnisvollen Abhängen des Caucatales. Das Entenlied sollte nicht Anlaß zum Streit sein, sondern zur Verständigung: es weise auf einen gemeinsamen Ursprung hin, es sei ein Beispiel dafür, daß wir alle Kinder Gottes seien und alle Kinder Gottes Flügel hätten.

Nun war die Angelegenheit indessen längst keine bloß kolumbianische mehr. Von mexikanischen Gewerkschaftsgruppen waren Telegramme eingetroffen: »Wir erklären uns solidarisch.« So ging der Beamte, der die Post verteilte, im Kulturministerium von Büro zu Büro und erkundigte sich, wer ein Solidaritätstelegramm erwarte. Eines der Telegramme wurde auf dem Büro für Alphabetisierung zurückbehalten, um es im gegebenen Moment verwenden zu können.

Zu der Zeit hielt sich auch ein deutscher Entwicklungshelfer in Bogotá auf. Er hatte eben ein Brigadejahr in Nicaragua beendet und war nun mit seiner Freundin auf einer Südamerikatour. Er schrieb für ›Alt Lam‹ (Alternativ Lateinamerika), eine Berliner Monatspublikation. Er benutzte den Anlaß, um den schweizerischen Kulturimperialismus bloßzustellen. Völlig unwichtig sei der Ursprung dieses Liedes, entscheidend lediglich, daß das Lied eine Komponente des Volksgutes darstelle. Wie arrogant das Verhalten des kleinen Kapitalriesen sei, gehe schon daraus hervor, daß er ein Lied für sich reklamiere, das ebenso in Karl-Marx-Stadt wie im Kohlenpott gesungen werde, in den Hinterhöfen Berlins wie in den Arbeitersiedlungen von Rostow. Der Beitrag der Schweiz beschränke sich auf nichts anderes als auf einen helvetischen Diminutiv; während sonstwo »alle meine Ent*chen*« gesungen werde, setze sich das Musterländchen einmal mehr als Sonderfall ab, indem es singe »alle meine Ent*lein*«.

Die Affäre kam in den USA zu einiger Publizität, allerdings nur an der Westküste. Eine kalifornische Stipendiatin, die sich zu Studienzwecken in Bogotá aufhielt, hatte die Ereignisse um das Entenlied aufmerksam verfolgt; sie arbeitete über sexuelle Früherfahrungen, gespiegelt im Kinderlied. So ging sie auch dem Symbolgehalt des Entenliedes nach: War das Köpfchen-ins-Wasser-stecken nicht ein Bild für das Suchen nach dem Urgrund, nach jenem Element, aus dem einst alles entstand, ein Gründeln in der verlorenen Geborgenheit? Und hatte dieses Tauchen nicht auch eine kulturgeschichtliche Entsprechung: war nicht in Kolumbien die Legende von El Dorado entstanden, jenen ›Vergoldeten‹, der in einen Bergsee stieg und in einem symbolischen Besamungsakt sich den Goldstaub vom Körper wusch, also zurückgebend, was einst dem Mutterschoß, der Erde, entrissen worden war.

Die Studentin hatte beiläufig in einem Zwischenrapport auch von den Ereignissen um das Entenlied berichtet. Nun war die Peppermint University eine verhältnismäßig junge Hochschule und sehr darauf bedacht, sich über Silver City hinaus einen Namen zu machen. Die Chancen standen insofern gut, als eine Öl-Millionärin, eine prominente Tierfreundin, der Universität ein Legat vermacht hatte. Ein Jurist klärte ab, ob man dieses Geld, das für Tiere bestimmt war, auch für eine Tagung über ein Tierlied wie das Entenlied verwenden könne, worauf die Universität zu einer interdisziplinären Konferenz auf internationaler Ebene einlud.

Als erstes Land nahm, zur Überraschung der Handelskammer, die die Tagung mitorganisierte, die Sowjetunion die Einladung an und beantragte Visa für einundzwanzig Teilnehmer. ›Los Angeles Southern Sun‹, die dank Indiskretion davon erfuhr, brachte die Nachricht auf der ersten Seite mit dem Kommentar eines Mitglieds der ›Birch Society‹: »Eine rote Delegation, ein Referent und zehn Delegierte, um ihn zu bewachen, und zehn weitere Bewacher, um die Bewacher zu bewachen«. In einem Telex an die russische Botschaft in Washington entschuldigte sich der Rektor für die unklare Formulierung in der Einladung, aber so große Delegationen seien nicht vorgesehen. Ein Sekretär der Moskauer Akademie protestierte gegen die sowjetfeindliche Haltung, gleichzeitig trafen die neuen Bedingungen ein: elf Delegierte, da man eigenes Personal mitbringe für die Vorführungsapparate, zudem wünsche man angesichts der Kriminalisierung in den amerikanischen Großstädten eine Garantie für die persönliche Sicherheit der Delegierten. Der Hauptvortrag gelte der sibirischen Volkskunst. Bei diesen Polarvölkern, die vor der Revolution noch die Bräute gegen Rentiere eingehandelt hätten, gelangten nicht nur Wolf, Bär und Walroß zu Bedeutung, sondern auch Wasservögel, wie Schalen in Form schwimmender Enten bezeugten.

Einen Tag nach der definitiven Zusage der Sowjetunion kam auch jene der DDR. Angeboten wurde eine Sammlung von Tierdarstellungen der Meißner Porzellanmanufaktur unter Berücksichtigung von Entenabbildungen, und auch ein literarischer Vortrag: ›Der Stellenwert der Enten unter den Zuhörern von Reineke Fuchs, dem falschen Prediger des Feudalismus.‹ Man atmete in Silver-City auf, daß es nicht gleich anfangs schon zu Boykottdrohungen oder gar zu tatsächlichem Boykott kam, denn es zeichneten sich andere Schwierigkeiten ab.

Aus Bonn erreichte ein vertraulicher Bericht das Organisationskomitee. Er enthielt die Vorschläge einer Kommission, welcher Vertreter der Kirchen und der jüdischen Gemeinde paritätisch angehörten: man sei sich der Popularität von Donald Duck bewußt, nur wenige Stimmen hätten neben ›Voice of America‹ einen solch internationalen Widerhall gefunden. Doch könnte es sich kontraproduktiv auswirken, wenn die Delegierten am Flughafen von Disney-Figuren begrüßt würden.

In einer ebenso vertraulichen Rückantwort wurde ausgeführt, die Finanzierung der Tagung sei durch eine Stiftung gesichert und durch Defizitgarantie eines Bekleidungs-Konzerns, welcher sich das Exklusivrecht für die Enten-T-Shirts gesichert habe, mit dem Aufdruck des offiziellen Kongreß-Emblems, der sehr stilisierten Darstellung einer Ente, bei der ein Schrägstrich nach unten den Kopf und einer nach oben das Schwänzchen andeute. Zudem begrüßte das Organisationskomitee, nicht zuletzt angesichts der zunehmenden Reisetätigkeit in der Welt, ein Referat über ›Enteneier und die Ausbreitung von Typhus und Paratyphus (Salmonellen)‹, und es stehe auch nichts einer wissenschaftlichen Gegenüberstellung im Wege, wonach die deutschen Pekingenten einen aufrechteren Gang hätten als ihre entsprechenden amerikanischen Zuchtvarianten.

Nicht alle Bedenken konnten mit nur einer Antwort aus der Welt geschafft werden. Die Volksrepublik China reagierte mit einem ausführlichen Protestschreiben: Die Hauptstadt heiße nicht Peking, sondern Bejing. Es gehe nicht an, sich direkt an Institute in der Mongolei zu wenden. Die Mongolei habe ihre Zentrale in der Hauptstadt. Grundsätzlich sei das sozialistische China im Sinne der traditionellen Friedenspolitik an einer solchen Tagung interessiert, aber nicht an einer rein ästhetischen Behandlung des Themas. China zeige einen Film über das Entenkollektiv ›Acht gelbe Schnäbel‹, das das Plansoll in einem Jahr dreifach erfüllt habe. Gleichzeitig protestierte Beijing gegen die Teilnahme von Taiwan.

Taiwan meldete seinerseits eine Ausstellung über die Ente als Motiv der chinesischen Malerei an. Allerdings war Taipeh nicht gewillt, Originale zu schicken, da es befürchtete, Festlandchina könnte die Kunstwerke als Raubgut beschlagnahmen lassen. Aber die Reproduktionen seien Ausweis einer hochentwickelten Farbdrucktechnik, wie sie nur im freien China erreicht worden sei. Aus den Beständen des ›Geographischen Museums‹ könne man eine Sonder-Video-Schau bieten: das Werk des Malers Po-li-Dschung, der zur Zeit der Ming-Dynastie fünfzig Jahre lang nichts als Entenfedern gemalt habe und der seine Autobiographie in zwei Sätze faßte: »Den Flaum, den habe ich gemalt. Nun ist der Schnabel an der Reihe.«

Man hatte das Organisationskomitee erweitert und wurde vorsichtig mit Einladungen. Natürlich begrüßte man die Offerte der ›Ethel-Salomon-Stiftung‹, doch wollte man mit der Bekanntgabe einer israelischen Teilnahme bis kurz vor Konferenzbeginn zuwarten. Die ›Ethel-Salomon-Stiftung‹ erklärte sich bereit, die Flugspesen von Tel Aviv bis Los Angeles und zurück zu übernehmen, während Aufenthalt (inklusiv Transport vom und zum Flughafen) auf Kosten des Organisationskomitees gehe. Der angemeldete jüdische Wissenschaftler galt als einer der besten Kenner des alt-ägyptischen Totenbuches und war bereit, unter Einbezug von Enten über Totenvögel zu sprechen.

Und man wartete ebenfalls zu mit der Bekanntgabe, daß ein Spezialist aus der Vatikanischen Bibliothek teilnehmen werde: ein Fachmann des ›Pontificium Institutum Biblicum‹, der für ›de rebus Orientis antiqui‹ über sumerische Inschriften arbeitete, besonders jenes Fragment, in dem zu lesen war: »Der Tigris ist eine Ente. Der Euphrat eine Gans. Der König möge sich nicht nähern«, wo sich auch der Satz fand »Das Haus ist wie eine Ente«; daraus dürfe man auf die breiten Fundamente damaliger Bauten schließen. Ein Beitrag, der umso willkommener war, als im mesopotamischen Raum die Ente domestiziert wurde.

Enttäuscht zeigte man sich, daß weder Frankreich noch England reagierten. Vom französischen Generalkonsul wurde ruchbar: er solle bei einem Buffet-Dinner im Country-Club von West-Hollywood bemerkt haben: das Beste, was Frankreich beitragen könnte, sei der ›canard à l'orange‹, aber das sei wohl nichts für ein Hamburgerland. Und auf Rückfrage bei der englischen Botschaft erklärte der britische Kulturattaché, man habe die Sache an den ›British Council‹ weitergeleitet, es stehe eine Wanderausstellung zur Verfügung, ›Jagdszenen in der englischen Kunst‹, soviel man wisse, es gebe darunter auch Bilder von Entenjagden und auf einigen Stilleben seien Enten als Wildbret abgebildet.

Andererseits schätzte man sich glücklich, daß die beiden Nationen zugesagt hatten, die von Anfang an in Diskussion gestanden hatten: Kolumbien und die Schweiz.

Kolumbien hatte sofort zugesagt. Freudig hatte der Cauca-Kinderchor die Einladung angenommen; er wurde drei Wochen vor Konferenzbeginn erwartet, da neben Auftritten in lokalen Fernsehshows auch solche in Schulen und in der Rentner-Siedlung ›Happy leisure‹ vorgesehen waren.

Auch die Schweiz hatte fürs erste geantwortet, sie werde ihren Mann an Ort und Stelle, den Generalkonsul, im Sinne ihrer traditionellen Neutralitätspolitik als Beobachter delegieren. Wegen einer weiteren Beteiligung zögerte Bern, weil beraten wurde, welches Büro für die Kosten zuständig sei. Da stellte sich heraus, daß sich zu der Zeit ein rätoromanischer Kinderbuchautor in USA auf einer Vorlesungstournee befand, der im Anschluß daran nach Los Angeles fahren konnte, um aus seinem Buch ›Die Abenteuer des Entleins Rumantsch auf dem Inn‹ zu lesen. Zugleich wurde das New Yorker Büro der Käseunion auf die Veranstaltung aufmerksam gemacht: ob man nicht für die Eröffnungsparty ›wine and cheese‹ den Käse spendieren könnte. Der Anfrage wurde von New York umso prompter entsprochen, als die Schweiz gerade einen Prozeß gegen eine finnische Firma verloren hatte; ›Swiss cheese‹ sei nicht eine Markenbezeichnung, sondern ein Typus, lautete das Urteil. Das Organisationsbüro hatte auch nichts dagegen einzuwenden, daß auf die Käselaibe Schweizer Fähnchen gesteckt werden sollten, da dies kaum zu einem Flaggenstreit führen würde.

Kopfschütteln löste eine Anfrage aus, die eine Gruppe von Studentinnen an das Rektorat richtete: Ob auch Pfeif- und Florida-Enten berücksichtigt würden. Der Dekan der Humanwissenschaften, der als Sekretär der Tagung amtierte, schrieb in seiner Antwort, man sehe keinen Anlaß, im besonderen auf diese Entenarten einzugehen; angesichts von hundertfünf Entenarten könnten nicht alle ›anatinae‹ berücksichtigt werden. Das Angebot von Themen sei so schon vielfältig: es reiche vom ›Spiegel auf dem Entenflügel als Mittel der Kommunikation‹ bis zum Volksbrauch, einem Magenkranken eine lebende Ente auf den Bauch zu binden, von den goldenen Eiern, welche die Enten in indischen Epen legen, bis zur Sitte, eine Ente ans Haus zu gewöhnen, indem man sie in einen Spiegel schauen lasse.

›Ein Kongreß der Enteriche‹ lautete die Schlagzeile der Wandzeitung, die anderntags am schwarzen Brett der Mensa zu lesen war. Eine pure Provokation sei es, nur von jenen Entenarten zu reden, bei denen das Weibchen eine bloße Brutmaschine sei, ausschließlich der Fortpflanzung dienend und mit nichts anderem als einer Schutzfarbe ausstaffiert, ein Weibchen-Dasein in stumpfen Grautönen. Da diese Tagung von Erpeln organisiert werde, sei eben nur von jenen Enterichen die Rede, welche sich bunt aufplustern und denen in der Balz die Schnabelwurzel zu einem fleischigen Höcker anwachse. Hätten nicht Enteriche das Sagen, kämen auch die Pfeif- und Florida-Enten zum Zuge, zwei Arten, die unabdingbar zur Neuen Welt gehörten, und zwar zu beiden Amerika: die südamerikanische Pfeif-Ente, bei der

Männchen und Weibchen in lateinisch-barock-katholischer Manier gleicherweise ein Prachtskleid tragen, und die nordamerikanische Florida-Ente, bei denen Weibchen und Männchen in angelsächsisch-puritanischer Weise beide sich in demokratisch grau-braunen Unisex kleiden.

Unproblematischer war die Anfrage einer studentischen Gruppe des ›World Wildlife Fund‹. Sie wollten einen Stand errichten neben dem Tagungsbüro. Eine Video-Schau orientierte über ein Schutzgebiet im Becken des Klamathflusses zwischen Kalifornien und dem Staate Oregon, einst ein Vorzugsgebiet der Fleischjagd für den Wildmarkt und heute Brutstätte und Rastplatz für Zugvögel. Das Anschauungsmaterial kommentierte ein Angehöriger des Stammes Klamath; sein Großvater hatte noch Wasserliliensamen gesammelt und sein Vater war Holzfäller geworden. Er führte in Dias vor Augen, was es heiße, ›Schutzgeister‹ zu suchen.

Auf der Rückwand waren Photos von Otter, Fuchs, Iltis und Nerz zu sehen, von Milanen und Edelfalken, und zwischen den Tieren immer wieder das Gesicht eines Menschen: Die Feinde der Enten. In einem Aufklärungsblatt war vom internationalen Verbot die Rede, veröltes Bilgewasser ins Meer abzulassen, und davon, wie wenig dieses Verbot beachtet wird. Eine Montage zeigte die Wirkung der Ölpest an französischen und englischen Küsten. Den Abschluß bildeten zwei großformatige Schwarzweiß-Photos, die beide den Strand der Insel Sylt zeigten: einmal Hunderte von Nacktbadenden, ausgestreckt im Sand und mit Sonnenöl eingeschmiert, einer neben dem andern in Sardinenformation, und darunter strähnige Federleiber, von Öl verklebte Tiere, deren innere und äußere Nasenlöcher verstopft waren, eingesammelt und zu Haufe geworfen, Hunderte von verendeten Trauerenten.

Die Tagung selber konnte mit einem Ereignis gefeiert werden, das nicht direkt mit ihr zu tun hatte, das aber zeitlich mit ihr zusammenfiel. Es wurde die Bolivar-Memorial-Hall eingeweiht. Besondere Sorgfalt war auf die Umgebungsarbeit verwendet worden. Die postmodernistische Arkadenfassade spiegelte sich in einem Weiher, dessen Wasserstand dank einer Plastikfolie reguliert werden konnte, ein Biotop, das mit Seerosen und Trittsteinen an Japanisches erinnerte. Auch der Fauna wurde Rechnung getragen. Es sollten in diesem Weiher ein Ibis und ein Flamingo stolzieren, und zwischen dem Schilf wurde ein Entenhaus gebaut.

Als die ersten Teilnehmer und Gäste der Internationalen Ententagung eintrafen, schwamm auf dem Weiher eine Entenfamilie. Unverkennbar ihre Gattungsmerkmale: eine Hornleiste am innern Schnabelrand, zwischen den Vorderzehen Schwimmhäute, ein Schnabel mit riesigen Riechlöchern und einer Hornkuppe vorne drauf. Die jungen Enten waren daran, sich im Gründeln zu üben, sie suchten den Boden des Flachwassers ab, um daraus ihre Nahrung zu seihen. Sie steckten ihre Köpfchen ins Wasser und taten ihre Schwänzchen in die Höh.

Indessen fand in der Bolivar-Memorial-Hall eine Parallel-Veranstaltung zur Tagung statt. Ein Treffen deutscher Schriftsteller mit amerikanischen Ethnopoeten, dazu hatte das Goethe-Institut eingeladen. Eine Frankfurter Lyrik-Preisträgerin las mit blonder Stimme aus dem Materialien-Band ›Enten als Anlaß‹ die Übersetzung eines indianischen Kinderliedes ins Deutsche: »Spiegelglätte des Weihers./ Unterwegs die Enten./ Ertrunken der Blick,/ ragt einsam der Bürzel.«

NEIN, EIN REPLAY IST DAS NICHT.

Sollte die Ewigkeit, die der Immune meinte, nichts anderes sein als das Ganze noch einmal, aber in Zeitlupe? Ein Bildschirm, so groß wie das Himmelszelt, davor die Toten versammelt, und alle warten gespannt darauf, ob dabei herauskommt, was die meisten als ›foul‹ bezeichnen.

Wie beneide ich die, die klagen, sie hätten verloren; die können von der Annahme ausgehen, es wäre etwas zu gewinnen gewesen.

Und doch – ich habe mich benommen, als könne man einfach eine weitere Runde vorschlagen. Aber was sollen wir einsetzen, wenn wir in der vorausgegangenen Partie uns selber verspielt haben? Brauchbare Mitspieler sind wir nie gewesen. Der Immune meinte, er könne während des Spiels die Regeln ändern, er sei zum Mitmachen gezwungen worden, bevor er sich Klarheit über die Kriterien habe verschaffen können. Bis er dann gemerkt hat, daß in dieser Gesellschaft gleichzeitig nach verschiedenen Regeln gespielt wird. Er mußte die Vorstellung korrigieren, daß die Regeln am Anfang stünden; im Anfang war das Spiel, und es waren die Gewinner, die hinterher bestimmten, nach welchen Regeln gespielt worden war.

Möglich, daß wir schon immer Kostüme trugen. Aber das Blut, das floß, war nicht rote Farbe, es kam aus Adern.

Und es floß Blut, als ich auf den Immunen einschlug. Sicher, ich habe hinterher das Kostüm gewechselt und das schmutzverkrustete Hemd in den Abfallsack gestopft und darauf geachtet, daß ihn die Müllabfuhr mitnahm.

Die Wunde an meinem Unterarm ist am Verschorfen, und ich spüre, wie der Notverband klebt. Aber eine so große Narbe bildet sich schwerlich, wie ich ihrer jetzt bedürfte.

In Narben kannte sich der Immune besser aus. Er sprach ja auch von einer Geographie der Vernarbung. Wie oft hat er mich mitgenommen in Canyons und in Steinwälder, zu Trümmerbergen, in Karstlandschaften und zu erloschenen Vulkanen, zu Verwerfungen und Verwaschungen. Er bewunderte diese Phantasie des Widerstands.

Er mochte an der Natur, daß sie ihre Narben zeigt und nicht wie der Mensch überschminkt oder wegoperiert:

»Stell dir vor, die Menschen würden ihre Narben nach außen tragen und nicht im Innern verstecken, was für eine Gesellschaft von Narbengesichtern.«

Ob ihm auch diesmal eine Narbe weiterhilft, ist fraglich. Und nicht nur, weil er selber hofft, daß ihm nichts mehr verheilt und kein Blut mehr gerinnt.

Ich bin sicher, ich habe ihn schwer getroffen. Ich habe sein zerschlagenes Gesicht gesehen, die gesprungenen Lippen und die aufgeplatzten Brauen, und als er nur noch stumm seinen Kopf hinhielt, quoll ihm Schleim aus dem Mund.

Natürlich habe ich hinterher die Wohnung nach Spuren abgesucht. Nicht nur, um sie wegzuwischen. Ich wollte herausfinden, wohin er sich verkrochen hatte, oder ob er geflohen war. Aber nichts auf den Kacheln und nichts auf dem Teppich. Weder vor der Wohnungstüre noch auf der Treppe, die hinaufführt, weder in seinem Zimmer noch auf der Terrasse irgend etwas, das weiter geholfen hätte.

Es sei denn, diese Papiere sind die Blutspuren des Immunen.

Er müßte nicht der Immune sein, wenn er die Fährte nicht so legte, daß jeder Spürhund am Ende nur den Jäger aufspürt, der ihn ausgeschickt hat. Aber die Wege, die der Spürhund ausgekundschaftet hat, die hätte er ohne den Immunen nie entdeckt und ohne ihn hätte er auch nie mehr zurückgefunden.

Beutelos sitze ich vor diesen Papieren, vernehme von fremden Dingen, die mich an vieles erinnern, das mir bekannt vorkommt. Aber statt daß ich etwas aufnehme, ist mir, als würde ich immer leerer.

Und in mir steigt der Verdacht hoch, daß gar kein Lebendiger an diesem Tisch sitzt. Daß ich vielleicht längst tot bin. Nur daß ich es eigentlich gar nicht merkte, als ich starb; ich bin wohl einen Moment lang unaufmerksam gewesen. Oder sollte der Übergang von einem zum andern gar nicht so auffällig sein?

Aber wenn dem so wäre, hätte nicht der Immune mich im Stich gelassen, sondern ich ihn. Ich wäre ihm weggestorben, gleichsam unter der Hand, vielleicht in einem Moment, als er unterwegs war, um sich umzusehen, wie es weiter gehen könnte.

Demnach hätte der Immune in jener Nacht nicht um seinen Tod gebettelt, sondern er hätte mir zu verstehen geben wollen, daß es niemanden mehr gab, für den er noch weiter hätte davonkommen mögen.

Und doch werde ich den Verdacht nicht los, daß ihn mein Wegsterben erleichtert hat.

Vielleicht bin ich tatsächlich ein Gespenst, das vierundzwanzig Stunden Geisterstunde hat. Aber gibt es Gespenster, die mit sich selber reden und die vor sich selber erschrecken?

Wenn ich nach diesen Papieren greife, rascheln sie. Ich bin es, der bewirkt, daß sie rascheln. Und so greife ich ein zweites Mal nach ihnen, und blättere in ihnen und bekomme nicht genug von ihrem Rascheln.

Und wenn ich die Augen schließe, sehe ich die Kinderzeichnungen nicht mehr, und mache ich die Augen auf, ist das Haus auf den Pfählen da und ein Reisfeld. Und ich kann die Augen schließen so oft ich will, die Zeichnung ist hinterher immer noch da.

Ein paar Bewegungen mindestens sind mir geblieben.

Aber ich sitze an diesem Tisch wie einer, der auf etwas wartet. Wenn Zukunft das ist, was man noch nicht gelebt hat, hätte ich Jahrzehnte von Zukunft hinter mir.

Und doch, war es nicht einmal so, daß ...

Ich weiß, der Immune hätte mich jetzt bereits unterbrochen. Er liebte keine Anspielungen aufs Alter. Und wenn er eine solche befürchtete, setzte er gleich sein altersloses Gesicht auf, indem er Babyspeck mit Greisenfurchen kombinierte, Pubertätspickel mit einem schlecht rasierten Männerkinn.

Als einer, der davonkomme, könne er sich kein Alter leisten und nicht mit ihm rechnen, schon gar nicht mit der Altersweisheit, aber auch nicht mit der Altersverblödung – was für eine Gesetzmäßigkeit, die die, welche es am längsten aushalten, zur Verkalkung zwinge. Oder sollte diese Verblödung Einsicht und

Eingeständnis sein, eine Einstimmung in die große Harmonie, ein Verhalten, das endlich dem Wahnsinn dieser Welt entspricht?

Es würde mich nicht wundern, wenn ich der Worte nicht mehr mächtig wäre und nur noch lallen würde. Lallen wir am Ende in Erinnerung an unsere Anfänge? Oder ist es jenes Lallen, mit dem auch die Toten beginnen, wenn sie anfangen, ihre eigene Sprache zu lernen?

War es nicht einmal so, daß ...

Nein, es unterbricht mich niemand. Ich kann ungestört vor mich hinreden, so lange ich will. Ich tue es laut und rufe mich und sage mir du, als sei ich mit mir aufs engste vertraut.

Mir fällt auf, daß der Immune und ich uns in letzter Zeit kaum groß unterhielten. Wir informierten einander noch, aber wir hätten uns dafür nicht einmal sehen müssen, obwohl wir die Walkietalkies nicht benutzten, die er von einer Auktion nachhause gebracht hatte.

Selbst mit seinen »Weißt du noch« hielt er sich zurück. Und er überraschte mich immer seltener mit Erinnerungen: wie wir einst durch die Steppe ritten, und wie wir lernten, in einer Höhle zu wohnen, und wie wir entdeckten, daß Wasser Holz trägt und daß man aus Wasser Licht machen kann.

War es nicht einmal so, daß wir staunten? Aber anders, als ich mich jetzt wundere, wie das möglich war, wo doch so vieles möglich gewesen wäre.

Wie wir einst staunten, daß ein Vorhang aufgehen kann, und daß die Sonne, die sichtbar wandert, sich nicht bewegt. Als der Immune behauptete, man könne die ganz Welt in die Tasche stecken, und ich die Erfahrung machte, daß man sie mit einem Kuß wegzaubern kann.

War da nicht einmal einer, der alles las, was ihm in die Hände fiel, und der sagte, als er zwischendurch von einem Buch aufsah, er wolle nach den Sternen greifen? Und war da nicht ein anderer, der sich gleich abwandte, als er dies hörte, und der, als er gefragt wurde, wohin er gehe, antwortete, er suche eine Leiter?

Und hatte dieser andere mir nicht später eine Photographie geschenkt, eine Farbaufnahme, auf der die Erde abgebildet war?

Wie schön die aussah von so weit weg. Eine blaue Kugel. Ich frage mich noch immer, woher es kommt, daß die Farbe der Treue blau ist.

Und war es nicht einmal so, daß die beiden vor einem Wolkenkratzer standen, der so hoch war wie der Hausberg ihrer Heimatstadt? Und daß sie beschlossen, ganz nach oben zu fahren, und den falschen Lift nahmen, so daß sie umsteigen mußten.

Und wir schauten nach oben, vor einer Antenne und neben Scheinwerfern, auf ein Meer von Rauch und Nebel und Abgasen, und aus diesem Meer ragten einige wenige Türme anderer Wolkenkratzer, und die Sonne schien auf dieses Meer, und auf ihm flog der Schatten eines Flugzeugs.

Und es war der Immune, der herausfand, daß sich das Gebäude in dieser Höhe drei bis vier Meter hin und her bewegt, ohne daß man es merkt: es trotze den Winden und Stürmen, indem es ihnen nachgibt, man kann nur mit elastischem Material etwas bauen, das bis in den Himmel reicht.

Er hatte damals überlegt, ob er Kurse in Statik belegen solle, und es wäre ihm gleich gewesen, eine Abendschule zu besuchen – wenn ich ihm unten das Stabile überlasse, dürfe ich oben die Schwankungen übernehmen, aber er gab zu bedenken, daß zu den Schwingungen nicht nur das Schaukeln gehört, sondern auch das Zittern.

Habe ich zu sehr geschaukelt oder zuviel gezittert?

Ja, es war einmal – mich aber, mich gibt es noch immer.

Wo der Immune sich wohl aufhält? Hat er sich in eine Ecke verkrochen oder irrt er umher? Oder sollte er in meinem Kopf Unterschlupf gesucht haben? Sich perfiderweise dort versteckt, wo man ihn kaum finden wird, es sei denn, man spalte mir den Schädel.

Grau, alles ist grau. Dabei befinde ich mich in der Zentrale, die dafür verantwortlich ist, daß es vom Himmel heißt, er sei blau, und von einer Wiese, sie sei grün, daß eine Rose gelb sein kann und braun das Haar einer Frau. Man selber aber, man selber lebt in einem unabsehbaren Grau.

Dunkel ist es hier drin. Kein Schimmer dringt herein, auch nicht durch die Zickzack-Nähte der Schädeldecke.

In diesem Dunkel aber vibrieren Nachrichten vom Licht: Draußen scheint eine Sonne, da brechen sich Strahlen im Wasser und im Spiegel, und es könnten unzählige Schalter betätigt werden. Selbst wenn draußen Nacht ist, kann es hell sein, und nicht nur wegen der Sterne. Nicht bloß Katzen haben Katzenaugen, die im Dunkel leuchten. Da phosphoreszieren Zifferblätter, und Neonröhren zeichnen Schriften und Bilder in die Nacht. Den Straßen entlang ziehen sich Linien von Lampen, und es gibt Meere, die nicht aus Wasser bestehen, sondern aus Licht.

Hier drinnen aber, in dieser knöchernen Kapsel, herrscht Düsternis. Kein Irrlicht über den Furchen. An keiner Schaltstelle ein Lämpchen. Nicht einmal Scheinwerfer, die die Mauer dieses Gefängnisses ableuchten. Als wolle nie einer von hier ausbrechen.

Ich aber möchte hinaus. Auch wenn das Feuer draußen nicht nur kocht und heizt, nicht nur Wunden ausbrennt oder Wälder rodet; auch wenn dort die Hitze Felder versengt, und Häuser und Städte im Brand aufgehen, und Bomben gezündet werden, die heller als tausend Sonnen sind. Dorthin möchte ich einmal, wo es einen blenden kann. Erfahren, wie eine Dämmerung einbricht, und erleben, wie Flutlichter ein Spielfeld in Licht tauchen.

Ja dorthin, wo jedes Ding seine Farbe hat und diese erst noch wechselt, wo das Gesicht des Menschen vor Zorn grün wird und vor Kälte blau, wo es vor Schreck und Puder weiß sein kann, vor Krankheit gelb anläuft und vor Scham und Lüge errötet. Wo eine Farbe wie eben dieses Rot auf den Lippen Verführung bedeutet und auf dem Verbandstoff Blut, bei einer Ampel als Warnung dient und auf einer Fahne ein Aufruf ist.

Ich aber bin in ein einziges Grau gesperrt, und dies nur, weil mich einer ausgedacht hat. Was gäbe ich manchmal für eine Grubenlampe oder nur schon für ein Streichholz.

Aber andererseits wurde mir bewußt, daß ich in einem Dunkel lebe, in dem das Licht noch einmal erfunden worden ist. So begann ich mich mit dem Nachdenken darüber zu trösten, ob es besser sei, in einem Licht zu leben, zu dem man nichts beigetragen hat, oder in jenes ewige Dunkel verbannt zu sein, in welchem das Licht erschaffen wurde, auch wenn es anderswo leuchtet.

In einer Höhle wie dieser kam man darauf, zwei Hölzer oder zwei Steine so lang aneinander zu reiben, bis Funken sprühten. Hier hat man den Docht und den Projektor entworfen, und hier wurde entdeckt, daß sich Wasser in Licht umwandeln läßt.

Aber das ändert nichts daran, daß dieses Grau unerträglich ist, so daß ich manchmal nicht mehr von Lappen zu Lappen kriechen mag, selbst wenn ich dabei Entdeckungen mache, selten genug.

Überall stoße ich an. Das Widerständige gibt nach, denn dieses Grau ist eine gallertartige Masse. Bei diesem Herumkriechen werde ich wirksam, ohne es zu beabsichtigen. Wenn ich mich irgendwo festklammere, zuckt möglicherweise ein Zeh, wenn ich Halt suche, aktiviere ich ahnungslos Drüsen, gleichgültig, ob es die ist, die Speichel produziert, oder jene, die Tränen absondert.

Manchmal ist mir, als sei ich zu nichts anderem da, als durch Reize Reflexe auszulösen und zu registrieren. Vergleichbar einer Elektrode, von der man erwartet, daß sie zurückmeldet, was sie bewirkt. Eine billige Sonde, für die man kein Loch durch die Kalotte bohren muß und die man nicht an ein Stromnetz anzuschließen braucht.

Man hat mich ausgesetzt, und zwar im Kopf eines Menschen. So bin ich mir anfänglich wie ein Findelkind vorgekommen, aber eines, das von Zelle zu Zelle kroch und meinte, es genüge, im Graben zu liegen, um gefunden zu werden.

Inzwischen habe ich es längst aufgegeben, mich zu vergleichen.

Manchmal führte ich mich auf wie ein Werkspion, aber einer, der nicht von einem Konkurrenten, sondern vom Besitzer selber eingeschmuggelt worden ist. Allerdings hat mich niemand aufgeklärt, hinter welches Geheimnis ich kommen solle. Ob es um eine verknäuelte Aminosäurekette geht oder um die Transmitterflüssigkeit zwischen Neuronen.

Vielleicht gebe ich die Nachrichten, die man von mir erwartet, längst durch, und ich benötige dafür keinen toten Briefkasten und keine unsichtbare Tinte. Vielleicht ist die Art, wie ich mich fortbewege, schon die Geheimbotschaft, und alle meine Zuckungen lassen sich als Chiffren lesen, deren Code ich als Sender nicht zu kennen brauche.

Vielleicht bin ich umso nützlicher, je desorientierter ich bin.

Dieses Gehirn hat einen Besitzer, ihm gehört der Kopf, in dem er mich eingeschlossen hat.

Natürlich versuchte ich, mit dem Besitzer Kontakt aufzunehmen. Dann, wenn er seinen Kopf aufstützte, weil er verzweifelt war, oder um nachzudenken, wobei sich das eine vom andern kaum unterscheiden ließ. Ich versuchte ihn darauf aufmerksam zu machen, daß einer wie ich sich hinter seiner Stirn aufhielt. Dann hoffte ich wiederum, wenn nicht er selber werde wenigstens ein anderer reagieren. Ich lauerte darauf, daß jemand über diesen Kopf streichle. Ich habe sogar mit dem Friseur gerechnet, doch das Schnippen der Schere übertönte mein Pochen.

Der Besitzer benimmt sich, als gebe es mich nicht. Ich weiß nicht, ob er mich vergessen hat oder gezielt übersieht, ob er meiner überdrüssig ist oder mich verstecken will, sogar vor sich selber. Denkbar, daß er sich nicht um mich kümmert, weil er sich meiner sicher wähnt.

Indessen krieche ich weiter in diesem Dunkel. Wenn ich in dem breiigen Grau versinke, kraxle ich empor, auf das Risiko hin, schon in die nächste Fissur zu versacken.

Nicht nur wegen des weichen Bodens, der überall nachgibt, bewege ich mich mühsam. Ich verliere mich, auch wenn ich auf der Stelle trete. Wenn es hier drin statt eines Verwirrnetzes einen einzigen Weg gäbe, wenn man alle Stränge, Bahnen, Fasern mit ihren Fortsätzen und Querverbindungen auf eine Gerade brächte, es wäre eine Linie, die bis hinter den Mond führte. Ein Weg, den keiner aus eigener Kraft zurücklegt, selbst wenn er ein Leben lang Tag für Tag und vierundzwanzig Stunden am Tag kriechen würde.

Soviel Weg, und so ausweglos mein Unterfangen...

Draußen sind sie stolz darauf, Distanzen zu überwinden. Da fliegen sie hinter den Mond und umkreisen die Erde. Ihre Flüge werden zu Ausflügen, man kann an ihnen vom Fauteuil aus teilnehmen: ein Kurzprogramm von der Abschußrampe auf einem Vorgebirge bis zur Landung in einer Wüste.

Hier drinnen lege ich größere Distanzen zurück; ich bin längst auf dem Jupiter, wohin sie draußen noch immer unterwegs sind. Und diese Distanzen lege ich im Bruchteil eines Sprunges zurück; dafür muß man keine Flugbahnen ausrechnen und keine Treibstoffmischung ausprobieren, die Raketen in Umlauf bringt.

Und doch: Wie ist das wohl, wenn man sich allmählich annähert, wenn man sich fragt, ob die Kehren am Horizont des Hochtals endlich zu jener Paßhöhe führen, von der man einen Blick ins jenseitige Tal werfen kann, und wie wohl, wenn die Skyline der Stadt in der Ferne sichtbar wird und die Wolkenkratzer mit dem Näherkommen immer mehr Umrisse erhalten, und wenn man von den Zeigern hofft, sie möchten rascher gehen, und von der gleichen Uhr erwartet, daß sie auch einmal stillsteht.

Was hilft es mir, daß man von diesem Gehirn aus die Tragfähigkeit von Luft und Wasser geprüft hat.

Einen Gedanken weiter kam ich, als ich merkte, daß dieses Gehirn und sein Besitzer gar nicht so sehr verbündet sind, wie ich lange Zeit annahm. So sehr die beiden aufeinander angewiesen sind, sie arbeiten gegeneinander.

Das wird mir jeweils bewußt, wenn der Besitzer Blut ins Hirn schickt, das von Alkohol durchtränkt ist, so daß das Gleichgewicht ins Wanken kommt und es hier drinnen schaukelt, daß ich mich festhalten muß und das Gehirn die Kontrolle über die Beine verliert, und es ihm so übel wird, daß es bruchstückweise Gedanken erbricht. Wie sehr sich der Besitzer gegen sein eigenes

Gehirn wehrt, merke ich, wenn mit dem Sauerstoff Nikotin hochkommt, als wolle er über alles Rauch legen und alle Hügel einnebeln und das Grau noch grauer machen bis zur Betäubung.

So stieg in mir der Verdacht hoch, daß nicht nur ich hinaus möchte, sondern auch dieses Gehirn, daß es diesem Kopf ein für allemal entfliehen möchte – nichts anderes sein als nur Gehirn. Aber es scheint sich damit abgefunden zu haben, für die kleine Ewigkeit eines menschlichen Lebens in einem solchen Schädel eingesperrt zu sein.

Ob ich von diesem Gehirn lernen könnte, wie man aus der Ohnmacht seine Stärke macht?

Aber wer sich mit diesem Gehirn einläßt, kommt nie mehr von ihm los.

Von der Außenwelt abgekapselt, kann es nie genug an Information über sie kriegen; aber es gibt sich nicht mit dem Material zufrieden, das der Besitzer einbringt, sondern das Gehirn treibt an und verführt ihn, sich mit der Welt einzulassen, die beidseits der Schläfen und über dem Scheitel liegt und die sich hinter dem Kopf und vor der Stirn befindet.

Unser Besitzer ist dazu umso entschlossener, als ihm das Gehirn vordemonstriert, wie ungenutzt die Welt ist und was sich alles mit ihr anstellen läßt, und wie unfertig und defizitär er selber ist, sei es nur, weil er gezwungen ist, seine Augen mit einer Brille zu korrigieren.

Aber ich werde den Verdacht nicht los, daß es dem Gehirn bei seinen Diensten nicht bloß um Selbstbehauptung geht und daß sogar Rache mitspielt, wenn es diesen Besitzer dazu bringt, die Außenwelt nicht nur auf ihre Verwendbarkeit hin zu prüfen, sondern auch, in welchem Maß sie zerstörbar ist.

Da dieses Gehirn nicht selber über Hände und Füße verfügt, bringt es Hände und Füße in Verruf. Der Besitzer muß zugeben, daß es Messer, Hämmer und Zangen gibt, die mehr auszurichten vermögen als die Finger, die an seiner Hand gewachsen sind, und daß er mit Gewinn die Füße durch Räder ersetzt und die Arme durch Flügel.

Der Besitzer ist in die Falle gegangen. Er, der meint, er verfüge über dieses Gehirn, ist von ihm abhängig geworden. Jede Lösung, die das Gehirn vorschlägt und die er draußen verwirklicht, schafft ihm neue Schwierigkeiten, und so muß er wieder auf die graue Masse zurückgreifen.

Soll ich mich damit trösten, daß auch der Besitzer ein Gefangener ist? Einer, der auch ausbrechen möchte, neben dem ich bevorzugt bin, weil ich wenigstens weiß, in was für einem Gefängnis ich sitze.

Ich frage mich zuweilen, ob ich mich trotz allem nicht besser mit diesem Gehirn verbündete. Aber ich weiß nicht, ob es mich je als Partner aufnähme und ob ich nicht zu meinem Vorteil Fremdkörper bleibe.

Ich bewege mich zwischen Weltraum und Meerestiefe, zwischen Urgeschichte und all dem, was noch passieren wird, und ich tue dies auf engstem Raum. Aus reiner Platznot hat sich diese graue Masse in Falten gelegt, um vom Rauminhalt, der zur Verfügung steht, soviel wie möglich zu nutzen. Vielleicht kommt es nur dort auf die Millisekunde an, wo man in Lichtjahren rechnet.

Es ist ein winziges Gefängnis, in dem ich untergebracht bin, aber es hat den größten Auslauf.

Was für ein Weg, wenn ich zum Stammhirn krieche. Dorthin, wo der Besitzer mit seinem Fluchtverhalten und seinen Automatismen so programmiert ist, als sei er ein Wirbeltier oder ein Säuger unter andern. Dort fand ich auch die Zelle, in der einer immer noch aus einem Stein eine Axt schlägt, und einen andern, der in die Wände der Zelle Jagdtiere ritzt, und all die, die für einen Toten ein Grab schaufeln und ihn nicht mehr wie bisher einfach liegen lassen.

Millionen Jahre lege ich zurück, wenn ich mich den verkümmerten Resten des Riechhirns zuwende. Es würde mich nicht wundern, wenn sich dort eine Sumpflandschaft mit ihren Einsturztrichtern auftäte und ich miterlebte, wie zwischen Schachtelhalm und Farnbaum ein Stegosaurus verendet, der wegen seiner Körperfülle sich ein zweites Gehirn zulegte und dieses in sein Schwanzende steckte.

In einer solch aussichtslosen Topographie heben sich auf der

Großhirnrinde als Erkennungszeichen Hügel und Kuppen ab, die das Ungeheuer Rindenmännchen bilden: Das Bein ist an die Hüfte angeschlossen, zugleich mit der Hand zusammengewachsen, die größer als der Rumpf ist, der Daumen seinerseits so groß wie das Gesicht, dieses wiederum vom Hals getrennt, und der riesige Mund steht offen wie der Krater eines Vulkans.

Von diesem Rindenmännchen aus kann ich auf den Homunculus schließen, den der Besitzer abgäbe, wenn man ihn aufgrund seiner Motorik porträtierte.

Aber plötzlich stürze ich von dieser Rinde in einen Graben, zwänge mich durch, gelange in einen Hohlraum und in eine Bucht mit einer Insel. Dabei habe ich immer gemeint, daß das Gehirn, das in einer Flüssigkeit schwimmt, sei selber schon eine Insel, der ein Meer als Polster dient.

Und schon ist mir, als hätte ich dank diesem Sturz eine Mission; nämlich, mich an keinen Schiffbruch erinnernd, aber alle Schiffbrüche hinter mir habend, als Gestrandeter einen Schatz zu orten. Aber dann dämmert mir, daß das Gehirn selber der Tresor sei und ich mich längst in dem Schatzkasten bewege, den ich zu sprengen hoffte, und daß der Schatz nichts anderes ist, als eine graue, weiche Masse.

Unscheinbar und harmlos liegt indessen die graue Masse in den Schädelgruben, ein verletzlicher Haufen, anderthalb Kilo Hirn; es fände in zwei Händen Platz.

Aber die Masse ist voll Vorder- und Hintergedanken. Die Furchen, die sie überziehen, zeugen von Erfahrungen, die der Besitzer mit andern teilt, aber in ihnen hat sich auch niedergeschlagen, was ihm selber seit dem Mutterleib widerfahren ist.

So weiß ich nie, führt eine Furche ins Kambrium zu den Echsen zurück oder in einen Kindergarten mit seinem Sandkasten.

Es ist ein Organ, das sein Gedächtnis an der Oberfläche trägt, nachgiebig und stoßempfindlich. Eine Greisenhaut, die altern kann. Ich frage mich manchmal, was aus mir wird, wenn dieses Gehirn zu schrumpfen beginnt.

Vorläufig halte ich mich an das Moosgeflecht, auch wenn es sich in den Rosetten verliert, in denen es endet. Ich steige den

Kletterfasern nach, obwohl ich weiß, daß sie sich verästeln und plötzlich aufhören.

Angesichts solcher Schwierigkeiten habe ich mich an alles gehalten, was der Orientierung dient. Ich habe mich auf Lokalisationskarten gestützt, auf denen minutiös eingetragen ist, was an welchem Punkt jeweils geschieht: wo gelacht wird und wo gewütet, wo sich die Reizpunkte fürs Gähnen und die fürs Schnuppern befinden.

Aber diese Lokalisationskarten haben nicht weitergeholfen. Auch jene nicht, wo statt der Punkte Zentren eingezeichnet sind. Es stellte sich nämlich heraus, daß der Besitzer nicht nur an einer Stelle lacht, sondern daß sich sein Lachen auf unzählige Punkte verteilt, will er doch nicht nur mit dem Mund, sondern auch mit dem Bauch und den Ohren lachen, und er setzt einen ganzen Funktionskreis in Bewegung, um beim Lachen zusätzlich Tränendrüsen benützen zu können. Er kann sich vor Lachen schütteln, bis er hustet und geifert, sich auf die Schenkel klopft und den Bauch hält – lange genug habe ich gemeint, er lache, weil er etwas lustig finde.

Von allen Karten, die ich auftrieb, hatte es mir die am meisten angetan, auf welcher jedes Feld zur Veranschaulichung eine Zeichnung enthielt: Neben dem störrischen Esel balancierten die beiden Waagschalen der Gerechtigkeit, der Krämer besaß ein eigenes Feld wie der Uhrmacher, und neben dem Feld, in dem ein Kind eine Wolke zeichnete, lag dasjenige mit der Kriegstrommel. Diese Karte hat mich an ein Brettspiel erinnert: Wer vier Augen wirft, darf vom Weinkeller zum Notenpult hinaufsteigen, und wer dreimal hintereinander eine Sechs würfelt, muß vom Bahnhof zurück an den Anfang, wo ein Allesfresser mit einem Fernrohr nach Nahrung Ausschau hält.

So untauglich diese Anschaulichkeit am Ende auch war, von dieser Karte hatte ich einmal angenommen, sie werde mich der Sache näherbringen.

Was, wenn der Kopf des Herrn und Besitzer ein einziger Spielbetrieb wäre, in dem an jeder Windung gespielt wird und in dem man sich nicht nur heimlich in den Hinterzellen zum Pokern trifft, sondern auch am Familientisch, mit einem Angebot von Bakkarat und Chicago bis ›Meine Tante, deine Tante‹ und ›Eile mit Weile‹. Ein Kopf, in dem ständig Würfel fallen und Kugeln rollen, und wo sich unentwegt ein Rad dreht und wo man wie draußen Glück nennt, was ein Zufallstreffer ist.

Was, wenn ich ein Mitspieler wäre, der zu einer Partie geladen wurde? Und was, wenn ich ein Mit-Würfel bin?

Es wird hier nicht nur mit Karten gespielt, sondern auch mit Zellkernen. Und die, welche Impulse einbringen und Befehle erteilen, rufen Lose aus. Nicht nur Figuren und Steine werden verschoben, sondern auch Hormone, und mit jedem Stoffwechsel die Karten neu verteilt. Es wird auf chemische Formeln getippt wie beim Lotto auf Zahlen. Die Chips können gegen alles eingetauscht werden. Es gibt kein Limit für den Einsatz; es darf das letzte Hemd gesetzt werden und der letzte Mensch.

Aber wie immer, wenn ich meinte, ich sei dahinter gekommen, änderte sich alles: Das Casino wurde zu einer Kathedrale. Der Croupier dozierte in einem Hörsaal, und der Kartenmischer zog sich Perücke und Talar des Richters über. Das ›Rien-ne-va-plus‹ wurde in einer Tragischen Oper gesungen. Die Spielhölle verwandelte sich in ein Klassenzimmer und der Familientisch in eine Ladenkasse. Die gezinkten Karten ordneten sich zu Büchern und füllten die Regale einer Bibliothek, und die Schädelgrube bot sich als Topf an, in welchem Philosophen ihre Suppe kochten und um den Hexen tanzten.

Alles verlor seine Gestalt und kam zu neuen Formen, auch die neuen Körper waren so, daß man hätte hindurchgreifen können, als seien sie aus Laserstrahlen gebildet, und sie wandelten sich, ehe man sie richtig wahrnahm, wiesen aufeinander und hatten miteinander nichts zu tun, kamen auf Wellen und verschwanden mit Korpuskeln. Der Knobelbecher wuchs zu einem Atommeiler heran, und der löste sich in Wolken auf, aus ihnen gingen Tiere hervor, und im Schlachthaus stand eine Staffelei. Die Bank, die gesprengt wurde, machte einer Tempelruine Platz; der Spielteppich wurde als Brautschleier getragen und dieser über einen Sarg gelegt, und die Kugel hörte auf zu rollen, weil sie in einer Brust steckengeblieben war.

Aber am Ende nimmt sich alles aus, als ob in dieser tonisierten Atmosphäre nur Furchen, Bahnen und Fasern über und durch graue Hirnhügel führten. Ein einziger Spuk: Welten werden entworfen, und will man sie fassen, sind sie ein Hirngespinst.

Ich begann zu verstehen, daß dieses Grau und seine Gallerte in Farbe und Konsistenz jene Neutralität haben, die alles möglich macht und die sich zugleich aus allem heraushält. Grau ist die Unschuld dieses Gehirns, das sich jede Freiheit erlaubt, weil die Konsequenzen seiner Freiheit nicht hier drinnen, sondern draußen manifest werden.

So weiß ich nie, woran ich bin. Denn hier ist alles denkbar, und so bin ich dem Denkbaren ausgeliefert, und denkbar ist, daß dieser Kopf eben daran ist, das nächste Jahrtausend zu planen, oder daß er in der nächsten Sekunde den Befehl erteilt, jenen Knopf zu drücken, der alles in die Luft gehen läßt. Und wenn das Gehirn dabei selber draufginge, es wäre sein größter Triumph über eine Welt, an der es nie direkt teilgenommen, die es aber mitbestimmt hat.

Ich lebe am schrecklichsten Ort der Welt, im Kopf eines Menschen.

Darüber täuscht nicht hinweg, daß dieses Gehirn mit den beiden Hemisphären sich als Großanlage präsentiert, die dank unzähliger Verkabelungen und Schaltstellen pannenlos funktioniert. Die Katalysatoren und Ionen-Pumpen sind vierundzwanzig Stunden in Betrieb, die Steuerungen und Überwachungen nie abgeschaltet und die Synapsen ständig bereit, Impulse weiterzufeuern. Ohne Unterbruch stehen die Rezeptoren im Einsatz und auch die Repressoren, die ihr Amt der Unterdrückung ausüben.

Aber ich bin an Stellen gelangt, die auf keinem Fabrikplan eingezeichnet sind. Da habe ich Zellen angetroffen, die denen draußen gleichen, deren Fenster vergittert sind und deren Türen innen keine Klinken haben. In ihnen lagen die Insassen auf Pritschen, auch diejenigen reglos, die nicht in einer Zwangsjacke steckten, einige starrten auf einen Punkt und einige warfen sich gegen diesen Punkt an der Wand und andere liefen im Kreis und wieder andere rannten in der Tretmühle und glichen sich weißen Mäusen an.

Wenn ich an die denke, die eingesperrt sind, komme ich mir mit meinem Kriechen privilegiert vor. Aber vielleicht gilt auch hier drinnen das größere Gefängnis schon als Freiheit.

Und ich frage mich manchmal, ob die, die in diesen Zellen sitzen, angefangen haben wie ich und ob es mir einmal gleich ergehen wird wie dem, der nur noch am Tisch sitzt und auf ein Endlospapier schreibt: Ich möchte Ihnen mitteilen, daß ich Ihnen mitteilen möchte, daß ich Ihnen mitteilen möchte, daß ...

Im Bruchteil einer Sekunde kann der Besitzer seine Absichten ändern. Eben war er noch daran, einen Text zu entziffern und zog Wörterbücher zu Hilfe, und schon schickt er wegen irgendeines Impulses Gonaden-Hormone in die Blutbahnen und läßt sein Glied erigieren.

Warum sollte er, der mich in diesem Augenblick noch herumkriechen läßt, mich nicht im nächsten Moment in eine Zelle sperren, so daß ich zum Partikel eines seiner unzähligen Gedächtnisse werde, ohne Gewißheit, je wieder als Erinnerung abgerufen zu werden.

Ich habe ja nicht nur seine Irrenanstalten und Asyle gesehen, sondern ich bin auch in jenen Bezirk vorgestoßen, wo er Bordelle, Absteigen, Saunas und Massage-Salons unterhält. Hier läßt er Tag und Nacht seine Pornofilme laufen. Und in diesem Bezirk trifft er sich auch mit den Ganoven, den Taschendieben und Erpressern. Da kommt es zum Stelldichein mit Mördern und Totschlägern. Der Besitzer selber scheut sich nicht, seine Gegner zu blenden und zu entmannen, und er erwürgt solche, die er draußen fragt, wie es ihnen gehe.

Dabei habe ich von den zehntausend Millionen nur wenige Zellen gesehen. Aber nach dem, was ich gesehen habe, leuchtet es mir ein, daß der Schädel aus undurchsichtigem Material gebaut ist. Doch selbst, wenn dieser Schädel aus Glas wäre und man sähe, was sich darinnen tut, man nähme nur das Grau wahr, in dem ich lebe.

Ich begreife nur allzugut, daß es hier drinnen nicht nur dunkel, sondern auch lautlos ist. Die Gesichter, die vor Lust und vor Qual verzerrt sind, bleiben stumm. Die Lippen, die beim Kopulieren zittern, geben keinen Laut, es sind Umarmungen ohne Echo. Und die, denen man die Nägel ausreißt und die Sehnen durchschneidet, sperren den Mund zum Schreien auf, aber es ist kein Schrei zu vernehmen, so daß man die Zellen nicht schalldicht verkleiden muß.

In dieser Totenstille, die elektrisch geladen ist, krieche ich einmal mehr von der einen Hemisphäre zur andern und richte mich hinter einem Ohr und seinem Labyrinth mit den Bogengängen ein. Ich spüre, wie das Trommelfell vibriert, wie sich Hammer und Amboß in Bewegung setzen, wie der Steigbügel kippt und eine Flüssigkeit zu schwingen beginnt, und ich stelle mir vor, was diese Schwingungen bedeuten. Ob es der Wind ist, der draußen säuselt, oder ein Fußboden, der knarrt, oder ob der Dschungel mit seinen Tieren die Nacht zum Sprechen bringt, ob die Sirene zu einer Fabrik gehört oder zu einem Krankenwagen. Ob es Glocken sind, die läuten, oder ob ein Telefon klingelt. Ob das, was jetzt zu schwingen anfängt, ein Vers ist, oder zerspringendes Glas. Ob jetzt ein Demagoge seine Rede hält oder ein Verliebter stammelt. Da draußen ist die Welt der Töne und Laute, die Welt der Saxophone und Druckmaschinen, der Pfiffe und Geflüster, der Harmonien und Resonanzen, der Phone und Dezibels. Ich habe mir schon überlegt, ob ich es je soweit bringe, daß ich aufgrund der Schwingungen das Rauschen eines Baches von einem Lied unterscheiden kann und dieses vom Knall einer Explosion.

Da hinaus möchte ich. Zum Zwitschern und Plätschern. Zum Grölen der Betrunkenen und zum Röcheln der Sterbenden. Zum Tick-Tack einer Uhr. Dort, wo man hört, wenn einer anklopft.

Nie wird mich mein Besitzer ziehen lassen. Immer mehr werde ich zum Mitwisser von Dingen, die mich nicht interessieren, und ich spüre, wie, entgegen meiner Absicht, mich dieses

Mitwissen bindet. Ich werde zum Komplizen, der mit jedem Zeugnis, das er ablegt, sich selber belastet.

Wenn ich nur daran denke, was sich alles im Stirnlappen abspielt. In dieser stummen, noch nicht genutzten Region führt der Besitzer Völker ins Gelobte Land. Dort hängt er Sternbilder um und stellt Gold aus Sand her; er braut das Elixier des ewigen Lebens und verfaßt Gedichte, die alle bisherigen überflüssig machen. Aber in welchem Programm er auch auftritt, es kommt nie zu einer Premiere, denn sein Theater hat nur eine Probebühne.

Natürlich könnte ich klatschen. Ob ihm ein Applaus genügt, den man nicht hört? Und doch scheint er mich zu brauchen. Ich ersetze ihm das Publikum. Merkwürdig, selbst für seine Lächerlichkeiten braucht er einen, der zuschaut. Aber eben einen, der zu niemandem darüber reden kann.

In jener stummen Zone hinter der Stirne habe ich dem Abspielen seiner Träume beigewohnt. Ich meine nicht jene, die in der Nacht hochkommen, sondern die, die er selber fabriziert. Ich habe nicht bloß seine Kunst-Träume gesehen, sondern auch ihre Abfallberge, Müllhalden und Verbrennungsöfen.

Mir scheint tatsächlich nichts anderes übrig zu bleiben als weiter zu kriechen. Doch werde ich jene Furche meiden, die zum ›Denkmal der unbekannten Ratte‹ führt, einem Memorial für alle Tiere, die im Dienste eines solchen Gehirns getötet wurden. Als ich dort war, lief der Film über den Rhesus-Affen, dessen Gehirn frei präpariert war, und das, isoliert, Befehle an Organe erteilte, über die es nicht mehr verfügte. Im Vorprogramm war die Katze zu sehen, deren Nerven ein Forscher durchgetrennt und mit Absicht falsch zusammengenäht hatte; in Großaufnahme leckte das Tier nach einer Verwundung die gesunde Pfote und nicht die, die blutete.

Das hatte mich auf den Gedanken gebracht, mit dem Besitzer ähnlich zu verfahren. Ihm Nerven zu durchreißen, aber nicht so, daß ein Augenlid herunterhängt oder er die Arme nicht über Ellenbogenhöhe zu heben vermag. Nein, die Nervenstränge so zu knüpfen, daß er in ein Schienbein tritt, wenn er küssen will, und daß sich die Haare sträuben, statt daß sich die Pupillen erweitern, sein Sättigungszentrum derart zu erregen, daß er mit Völlegefühl verhungert.

Und alle Analysatoren zu sabotieren, welche die eintreffenden Informationen in wichtige und unwichtige sortieren, dahin wirken, daß alles von unterschiedsloser Bedeutung wird. Alle Blokkierungen aufzuheben, damit das Überwachungssystem zusammenbricht. Alles Gespeicherte abzurufen und alles Vergessene zu aktivieren. Diesen Herrn der totalen Information und damit dem Chaos auszuliefern, so daß er nicht mehr weiß, ob er, um sich zu retten, angreifen soll oder klettern, ob er sich besser eingräbt oder läuft.

Aber vielleicht treffe ich ihn viel mehr, wenn ich nichts unternehme und ihn seinem Handeln überlasse und damit den Fehlschlüssen und Trugbildern, den Irrtümern und Kurzschlüssen. Warten, bis es wieder soweit ist, daß er sich an den Kopf schlägt. Er führt sich dabei auf, als ob er den Kopf bestrafe, aber sein Hämmern ist ein Pochen, er sucht Einlaß, als könne er sich im eigenen Kopf verkriechen. Das sind Momente, wo er sich vielleicht meiner erinnert, es sind auch die Augenblicke, in denen mir dieses Gefängnis wie ein Schlupfwinkel vorkommt.

Was nützt es mir, wenn ich seinen Haushalt durcheinander bringe und er ein Staubkorn ernst nimmt wie einen Pfosten, so daß er in eine Hausmauer fährt, wenn er einen Fenstersims mit einer Türschwelle verwechselt und einen Schritt ins Leere macht.

Ob es für mich Befreiung bedeutet, wenn dieser Kopf aufschlägt und der Schädel auseinander bricht? Fraglich, ob ich es überstehen würde. Und ich frage mich auch, ob ich mich draußen zurecht fände. Müßte ich einen andern Kopf suchen, weil ich nur an einem Ort wie diesem leben kann? Schwerlich nur kann ich mir vorstellen, daß einer in seinem Kopf jemandem Unterschlupf gewährt, der, wie ich, im Kopf eines andern gelebt hat.

Sollte ich am Ende gar nicht hinauswollen, sondern nur vom Ausbrechen träumen? Von den Fackeln, Kronleuchtern und Jupiterlampen, vom Blitzlicht und vom Glühwurm, von einer Sonne, die sich hinter Wolken versteckt, und von einem Mond, der nur kraft einer fremden Lichtquelle leuchtet?

Und doch, ich kann es nicht lassen. Ich weiß, daß Samt sich anders anfühlt als eine Feile, daß die Finger sich verschieden erregen, ob sie über einen Spiegel fahren oder bei einem Stück Holz eine Spleiße einfangen; ich weiß, daß ein Topf heiß sein kann und der Schnee kalt ist. Aber ich möchte manchmal nicht nur wissen, daß die menschliche Haut glatt, rissig oder vernarbt sein kann, sondern ich möchte darüber streicheln.

Aber mich dünkt, ich gleiche mich diesem Hirn immer mehr an. War ich schon immer Teil von ihm? Aus der gleichen grauen Masse verfertigt, die so vieles über draußen weiß und so wenig von sich selbst?

Für die Auskunft über sich selbst war dieses Gehirn auf geschädigte Gehirne angewiesen. Es kam zu seinen ersten Erkenntnissen über sich dank Arbeitern, die sich beim Bau der Pyramiden am Kopf verletzten, dank Gladiatoren, deren Schädel so zertrümmert waren, daß sich das Flicken nicht mehr lohnte, dank den zum Tod Verurteilten, die man nicht nur den Henkern und Scharfrichtern überließ, sondern auch Ärzten, dank jener Soldaten, deren klaffende Kopfwunden das Gehirn zur Befragung freilegten.

Den Blick nach Innen haben erst Verwundungen möglich gemacht – wieso haben Freuden dies nie gekonnt?

Sollte auch ich eine Verletzung sein, eine mobile Beschädigung, deren Sprache die Vernarbung ist?

Ich weiß nicht einmal, ob der Besitzer spürt, daß ich im Gefängnis seines Kopfes krieche. Ich muß annehmen, daß er dabei nichts fühlt; denn dieses Gehirn ist unempfindlich gegen alles, was ihm direkt zustößt.

Ich frage mich, ob es von dieser Unempfindlichkeit herkommt, daß das Gehirn nicht einfach Leiden registriert, sondern welche erfindet. Ich weiß, daß mein Besitzer nicht nur an Dingen leidet, die ihm passieren, sondern an solchen, die er ersonnen hat, daß er Ängste aussteht, die er erdacht hat, und daß er Freuden durchlebt, die er sich zusammengereimt hat, und ich fürchte manchmal, daß er an einem Tod sterben wird, den er sich vorgegaukelt hat.

Die Signalanlage selber kennt den Schmerz als Warnung nicht. Die Unempfindlichkeit ist derart, daß ein Chirurg sein Messer durch diese Hügel führen kann, ohne daß das Gehirn etwas merkt. Bei vollem Bewußtsein könnte der Besitzer an dieser Operation teilnehmen. Was das Skalpell auch immer durchtrennte und zerschnitte, er würde nichts spüren, erst hinterher würde er merken, zu was allem er nicht mehr fähig ist, sofern er noch die Merkfähigkeit besäße.

Was – wenn ich mit einem solchen Messer operieren würde? Ich könnte ihn zum Idioten machen, ohne daß er etwas spürt.

An einem solchen Ort lebe ich. Woher wohl mein Verlangen kommt, hinaus zu wollen.

Wer weiß, vielleicht hinterläßt mein Herumkriechen eine Spur. Vielleicht wird diese Spur zum Ansatz einer Furche, in die man eines Tages ein Rohr legt und durch dieses Nervenstränge zieht, dank denen das Gehirn zu einem Schmerz kommt, der ausschließlich ihm gehört. Wenn dies zuträfe, wäre ich nicht umsonst ausgedacht worden. Für diesen Fall möchte ich nur allzu gerne wissen, ob ein Gehirn, dem es selber wehtut, sein Denken ändert.

Den kopf hatte er selbst gewählt, auch wenn man meinen könnte, ich hätte den Immunen an dem Ort eingesperrt, den er den schrecklichsten der Welt nennt.

Manchmal habe ich den Eindruck, er benutzte diese Papiere, um mich zu denunzieren. Ich frage mich nur bei wem? Bei mir selber? Und wenn er mich bloßstellt, gibt er nicht seine eigene Niederlage zu?

Aber vielleicht hat er in einem Papier wie diesem den Bruch mit mir geübt – zu was für Mut Papier doch verleitet.

Und er, der vom Kopf als einem Gefängnis redet, hatte er nicht als Halbwüchsiger einen Vogel eingefangen, weil er ausprobieren wollte, ob sich unser Brustkorb als Käfig eigne? Damals, als er wollte, daß es in unserem Innern zwitschere?

Ja, ich hatte ihm angeboten, was mir zur Verfügung stand. Mir blieb gar keine andere Wahl. Er war von sich aus daran gegangen, Organe und Körperpartien zu prüfen – alles könne unter Umständen schon vom kleinen Finger abhängen, den wir jemandem geben, oder von der Lauffähigkeit der Füße.

Aber anderseits frage ich mich, ob es uns so viel weiter geholfen hätte, wenn er statt im Kopf in einem Handgelenk oder in den Zehen Stellung bezogen hätte.

Und doch. Wenn ihm mein Kopf mißfiel, hätte er sich ja weiter unten einrichten können, obwohl ich bezweifle, daß es ihm zugesagt hätte, von Unterhosen abgeschirmt, zwischen den Beinen zu baumeln. Dort wäre es sicher einfacher gewesen, wenn auch monotoner. Es gibt weiß Gott genug Männer, denen ihr Männchen nicht im Kopf, sondern im Hodensack herumkriecht. So stolz wir auf diesen runzligen Beutel waren und ihn für lustvolle Spiele benutzten und benutzen ließen, der Immune hat ihn stets als Anhängsel betrachtet. Auch damals, als unzählige Geschlechtsgenossen recht geschwollen als Hodensäcke auftraten und den Rest des Körpers mitsamt dem Kopf als Anhängsel inkaufnahmen.

Über alles, was ich dem Immunen anbot, rümpfte er die Nase, und dabei habe ich den Bauch zu einer Zeit angeboten, als dieser sich noch nicht in Wülste legte.

Einen Moment lang hatte ihn zwar der Gedanke belustigt, sich hinter einem Nabel niederzulassen; aber eine Geburtsnarbe bietet nun einmal keinen Ausblick. Zudem begriff ich nur allzu gut: wir hatten in einem Bauch begonnen und nach neun Monaten gewußt, wie es in ihm ausschaut, er wollte es weiterbringen, zum Beispiel bauch-aufwärts, schon weil man von oben einen besseren Überblick habe.

Er hatte allerdings nicht unrecht, wenn er über die Wetterfühligkeit dieses Kopfes klagte; doch daran litt nicht nur er, sondern auch ich; insofern konnte er diese Empfindlichkeit nicht persönlich und schon gar nicht als Schikane auffassen. Und anderseits waren wir oft genug froh, dem Wetter schuld geben zu können, wenn dieser Kopf nicht auszuhalten war.

Er hätte jederzeit das Kopfweh gegen das Bauchweh eintauschen können. Damals, als man die überzählige Butter an die Kälber verfütterte, behaupteten einige, man müsse aus dem Bauch heraus denken. Und in der Tat, vieles, was als Gedanke vorgetragen wurde, nahm sich aus, als sei jemandem etwas aufgestoßen oder hochgekommen, und das Erbrochene wurde nicht weggewischt, sondern ausgestellt, und eine Reihe von freischaffenden Sehern las aus diesem Erbrochenen die Zukunft ab. Ganz rabiat konnte der Immune werden: wenn der Bauch denke, sei das eher etwas für die Nase als für die Ohren.

Das heißt nun aber nicht, daß er etwas gegen den Bauch gehabt hätte. Man denke nur daran, wie er mit seinen Diners protzte. Ich staunte immer wieder, wie nuanciert er das Knurren des Magens zu deuten verstand.

So eindeutig er sich für den Kopf entschied, er hatte dennoch gezögert. Bei den Augen zum Beispiel. Ich mußte mehrmals die Augenlider betätigen; auch er wollte eine Einrichtung haben, die einem erlaubt, nicht schauen zu müssen.

Auch beim Herzen hatte er gezögert. Aber er, der sich in seinen Papieren beklagt, daß in meinem Kopf kein Laut und keine Stimme zu hören seien, hatte sich nach einem Schnupperaufenthalt im Herzen beschwert, dort komme man nicht zur Ruhe, weil Tag und Nacht eine Pumpe laufe.

Bei mancher Gelegenheit war er auf dieses Herz zu sprechen gekommen. Nicht nur in jener Nacht, als er vorschlug, mit diesem Herzen zu brechen.

Er wunderte sich, wie es dieser Muskel geschafft hatte, in den Ruf zu kommen, Sitz der Gefühle zu sein – ob das wohl damit zusammenhänge, daß er unermüdlich und unbelehrbar zucke.

Aber er kam auch auf das Herz zu sprechen, wenn es um die Ersetzbarkeit der Organe ging. Man könne zwar ein fremdes Herz einpflanzen, aber noch nicht einen fremden Kopf aufnähen, und wenn auch noch so viele mit einem fremden Kopf herumliefen, die täten das, ohne daß an ihnen eine Transplantation vorgenommen worden wäre.

Sein Entscheid für den Kopf sei keiner gegen den Bauch oder gegen andere Organe. Er bewunderte am Bauch, daß dieser prompt gegen alles reagierte, was ihm nicht bekam, auch wenn er es auf unappetitliche Weise tun konnte. Und was die Reinigung der Augen betraf, hatte der Immune eingeführt, daß ich jede Woche zehn Minuten weinen sollte, das sei mindestens so gut, wie einen Selbstverteidigungskurs zu besuchen. Einen Anlaß zum Weinen gebe es immer, und zudem könne man auch präventiv weinen.

Doch im Grunde genommen war die ganze Auseinandersetzung, wo sich der Immune niederlassen sollte, ein recht akademischer Streit. Seitdem wir in den Windeln gelegen hatten, hatte er sein Bett und seine Ecke gehabt. Und als wir unterwegs und noch jung waren, hatte er sich als großer Improvisator erwiesen; während ich nachrechnete, ob es für ein Hotel garni reichte, lächelte er so lange durch die Gegend, bis er für mich eine Umarmung mit Frühstück fand.

Und seitdem wir diese Wohnung haben, hat er im oberen Stockwerk sein eigenes Zimmer. Dort, wo sein Beatmungs-Adam an der Wand hängt und sein hohler Heiliger steht und das Wurzelpärchen liegt. Das Zimmer, in das ich gegangen bin, nachdem die beiden, welche meine Wohnung durchsuchten, sich verabschiedet hatten; es nahm sich aus wie immer, als könne der Immune jeden Moment zurückkehren.

Daß der Immune meinen Kopf beanspruchte, konnte mich nicht überraschen. Nur hätte ich nie gedacht, daß dieser Anspruch zu einem der kritischsten Momente unserer Beziehung führen sollte. Eine Krise, die allerdings lächerlich war, im Vergleich zu dem, was in jener Nacht passierte.

Wir seien symmetrisch gebaut, hatte er sein Gespräch begonnen. Nun war mir selber schon aufgefallen, daß wir zwei Beine und zwei Arme haben, zwei Augen und zwei Ohren, und ich wußte auch, daß wir zwei Lungenflügel und zwei Nieren besitzen, und auch wenn wir nur über eine einzige Nase verfügen, hat diese immerhin zwei Löcher. Doch wenn der Immune pädagogisch-simpel begann, zielte er gewöhnlich auf Ausgeklügeltes.

Unser Gehirn habe zwei Hälften. Wir könnten uns im Sinne einer Rationalisierung in diese beiden teilen, wenn jeder seinen Teil maximal ausnütze, könnten wir es soweit bringen, daß wir im gleichen Moment zwei verschiedene Probleme lösten, das sei schon etwas für Leute wie uns, die immer gleichzeitig mehrere Probleme hätten, was er aber nicht als Einladung verstanden wissen wolle, sich unbekümmert noch mehr zuzulegen.

Bei diesem Handel kam jeder von uns auf fünf Hirnlappen. Natürlich vollzog sich diese Aufteilung nicht ohne Schwierigkeiten. Zum Beispiel die Zähne. Und nicht bloß, weil uns nur ein einziger Weisheitszahn gewachsen war. Der Immune hatte das Beißen übernommen und mir das Klappern überlassen. Klappern mit den Zähnen sei nur eine andere Art zu schreien, ich solle achtgeben und klappern, sobald Gefahr im Anzug sei, er werde dann feststellen, ob ich es wegen der Kälte tue oder weil ich ein Gespenst gesehen hätte.

Doch merkte ich bald, daß ich ins Hintertreffen geriet. Ich hatte größte Mühe, etwas zu formulieren. Während er über einen umfassenden Wortschatz verfügte. Wo ich stammelte, redete er von Vokalisation, er brachte mich nicht mit Argumenten zum Schweigen, sondern mit Fremdwörtern und Terminologien. Ich mußte feststellen, daß das Sprachzentrum in seiner Hälfte lag, mir hatte er die Lallworte überlassen.

Gerade als ich einige Protestsilben herausbringen wollte,

schlug er mir vor, die Seiten zu wechseln. Er habe sich in der linken Hälfte umsehen wollen, er könne sie mir beruhigt abtreten, sie sei durchorganisiert, man könne sie mir anvertrauen, denn sie laufe praktisch von alleine, da könne ich kaum etwas durcheinander bringen, das schließe nicht aus, daß bei soviel Schaltstellen von Zeit zu Zeit eine Sicherung durchbrenne.

Der Immune konnte sich beschweren, weil ich die Stirne runzelte, während er nachdenke, dieses Störmanöver hindere ihn am Überlegen. Und plötzlich beklagte er sich darüber, daß ich ohne Vorwarnung schluckte. Ich drohte, die Nahrungszufuhr zu stoppen, worauf er einen Teil des Dünn- und Dickdarms zu seiner Interessensphäre zählte, und als uns eines Tages eine Biene um den Kopf summte, stritten wir so lange darüber, wer sie verjagen dürfe, bis sie uns ihren Stachel in die Wange setzte.

Mit all diesen Klagen, Beschwerden und Forderungen wollte der Immune nur ablenken. Denn er hatte begonnen, in seiner Hälfte merkwürdigem Volk Unterschlupf zu gewähren. Er brachte mit, wen immer er auf seinen nächtlichen Streifzügen auftrieb, irgend ein altes Weiblein, das seine schmutzige und sinnlose Habe in einer Plastiktasche mit sich herumtrug, Stadt- und Landstreicher, solche, die einfach ihren Heimweg nicht fanden, und andere, die keine Adresse hatten, zwielichtige Figuren, Jugendliche, deren Arme von Nadeln zerstochen waren. Und sie machten in der Hälfte des Immunen weiter, lärmten, johlten und grölten, stöhnten und klagten, stampften und stritten, warfen mit Gegenständen um sich und plumpsten selber hin. Ein Lärm und Gelächter, ein Kreischen und Heulen, das mich nicht schlafen ließ.

Ich pochte auf mein Recht, wissen zu dürfen, wer alles in meinem Kopf Unterschlupf finde und was sich darin tue. Aber der Immune antwortete nur, wenn schon, sei es auch sein Kopf, er sei nicht Untermieter, und in seiner Hälfte könne er machen, was er wolle, und er fügte hinzu, die Zeit sei längst vorbei, da jemandem der Kopf schon gehöre, nur weil er ihn auf dem Hals trage, ich solle mich doch glücklich schätzen, daß dieser Kopf brauchbar sei, indem er ein Dach über den Köpfen von andern werde.

Aber die Agentenzellen, die ich über den Balken in seine Hemisphäre schleuste, brachten Aufnahmen zurück, aus denen eindeutig hervorging, daß der Immune riesige Terrains absteckte und mit Stacheldraht umgab, er errichtete ein Auffanglager, und es schien, daß es nicht nur bei diesem einen bleiben würde, für das er bereits eine Entlausungsstation und eine Notküche baute.

Ich beharrte auf einem Gipfeltreffen. Der Immune gab gleich alles zu, aber er führte aus, er richte diese Lager in meinem Interesse ein, denn ich komme wohl nicht darum, von all dem Kenntnis zu nehmen und das alles müsse auch in einem Kopf wie diesem unterkommen. Er legte überzeugend dar, daß die ersten Zehntausend, die gekommen waren, überhaupt kaum Platz beanspruchten, und die Hunderttausende von Vertriebenen und Verjagten, die auf der Flucht vor Regimen und Naturkatastrophen wären, fänden in ein paar winzigen Zellen Platz.

Aber die, die so wenig Platz beanspruchten, behielten ihr Gewicht bei, und das führte zu einer unerträglichen Belastung für meinen Hals.

Ich legte bei diesen Verhandlungen ein Attest auf den Tisch, daraus ging hervor, daß der zweistrangige Muskel, der den Kopf stützt und für den ich zuständig war, anschwoll. Mein Kopfnikker-Muskel drohte zu verkrampfen, so daß sich die Gefahr eines steifen Halses abzeichnete und damit die Möglichkeit, nie mehr mit dem Kopf nicken zu können.

Für diese Verhandlungen hatte sich der Immune von Politikern inspirieren lassen und den Tisch so auf die Waffenstillstandslinie gestellt, daß zwei Beine auf seiner Hälfte und die andern auf meiner standen. Aber wir hatten uns schon nach den ersten Imponiergebärden geeinigt und die Aufhebung der Waffenstillstandslinie beschlossen, nur schon deswegen, weil das, was auf der linken Seite als Information hereinkam, auf der rechten verwertet, und das, was rechts hereinkam, links registriert wurde.

So hatten wir schon einmal an einem Tisch gesessen und Informationen ausgetauscht, damals, als wir als Feuerwehrmänner gearbeitet hatten.

Es war wieder einmal so weit gewesen, daß wir nicht wußten, wovon wir leben sollten, und da schlug der Immune vor, wir könnten es doch mit dem Theater versuchen. Wir hatten als Gymnasiasten und Studenten am Theater statiert, und so meldeten wir uns einmal mehr als Volk. Aber viele Arbeitslose bewarben sich ebenfalls als Volk, zudem wurde damals, nicht zuletzt aus Budgetgründen, das Volk auf der Bühne stilisiert dargestellt, so daß man mit einigen wenigen Komparsen auskam.

Die beiden Plätze der Hausfeuerwehr waren hingegen noch frei, dafür mußte man sich auch umziehen; wir zogen im Keller zwischen Kulissen unsere Uniform an und nahmen unsere Posten rechts und links auf der Bühne hinterm Vorhang ein.

Der Immune war während der Vorstellung eingenickt, wie er mir später gestand. Aber als er das Wort »Feuer« hörte, sprang er auf, griff nach dem Löschapparat, rannte auf die Bühne und versprühte seinen Schaum. Aber es hatte nur ein General ›Feuer‹ gerufen und damit den Befehl erteilt, einen Freiheitshelden standrechtlich zu erschießen. Vor dem Löschschaum stob das Erschießungskommando auseinander, der General erholte sich nicht mehr vom Husten, und der Freiheitsheld zog sich die schwarze Binde von den Augen. Er war wütend. Er hatte geprobt, wie er zusammenbrechen und nach der Brust greifen, wie er in die Knie sinken und sich aufbäumen würde, bevor er am Boden zuckend stürbe, die Faust noch einmal erhoben, bis auch diese reglos niedersänke. Völlig verloren stand der Freiheitskämpfer da; er wußte nicht, was er sagen sollte, für seine Rettung war kein Text vorgesehen.

Noch in unserer Uniform saßen wir hinterher im Theaterrestaurant, zwei Feuerwehrmänner, die eben entlassen worden waren. Uns beschäftigte das Stück. Jeder hatte zwar den ganzen Text gehört, aber da jeder von uns hinter dem Vorhang gesessen hatte, hatte er nur das gesehen, was auf der Gegenseite passiert war, und so erzählte jeder dem andern, was er gesehen hatte, damit jeder von uns zu einem Ganzen komme. Mich hatte zutiefst beeindruckt, wie eine Frau mit rauchiger Stimme gestammelt hatte »Ich liebe dich«. Der Immune aber hatte gesehen, wie sie bei der Umarmung ihre Hände auf seinem Rücken immer weiter nach unten hatte gleiten lassen, bis sie ihm das Portefeuille aus der Gesäßtasche ziehen konnte; es sei ein Lehrstück, es gelte auch für den Fall, daß uns ein Politiker umarmt.

Ich hatte den Anruf entgegengenommen, aber der Theaterdirektor wollte den Immunen sprechen. Die Kritik war begeistert, noch nie war in einem Stück jemand mit einem Feuerlöscher gegen Gewehre angetreten, die Modernität dieses verfremdeten Schlusses wurde gepriesen, nicht zuletzt das Erschrecken des Freiheitshelden, der stumm in die Zukunft blickt. Der Immune zog nun seine Feuerwehruniform in einer Schauspielergarderobe an und wurde für seinen Auftritt geschminkt, und wir lebten eine Saison lang recht gut.

Ja, das war damals, als wir glaubten, man müsse zum Davonkommen auch wissen, wie man Feuer löscht; ich ahnte damals nicht, daß man auch davonkommen kann, indem man Feuer legt.

Ich stelle fest, wie ich mich an jedes »Weißt du noch« klammere, das sich einstellt. Aber ich tue es ja wohl nur, um nicht an jenes Ende zu kommen, das längst stattgefunden hat.

Im Grunde war in jener Nacht gar nichts Großes passiert, außer eben, daß es mit allem aus war. Ich hätte schon längst wissen können, daß dieser Immune einer der Verzweifeltsten war, aber ich wollte nicht wahr haben, daß ich mich ausgerechnet an einem Verzweifelten festhielt, um mein Leben durchzustehen.

Mit Verwunderung jedenfalls nehme ich das letzte Papier zur Hand, in dem er von einem Kind erzählt. Darin sagt er »ich«; aber es ist meine Geschichte. Ich frage mich nur, wann er sie geschrieben hat. Sollte das alles schon zu Papier gebracht worden sein, bevor ich es selber erlebte?

»Das ist sie.«

Ich hörte, wie jemand stapfte und keuchte. Dann nichts mehr. Um die Ecke schaute ein Kopf zu uns herauf, unter den kurzen, schwarzen Haarsträhnen ein rundliches Gesicht. Das Kind blieb schnaufend auf dem Treppenabsatz stehen. Dann stapfte es weiter die steilen Stufen herauf, den Blick auf seine Füße gerichtet. Als es oben war, und ich die Wohnungstür hinter uns geschlossen hatte, sagte Mauwal etwas zur Kleinen, und diese streckte mir ihre Hand hin. Mauwal stieß sie an, das Mädchen sah mir ins Gesicht. »Sie heißt Noi.« Als sie ihren Namen hörte, senkte sie den Blick.

Die beiden schlüpften aus ihren Schuhen. Während ich an der Schreibmaschine saß, hörte ich sie in der Küche mit Geschirr und Gläsern hantieren. Nur Mauwal redete. Da kam die Kleine aus der Küche, und ich beobachtete, wie sie sich im Flur am Schrank zu schaffen machte. Sie suchte etwas, dabei fiel die Schuhschachtel mit den Putzlappen heraus, verdattert sah sie sich um. Ich lächelte und sagte »Kein Problem«. Sie las die Lappen zusammen, und dann zerrte sie mit Gepolter den Staubsauger hervor. Mauwal rief ihr etwas aus der Küche zu, wohl, sie solle keinen Lärm machen. Die Kleine probierte die Knöpfe am Schlitten aus und entdeckte den Schalter, der die elektrische Schnur automatisch aufrollen läßt, und sie strich über den gerippten Schlauch, als könne der Töne von sich geben.

Nachdem ich meine Briefe fertig hatte, ging ich in die Küche, um mich mit Mauwal für die folgende Woche zu verabreden. Sie bat mich, sie deswegen nochmals anzurufen. Die Kleine hielt einen Teller zum Abtrocknen in der Hand und besah sich das Landschaftsmuster. Ich wies auf die Schale mit den Früchten und hielt Noi einen Apfel hin. Das Kind blickte zu Mauwal auf, und diese lehnte dankend ab: »Sie erbricht alles.«

Als ich bei Mauwal anrief, war ihr Mann am Telefon, das mit Mittwoch sei in Ordnung. Und ich erkundigte mich nach dem Kind.

»Die hat noch kein Wort gesprochen. Sie kann wohl überhaupt nicht reden. Aber sie wird schon noch lernen, den Mund aufzumachen, wenn sie etwas will.« Ich warf ein, es sei ein sehr nettes Kind, und er gab zurück, er habe eine Frau und nicht eine Familie geheiratet. Es sei ihm schon nicht geheuer gewesen, als er seinerzeit in dem Kaff war. Einmal und nie wieder. In der obersten Ecke von Thailand. Wenn Mauwal alle Schwestern und Brüder und Kinder nachkommen lasse, müsse er seine Dreizimmerwohnung ausbauen. Nun gut, jetzt sei das Kind da, und er habe unterschrieben. Ich wunderte mich, was das hieß. »Man kann doch ein Kind nicht einfach ins Flugzeug setzen«, belehrte er mich. Die Stewardeß habe sie während des Flugs betreut. Und auch durch den Zoll geschleust. Von wegen Zoll – eine Plastiktasche habe sie mitgebracht und ein Photo drin. Die Stewardeß habe ihm das Kind übergeben und er habe den Empfang quittiert, wie bei der Post. Und Mauwal habe den Brief übersetzt, den das Kind die ganze Zeit über in der Hand gehalten habe. Von ihrem Vater. Der habe sich seitenlang dafür bedankt, daß sie seine Tochter übernähmen, und auch geschrieben, sie könnten mit ihr machen, was sie wollten.

Als Mauwal das nächste Mal kam und ich die beiden begrüßte, stellte sich Mauwal hinter die Kleine. Die sah mich an und streckte ihre Hand hin:

»Ich heißen Noi. Wie geht?«

»Wie geht es Ihnen?« sagte Mauwal Silbe für Silbe vor, und ich korrigierte: »Wie geht es dir?«

Die Kleine blickte von einem zum andern und war verwirrt und streckte die Hand nochmals aus: »Ich heißen Noi. Wie geht?«

Ich hatte Mauwal gebeten, uns einen Kaffee zu machen, wenn sie mit der gröbsten Arbeit durch sei. Wir saßen in der Küche. Die Kleine umfaßte das Glas Orangensaft mit beiden Händen, die Ellbogen auf den Tisch gelegt, und trank, ohne das Glas zu heben, indem sie es gegen den Mund kippte.

Ob das stimme, fragte Mauwal, das habe sie nicht gewußt, auch Ausländerkinder müßten in die Schule, Noi sei erst zwölf. Es gebe eine Schule für Ausländerkinder. Nicht die für Italiener. Die hätten eine eigene. Für Kinder, die nicht Deutsch könnten. Für Jugoslawen, Griechen, Türken. Ob die so viel koste, wie ihr Mann befürchte.

Ich bezweifelte das und versprach, mich zu erkundigen.

Mauwal hatte ihren Steckkamm herausgezogen, und glänzend fiel ihr das Haar über die Schulter, sie kämmte es ein paar mal durch. Die Kleine hatte dem Kämmen aufmerksam zugeschaut. Als Mauwal ihr Haar wieder hochsteckte, setzte Noi zum Reden an, und sie hämmerte sich auf die Stirne.

»Sie klagt, sie habe Kopfweh, weil sie nicht sagen könne, was sie im Kopf habe.«

Noi zeigte auf Mauwals Haar und rupfte dann an dem ihren.

»Zuhause schneidet ihr die Mutter die Haare kurz. Jetzt will Noi sich die Haare wachsen lassen.«

Die Kleine zeigte mit der Hand bis zum Boden.

Als die beiden das nächste Mal kamen, trugen sie den gleichen Trainingsanzug, kanariengelb, mit irgendeinem Markenzeichen vorne drauf. Als ich mit Kopfnicken meine Bewunderung ausdrückte, hüpfte Noi und tänzelte mit einem ausgestreckten Arm. Neben ihrer schlanken Tante wirkte sie dicklich, die Trainingshose spannte sich über ihrem Hintern, und ihr pausbackiges Gesicht leuchtete.

Da fiel mir ein, daß ich vergessen hatte, mich wegen der Schule zu erkundigen. Mauwal hatte herausgefunden, daß Noi sowieso erst nach den Sommerferien in die Schule eintreten könne. Eine Freundin, auch eine Thailänderin, kenne eine Lehrerin, die sei spezialisiert auf Ausländerkinder, besonders auf solche, die kein Wort Deutsch könnten, die sei bereit, Noi Stunden zu geben. Die wohne auch nicht so weit weg. Da könne Noi selber mit dem Tram hinfahren.

Ich nickte anerkennend und sagte zu Noi: »Du Schule gehen.«

Noi sah an sich hinunter auf ihre Füße, und Mauwal lachte: »Nicht Schuhe. Schule. Sie bringt alles durcheinander.«

Noi mußte selber lachen. Sie stellte sich vor mich hin und klopfte sich auf ihre kanariengelbe Brust: »Ich stjudent.«

Ich hatte drei Wochen im Ausland zu tun und war auch in Brüssel. Als ich zum Rathausplatz bummelte und in die Auslagen sah, fiel mir ein, ich könnte der Kleinen ein paar Taschentücher mitbringen, und auch Mauwal, die mochte sicher solche mit Spitzen.

An dem Mittwoch, an dem Mauwal gewöhnlich die Wohnung aufräumte, kam ich eben vom Morgenkaffee, als ich die beiden in der Gasse sah. Mauwal hatte einen Walkman umgehängt, und die Kleine redete auf sie ein, aber Mauwal konnte nicht antworten, da sie gar nicht zuhörte. Noi zerrte an ihr und zeigte die Gasse hinunter. Mauwal schloß die Haustüre auf, Noi blieb einen Moment draußen, blickte am Haus empor und folgte unwillig.

Als ich in die Wohnung hinaufkam, hatten die beiden bereits ihre Schürzen umgebunden, und die Kleine führte mich gleich zu den Fenstern. »Schön. Nicht kaputt.«

Mauwal erklärte, Noi sage für alles, was nicht in Ordnung ist, »kaputt«, sie hätten die Fenster geputzt.

Und dann zeigte Noi auf ihren Kopf. Sie hatte einen blauen Plastikschmetterling im Haar.

»Sie kann zählen«, sagte Mauwal. Und die Kleine begann: »Eins, zwei, drei, vier, fünf«, das lief fast leiernd ab, dann stockte sie und sagte nach einer Weile: »Six.« – »Nicht englisch. Sie hat in der Schule ein bißchen Englisch gehabt. Nicht ›six‹, sondern ›sechs‹.« Und Noi wiederholte »sechs«, stockte wieder, und dann sagte sie nach, was Mauwal ihr vorsprach: »Acht, neun, zehn«.

Als ich mit Mauwal abrechnete, fragte sie, ob sie nicht an einem andern Wochentag kommen könne, sie habe für Mittwoch ein ganztägiges Angebot. Und sie fügte hinzu, die Lehrerin, bei der Noi gelernt habe, sei schon gut gewesen, aber die gehe jetzt für einige Monate nach Spanien, sie schreibe ein Buch über ihre Erfahrungen mit Ausländerkindern; sie hätte Noi sowieso nicht länger zu ihr schicken können, die sei sehr teuer gewesen. Sie habe ihr ihr Armband gegeben, sie werde einfach sagen, sie habe es verloren, falls ihr Mann danach frage. Und die Lehrerin habe nicht einmal geglaubt, daß es Silber sei, und sei zu einem Juwelier gegangen.

Da fiel mir ein, daß ich Taschentücher gekauft hatte, und ich holte sie. Und ich gab Noi ein ›Trinkgeld‹, weil sie geholfen habe, dafür müsse sie auch etwas erhalten. Die Kleine faltete die Note, sie legte die Hände gegeneinander, so daß sich die Fingerspitzen berührten, hob die Hände bis vor die Stirn und beugte leicht ihren Kopf.

Ich machte Mauwal einen Vorschlag: Ich könne Noi unterrichten. Dann habe sie sicher weniger Schwierigkeiten, wenn sie nach den Sommerferien in die Schule gehe; wir könnten es doch so halten, daß ich, während sie, Mauwal, die Wohnung aufräume, der Kleinen Deutsch geben und es ließe sich sicher einrichten, daß Noi zusätzlich noch einmal in der Woche komme, ob die Kleine Bücher habe? Mauwal sprach mit Noi und sagte, sie werde das nächste Mal alle Schulsachen mitbringen.

Noi stellte sich vor den Schreibtisch und sagte: »Ich lernen: ›Was heißen?‹« Sie nahm das kleine Gummitier, das neben dem Lederbecher mit den Bleistiften und Kugelschreibern stand, in die Hand und fragte: »Was heißen?«

»Dinosaurier.«

Sie versuchte das Wort nachzusprechen und fragte nochmals: »Was heißen Tier?«

Das nächste Mal brachte Noi eine Plastiktasche mit und setzte sich gleich mir gegenüber an den Schreibtisch, packte aus, ein Buch und ein Heft, und legte daneben ein Lineal, holte einen Kugelschreiber hervor und ein paar beschriebene lose Blätter, dann wühlte sie nervös in der Tasche und sah mich an: »Vergessen«, und suchte auf dem Schreibtisch, bis sie einen Radiergummi fand, zum Schluß holte sie noch zwei Farbstifte aus der Tasche.

Ich fragte, ob sie nicht mehr habe. Sie rief Mauwal, und diese übersetzte meine Frage und auch, daß wir eine Schachtel Farbstifte kaufen würden.

Noi nickte. »Nicht alles gelb. Nicht alles blau«, und sie wies auf ein Kissen. »Grün. Grün.«

Und dann zeigte ich ihr, daß ich ein Wörterbuch ›Deutsch-Thai‹ gekauft hatte. Sie sah das Buch staunend an, blätterte darin und lief mit dem Buch in die Küche, wo Mauwal eben den Boden feucht aufwischte und das Kind anfuhr, es solle ihr nicht im Nassen herumtrampeln. Als sie zurückkam, schwenkte sie das Buch.

Ich hatte in ihrem Heft geblättert, um mich über den Stand ihrer Kenntnisse zu informieren. Auf der Seite, die ich aufgeschlagen hatte, war ein großer Klecks. Noi stand neben mir und fuhr mit dem Ellenbogen übers Papier, um zu zeigen, wie es passiert war, und sagte: »Kein Problem.«

Als sie mir gegenüber wieder Platz genommen hatte, begann ich. Ich zeigte auf mich und sagte: »Ich«. Sie zeigte auf mich und wiederholte »Ich«. Ich nahm ihren Finger und drehte ihre Hand, daß die Kleine auf sich selber wies und sagte: »Ich«. Sie nickte. Und dann zeigte ich auf sie und sagte »Du«, und sie nickte und sagte: »Nicht machen.« Da ich nicht verstand, was sie meinte, rief ich Mauwal, ich führte die Handbewegungen vor, und Mauwal klärte mich lächelnd auf, in Thailand sei es sehr unanständig, auf jemanden mit dem Finger zu zeigen.

Und ich begann von neuem: »Du Mädchen.« Noi nickte: »Ich Kind.« »Mauwal Mädchen?« fragte ich. Sie runzelte die Stirn: »Mauwal Frau.« Ich nickte. Und dann nannte ich den Namen von Mauwals Mann: »Bruno Mann, er nicht sie, sie Frau.« Sie nickte und rief: »Ich Kind, du Mann.«

Da überlegte sie etwas und suchte irgend ein Wort. Sie lief wieder zu Mauwal, welche im Wohnzimmer Staub wischte, und kam mit dem Wort zurück, es ständig wiederholend: »Was heißen: ›Pfle--Pfleg--was heißen Pflegekind‹?«

Ich suchte im Wörterbuch unter ›P‹, aber das Wort stand nicht drin.

»Das ist ein Kind«, ich zögerte bereits. Noi hörte aufmerksam zu.

»Du in Thailand Papi.«

»Ja.«

»Du in Zürich Bruno-Papi.«

Sie wartete, was danach kommen würde.

»Pflegekind nicht richtig Kind ...«

»Was heißen richtig?«

Ich schlug im Wörterbuch ›richtig‹ nach. Da standen hinter dem deutschen Wort acht Bezeichnungen. Ich hielt ihr das Buch hin. Sie riß es an sich und las, sah auf, las das Ganze nochmals, aber langsamer, und schaute mit empörten Augen auf: »Ich richtig Kind.«

»Ja.«

»Warum du sagen, ich nicht richtig Kind?«

»Natürlich«, sagte ich, »du nicht in Thailand Kind, sondern jetzt Kind hier.«

»Kind hier?«

Sie war aus ihren Schuhen geschlüpft und hatte ihre Beine angezogen, so daß sie im Schneidersitz auf dem Sessel hockte, und sie begann mit dem Stuhl zu wackeln, daß dieser nur noch auf den Hinterbeinen stand, und klatschte in die Hände: »Ich Kind hier.«

Ich war an jenem Abend spät nach Hause gekommen. Auf der Treppe schon hörte ich das Telefon klingeln und fragte mich, wer um diese Zeit wohl anrufe. Als ich den Hörer abhob, vernahm ich ein Keuchen, nichts und dann eine dunkle Stimme:

»Noi.«

»Hallo Noi«, rief ich, »Salü. Du nicht schlafen?«

»Mauwal nicht hause.«

»Sie kommt sicher bald.«

»Bruno-Papi nicht hause.«

»Du schlafen. Schon spät«, und ich überlegte wie ich ›spät‹ sagen sollte und sah auf die Uhr. »Schon elf.«

»Ich Noi. Wie geht dir?«

»Gut. Du mußt schlafen.«

Dann wieder eine Pause, und ich dachte an ihr Kopfweh: »Gute Nacht.«

Als ich aufgehängt hatte, schlug ich im Wörterbuch ›spät‹ nach und ›schlafen‹, aber das Wörterbuch hätte beim Telefonieren auch nichts genützt. Ich schaltete den Fernseher ein, sah aber nicht hin, sondern las Zeitungen. Als ich ins Badezimmer gehen wollte, läutete die Hausglocke. Ich drückte den automatischen Öffner und wartete unter der Wohnungstür. Ich hörte ein Stapfen und Keuchen. Dann nichts mehr. Jemand schneuzte, dann sah Noi mit ihrem runden Gesicht um die Ecke. Sie blieb auf dem Treppenabsatz stehen, blickte zu mir herauf und zuckte die Achseln: »Mauwal nicht hause.«

Ich winkte sie zu mir. Als sie bei mir war, wollte ich ihr übers Haar streicheln; da fiel mir ein, daß mir Mauwal einmal gesagt hatte, man fasse in Thailand nie jemanden an den Kopf. Ich drückte Noi an mich und sagte: »Du bleiben.«

Sie verstand nicht, rief »Buch«, ging ins Wohnzimmer und kam mit dem Wörterbuch zurück, und ich schlug darin nach, was in ihrer Sprache ›bleiben‹ hieß.

Ich holte für uns zwei Gläser Orangensaft und legte das Wörterbuch auf das Tischchen zwischen unseren beiden Sesseln. Noi saß vor dem Fernsehapparat, irgend ein Western war am Ablaufen. Ich sah auch auf den Bildschirm und zwischendurch zu Noi und nickte ihr ermunternd zu, und als ich wieder einmal hinsah, war sie eingeschlafen, den Kopf zurückgelehnt, so daß sie ihre großen Nasenlöcher zeigte, die Beine von sich gestreckt und ein Kissen an sich drückend.

Da rief ich bei Mauwal an. Die war eben nach hause gekommen: Die Kleine sei bei mir, es täte mir leid, daß ich sie aufgehalten hätte, aber jetzt sei es zu spät, es fahre kein Tram mehr. Noi könne bei mir schlafen. Da nahm Mauwals Mann ihr den Hörer aus der Hand: »Aber morgen um elf ist sie da«, man dürfe wohl noch am Abend ausgehen.

Noi war kaum wachzubekommen. Ich führte sie ins obere Stockwerk und machte ihr im Mansardenzimmer das Bett bereit.

Da rieb sich Noi die Augen und stellte sich vor mich hin: »Ich hier schlafen? Ich morgen putzen.«

Als ich am andern Morgen in der Frühe hinaufging, saß sie bereits auf dem Bettrand und ließ die Beine baumeln. Ich wünschte ihr »Guten Tag«. Sie sagte eine Weile nichts und deutete dann aufs Fenster: »Vogel.«

Wir setzten uns zum Frühstück in ein Café, das um diese Zeit bereits im Freien servierte. Noi wollte einen »Tea«, und ich sagte, sie solle ihn selber bestellen, sie könne das auf deutsch. Sie entdeckte das Körbchen mit den Hörnchen und sagte dem Servierfräulein, das die Bestellung belustigt entgegennahm, »Tee und Gipfeli«.

Nachdem wir gegessen hatten, spazierten wir zum See. Noi gab mir ihre Hand, und ich spürte den Druck und den Halt ihrer kleinen Finger.

Es war Samstag. In der Bürkli-Anlage wurde der wöchentliche Flohmarkt abgehalten. Um diese Zeit waren erst einige Stände aufgebaut. Von allen Seiten fuhren Lieferwagen vor, und einige Händler schoben ihre Waren auf Karren herbei. Zwei Burschen luden von einem Auto Bauernkommoden ab, und ein Mann breitete auf einem Stück Samt alte Taschenuhren aus. Daneben ein Tischchen mit Bestandteilen, von denen ich nicht wußte, wofür man sie hätte brauchen können. Eine Frau befestigte mit Wäscheklammern lauter Hüte mit Straußenfedern an einer Schnur, und ich bedeutete Noi, ob sie einen solchen aufsetzen wolle. Ich zeigte in die Kastanienbäume hinauf, die blühten: »Wie Kerzen«. Bereits hatten sich auch die ersten Käufer und Neugierigen eingestellt, einige wühlten in den Kleiderhaufen und stöberten in den ausgelegten Büchern. An einer Stange baumelten Marionetten; als der Verkäufer Noi entdeckte, lud er sie ein, an den Fäden zu ziehen, und Noi lachte, als die Puppen ihre Arme und Beine bewegten. Und dann schauten wir zu, wie ein altes Grammophon mit einem riesigen Lautsprecher aufgezogen wurde. Wir spazierten an den Ständen mit den Kräuter- und Gewürzpackungen und an dem mit dem Holzofenbrot vorbei und verweilten bei einem Sammelsurium einzelner Tassen, Gläser, Krüge und

Schalen. Da kauerte sich Noi plötzlich hin. Auf dem Boden lag ein Tuch, und dahinter hockte eine junge Frau in einem Kleid aus bedruckter indischer Baumwolle. Neben Ketten und Spangen wurden Elefanten aus Ebenholz feilgeboten. Noi nahm einen in die Hand und sagte »Kaputt«. Ich fragte, ob sie nicht einen wolle, der ganz sei, aber sie wählte den, der einen Zahn verloren hatte.

Wir bummelten die Bahnhofstraße zurück zum Paradeplatz. Ich sah zu, wie Noi ihre Fahrkarte entwertete, und verabschiedete mich von ihr, als ihr Tram kam. Ich kaufte am Kiosk noch Zeitungen und Zigaretten. Als ich zufällig über die Straße sah, entdeckte ich Noi. Sie war nicht eingestiegen. Sie drückte ihr Gesicht gegen das Schaufenster einer Konfiserie und ging dann zum nächsten, die Hand auf der Hauswand nachziehend.

Es war genau elf, als der Anruf kam. Mauwals Mann fragte, wann die Kleine endlich auftauche, sie könnten nicht länger warten. Ich wunderte mich, eigentlich müßte Noi längst zu Hause sein. Da hörte ich im Hintergrund ein Tuscheln, und Mauwals Mann sagte, sie sei eben nach Hause gekommen.

Ich hatte ein großformatiges Bilderbuch gekauft, ein abwaschbares, wie die Verkäuferin gesagt hatte. Bären – Bären auf der Eisenbahn, Bären in der Küche beim Backen des Geburtstagskuchen, Bären in der Schule und Bären beim Radfahren, im Zoo und Zirkus, beim Coiffeur und beim Baden. Alle Lebewesen und alle Gegenstände wurden nicht nur auf deutsch, sondern auch auf französisch und englisch bezeichnet.

Mauwal kam allein. Als ich mich nach der Kleinen erkundigte, erfuhr ich, die sei bei den Schwiegereltern auf dem Land, die hätten einen großen Garten.

Als sich Mauwal verabschiedete, zeigte ich ihr das Bilderbuch. Sie sah flüchtig hin und zögerte zunächst, doch dann rückte sie damit heraus, daß ihr Mann nicht gerne auf Ämter gehe. Noi sei mit einem Besucher-Visum eingereist, das sei nur drei Monate gültig, aber das könne man sicher verlängern, sie sei doch Schweizerin und Noi gehöre zur Familie.

Ich muß für einen Moment ungläubig dreingeschaut haben, so

daß Mauwal fortfuhr: Bei ihr sei es auch gegangen, sie sei mit einem Visitor-Visum in die Schweiz gekommen, und nach drei Monaten sei sie eben ausgereist, einmal nach München und einmal nach Mailand, und die hätten auf dem Konsulat ohne weiteres wieder ein neues Visum für drei Monate ausgestellt, bis sie dann eben geheiratet habe.

Ich erinnerte mich, wie sie mir ihre Geschichte zum ersten Mal erzählt hatte. Damals, als sie sich darum beworben hatte, mir einmal in der Woche den Haushalt zu besorgen. Ich hatte zunächst gezögert, als ich ihre langen lackierten Nägel sah und ihre klimpernden Armbänder, sie war auffallend geschminkt und trug ihr Haar noch nicht hochgesteckt, sondern ließ es über die linke Schulter nach vorne baumeln. Aber sie hatte mich dann mit ihrer Sorgfalt überrascht, und ich erinnerte mich, wie sie sich anfänglich hinkauerte, wenn sie die Pfannen ausrieb und daß sie zum Bügeln in die Hocke ging.

Kaum hatte sie bei mir mit ihrer Arbeit begonnen, teilte sie mir mit, sie sei schwanger; man sah noch nichts. Sie blieb zwei Wochen weg, und als sie wiederkam, erfuhr ich von ihr, daß sie Kinder nicht austragen könne.

Ich hatte später von einer ihrer thailändischen Freundinnen erfahren, daß nicht Bruno, ihr Mann, sie in die Schweiz gebracht hatte, sondern jemand anders, irgend ein Geschäftsmann, der regelmäßig nach Bangkok fuhr, dort hatte sie in einer Cocktail-Lounge als Stewardeß gearbeitet, bis eben ein Schweizer sie für drei Monate Ferien in die Schweiz mitnahm und sie herumzeigte und sie Bruno kennen lernte, der sie heiratete.

Warum sie das Kind habe kommen lassen, fragte ich.

Sie sei die Älteste, und das sei so bei ihnen zu Hause, daß die Älteste für die anderen verantwortlich sei, sie habe auch immer etwas nach Hause geschickt wenn es gegangen sei. Als sie zum letztenmal im Dorf gewesen sei nach mehr als sieben Jahren, da habe man sie gefragt, ob sie nicht Noi mitnehmen könne. Hier in der Schweiz, da habe Noi zu essen und genug Kleider und Schuhe und da könne sie doch auch arbeiten, sie sei ja kräftig.

Am Abend kam ein Anruf.

»Hier Noi.«

»Hallo Noi. Wie geht es dir?«

Und fröhlich prompt: »Gut. Und du? Ich zu Hause Großmami und Großpapi. Ich Swimming.« Sie lachte, ich hörte ihr tiefes Atmen, und sie rief: »Wie geht dir?«

Dann kam die Großmutter an den Apparat; sie entschuldigte sich, daß sie einfach so anriefen, aber die Kleine habe telefonieren wollen und die könne die Nummer selber einstellen, sie spiele jetzt mit den Nachbarskindern, sie habe den ganzen Tag im Garten geholfen, ein schaffiges Kind, wenn nur alle Schweizer Kinder so fleißig wären.

Auch das nächste Mal kam Mauwal allein. Als ich fragte, wie es Noi bei den Schwiegereltern gefalle, sagte sie, die Kleine sei nicht mehr bei den Schwiegereltern, sondern bei einer Freundin von ihr, einer Thailänderin, die auch mit einem Schweizer verheiratet sei, der habe eine kleine Firma, irgend etwas mit Export, dort wohne Noi im Moment, und da könne sie am Nachmittag ein bißchen im Büro helfen und Prospekte falten.

Ein paar Tage danach, an einem Nachmittag, rief Noi an: »Ich gehen.«

»Wohin?«

»Lernen Deutsch«, sagte sie fast empört.

»Wo?«

»Hause du.«

Da fiel mir ein, daß sie ›kommen‹ und ›gehen‹ verwechselte; ich erklärte ihr, daß es, wie im Englischen ›come‹, im Deutschen ›kommen‹ heiße.

Nach einer halben Stunde kam sie. Sie trug ein T-Shirt, worauf ein großer roter Mund abgebildet war, ›Kiss me‹. Sie schürzte die Lippen, schmatzte in die Luft und schüttelte den Kopf: »In Thailand nicht machen.«

Als sie am Schreibtisch gegenüber Platz genommen hatte, hielt ich die Schachtel mit den Farbstiften hin; sie verlangte sogleich ein Blatt und begann zu zeichnen. Sie sah mich an und zeichnete den Kopf und einen Hals daran, der ihr zu groß geriet, so daß sie noch einmal mit dem Kopf anfing, sie machte für die Brillengläser zwei Kreise um die Augen, zeichnete eine Krawatte und dann erst die Brust und einen dicken Bauch. Nachdem sie das Blatt selber begutachtet hatte, hielt sie es mir hin: »Du.« Ich nickte. Sie verlangte das Blatt zurück und schrieb darauf ›für‹ und dahinter meinen Namen.

Dann zeigte ich ihr das Buch mit den Bären; sie begann zu blättern, verweilte bei der einen oder andern Seite, lachte zwischendurch, versuchte ein Wort zu entziffern und fragte plötzlich: »Was heißen Ferienkind?«

Ich überlegte und fragte zurück: »Wer sagen?«

»Ich Ferienkind.«

Sie sah auf die Schreibtischplatte und stieß an den Dinosaurier, so daß dieser umfiel. »Tschuldigung.«

»Kein Problem.«

»Kein Problem«, sagte sie und warf den Dinosaurier mutwillig noch einmal um. Dann flüsterte sie ein paar Silben, ›Phi-‹ oder ›sum‹ oder ›sai‹.

»Was heißen?« fragte ich.

»Name.«

»Name von wem?«

»Name von Dorf, Thailand Dorf.« Sie verlangte ein weiteres Blatt und zeichnete ein Mädchen: »Schwester.«

»Wie alt?«

Sie zählte an den Fingern bis acht: »Supaporn heißen.« Dann zeichnete sie daneben ein anderes Kind: »Bruder. Sehr klein.« Sie stand auf, torkelte herum und führte vor, wie der kleine Bruder zu Boden plumpste. Als sie sich wieder hingesetzt hatte, wiederholte sie: »Heißen Ferienkind Holidaykind? Ich nicht richtig Kind.«

Ich sagte Noi, wir würden Wörter lernen, um fragen zu können, und sie nickte.

»Wer? Wer reden?« Ich. »Wer zeichnen.« Noi. »Wer putzen?« Mauwal. Und jetzt: »Was? Was essen?«

»Spaghetti mit rote Sauce«, rief Noi, und fuhr fort »Ich sagen: ›Wo Noi‹.«

Ich verstand nicht recht und sagte: »Da.«

»Nein. Ich sagen ›Wo Noi‹ und du sagen ›in Zimmer‹. Wo Noi?«

»Im Zimmer.«

»Wo Zimmer?«

»In der Wohnung.«

»Wo Wohnung.«

»Im Haus.«

»Wo Haus?«

»In der Stadt.«

»Wo Stadt?«

»In der Schweiz.«

»Wo Schweiz?«

»In Europa.«

»Wo Jurope?«

»In der Welt.«

»Wo Welt?«

Wir hatten uns erst auf vier verabredet, aber ich wartete schon eine halbe Stunde vorher auf der Terrasse und schaute in die Gasse hinunter, ob sie komme. Endlich tauchte sie auf, alles schlenkerte an ihr, der lange Glockenrock und die Bluse, die sie darüber trug, das Haar und die Arme. Ich wollte den Haustüröffner drücken, aber sie klingelte nicht, sondern kam bereits die Treppe herauf und streckte mir von weitem den Hausschlüssel entgegen, den ihr Mauwal gegeben hatte.

Nachdem sie ihre Schulsachen ausgepackt und auf dem Tisch ausgebreitet hatte, sagte sie »Moment«. Sie ging an den Eisschrank, schenkte sich ein Glas Cola ein und stellte es neben ihre Farbstiftschachtel. Dann ging sie in die Küche zurück und besah sich die Schale mit den Früchten. Sie nahm eine Banane in die Hand, betrachtete sie und legte sie zurück, dabei kollerte eine Birne auf den Boden. »Scheiße.«

»Nein. Nicht sagen Scheiße. Nicht schön.«

Sie setzte zum Brüllen an und wiederholte »Scheiße«. Dann hielt sie inne.

»Tschuldigung«, und setzte sich an den Tisch.

Wir hatten uns auf der Terrasse eingerichtet. Ich wollte mit ihr die Uhrzeit durchnehmen und zeichnete einen Kreis: »Uhr«. Sie zeigte auf den Kirchturm: »Ich nicht verstehen«, sie meinte die römischen Ziffern. Sie zeichnete die zwölf Zahlen in den Kreis und las sie laut vor. »Ein Uhr. Zwei Uhr. Drei Uhr.« Wir halbierten den Kreis und lernten, daß ›halb vier‹ dreißig Minuten nach drei und ›halb fünf‹ dreißig Minuten nach vier ist und daß dem so ist, weil eine Stunde sechzig Minuten hat. Dann teilte ich den Kreis in vier Teile, und es war nicht leicht zu begreifen, weshalb es Viertel oder zehn vor fünf heißt und fünf oder Viertel nach fünf.

Nachdem wir ›Wieviel Uhr ist?‹ durchgenommen hatten, gingen wir ans ›Wo ist?‹, und die Kleine wollte gleich ›Wo Noi?‹ spielen. Aber ich zeigte auf das Glas: »Wo?« Das Glas, aus dem sie trank, war auf dem Tisch, und das Glas war auch neben den Farbstiften. Noi saß auf dem Stuhl und nicht auf dem Tisch, und hinter dem Stuhl waren Pflanzen. »Blumen schön«, sagte sie, »auch Mauwal Blumen. Sehr schön.« Die Pflanzen waren auf der Terrasse, und auf dem Dach war ein Kamin und auf dem Kamin ein Vogel, und über uns war der Himmel.

Wir übten ›gehören‹. Die Farbstifte gehören Noi, und der Bleistift mir. Das Wörterbuch gehört mir, und das Bilderbuch gehört dir. Und sie blätterte im Bilderbuch und zeigte mir ein Tier:

»Huhn.«

»Nein. Nicht Huhn, Hund. Hund nicht essen. Huhn essen.«

Sie verzog ihren Mund, um dem Huhn ein ›d‹ anzudrücken. Und ich benutzte den Moment, um auf andere Worte zu kommen, die sie verwechselte.

»Was ist sauber?«

»Putzen«, rief sie, »Küche putzen. Zähne putzen. Schmutzig. Brrr.«

»Was ist sauer?«

Sie überlegte: »Nicht Zucker.« Und dann: »Salat sauer. Ich Hunger. Spaghetti mit rote Sauce.«

Ich sah auf die Uhr und fragte sie: »Wieviel Uhr ist es?«

Sie stotterte die Uhrzeit zusammen und wiederholte sich selber: »Fünf vor fünf.«

Als sie den Teller Spaghetti mit Tomatensauce vor sich hatte, wollte sie zeigen, »wie Kinder in Asia Nudeln essen«. Sie schob sich mit der Gabel Spaghetti so in den Mund, daß diese immer noch bis in den Teller hingen. Darauf formte sie mit der Linken eine Faust, ließ aber den kleinen Finger und den Daumen ausgestreckt; sie tat den kleinen Finger ins linke Ohr und machte mit der Faust eine Vierteldrehung, gleichzeitig zog sie die Spaghetti ein Stück weit in den Mund, drehte mit der Hand ein Stück weiter, und wieder verschwanden Spaghetti zwischen den Lippen, und sie bohrte im Ohr, bis der Teller leer war.

Ich weiß nicht, warum ich auf Rapperswil verfiel, wohl deswegen, weil man mit dem Schiff hinfahren kann. Ich sagte Mauwal, ich hätte in Rapperswil zu tun, ob ich nicht Noi mitnehmen könne, man lerne am besten unterwegs.

Am Schiffssteg warteten lauter ältere Leute, die meisten Frauen, nur ein paar Männer mit Spazierstock und Lunchtasche. Drei Frauen tuschelten, als sie uns kommen sahen, und kommentierten untereinander, wie Noi aufs Geländer kletterte. Als das Dampfschiff kam, tutete es, und Noi wollte die Hände nicht mehr von ihren Ohren nehmen.

Noi hatte sich auf eine Bank gesetzt, aber die drei Frauen ließen sich dort nieder und stellten ihre Taschen so hin, daß Noi beiseite rücken mußte. Ich rief sie zu mir. Ich hatte mich an ein Tischchen gesetzt. Und die drei tuschelten, als ich Bücher und Hefte auf den Tisch legte, und eine kam und nahm den einen Stuhl, obwohl der Tisch daneben frei und dort alle Stühle unbesetzt waren.

Hinter den Brücken tauchte die Silhouette von Zürich mit seinen Münstern auf. Ich zeichnete auf ein Blatt einen Turm und zeigte auf die Kirchtürme: »Kirche.« Aber Noi verstand nicht recht; ich sagte »Tempel«, und sie nickte und wies aufs linke Ufer, wo ein Schlot sichtbar wurde: »Kirche.« Aber ich mußte korrigieren: »Nicht Kirche. Fabrik.« Doch fand sich auch das Wort ›Fabrik‹ nicht im Wörterbuch.

Wir hatten ihr Heft offen vor uns, und Noi schrieb hinein: »See. See nicht groß. Groß Meer.«

Noi sagte »Nam«. Ich verstand nicht, was sie meinte, und sie sagte: »Wasser. Du nicht wissen? Du reden Thai.«

Und ich zeigte aufs Ufergelände: »Hügel. Hügel nicht groß. Groß Berg.«

Wir drehten uns um. Im Hintergrund des Sees zeichnete sich die Alpenkette ab; über den Gipfeln lag ein bläulicher Schimmer, und einzelne Felspartien hoben sich dunkel vom Firn ab.

»Schnee«, sagte ich, »ich dir Schnee zeigen. Nicht heute, ein andermal«, und ich schlug nach, was ›ein andermal‹ hieß.

»Brr«, machte Noi. »Kalt. Nicht Schnee.«

»Warum nicht Schnee zeigen?«

Sie merkte, daß ich leicht enttäuscht war. »Gut. Du Schnee zeigen. Kein Problem.«

Und dann kletterten wir auf das obere Deck und schauten hernach zu, wie die Motoren stampften, und dann standen wir wieder am Geländer und sahen ins Kielwasser und hatten den Wind in den Kleidern und im Haar.

»Was heißen?« – sie machte mit der Hand Wellenbewegungen.

»Wellen.«

»Was heißen Wellen oben?« und sie zeigte zu den Wolken.

Noi entdeckte die Fähre und jubelte: »Auto Schiff gehen.«

»Nicht Schiff gehen. Schiff fahren.«

Wir kauften eine Cola und setzten uns wieder an den Tisch. Noi hatte auch Nüßchen gekauft. Ich zeigte auf das rechte Seeufer zu den Abhängen mit den Reben und zeichnete die Frucht aufs Papier: »Traube.«

Heftig reagierte Noi: »Gläsli Wyße.« Ich wunderte mich, sie spielte auf ›ein Gläschen Weißwein‹ an. »Bruno-Papi Gläsli Wyße. Viele Gläsli Wyße«, und sie machte vor, wie sie ihm ein Glas nach dem andern einschenkte: »Ich können.«

Bei der Insel Ufenau stiegen die meisten Fahrgäste aus. Auch die drei alten Frauen, sie blickten noch einmal zurück und tuschelten. Noi schaute ihnen nach und sagte »Geist«, wiederholte das Wort auf englisch: »Ghost. Bös.«

Sie fütterte die Enten mit den restlichen Nüssen und wollte wissen: »Wie heißen Tiere?«

Ich sagte ihr, es gebe ein Lied, einen Song. »Alle meine Entlein.« Sie bat ich solle singen, als ich zu summen anfing, war sie nur belustigt und wollte, daß ich wiederhole »Alle meine Entlein schwimmen auf dem See, Köpfchen in das Wasser, Schwänzchen in die Höh.« Nachdem sie ausgelacht hatte, begann sie die Melodie nachzusingen, und ich mußte helfen bei den schwierigen ›Köpfchen‹ und den ›Schwänzchen‹.

Als wir in Rapperswil vom Schiff gingen, blieben wir an einem Souvenirstand stehen. An einem Drehgestell mit Postkarten hingen Wimpel und kleine Umhängetaschen, Noi hielt eine in der Hand und sah mich an.

»Möchtest du? Du eine Tasche?«

Sie hatte sich für ein Täschchen aus Kalbfell entschieden; es war nicht größer als ein Portemonnaie; sie hängte es sich um und probierte den Druckknopf aus und fragte: »Wo swimming?«

Wir spazierten über den Schloßhügel, sahen Hirschen und Rehen zu, wie sie ästen. Als wir uns in der Badeanstalt für die Männer- und Frauenabteilung trennen sollten, wollte sie plötzlich nicht mehr schwimmen. Mit ein paar Gebärden gelang es dem Bademeister jedoch, die Sache zu erklären. Er überließ Noi einen Autopneu, mit dem sie sich gleich ins Nichtschwimmerbecken stürzte, und der Bademeister nahm sie auch mit auf sein flachkieliges Boot; als er in der Bucht ein paar Schleifen zog, winkte sie vom See her.

Wir fuhren mit der Eisenbahn zurück, und als wir zum Bahnhof kamen, sagte sie: »Rapperswil wunderbar.«

Die Kirschbäume schienen es ihr angetan zu haben, jedenfalls zeigte sie auf jeden, den sie vom Zug aus erblickte. Plötzlich fragte sie: »Wo Affen?« Ich war baff und sagte: »Im Zoo.«

Sie aber kletterte auf die Bank und führte vor, wie man von der Bank weiter hinauf kraxeln könne, und zeigte dabei auf einen Kirschbaum, und da begriff ich, daß sie die Leitern meinte, die an die Bäume gelehnt waren; da es gegen Abend ging, war auf keiner Leiter jemand zu sehen, der Kirschen pflückte.

Als wir zurück in Zürich waren, kauften wir uns am Bellevue an einem Stand Bratwürste, setzten uns bei der Tramhaltestelle auf die Bank und aßen aus dem Papier.

Ich wollte sie aufs Tram bringen, aber sie sagte: »Spazieren.« Sie gab mir ihre Hand, und ich spürte, wie ihre kleinen Finger sich an meinen großen hielten. Als wir über die Brücke gingen, sagte sie: »Turm.« Ich nickte und zeigte auf den Fluß: »Alle meine Entlein.« Und wir gelangten zur Bürkli-Anlage und im Park neben dem Musikpavillon zu der Stelle, wo wir Wochen zuvor unseren Kauf getätigt hatten:

»Elifant.«

»Elefant«, korrigierte ich.

Und als wir durch die Bahnhofstraße gingen, rückte sie ihr Täschchen so zurecht, daß jedermann es sehen mußte. Diesmal wollte ich, daß sie ins Tram einstieg, und so tat ich, als müsse ich ihr erklären, wie man das Billett entwertet.

»Ich wissen«, sagte sie.

Als die Sieben kam, wollte ich mich verabschieden, aber sie sagte: »Dreizehn auch. Mauwal nicht hause. Bruno-Papi nicht hause.«

Da fragte ich sie, ob sie den Wohnungsschlüssel habe. Sie nickte und griff automatisch an den Hals und erschrak. Sie bückte sich, riß ihre Tasche auf und warf Badeanzug und Frottiertuch daneben auf den Boden, holte die Bücher und Hefte hervor und sah verzweifelt zu mir hoch. Ich bückte mich auch und half ihr suchen, da zog sie den Schlüssel an der Schnur hervor, die sie sonst um den Hals hängen aber zum Baden abgelegt hatte. Ich half ihr, ihre Sachen in die Tasche zurückzutun, und steckte ihr den Schlüssel ins kleine Kalbfelltäschchen. Sie zitterte noch, obwohl sie lächelte.

»Dreizehn«, sagte ich, als ich die Straßenbahn kommen sah.

Aber Noi: »Zehn auch.«

Als Mauwal und Noi das nächste Mal kamen, brachte Noi keine Schulsachen mit. Sie hatte ihr Kalbfelltäschchen umgehängt, und bevor sie Mauwal in die Küche nachging, öffnete sie rasch das Täschchen, sie hatte Banknoten drin und das Taschentüchlein. Als ich fragte, ob sie nicht lernen wolle, sagte sie:

»Mauwal helfen.«

Ich war so verlegen, daß ich zunächst gar nicht Mauwal fragen mochte. Aber als sie im oberen Stockwerk beim Bügeln war und Noi mit einem Kessel herunterkam, um warmes Wasser zu holen, fragte ich Noi: »Warum nicht lernen?«

»Ich böse für Zürich«, sagte sie und ging ins Badezimmer; und als sie den Kessel nach oben brachte, lächelte sie im Vorbeigehen und sagte, indem sie auf das Klingelzeichen der Schreibmaschine anspielte: »Kling-kling.«

Nachdem Mauwal ihre Arbeit beendet hatte, bat sie darum, abrechnen zu dürfen, obwohl erst Monatsmitte sei. Natürlich war ich einverstanden und ich fragte, ob ich was falsch gemacht hätte, und warum Noi nicht mehr Deutsch lernen solle. Da bedankte sich Mauwal zunächst einmal für alles und gestand, das Besuchervisum sei abgelaufen. Es könne nicht verlängert werden, wenn die Eltern selber den Antrag stellen würden, wäre es etwas anderes. Aber auch dann nur für drei Monate. Die Fremdenpolizei habe gesagt, auf zwei oder drei Wochen komme es nicht an.

Was denn mit dem Kind geschehe, fragte ich, und Mauwal sagte, es müsse zurück. Jetzt sei auch noch das Retourticket verfallen, sie hoffe, es dennoch verrechnen zu können, wenigstens einen Teil davon, aber auch so müsse sie ein normales Linienflug-Ticket bezahlen.

Ob Noi zu Hause in die Schule könne, wollte ich wissen.

Erst auf weiteres Drängen gab Mauwal genauer Auskunft. Bis jetzt sei Noi im Dorf in die Schule gegangen. Aber das Dorf habe keine Secondary School, dafür müßte sie in einen größeren Ort, fast eine Stadt, sie wisse aber auch nicht, ob Noi dort die Woche durch leben müsse, auf jeden Fall koste diese Schule.

Da wollte ich wissen wieviel, ungefähr wenigstens, und als

Mauwal den Betrag nannte, meinte ich, dafür könne ich doch aufkommen, das sei ein lächerlicher Betrag, das würde ich gerne tun. Ob Noi schon wisse, daß sie zurück müsse? Auf alle Fälle wolle ich ihr noch einen Schultornister kaufen, den ich versprochen hätte, den könnte sie auch in Thailand brauchen. Wir könnten sie doch noch ausstaffieren. Wegen dem Schulgeld müsse man sich keine Sorgen machen. Die Zeit, die sie noch in Zürich sei, könnte man dazu benutzen, ihr etwas zu zeigen; sie habe Rapperswil wunderbar gefunden, sie habe doch noch eine Schwester und einen kleinen Bruder. Wir könnten zusammen etwas für die Geschwister kaufen, als Geschenk. Dann kommt Noi nach Hause, und alle hätten Freude, es würde mich freuen, mit Noi noch einmal eine Fahrt zu machen. Und was das Ticket betreffe, da könne man doch reden.

Als Mauwal und Noi die Treppe hinunterstiegen, sah ich den beiden nach, und bevor Noi um die Ecke verschwand, winkte sie.

Ich rief an diesem Abend einen Freund an, der ein Haus in den Voralpen hatte.

»Du?« fragte der, »lange nichts gehört.«

»Finde ich auch.«

»Sollten wir uns nicht wieder einmal sehen. Komm doch am nächsten Wochenende zu uns.«

»Keine schlechte Idee. Aber ich bin nicht allein.«

»Aha. Mitbringen.«

»Eine Thailänderin.«

»Dein neuester Geschmack?«

»Nein – ein Kind.«

Ich überlegte, wie ich es anstellen sollte, damit ich mit Noi am folgenden Wochenende in die Innerschweiz fahren konnte, was für einen Vorwand es gab und ob es überhaupt einen brauche. Da kam ein Anruf von Mauwals Mann. Er werde an ein Kompanietreffen ins Solothurnische gehen. Alte Kameraden aus dem Militärdienst. Diesmal dürften auch die Frauen mitkommen. Natürlich könne er Noi seinen Eltern bringen. Aber wenn ich wolle, könne ich sie für ein langes Wochenende haben.

»Natürlich.« Ich bat, mit Noi sprechen zu dürfen, und als ich ihre Stimme hörte, sagte ich »Du kommen.«

Da war bereits Mauwal am Telefon, und ich bat sie, für Noi einen Pullover einzupacken.

Ich setzte mich gleich an die Schreibmaschine, um vorzuarbeiten. Ich war mitten im Übertragen von Notizen und Entziffern der eignen Schrift, als ich ein Scharren vor der Wohnungstüre hörte. Mit Gepolter flog die Türe auf, und Noi stapfte herein. Sie atmete schwer und ließ eine prall gefüllte Tasche zu Boden plumpsen. Sie trug ein wattiertes chinesisches Jäckchen und darüber das Kalbfelltäschchen. Sie ließ sich für einen Moment im Wohnzimmer in einen Sessel fallen und verschnaufte. Dann zog sie ihr Jäckchen aus, hängte es ins Badezimmer und griff nach ihrer Reisetasche. Ich folgte ihr ins obere Zimmer. Dort kniete sie gleich vor die Kommode und packte aus: Hosen, ein paar Blusen, T-Shirts und Unterwäsche, sie legte die Wäschestücke in die Schublade und zeigte mir, wie ordentlich sie alles untergebracht hatte.

Ich versuchte Noi zu erklären: »Ich arbeiten. Arbeit nicht fertig. Eine oder zwei Stunden, dann Arbeit fertig. Dann gehen wir einkaufen. Essen.«

Sie nickte, sie folgte mir und setzte sich mir gegenüber an den Schreibtisch. Sie legte ein paar Schreibmaschinenblätter für sich bereit und packte die Farbstifte aus. Während ich tippte, sah ich ihr zwischendurch zu. Zuerst zeichnete sie eine große Blume, und dann ein Tal mit Hügeln im Hintergrund, hinter denen eben eine Sonne auf- oder unterging, und sie benutzte für die Strahlen alle Farben und zeichnete sie bis an den Rand. Als ich einmal gerade ein Blatt ausspannte, langte sie nach der Schreibmaschine, sah mich fragend an und zog sie gegen sich, sie spannte eine ihrer Zeichnungen ein und tippte, Buchstaben für Buchstaben suchend, ihren Namen hin und noch ein zweites Mal und diesmal mit Großbuchstaben.

Während ich weiterschrieb, zeichnete sie weiter. Als ich ihr einmal länger zuschaute, hielt sie mir die Zeichnung hin, die sie eben beendet hatte, ein Haus auf Pfählen.

»Thailand-Haus.« Und sie wies auf ein Viereck mit Pflanzen drin, ein Feld.

»Reis?« fragte ich.

»Du nicht sehen grün? Nicht Reis. Paddy. Hier Reis.« Und sie machte einen Haufen Körner noch größer. »Das Reis. Reis weit.«

»Nicht weit, weiß.«

»Ich Reis und du«, sie stockte, sie lief in die Küche und kam mit einer Kartoffel zurück und wollte wissen, wie die heißt.

»Du Kartoffel, ich Reis.«

Und dann zeichnete sie auf ein nächstes Blatt zwei Tiere, von dem einen war nur der Kopf zu sehen, es badete in einem See. Und als sie mir das Blatt hinhielt, sagte sie:

»Du Kuh. Ich Buffalo.«

Und dann schrieb sie auf das Blatt etwas in Thaischrift, ein paar Zeilen, und fragte: »Du wollen.«

Ich hielt das Blatt an die Wand wie ein Bild, und wir beide fanden es schön. Ich ließ meine Arbeit: »Wir gehen Essen kaufen.«

»Suppe«, rief Noi. Sie stand bereits unter der Tür. »Moment.« Ich ging noch ins Badezimmer. Als ich herauskam, sagte sie »Moment« und holte ihr Kalbfelltäschchen.

Als wir auf der Gasse waren, gab sie mir ihre Hand, und ich hielt mit meiner großen Hand ihre kleine. Eine Gruppe Japaner kam uns entgegen, und Noi stieß mich kichernd in die Seite. An diesem Spätnachmittag waren viele Leute unterwegs. Und die Tischchen im Freien waren dicht besetzt. Wir bummelten die Gasse hoch gegen den Rennweg; aber als ich abbog, blieb Noi verwundert stehen. Sie folgte unwillig. Wir gingen die steile Gasse hinauf zum Lindenhof. Dort spielten sie Schach. Noi stellte sich neben einen Bauern, der eben aus dem Spielfeld gerollt wurde, und der war fast so groß wie sie.

Wir blickten von der Brüstung des Lindenhofes auf die Stadt. Ein Touristenboot fuhr auf der Limmat, und Noi sagte: »Schiff.« Es waren auch zwei Kähne beim Ruderclub zu sehen. Das Polizeigebäude und die Baustelle mit Kranen und Betonmaschine. Das Rathaus, und auf dem Dach leuchteten die bronzenen Verzierungen. Ein Zunfthaus und die Arkaden. Die Erker, Treppengiebel und Zinnen der Altstadt, darüber Fernsehantennen und einzelne Wetterfahnen – wieviel es da zu benennen gegeben hätte.

»Turm«, sagte Noi.

Im Warenhaus wollte Noi gleich in die Lebensmittelabteilung. Ich suchte etwas anderes, mußte mich aber erst dazu durchfragen. Noi wunderte sich, als ich bei den Koffern und Aktentaschen stehen blieb. Da entdeckte ich die Schultornister.

»Für Thailand. Schule.«

Noi zuckte mit den Achseln: »Kaufen?«

»Nicht jetzt. Nächste Woche. Anschauen.«

Sie hielt einen kleinen Plastiktornister in der Hand. Aber die Verkäuferin sagte, das sei für die Kleinen, und zeigte einen ledernen Tornister, der hatte keine Mickymaus aufgeklebt, aber dafür zwei Leuchtmarken. Ich fragte Noi, welche Farbe ihr gefalle, sie schwankte zwischen Braun und Gelb und entschied sich für Blau.

In der Lebensmittelabteilung zog mich Noi gleich in die asiatische Ecke, die mußte sie von Mauwal kennen. Sie bückte sich und tat eine Packung ›Thaisuppe‹ in den Einkaufskorb und gleich eine zweite, worauf sie mich fragend anschaute. Als wir bereits an der Kasse standen, ging sie nochmals zurück, um Sojasauce zu holen.

Während ich zu Hause noch auspackte, die Früchte in die Schale tat und die Milch, die Getränke und das Fleisch in den Eisschrank, hatte sie bereits Wasser aufgesetzt. Sie zerkleinerte etwas Gemüse und schnitt ein Stück Leber ab, und warf alles ins heiße Wasser. Die Reisnudeln hatte sie in eine Schüssel gelegt und goß nun das siedende Wasser darüber und ließ das ganze zugedeckt stehen und prüfte zwischendurch, ob die Nudeln bereits weich geworden seien. Dann legte sie neben die Schüssel zwei Löffel und sagte: »Du essen.«

Beim Durchspielen der TV-Stationen hatte Noi die Trickfilme ausfindig gemacht. Als ich auf die Nachrichten umschalten wollte, schmollte sie. »Noch ein bißchen.« Ich erklärte, ich wolle ›wissen‹ und nachher wieder Film. »Du sagen«, forderte sie mich auf. Ich begriff nicht. Sie lehnte sich nach vorn in ihrem Sessel, stützte ihren rechten Arm aufs Knie und legte die Hand unters Kinn. »Hause Mauwal und Bruno-Papi lachen. Nicht sagen warum.« Sie führte vor, wie sie sonst verbissen und stumm vor dem Bildschirm saß.

Kaum hatte der Film begonnen, rief sie: »Wo Prinz?« Zunächst ritt ein Mann einsam durch eine Kakteenlandschaft, und ich erklärte: »Mann suchen Bruder.« Noi nickte: »Kleiner Bruder«, und ich ergänzte: »Vater und Mutter tot.« Sie fragte, warum, und schüttelte traurig den Kopf. Als die Banditen die Ranch angriffen, verkroch sie sich hinter dem Kissen, und als sie sah, wie einer einem Kind nachlief, hob sie empört die Hand. Aber dann wurde sie aufmerksam still, sobald der Held sich mit einer jungen Frau unterhielt; sie stand auf und zeigte auf den Bildschirm: »Er-ich-liebe-dich und Sie-ich-liebe-dich.«

Als ich am andern Morgen ins Badezimmer wollte, brannte dort Licht, und sie rief »nein«. Und nach einer Weile »jetzt«. Sie hatte sich in ein Badetuch gewickelt, putzte sich die Zähne und wies auf die Tasche neben ihr, die reisefertig war. Als ich mich zu rasieren begann, sah sie mir aufmerksam zu. »Thailand-Papi nicht«, sie strich sich übers Kinn und kratzte daran. Als ich fertig war, sagte sie »kaputt«. Ich bemerkte im Spiegel, daß ich mich unterm Ohr geschnitten hatte, und daß dort noch etwas Schaum klebte.

Wir frühstückten im Bahnhof an einer Stehbar, und um die Teetasse von Noi lagen dicht verstreut die Krümel von ihrem Gipfeli. Da fiel mir ein, daß ich das Buch vergessen hatte. »Du dumm«, lachte Noi, sie zog den Reißverschluß ihrer Tasche auf, zuoberst lag das Wörterbuch.

Mein Freund erwartete uns mit seinem Wagen an der Bahnstation, neben ihm sein Jüngster. Kaum hatte Noi den Buben entdeckt, ging sie auf ihn zu; der verkroch sich hinter Vater und Wagen, und sie streckte die Hand aus: »Ich heißen Noi. Wie geht dir?«

Man hatte uns zwei Zimmer unter dem Dach zugewiesen. Noi klopfte an die Wand: »Holz. Thailand-Haus.« Als ich in ihr

Zimmer kam, nahm sie aus ihrer Tasche Hosen, Pullover, T-Shirts und Unterwäsche und stapelte sie in ein Regal; dann rief sie mich ans Fenster und deutete lachend hinunter. Ein Mädchen, in ihrem Alter, war eben mit einem Fahrrad gekommen, und Noi entdeckte ein zweites Rad und sagte: »Ich können.«

Die Tochter meines Freundes und Noi zogen gleich mit den Fahrrädern los, und als Essenszeit war, vermißten wir die beiden und fanden sie unten am Bach. Noi versuchte mit der Hand Fische zu fangen.

Die Frau meines Freundes hatte noch gefragt, ob Noi alles esse: »Lustig, die Kleine mit ihrem Babyspeck.« Während des Essens nickte mir Noi ein paarmal zu und deutete mit dem Kopf hin und her, bis ich die Schläger hinterm Buffet entdeckte. Sie strahlte. Gleich nach dem Essen wollte sie Badminton spielen. Sie konnte sich kaum beruhigen, wenn ich nicht traf oder den Federball so abschlug, daß er in der Dachrinne hängen blieb. Mein Freund wollte zeigen, wie man professionell spielt; auch wenn das Spielglück zwischen ihm und Noi gleich verteilt war, nach einer Weile war er erschöpft, während Noi sich bereits nach neuen Partnern umsah. Sie spielte mit den Nachbarskindern, obwohl sie geschimpft hatte, als diese sie gefragt hatten, ob sie Chinesin sei.

Vor dem Abendessen ging sie mit den Kindern beim Nachbarn Milch holen. Aufgeregt kam sie zurück und zog mich mit in den Stall, wo der Bauer eben die Klammern von den Eutern löste, und Noi machte vor, daß nicht der Bauer mit den Händen, sondern die Maschine die Kühe molk.

Und am Abend setzten wir uns zum Lügenspiel an den Tisch. Nachdem die Karten verteilt waren, sagte einer das Spiel an, indem er eine Karte, das Bild nach unten, auf den Tisch legte und eine Farbe nannte; diese Farbe mußten die andern angeben, ob sie die besaßen oder nicht, jeder Mitspieler hatte das Recht, die Karte, die eben abgelegt wurde, aufzudecken; hatte er den Ableger beim Lügen erwischt, mußte er den ganzen Haufen an sich nehmen, hatte der andere aber nicht gelogen, so war es an dem, der ihn hatte entlarven wollen, den Haufen zu nehmen. Als ich das Wort ›lügen‹ nachschlug, wunderte sich Noi und sagte: »Ich nicht lügen.« Aber dann log sie mit, und als ich sie einmal beim Lügen erwischte, schrie sie auf und rief meinen Namen, als hätte ich großes Unrecht getan; dafür jubelte sie umso lauter, als sie die letzte Karte hinlegte, nicht gelogen und dafür gewonnen hatte.

Als wir in unsere Zimmer gingen, bat mich Noi, die Türe nicht zu schließen, und sie ließ auch die ihre offen. Ich hatte bereits das Licht ausgemacht, als ich sie im Flüsterton rufen hörte: »Du schlafen.«

»Nein.«

Sie kam zu mir und setzte sich auf den Bettrand: »Wie heißen Sonne, aber nicht Sonne.«

Der Mond schien durch das Fenster, wir hörten dem Bach zu, und weit weg knatterte ein Motorrad. Es ächzte im Holz, und Noi gab mir ihre Hand, sie beugte sich zu mir und fragte: »Du lügen?«

Im Nachthemd und im Pyjama schlichen wir uns in die Stube hinunter, verteilten die Karten und spielten noch einmal Lügen.

Als ich am andern Morgen hinunter ging, stand sie bereits draußen beim Brunnen und sah zu, wie die Bäuerin Holzgefäße wusch. Als ich sie begrüßte, summte sie: »Ich lustig heute. Ich singing.«

Die Kinder zogen nach dem Frühstück los, sie gingen in ein Ried und kamen zurück mit riesigen Königskerzen. Und Noi hatte etwas Schilf im Arm und lachte: »Bamboo.«

Mein Freund hatte ein Feuer gemacht, um Würste zu braten. Ich zeigte Noi, wie man einen Stecken in die Wurst tut und wie man den drehen muß, daß er nicht anbrennt, und wie man die Wurst an den beiden Enden einschneidet und wie man achtgibt, daß die Haut nicht verkohlt.

Als ich sie am frühen Nachmittag suchte, fand ich sie erst, als ich in ihrem Zimmer nachsah. Sie hockte auf dem Boden, vor dem Regal mit ihren Hosen und Blusen; als sie mich bemerkte, begann sie, ihre Wäschestücke in die Reisetasche zu stopfen.

Ich sagte ihr, mein Freund schenke uns Tomaten und Bohnen, die könne sie Mauwal bringen. Mein Freund nehme uns mit dem Auto in die Stadt mit, wir könnten direkt zu Mauwal fahren.

»Warum?« Sie sah auf meine Uhr: »Nicht sechs«. Sie langte in ihr Kalbfelltäschchen und nahm meinen Wohnungsschlüssel heraus und hielt ihn mir hin; als ich nicht gleich danach griff, warf sie ihn zu Boden. Ich bückte mich nicht. Sie sah mir ins Gesicht, dann hob sie den Schlüssel auf: »Tschuldigung«, und gab ihn mir.

Unser Freund setzte uns bei unserer Wohnung ab. Wir ließen den Plastiksack mit dem Gemüse hinter der Haustüre. Als wir in der Wohnung waren, stellte Noi den Fernsehapparat ein, sie streckte sich im Sessel aus, ein Kissen im Arm und sah zur Decke.

Mit dem Wörterbuch in der Hand erklärte ich Noi: »Du Thailand in die Schule gehen. Ich schicken Geld. Thailand-Papi Freude. Ich kaufe Tasche für Schule.« Sie nickte und sagte nichts. »Du schreiben Adresse.« Und ich sah das Wort nach. Sie hatte zwischendurch nur einmal gefragt, welche Uhrzeit es sei. »Ich dich besuchen in Thailand.« Als sie wieder nach der Zeit fragte, ging es gegen fünf: »Du gehen müssen zu Mauwal und Bruno-Papi.«

Sie stand auf und ging gleich zur Wohnungstüre. Ich folgte ihr, ich wollte sie bis zur Straßenbahn begleiten, nur schon, weil die eine Tasche nicht leicht war. Als wir unten waren und ich mich nach dem Plastiksack mit dem Gemüse bückte, rief sie »Toilet« und rannte die Stufen hinauf. Ich ging ihr nach. Als ich oben war, kam sie bereits wieder aus der Toilette, sie hatte die Spülung gezogen. Auf der rechten Wange klebte unter dem Auge ein Fetzchen Toilettenpapier.

Am gleichen Abend noch rief ich bei Mauwal an, aber es meldete sich niemand. Erst am Montagabend kam ich dazu, wieder zu telefonieren. Es meldete sich ihr Mann; er sagte, Mauwal und Noi seien in der Waschküche, sie machten die Kleider bereit, die Noi mitnehme, die könne sie dann zu Hause verteilen.

Überrascht fragte ich, wann Noi denn fliege. Übermorgen oder am Freitag, teilte mir Mauwals Mann mit – er habe von Anfang an klar gemacht, daß das Kind eine Angelegenheit seiner Frau sei.

»Aber« – doch bevor ich weiterreden konnte, fuhr er fort: Noi habe schöne Ferien gehabt, welches Kind könne in ihrem Alter schon so weit reisen, sie würden ihr eine Uhr schenken, die würden bei ihr zu Hause schöne Augen machen, man müsse nur schauen, wie die lebten, kein richtiges Dach, nur Wellblech, aber den neuesten Transistor, den hätten sie, nun habe Noi gesehen, daß man arbeiten müsse, wenn man es zu etwas bringen wolle.

Ich bat ihn, Mauwal auszurichten, sie solle mich anrufen, gleich, es sei sehr dringend. Als ich mir eine Zigarette anzünden wollte, bemerkte ich, daß die Packung fast leer war. Ich ging hinunter zum Kiosk. Als ich wieder zurück war, räumte ich in der Küche etwas Geschirr weg und ging alte Zeitungen durch. Dann setzte ich mich vor den Telefonapparat – ich konnte doch sagen, ich müsse weg und sei später nicht erreichbar, deswegen riefe ich noch einmal an, aber vielleicht hatte Mauwal telefoniert, während ich draußen gewesen war, Zigaretten holen.

Mauwal war am Apparat. Ich fragte, ob das stimme wegen Noi. Sie sagte, sie hätte die Möglichkeit, Noi mit einem Charterflug nach Bangkok fliegen zu lassen, da fliege eine Freundin von ihr mit, dann sei Noi nicht allein. Und als ich fragte, wann, zögerte Mauwal, es gäbe noch eine andere Möglichkeit, über Frankfurt. Ich sagte, ich hätte Noi gerne noch einmal gesehen, ich wolle ihr noch den Schultornister kaufen. Wir hätten abgemacht, daß wir die Sache wegen der Schule besprechen. Da wurde Mauwals Stimme leiser, sie flüsterte beinahe: Bruno finde auch, was ihre Familie in Thailand wohl denke, wenn irgend jemand sich da einmische, bis jetzt sei es mit Noi auch gegangen, es werde schon gehen, ob es so wichtig sei, daß ich an den Flugplatz komme, sie habe übrigens eine Arbeit angenommen, als Verkäuferin, sie könne nicht mehr länger putzen kommen. Sie bedankte sich fürs Gemüse, und dann mußte Mauwal lachen, als ich sagte, ich hätte Noi auch versprochen, ihr Schnee zu zeigen.

Ich hatte etwas Wurst ausgepackt fürs Abendbrot, aber wikkelte die Scheiben wieder ins Fettpapier. Ich schaltete den Fernseher ein und wartete auf Nachrichten. Danach setzte ich mich an meinen Arbeitstisch. In einer Ecke lagen die Zeichnungen von Noi, auch die mit den paar Zeilen in thailändischer Schrift. Ich schob die Schreibmaschine beiseite, ich brauchte den Platz für die Ellbogen, um meinen Kopf zu stützen.

Da ging das Telefon. Noi war am Apparat: »Bruno-Papi nicht Hause.« Aber diesmal klang die Mitteilung nicht traurig, sondern verschwörerisch.

»Wo Mauwal?«

»In der Waschenküche.«

»Du gehen nach Thailand. Wann?«

»Nicht wissen. Du sagen kommen, du kommen.«

»Du mußt mir schreiben, wo du wohnst.«

Sie schwieg einen Moment, und dann: »Wie geht dir?« Ihre Stimme stockte.

»Jetzt sind wir traurig. Aber einmal wir lachen.«

»Was heißen einmal?«

Ich überlegte einen Moment: »Nicht jetzt.«

»Morgen.«

»Vielleicht.«

»Warum nicht morgen?«

Sie hängte auf, nachdem sie noch hastig geflüstert hatte: »Mauwal kommen.«

Allein sass ich an diesem Tisch, wie ich jetzt allein an diesem Tisch sitze. Nur daß ich damals nicht diese Papiere vor mir hatte und gar nicht ahnen konnte, daß es solche gibt.

Damals lag vor mir nur das Blatt, das sich zwischen die Folien eines Kartenwerkes verirrt hatte, eine Zeichnung, auf die ein Kind ein paar Worte hingekritzelt hatte, eines davon unterstrichen.

Ich überlegte damals, ob ich nicht noch einmal telefonieren sollte. Ich konnte ja aufhängen, wenn das Kind nicht selber an den Apparat kam. Oder einfach hinfahren, klingeln und Rechenschaft fordern. Oder vor dem Haus warten. Es gab doch Freundinnen von Nois Tante, die waren vielleicht bereit zu vermitteln. Oder sollte ich mich in den nächsten Tagen zu den möglichen Abflugzeiten im Flughafen neben dem Eingang zur Paßabfertigung postieren?

Vorerst aber wandte ich eine Methode an, die mir der Immune als erste beigebracht hatte, eine, die zwar nichts löst, die aber hilft, über den nächsten Moment hinwegzukommen, wobei immer noch offen bleibt, was im übernächsten geschieht.

Als Buben hatten wir im Umgang mit unserem Vater gelernt, uns tot zu stellen. Uns so zu benehmen, daß uns das Leben nichts antun konnte, weil es über die Toten keine Macht hat. Allerdings frage ich mich heute, ob es nicht auch ein Scheinleben gibt, bei dem einer tut, als lebe er, weil er hofft, so werde ihm der Tod nichts anhaben können.

Den Blick auf einen Punkt fixiert, die Arme aufgestützt und die Stirn in den Händen, hielt ich den Atem an, ich stoppte die Sauerstoffzufuhr, und mein Kopf wurde leer und leicht.

In dieser blutleeren Stille hörte ich, wie sich jemand in der Küche am Eisschrank zu schaffen machte. Das konnte nur der Immune sein, er redete etwas vor sich hin, das galt wohl mir. Aber ich sagte nichts und wartete. Ich wußte, er würde kommen, wie er noch immer gekommen war, auch wenn er mich oft hatte warten lassen. Das ist jetzt anders, da kann ich mich scheintot stellen, solange ich will.

Er kam, an einem Sandwich kauend, und fragte mich, wie es

gehe. Er begann seine Gespräche oft recht konventionell; er fragte mich auch dann, wie es mir gehe, wenn er viel besser als ich selber wußte, wie es um mich stand.

So habe ich ihm gar nicht geantwortet, sondern hielt ihm diese Zeichnung hin und sagte, was draufstehe, sei sicher eine Adresse. Er leckte sich die Finger sauber und nahm das Blatt in die Hände. Wie schön diese Zeichen seien, bemerkte er und kniff die Augen zusammen, als habe er Mühe, sie zu entziffern. Dann sagte er mir, das sei keine Adresse, das heiße: »Du Kuh. Ich Buffalo. Du Kartoffel. Ich Reis.«

Der Immune hatte das Kind ein paarmal gesehen, und er hatte es zum Lachen gebracht, allerdings unfreiwillig. Wir hatten ihn einmal dabei überrascht, wie er Notsignale übte und zum Himmel Zeichen schickte, und das Kind hatte ihn imitiert.

Die Zeichnung noch in der Hand, redete er von Kinderaugen, sie seien gnadenlos, schlimmer als jeder bewaffnete Verfolger, den könne man abhängen. Er sah sich nach dem Papierkorb um, ich riß ihm die Zeichnung aus der Hand, bevor er sie zerknüllen konnte. Und dann machte er eine Geste, die ich damals nicht begriff. Aber jetzt, nachdem ich in seinen Papieren von einem Jungen gelesen habe, der einer Puppe die Augen eindrückt, damit sie ihn nicht länger anschaut, jetzt sehe ich genau, wie er den Mittel- und den Zeigefinger ausstreckte; er richtete die beiden Finger gegen die eigenen Augen.

Lauernd fragte er mich, ob ich verzweifelt sei; er wiederholte die Frage, und ich hörte in seiner Stimme einen hoffnungsvollen Unterton. Was hätte ich darauf antworten sollen? Hat je einer, der verzweifelt war, von sich sagen können, er sei es? Und was unsere Beziehung betraf, stand es mir zu, verzweifelt zu sein. Und es war am Immunen, über diese Desperatheit hinwegzuhelfen. Statt dessen bereitete er einen Vorschlag vor, der ungeheuerlich war.

»Ich habe mich umgesehen«, begann er. Ich dachte zuerst, er wolle mir wie üblich erzählen, wo er gewesen war. Zwar war es mir im Moment völlig gleichgültig, wo er sich aufgehalten hatte, und doch war mir alles recht, was die Leere ausfüllen konnte.

»Ich habe mich umgesehen.« Nein, das war keine neue Auskunft. So hatte unsere Abmachung gelautet. Es war sein Vorschlag gewesen, daß er sich umsah, und daß ich es war, der schrie. Warum sollte er sich also nicht umgesehen haben. Aber er sagte nicht nur: »Ich habe mich umgesehen«, sondern er ergänzte: »Das ist kein Ort zum Bleiben.«

Ich staune jetzt noch, wie ich nach dieser Bemerkung ganz sachlich blieb, fürs erste jedenfalls. Ich erkundigte mich, weshalb er so lange gebraucht habe, um zu einer solchen Einsicht zu kommen. Er wunderte sich nur: »Erstens beweist dies, daß ich mein Urteil nicht leichtfertig fälle, und zweitens – was heißt da lange, sind unsere guten fünf Jahrzehnte eine lange Zeit?«

Er entschuldigte sich für den Fall, daß mir die Zeit lang vorgekommen sei, es tue ihm leid, er habe mich nicht hereinlegen wollen, als er mich damals bei der Geburt in die Seite stieß zum Zeichen dafür, daß ich schreien solle; er versprach, es nie mehr zu tun.

Ich wollte wissen, was passiert sei, daß er zu einem solchen Urteil gelange. Aber er schüttelte den Kopf, nichts Besonderes, das Übliche, der Allgemeinzustand reiche für sein Urteil aus.

»Aber doch nicht jetzt«, entfuhr es mir, und er wollte wissen, ob ich ihm verbindlich sagen könne, wann der Moment der richtige sei.

»Warum?« rief ich, und er zuckte die Achseln, er sei ungefragt gekommen, er werde ungefragt gehen.

Und ich versuchte, ihn auf seinen Widerspruch aufmerksam zu machen. Hatte er sich nicht damit gebrüstet, einst für einen Samen ein Ei gefunden zu haben? Er antwortete, er stelle unsere Geburt gar nicht in Abrede: »Wir sind geboren worden, aber – wir sind nicht auf die Welt gekommen.«

Ach – hätte er das Auf-die-Welt-Kommen nicht so wörtlich genommen. Hatte er nicht diese Papiere? Wären die nicht eine Möglichkeit gewesen, auf die Welt zu kommen? Ganz ahnungslos sind wir ja nicht geblieben. Aber möglich, daß selbst das, was ich jetzt als Verzweiflung bezeichne, nur eine Ahnung von Verzweiflung ist.

Er aber holte zum Vorwurf aus. Ich sei an allem schuld. Ich hätte am Leben gehangen. Ich solle ihm sagen, aus was für einem Grund.

Als ob es einen Grund gäbe, an diesem Leben zu hängen. Aber hatte der Immune nicht einmal erklärt, man könne davonkommen, indem man sich an Details klammere? Es gebe die Dinge, solange man sie aufzähle. Warum sollte ich seine Methode nicht gegen ihn selber anwenden?

So begann ich meine Register-Arie, indem ich auf alle Gegenstände zeigte, die ich im Moment erblickte, auf die Lampe und den Tisch und den Teppich. Hier der Stuhl, auf dem ich saß, und der Sessel, auf dem der Immune Platz genommen hatte, und dort das Regal und der Schrank, und daneben eine Türe und darüber eine Decke und vor dem Fenster ein Vorhang und auf dem Tisch eine Zeichnung...

Er schimpfte mich einen Erpresser. Ich hätte ihn unter Druck gesetzt. Ich sei ein übler Tyrann gewesen, mit meinem Wunsch, am Leben zu bleiben. Ich hätte genau gewußt, daß ich einmal sterben müsse. Aber ich hätte ihn benutzt und ihn zum Nicht-Sterben verurteilt. Und dies in einer Welt, die für Sterbliche gemacht sei. Wenn mir soviel am Davonkommen liege, soll ich es doch selber besorgen. Er sei bereit, mir alle seine Künste des Davonkommens zu überlassen, wenn ich ihm als Gegenleistung meine Sterblichkeit biete.

Mir fiel nichts anderes ein, als ihn anzuflehen: »Machen wir weiter.« Ich begann zu feilschen und zu markten. »Nur diese Nacht noch. Bis morgen. Oder bis morgen abend, damit wir noch einmal einen Vormittag und einen Nachmittag haben. Oder bis zum nächsten Wochenende, damit wir noch einmal einen Tag hätten. Er solle sich noch einmal umsehen, ich sei bereit, noch einmal zu schreien.

Er erhob sich, und auch ich stand auf. Er kam auf mich zu und legte seinen Kopf auf meine Schulter. Ich dachte, die Umarmung sei die Bestätigung unserer Abmachung. Aber ich, der ich bettelte, hielt einen Bettler im Arm.

Er löste sich aus der Umarmung und sagte, an mir vorbeischauend: »Wie wär's mit Herzversagen? Versagen wir uns unserem Herzen.«

Ich spürte Stöße und Wallungen in mir. Das Herz schlug bis zum Hals, und es pochte in den Schläfen und in den Fingerkuppen.

Dann formten sich die Lippen des Immunen wie so oft zu einem Rund, das wie ein Rettungsring aussah. Er blieb vorerst stumm. Doch dann tat er, was ich von ihm nie erwartet hätte, und auf das ich nicht gefaßt sein konnte: er schrie.

Ich lief auf die Terrasse, um zu schauen, ob wegen seines Schreiens die Leute auf der Straße zusammenliefen. Aber es war niemand zu sehen. Nur gegenüber hinter einem schwacherleuchteten Fenster wurde ein Vorhang beiseite geschoben. Eine klare Nacht, und die Sterne gleichgültig wie eh. Und ich verriegelte die Terrassentüre, als könnte ich den Schrei aussperren oder als wollte ich dafür sorgen, daß er nicht nach draußen gelangte. Ich lief zum Radio und drehte es an, um mit Musik den Schrei des Immunen zu übertönen.

Er aber stand da und schrie, und plötzlich brach der Schrei ab.

Sein Schrei war tränenlos, wie es mein eigener Schrei gewesen war, den ich bei der Geburt ausgestoßen hatte. Wir hatten erst im Umgang mit der Welt Tränendrüsen ausgebildet. Sollte das Ende tränenlos sein wie der Anfang?

So nahm sich sein Schrei aus wie die Fortsetzung meines eigenen Schreiens, als habe bloß jemand zwischendurch Atem geschöpft, und doch lag zwischen seinem Schrei und meinem das, was wir als unser Leben betrachtet haben. Sollte dieses Leben nichts anderes gewesen sein als ein Atemholen zwischen zwei Schreien?

Wir standen uns im Flur gegenüber. Als ich seinem Blick ausweichen wollte, sah ich die Hand mit dem Wundmal neben der Garderobe.

Obwohl der Immune sich nicht bewegte, war mir, als versperre er den Weg, und ich wich ihm aus. Zum Ausweichen blieb nur das Badezimmer. Er folgte mir. Sein Mund war noch offen, aber stumm. Doch dann sagte er etwas, das mich die Kontrolle verlieren ließ.

Ja, hatte er mir nicht einmal auseinandergesetzt, wie tödlich das Wort sein kann, ich nehme nicht an, daß er schon damals daran gedacht hatte, das Wort mit dieser Absicht als Waffe gegen mich einzusetzen – ich selber griff nicht nach dem Wort, sondern nach dem erstbesten Gegenstand.

Der Wecker stand auf dem Toilettentisch. Ich hatte ihn wegwerfen wollen, er war kaputt und hatte ein häßliches, altmodisches Gehäuse. Doch der Immune meinte, es lohne sich vielleicht, ihn reparieren zu lassen, und dann hat ihn doch keiner von uns zum Uhrmacher gebracht. So stand er da, ich griff nach ihm und schlug zu.

Und ich schlug nur umso stärker, als der Immune den Schlägen nicht auswich, er, der doch die Kunst beherrschte, einen Schritt zur Seite zu machen. Im Gegenteil, er hielt sein Gesicht hin, und das brachte mich erst recht in Rage. Ich hämmerte drauf los, und ich spürte, wie die metallenen Beine des Weckers in Weiches eindrangen, und ich haute zu, weil ich hoffte, daß der Immune stöhnen oder klagen würde, aber sein Mund, von dem ich doch wußte, daß er schreien konnte, blieb stumm.

Nur der Wecker schrillte. Der erste Schlag mußte die Uhr in Bewegung gesetzt und das Läutwerk ausgelöst haben. Die Zeiger begannen zu laufen, und die Glocke gab Alarmzeichen. Das Ding in meiner Hand schepperte und tickte und läutete. Eine tote Uhr war für einen Moment zum Leben und zur Zeit erweckt worden.

Wenn die beiden, die meine Wohnung durchsuchten, wiederkommen, und sie werden wiederkommen, brauche ich nur meinen Hemdsärmel hochzukrempeln und ihnen meine Verletzung zu zeigen, und es kann sie nicht mehr erstaunen, daß sich auf dem Wecker Blutspuren von mir finden.

Als ich zuschlug, stolperte ich über ein paar alte Schuhe, ich fing mich am Waschbecken auf, aber ich konnte den Schlag nicht mehr zurückhalten, und so hieb ich auf den Spiegel ein, und an diesem Spiegel faszinierten mich die Sprünge, die bewiesen, daß ich zugeschlagen hatte.

Ob das, was auf diese Zeichnung gekritzelt ist, doch eine Adresse ist.

Wenn sie sich nach dem Immunen erkundigen – ich weiß nicht, wo er zu finden und ob er überhaupt auffindbar ist, ob er sich irgendwo verkrochen hat oder sich herumtreibt auf der Suche nach einem Anlaß zum Sterben.

Nein, man wird keine Leiche entdecken, nur mich an diesem Tisch.

Für den Moment weiß ich nur, daß ich zugeschlagen habe, als könnte ich die Worte ungesagt machen, die der Immune nach seinem Schrei als letzte von sich gegeben hatte: »Eine Hoffnung bleibt: Daß das, was wir lebten, ein Irrtum war.«

Hugo Loetscher

Der Immune

Roman

Man begegnet im *Immunen* nicht nur dem satirischen Loetscher, sondern auch dem lyrisch-melancholischen, dem fabulierenden, reportierenden und essayistischen. Dem Wechsel der Sprache und der Perspektiven entspricht ein ständiger Wechsel der Schauplätze. Was entsteht, ist die Biographie eines Verhaltens: »Nicht daß es ihn gab, überraschte ihn, sondern daß er ein Leben lang am Leben geblieben war. Deswegen fragte er sich gelegentlich: Wie hast Du das gemacht?«

»Es gibt für mich ein Werk von Hugo Loetscher, das ich ganz besonders gern wieder lesen würde: Den zu Unrecht etwas in Vergessenheit geratenen Roman *Der Immune*. Vielleicht wagt ein Verlag bald eine Neuauflage?«
Emanuel LaRoche / Tages-Anzeiger, Zürich

Herbst in der Großen Orange

»Los Angeles, die Große Orange, lauter Schnitze um ein Nichts. In solchen Schnitzen hatte H. seinen Herbst verbracht.«
In einer äußerst dichten Sprache entwirft Loetscher das Bild einer Stadt, die wie keine andere mit ihren Versatzstücken die Bedingungen des modernen Lebens bloßlegt. Am Rande der Neuen Welt ist die Welt noch einmal da – als Zitat, Kopie oder Relikt: »Wo alles eine Rolle spielt, spielt nichts mehr eine Rolle.« Eine melancholische Satire zwischen Auflachen und Erschrecken.

»In Loetschers dialektischem Stil tritt Mythisches gegen handfest Zeitliches; Sinn und Hintersinn ziehen durcheinander hin. Die Lösung, die Versöhnung, erfolgt im Lachen. Witz und ironische Verstellungen erzeugen bunte, fast fröhliche Flöre vor dem Abgrund.« *Werner Weber*

Friedrich Dürrenmatt

Justiz
Roman

Ein Zürcher Kantonsrat erschießt in einem überfüllten, von Politikern, Wirtschaftskoryphäen und Künstlern besuchten Restaurant der Stadt vor aller Augen einen Germanisten, Professor an der Universität, läßt, zu zwanzig Jahren Zuchthaus verurteilt, im Gefängnis einen jungen, mittellosen Rechtsanwalt zu sich kommen und erteilt diesem den Auftrag, seinen Fall unter der Annahme neu zu untersuchen, er sei nicht der Mörder gewesen. Der junge Anwalt, der den scheinbar sinnlosen Auftrag annimmt, erkennt zu spät, in welche Falle ihn die Justiz geraten läßt, weil er sie mit der Gerechtigkeit verwechselt.

»Dürrenmatts *Justiz*-Roman gibt nur vor, eine seriöse Recherche über Wirklichkeit und Möglichkeit, Wahrheit und Moral, Schuld und Gerechtigkeit zu sein. Tatsächlich versucht der Urheber vorsätzlich und mit grimmiger Lust die Scheinhaftigkeit der Wirklichkeit, die Unwahrscheinlichkeit der Wahrheit und die Vergeblichkeit der Moral bewußt zu machen. Darum ist dieser Roman geradezu notwendig als Labyrinth angelegt, denn die Beziehungen zwischen Opfer und Täter, Justiz und Moral, Zufall und Kalkül lassen sich – und darauf kapriziert sich Dürrenmatt höchst einfallsreich – ja keineswegs als die jeweils direkteste Verbindung zwischen zwei Punkten darstellen.«
Jörg Drews / Süddeutsche Zeitung, München

Diogenes Verlag

Urs Widmer

Die gestohlene Schöpfung
Ein Märchen

Die gestohlene Schöpfung, selbst eine Schöpfung, ist modernes Märchen, Actionstory und ›realistische‹ Geschichte zugleich; und eine Geschichte schließlich, die glücklich endet. – Das Glück hat seinen Preis. Man darf nicht zuviel denken. Was man denkt, nicht begreifen. Und was man begreift, nicht spüren. Auf der Stelle würde es uns zerreißen.

»*Die gestohlene Schöpfung* wird als Märchen zu einem realistischen Roman. Widmer demonstriert eine Möglichkeit gegenwärtiger Literatur, vertrackt und – fast – perfekt.«
Die Zeit, Hamburg

Indianersommer
Erzählung

Indianersommer erzählt von den erotischen und ökonomischen Verstrickungen in einer Kommune, vom gemeinsamen Haushalt, und wie um die Wette gemalt und geschrieben wird; auch davon, wie nach dem Tod des Malers die übrigen einer nach dem andern spurlos verschwinden; wie der Erzähler allein zurückbleibt und sich in der Verzweiflung ins letzte Bild des Malers halb stürzt, halb gezogen wird und wie er dort, in den ewigen Jagdgründen also, alle wiederfindet.

»Ich brauche mich am Ende nicht dagegen zu wehren, wenn mir – angesichts der in *Indianersommer* verwirklichten Kombination von erzählerischer Schwerelosigkeit und Selbstverständlichkeit auf der einen Seite und gedanklicher Ernsthaftigkeit und Verschlossenheit auf der anderen – nur besonders Kostbares zum Vergleich einfällt; Robert Walser-Prosa zum Beispiel.«
Heinz F. Schafroth / Basler Zeitung

Alfred Andersch

Erinnerte Gestalten

Frühe Erzählungen

Das erste von Alfred Andersch für eine Buchveröffentlichung vorgesehene Manuskript, gefunden im Nachlaß.
Zu Beginn des Jahres 1944 schickte Andersch dieses Manuskript an Suhrkamp und erhielt darauf folgende Stellungnahme: »Sie geben Ihrer Prosa eine Form, die sich im Grunde um den reinen Bericht mit Mitteln der Erzählung bemüht. Dadurch entsteht eine sehr klare und kühle Atmosphäre im einzelnen, der auch die Genauigkeit des Stils sehr glücklich entspricht. Wir sehen in Ihren Arbeiten einen so interessanten Weg zur Prosa, daß wir Sie bitten möchten, uns Ihre weiteren Arbeiten jederzeit vorzulegen.«

»Erstaunlicherweise wurde das Spezifische seiner Prosa schon von einem Lektor des Suhrkamp Verlages getroffen, der ›seinen interessanten Weg zur Prosa‹ beschreibt. Eben diesen Weg ist Andersch weitergegangen.«
Wolfram Schütte / Frankfurter Rundschau

»...einmal wirklich leben«

Ein Tagebuch in Briefen

Autobiographische Aufzeichnungen und Notizen aus Briefen Alfred Anderschs an seine Mutter aus den Jahren 1943 bis 1975. Man lernt eine andere, die private und persönliche Seite von Alfred Andersch kennen, das Bild des Autors, der kompromißlos seine literarischen und politischen Standpunkte vertritt, wird um einen ganz wichtigen Teil ergänzt.

»Es ist geradezu Ehrenpflicht, diesen Mann – seine Courage, seine Emphase, seine Tristesse – nicht zu vergessen.«
Fritz J. Raddatz / Die Zeit, Hamburg

Hans Werner Kettenbach

Sterbetage
Roman

Die behutsam erzählte Geschichte einer ›unmöglichen‹ Liebe zwischen einer jungen Frau und einem alternden Mann. Eine sehr junge Frau begegnet Kamp, der vom Leben schon lange nichts mehr erhofft. Kamp ist arbeitslos und kann nicht verstehen, daß Claudia immer wieder zu ihm kommt. Er argwöhnt, daß ein böser, ein krimineller Plan dahintersteckt, und als Claudia wieder einmal untertaucht, sieht er sich bestätigt.

»In *Sterbetage* geht es um einen 60jährigen Arbeitslosen, der zwar durch die Begegnung mit einer jungen Studentin aus seiner inneren Vereisung gerissen wird, aber es ist keine Romanze, es gibt kein spätes Glück, kein gutes Ende. Kettenbachs Helden sind anders.« *Jörg Fauser / Stern*

Minnie oder Ein Fall von Geringfügigkeit
Roman

Es sollte eine Urlaubsreise werden. Aber in dem Motel am Highway gerät Wolfgang Lauterbach in eine rätselhafte Geschichte, von der er nur eines begreift: Leute, die er nie zuvor gesehen hat, trachten ihm nach dem Leben, sie verfolgen ihn. Die Welt, in der Lauterbach als junger, erfolgreicher Manager Rang und Namen genießt, erweist sich als wertlose Fiktion. Hilflos klammert er sich an Minnie, die Anhalterin.

»Vom durchschnittlichen Whodunnit-Roman entfernt sich Kettenbachs *Minnie* ein kräftiges Stück in Richtung Patricia Highsmith. Näher sind der Meisterin des Psychothrillers und der sanften Schrecken noch nicht viele deutsche Autoren gekommen.«
Jochen Schmidt / FAZ-Magazin

Diogenes Verlag

Hans Werner Kettenbach

Sterbetage
Roman

Die behutsam erzählte Geschichte einer ›unmöglichen‹ Liebe zwischen einer jungen Frau und einem alternden Mann. Eine sehr junge Frau begegnet Kamp, der vom Leben schon lange nichts mehr erhofft. Kamp ist arbeitslos und kann nicht verstehen, daß Claudia immer wieder zu ihm kommt. Er argwöhnt, daß ein böser, ein krimineller Plan dahintersteckt, und als Claudia wieder einmal untertaucht, sieht er sich bestätigt.

»In *Sterbetage* geht es um einen 60jährigen Arbeitslosen, der zwar durch die Begegnung mit einer jungen Studentin aus seiner inneren Vereisung gerissen wird, aber es ist keine Romanze, es gibt kein spätes Glück, kein gutes Ende. Kettenbachs Helden sind anders.« *Jörg Fauser / Stern*

Minnie oder Ein Fall von Geringfügigkeit
Roman

Es sollte eine Urlaubsreise werden. Aber in dem Motel am Highway gerät Wolfgang Lauterbach in eine rätselhafte Geschichte, von der er nur eines begreift: Leute, die er nie zuvor gesehen hat, trachten ihm nach dem Leben, sie verfolgen ihn. Die Welt, in der Lauterbach als junger, erfolgreicher Manager Rang und Namen genießt, erweist sich als wertlose Fiktion. Hilflos klammert er sich an Minnie, die Anhalterin.

»Vom durchschnittlichen Whodunnit-Roman entfernt sich Kettenbachs *Minnie* ein kräftiges Stück in Richtung Patricia Highsmith. Näher sind der Meisterin des Psychothrillers und der sanften Schrecken noch nicht viele deutsche Autoren gekommen.«
Jochen Schmidt / FAZ-Magazin

Diogenes Verlag